岁月如歌
Splendid Era

一个甲子的回忆
Splendid Era: Recollections of the Past Sixty Years

河南省文物考古研究所
The Henan Provincial Institute of Cultural Relics and Archaeology

大象出版社

图书在版编目（CIP）数据

岁月如歌：一个甲子的回忆/河南省文物考古研究所编著．—郑州：大象出版社，2012.6
ISBN 978-7-5347-7287-0

Ⅰ．①岁⋯　Ⅱ．①河⋯　Ⅲ．①考古-中国-文集
Ⅳ．①K87-53

中国版本图书馆CIP数据核字（2012）第131954号

责任编辑	郭一凡
执行编辑	杨育彬
封面设计	阳　光
出　　版	大象出版社（郑州市开元路18号　邮政编码　450044）
网　　址	www.daxiang.cn
印　　刷	中国人民解放军测绘学院印刷厂
版　　次	2012年6月第一版　2012年6月第一次印刷
开　　本	889×1194mm　1/16
印　　张	31.125
字　　数	996千字
印　　数	1～1500
定　　价	200.00元

前　言

2012年是河南省文物考古研究所（包括其前身河南省文化局文物工作队）成立60周年，这是值得我们大家欢庆的日子。

60年来，河南省文物考古研究所从无到有，由小到大，发展成我国最重要的省级文物考古单位之一，为全国的文物考古事业作出了不可磨灭的突出贡献。

河南省文物考古研究所已成为培养文物考古干部的大学校。环顾河南省文物局、河南博物院、河南省古代建筑保护研究所、河南省文物交流中心、洛阳博物馆和文物工作队、河南其他省辖市的文博单位、河南省社会科学院考古研究所和历史研究所、中国科技大学、首都师范大学、河北大学、河南大学、郑州大学及中国科学院研究生院、中国国家博物馆、中国文化遗产研究院等诸多文博单位和高等院校相关院系的领导与业务骨干，很多都有在河南省文物考古研究所工作的经历。他们在不同的工作岗位上，继续开拓，与时俱进，创造新的业绩。

河南省文物考古研究所又是出科研成果的地方。有不少名满全国、蜚声海外的考古大发现，被评为中国20世纪100项考古大发现和年度的全国十大考古新发现。出版了许多考古大报告专集和文物考古研究专著，发表了大量的考古发掘报告、简报和学术研究论文。还创办了在国内外颇有影响的考古学专刊——《华夏考古》。这些都奠定了文物大省河南的历史和学术地位，河南考古也成了中国考古的一个缩影。

上述令人骄傲的成就，是由一代又一代文物考古人薪火相传创造出来的。其中既有奠定基础的离退休老同志，又有仍然在岗的中青年人。不避寒暑，栉风沐雨，他们的足迹走遍了河南的山山水水，他们的汗水洒满了中原大地。甘守清贫，忍耐寂寞，他们年复一年为河南的文物考古事业，贡献出自己的青春年华。

60年来，在河南省文物考古研究所工作过的同志，都有很多难以忘怀的记忆和可圈可点的经历。所领导班子决定请离退休的老同志和在岗的中青年同志，还有已经调到外单位的同志撰写回忆录，以定格每一个辉煌的瞬间，还原每一段珍贵的历史。这里面有着许多激情和喜悦，也有不少困苦和酸楚。尤其难能可贵的是一些老同志，在那"与人斗其乐无穷"的"反右"斗争中，在那"阶级斗争天天讲"的十年动乱里，遭到过不公正待遇，甚至被开除公职。但平反之后，仍然是胸怀大度，无怨无悔，默默奉献。有道是："宠辱不惊，闲看庭前花开花落；去留无意，漫随天外云卷云舒。"这本《岁月如歌——一个甲子的回忆》的出版，应该是河南省文物考古研究所60年所庆的一通历史纪念碑。

回首过去，曾经风风雨雨，仍然硕果累累，我们心存感激！

展望未来，但愿一路阳光，再铸新的辉煌，我们充满祝福！

河南省文物考古研究所
2012年元旦

目　　录

河南省文物研究所发展历程的回顾 ………………………………… 安金槐（1）
河南省文物研究所建所感言 …………………………………………… 裴明相（41）
艰苦岁月的回顾 ………………………………………………………… 许顺湛（44）
漫话文物工作 …………………………………………………………… 陈嘉祥（51）
祝贺河南省文物考古研究所六秩华诞 ………………………………… 刘东亚（57）
辛勤耕耘半世纪　累累硕果收桑榆
　　——回忆我的考古生涯 …………………………………………… 廖永民（67）
六十年回忆话沧桑 ……………………………………………………… 王润杰（71）
文物考古难忘事 ………………………………………………………… 李德保（85）
回忆抢救淅川猿人牙齿化石和发现南召猿人的经过 ………………… 王儒林（90）
新中国成立初期洛阳文物考古工作追记 ……………………………… 李健永（93）
重新拾起被遗忘的东西 ………………………………………………… 李侯卿（96）
亲切回忆　永恒怀念 …………………………………………………… 张超人（99）
词两首 …………………………………………………………………… 康　君（100）
看似一幅画　听像一首歌
　　——回忆在河南省文化局文物工作队难忘的日子 ……………… 黄士斌（102）
从事文物考古工作四十一个春秋 ……………………………………… 傅永魁（108）
河南考古战线上的一支生力军
　　——记刘胡兰小队 ………………………………………………… 赵青云（112）
诗一首 …………………………………………………………………… 杨宗琪（118）
回忆我在省文化局文物工作队的日子 ………………………………… 郭天锁（120）
我所亲历的河南文物考古 ……………………………………………… 郝本性（129）
河南省文物考古研究所是文物考古工作者成长的摇篮 ……………… 曹桂岑（136）
三年特别困难时期文物考古生活纪实 ………………………………… 杨焕成（144）
年华似水　岁月如歌
　　——我的文物考古生涯 …………………………………………… 郭建邦（151）
龙藏第一都
　　——新郑考古纪事 ………………………………………………… 马世之（157）
五十年我走过的路 ……………………………………………………… 汤文兴（163）
往事乐回首　抚今宜追昔 ……………………………………………… 郑杰祥（176）
河南省文化局文物工作队
　　——培育我成长的美好家园 ……………………………………… 张家泰（180）

河南省文化局文物工作队		
——我学习、锻炼和成长的地方	任常中	(198)
回首话当年		
——跨进河南省文物考古研究所大门之后	杨育彬	(202)
我从河南省文化局文物工作队一路走来	陈进良	(215)
文物考古是我们所爱		
——对刘胡兰小队深切的回忆	王绍英、李淑珍、陈焕玉、罗桃香	(233)
我的田野考古工作点滴回忆	杨肇清	(241)
不可忘却的岁月		
——庆祝河南省文物考古研究所成立60周年	李绍连	(259)
茫茫丹江水　悠悠同志情		
——淅川下王岗田野发掘实录	刘式今	(267)
坚守考古　难以忘怀的记忆	蔡全法	(276)
往事琐忆	张玉石	(299)
我在河南省文物考古研究所的二三事	秦文生	(305)
探索历程的追忆		
——舞阳贾湖遗址发掘与研究札记	张居中	(311)
难忘的记忆		
——从事考古工作四十年有感	赵会军	(332)
王城岗"禹都阳城"考古发现记	方燕明	(338)
三十一年刻骨铭心的回忆	李延斌	(360)
濮阳卫国故城发掘记	袁广阔	(379)
新蔡葛陵楚墓发掘历险记	宋国定	(390)
再铸辉煌		
——我在河南省文物考古研究所十三年的回忆	秦曙光	(403)
我与恐龙蛋二十年	李占扬	(413)
那段青涩而美好的时光	杨振威	(421)
痛并快乐着		
——在小浪底发掘的日子	樊温泉	(430)
荥阳关帝庙遗址考古发掘亲历记		
——写在所庆六十年之际	李素婷	(440)
汉代黄河岸边秀美的乡里田园		
——内黄三杨庄汉代聚落遗址考古工作纪实	刘海旺	(454)
风雨古都行	马俊才	(466)
亲历秘境：信阳长台关楚墓发掘记	陈彦堂	(486)
后记		(492)

河南省文物研究所发展历程的回顾

安金槐

编者按：这是安金槐先生 1992 年为建所 40 周年所写的一篇回忆录，很有史料价值。曾发表在《华夏考古》1992 年 3 期 "庆祝河南省文物研究所四十周年专辑"上。2001 年安先生驾鹤西去，但他对中国考古学特别是河南考古的贡献永远留在人们心中。这次本书收录该文，作为对安先生和对建所 60 周年的纪念。

河南省地处黄河中下游地区，位于中原地区的腹心地带，是中华民族最早进行开拓的重要地区之一。通过我们的祖先在这里长期的辛勤劳动和生产实践，创造出了历史悠久和光辉灿烂的古代文化，并在河南境内的地上和地下遗留下来大量具有重要历史价值和丰富多彩的古文化遗迹与遗物，成为研究我国古代历史和弘扬中华民族悠久文化的重要实物资料，因此，河南地区素有中华民族的发祥地或古代文化摇篮之一的称号。河南省地下古代文化遗存埋藏之丰富和历史价值之重要，早已被国内外文物考古界所关注。特别是本世纪初，随着现代考古学传入我国，河南地下的古代文化遗存，首先被列入考古发掘的重要对象之一。因此，从 30 年代起即开始在河南境内进行考古调查与发掘工作。

一、新中国成立前后的河南文物工作概况

（一）新中国成立前的"河南古迹研究会"

1921 年，中国地质学顾问瑞典人安特生和中国地质工作者在豫西一带进行地质调查时，首先发现并试掘了渑池县仰韶村一带的仰韶文化遗址，从而使河南渑池县仰韶村成为"仰韶文化"的命名地。30 年代初，原中央研究院历史语言研究所在河南进行考古发掘时，与当时的河南省政府在安阳殷墟的发掘问题上发生争执，后经双方多次协商，于 1932 年 2 月共同组成了"河南古迹研究会"，会址设在开封市龙亭，后又搬迁到开封市西大街。河南古迹研究会的委员由双方分任，委员长由当时的河南通志馆馆长张家谋担任，工作主任李济，秘书关伯益，实际工作则由中央研究院历史语言研究所驻会委员郭宝钧（河南人）负责，主要工作人员有董作宾、刘燿（尹达）、石璋如、赵青芳、韩维周（均为河南人）等。1937 年抗日战争爆发后，河南古迹研究会的工作宣告结束。

河南古迹研究会从 1932 年成立至 1937 年宣告结束，做了许多工作，除李济、董作宾、梁思永、郭宝钧、石璋如、夏鼐、刘燿、胡厚宣等人相继主持并参加安阳殷墟的第三次至第十五次发掘工作外，1932 年还发掘了浚县辛村卫国墓地（由郭宝钧主编发表了《浚县辛村》考古报告专集）、浚县大赉店遗址（由刘燿执笔发表了《河南浚县大赉店史前遗址》考古发

掘报告），1933 年至 1934 年发掘了浚县刘庄、巩县塌坡和马峪沟、荥阳广武青台等新石器时代遗址，1935 年至 1937 年发掘了汲县（今卫辉市）山彪镇和辉县琉璃阁战国墓地（由郭宝钧主编发表了《山彪镇与琉璃阁》考古报告专集），1936 年在商丘永城等地进行了古文化遗址的调查与试掘（由李景聃执笔发表了《豫东商丘永城调查及造律台黑孤堆曹桥三处小发掘》）等。这些遗址、墓葬的调查、发掘以及考古发掘报告的编写，揭开了河南地区考古发掘和古文化遗存研究的序幕。

（二）新中国成立初期的"河南省人民政府文物保管委员会"（以下简称"河南省文管会"）和"平原省人民政府文物管理委员会"（以下简称"平原省文管会"）

1949 年，新中国成立后，在中国共产党各级党委和各级人民政府的领导下，对文物保护管理和考古调查、发掘工作极其重视。政务院于 1950 年初相继颁发了有关文物保护管理和考古调查、发掘工作的政策法令。为了认真贯彻执行政务院颁布的文物政策法令，河南省与平原省相继成立了省级文物保护管理机构，并开展了文物保护管理工作。

1. 河南省文管会：1950 年 8 月成立，会址设在开封市三圣庙街原河南省博物馆后院北楼上的四间楼房内。主任委员由原河南省人民政府副省长、河南大学副校长、著名教授嵇文甫担任，副主任委员由孙文清（原河南省博物馆副馆长）和林伯襄（原河南省图书馆馆长）担任，委员有赵全嘏（兼秘书）、靳志（驻会委员）、张邃青（河南大学教授）、刘耀庭（河南大学教授）以及河南省人民政府文教厅、民政厅、公安厅、河南省供销合作社的厅长和主任等，干事有安金槐、郝天真。1950 年，河南省文管会主要做了以下几项工作。

（1）向各地、市、县印发了政务院颁布的有关文物政策法令，加强了各地对文物古迹的保护、管理，制止了河南省境内盗墓和破坏文物古迹事件的再发生。

（2）对于损坏比较严重的开封铁塔、龙亭，邓县兴国寺舍利塔和急需采取保护措施的登封中岳东汉三阙等名胜古迹进行了认真调查并提出了修葺和保护方案。

（3）派赵全嘏会同故宫博物院唐兰教授到四川重庆运回抗日战争时期存放在那里的河南省博物馆的文物。

（4）协助河南省公安厅检查出境外国人是否带有文物。

1951 年春，随着河南省文管会工作任务的不断增多，不仅增补了刘庄夫、胥振瀛、孟新元等三位老先生为驻会委员，而且还调进了韩维周、裴明相、蒋若是、丁伯泉、张建中、董祥等几位干事以及一部分行政工作人员。由于人员增多，河南省文管会搬到了开封市刷绒街原河南省图书馆的东北部小院办公。1951 年春至 1952 年 6 月，河南省文管会主要做了以下几项工作。

（1）对新县和确山县等地的革命纪念建筑物与遗址进行了调查，收集了部分革命文物，并成立了革命文物保管室。

（2）汇集河南各地区已知的古文化遗址、古墓葬、古代建筑、古代石刻和革命遗迹等有关资料，草拟了河南省重点文物保护单位名单。

（3）清理挖出了解放前原河南古迹研究会于 1937 年结束时埋入开封市西大街一个院内的在河南荥阳、巩县等地发掘出土的仰韶文化遗址的陶片。

（4）协助修建了登封县中岳东汉三阙保护房。

（5）对渑池县仰韶村的仰韶文化遗址和郑州新发现的商代文化遗址进行了调查，并配合基建清理了郑州市东大街开元寺塔基（该塔在抗日战争时期被日本侵略军炮击损毁）。

（6）派人协助以中国科学院考古研究所副所长夏鼐为团长的"河南考古调查团"对河南荥阳县青台、秦王寨和汉霸二王城等遗址的调查。

（7）配合河南治淮工程中的禹县白沙水库和泌阳板桥水库的兴建，对库区进行了文物调查，并与河南省治淮指挥部政治部联合发出了《关于配合治淮工程进行保护古迹古物的联合通知》。1951年春，河南省文管会成立了白沙水库和板桥水库两个文物工作组，分别由蒋若是、安金槐负责，韩维周为业务指导，分赴两个水库工地进行配合发掘与清理工作。这是新中国成立后河南省文物部门最早进行的考古发掘工作。

2. 平原省文管会：1950年初在新乡市成立，主任委员由省长晁哲甫担任，副主任委员有李巨川、赵林、裴毓明等，秘书赵枫，委员由平原省民政厅、公安厅、文教厅等单位的领导兼任。1952年底，平原省撤销，部分委员与崔墨林、杨宝顺等同志到河南省文物部门工作。平原省文管会从成立至撤销，曾做了以下几项工作。

（1）认真宣传贯彻政务院颁发的有关文物政策法令。

（2）在过去盗墓风比较严重的安阳、辉县等地，开展了"反盗宝运动"，不仅制止了盗墓风，而且还收集了一部分被盗的珍贵文物。

（3）为加强重点文物古迹的保护管理工作，相继成立了济源盘古寺、安阳殷墟、辉县百泉、安阳灵泉寺、获嘉武王庙等文物保管所。

（4）协助中国科学院考古研究所于1950年对安阳殷墟武官村大墓和1951年对辉县琉璃阁、褚丘东周墓地的考古发掘工作。

二、河南省文物研究所（包括前身河南省文化局文物工作队）各项工作的开展情况

河南省文管会和平原省文管会成立后的两年间，在文物保护管理和考古发掘方面做了大量工作，取得了显著成绩，尤其是在制止盗墓风和广泛宣传文物政策法令方面效果更为显著。之后，随着土地改革和经济恢复的初步完成，各地大规模的工农业基本建设工程已开始兴起，为了密切配合各地工农业基本建设工程，做好文物考古调查和发掘工作，成立一个专门负责全省文物保护、调查和发掘工作的机构已势在必行。1952年6月经上级批准，对河南省文管会的机构设施和人员做了如下调整。

（1）河南省文管会与河南省文化局合署办公。在河南省文化局内设立文物科，负责全省范围内的文物保护管理工作，科长由河南省文管会委员兼秘书赵全嘏担任，后增补崔墨林为副科长。

（2）河南省文管会的驻会副主任委员孙文清和委员靳志、胥振瀛、刘庄夫等四位老先生到河南省文史馆从事研究工作，孟新元委员到河南省图书馆从事古书研究工作。

（3）成立由河南省文化局直接领导的"河南省文化局文物工作队"（以下简称"河南省文物工作队"），负责全省范围内的革命文物与历史文物的调查、保护、修葺、发掘和整理研究工作。因此说，河南省文物工作队是在原河南省文管会的基础上建立起来的，而河南省文物工作队几经变更又改名为河南省文物研究所。在对河南省文物研究所40年发展历程

的回顾中，就必须包括其前身，即 1952 年 6 月成立的河南省文物工作队。

现就 1952 年 6 月至 1992 年 6 月，河南省文物研究所 40 年发展历程的回顾概述于后。

(一) 文物机构名称的变更和主要工作人员的调动

河南省文物工作队在 1952 年 6 月宣布成立时，队长由河南省文化局文物科科长赵全嘏兼任，副队长由许顺湛担任，主要工作人员有安金槐、裴明相、蒋若是、张建中、丁伯泉、董祥、韩维周、郝天真等 20 余人。河南省文物工作队下设田野工作组、革命文物组、图书组、行政办公室。

河南省文物工作队成立后，除对革命纪念建筑和古代建筑继续进行调查、保护、收集资材外，还继续配合白沙水库和板桥水库的考古发掘与资料整理工作，并将白沙水库与板桥水库的出土文物运到由郑州市人民政府调拨的惠工街 101 号内存放。1952 年秋，又协助中央第一届考古人员训练班在郑州二里岗和洛阳东郊进行田野考古实习。

1. 成立"郑州市文物工作组"和"洛阳市文物工作组"

1953 年春，随着郑州市和洛阳市基本建设工程的逐步开展，为了密切配合两市基本建设工程进行文物调查、保护与发掘工作，河南省文物工作队派安金槐、蒋若是分别到郑州和洛阳，并结合两市的文物干部，成立了由河南省文物工作队和两市文教局双重领导下的"郑州市文物工作组"和"洛阳市文物工作组"。与此同时，河南省文物工作队在不影响其他地方文物考古工作的前提下，又派出一部分工作人员支援郑州市和洛阳市两个工作组的考古发掘工作。文化部文物局为了提高郑州、洛阳两市文物工作组的考古发掘水平，并征得河南省文化局的同意，由当时的文化部文物局博物馆处处长、著名考古学家裴文中教授指导两市文物工作组的考古发掘工作。在 1953—1954 年期间，裴文中教授曾多次到郑州和洛阳两地指导考古发掘工作，还要求郑州和洛阳两市的文物工作组定期填表向他汇报考古发掘情况，并给汇报表提出了很多宝贵意见，对郑州和洛阳的考古发掘质量的提高起了重要作用。尤其是裴文中教授还把他多年收藏的考古学书籍分别赠送给郑州、洛阳两市的文物工作组供同志们学习（赠送的书籍现分别存于河南省文物研究所图书室和洛阳市文物工作队第一队图书室）。裴文中教授对河南文物考古工作的热情支持和关怀，是值得赞扬和钦佩的。现就郑州、洛阳两市文物工作组的机构和人员变动以及工作情况，分别简介于后。

(1) 郑州市文物工作组：1953 年 3 月成立，组长由安金槐担任，主要工作人员有王润杰、潘庆山、赵鞠卿、王怀堂、谭金昇（兼秘书）等。当时河南省文物工作队支援和协助郑州进行考古发掘的人员有裴明相、韩维周、张建中、韦文义等，1953 年和 1954 年秋，又先后调赵青云、赵世纲、刘笑春、陈嘉祥、游清汉、周到等 18 人到郑州市文物工作组工作。

郑州市文物工作组的主要任务是配合郑州市范围内的工农业基本建设工程进行文物考古调查、保护和发掘工作，另外根据河南省文化局的安排，还承担河南省其他地区的文物考古调查、保护与发掘工作。郑州市文物工作组的发掘对象主要是商代文化遗址和部分古代墓葬。当时的发掘经费是由文物部门承担，后来经过协商，凡是配合基本建设的考古发掘经费改由基建单位承担。其变改经过是，1953 年秋，文化部文物局王冶秋副局长和裴文中处长来郑州视察文物考古发掘工作时，发现基建单位甚多，考古发掘任务很大，如果发掘经费全由文物部门承担实在困难，认为在配合基本建设的考古发掘中，工人工资应由基建单位承担较为合理。于是王冶秋副局长和裴文中处长在安金槐的陪同下，会见了当时的郑州市人民政府王均智市长，经共同研究后决定，在郑州市范围内配合基本建设的考古发掘中，工人工资由基建单位承担。这为以后"国务院关于发布文物保护暂行条例的通知"中第九条"凡因建设工程关系而进行的勘探、发掘、拆除、迁移等工作应当纳入工程计划所需经费和劳动力，由基建部门分别列入到预算和劳动计划"提供了依据。

（2）洛阳市文物工作组：1953年3月成立，组长由蒋若是担任，主要工作人员有黄士斌、梁仁智等人。1954年先后调入洛阳市文物工作组的人员有丁伯泉、米士诚、杨宝顺、李京华、翟继才、王与刚、康君、李茂云等共19人。

洛阳市文物工作组的任务主要是配合洛阳市范围内基本建设工程进行文物考古调查、保护和发掘工作。其发掘对象主要是古代墓葬和部分古代文化遗址。

2."郑州市文物工作组"改名为"河南省文化局文物工作队第一队"（以下简称"河南省文物一队"）和"洛阳市文物工作组"改名为"河南省文化局文物工作队第二队"（以下简称"河南省文物二队"）

（1）河南省文物一队：1954年7月由郑州市文物工作组改为此名。1954年春，文化部文物局王冶秋副局长和裴文中处长来郑州视察文物考古工作时，看到郑州市文物工作组配合市政建设的考古发掘任务相当繁重，认为对所有基建单位都采取全部发掘的方法，不但不能配合好基本建设工程，而且也不能保证考古发掘质量。为此，王冶秋副局长经过与考古发掘工作人员的座谈，提出了对郑州商代遗址可采取重点保护一部分和重点发掘一部分的方案，即对具有重要历史价值的部分商代遗址，可报请郑州市人民政府批准，划出保护区进行保护，暂不发掘；而对于基建范围内的遗址与墓葬，经钻探后，进行重点发掘。这样既可以保证发掘质量，也可为郑州市保留一些文物古迹。后经王冶秋副局长、裴文中处长与郑州市人民政府领导共同研究协商，决定按此方案进行工作，从而使郑州商代遗址的重点部分得以保存下来。与此同时，王冶秋副局长还认为，郑州商代遗址的考古发掘工作如此繁重，仅靠郑州市文物工作组的人力是不够的，提出了抽调发掘任务较少的省、市文物考古工作人员来郑州参加考古发掘工作的问题，这样不但可以支援郑州市的考古发掘工作，而且也可以为其他省、市培训考古发掘人员。于是，1954年7月，在文化部文物局王冶秋副局长主持下，在郑州召开了"支援郑州考古发掘工作的郑州会议"，参加会议的有中国科学院考古研究所副所长夏鼐、文化部文物局博物馆处处长裴文中、文物处副处长张珩、南京博物院院长曾昭燏、考古部主任尹焕章、河南省文化局局长陈建平、郑州市文化局副局长许寄秋和郑州市文物工作组组长安金槐等。会议决定：抽调当时的华东文物工作队部分人员到郑州市支援考古发掘工作；改郑州市文物工作组为河南省文化局文物工作队第一队，队长由郑州市文化局副局长许寄秋兼任，副队长为安金槐和尹焕章（兼南京博物院考古部主任），秘书谭金昇、蒯世权（兼南京博物院秘书）；考古发掘经费除发掘的工人工资由基建单位承担外，其他方面的经费由文化部文物局和河南省文化局解决；考古发掘资料及发掘报告的整理由河南省文物一队统一负责。华东文物工作队在南京博物院尹焕章和赵青芳带领下，于1954年8月来到郑州参加考古发掘工作，其中南京博物院文物干部11人、福建省3人、浙江省2人、安徽省2人、山东省2人、江苏省1人，共21人。1955年底全部回到原工作单位。他们在郑州工作期间，与河南省的文物干部一起做了大量的考古发掘和整理研究工作。其中以发掘郑州商代遗址的数量较多，另外还发掘了一部分春秋、战国和汉代的墓葬，并通过整理还编写发表了几篇考古发掘简报，为郑州的考古发掘工作做出了重大贡献。在此向他们致以谢意。

1955年秋，随着河南省人民政府由开封迁来郑州，河南省文物工作队也随之迁来郑州与河南省文物一队合并，并将河南省文物一队改由河南省文化局直接领导。队长许顺湛、副队长安金槐、秘书王润杰，工作人员除原河南省文物一队的人员外，还有河南省文化局文物工作队支援郑州的工作人员及从开封迁来的工作人员，共计40余人。此时，河南省文物一队的任务除继续以配合郑州市基建工程进行考古发掘工作为重点外，还担负起全省范围内的文物考古调查、保护、修葺、发掘和整理研究任务。

（2）河南省文物工作二队：1955年1月由洛阳市文物工作组改为此名，由河南省文化局直接领导，队长路传道，副秘书丁伯泉，田野发掘组长蒋若是，副组长杨宝顺、李京华，主要工作人员除原洛阳市文物工作组和原河南省文物工作队在洛阳支援协助的人员外，又调入一部分河南省第二届文物训练班培训的人员。

河南省文物二队的任务仍以配合洛阳市基建工程进行考古发掘为主，并承担豫西一带部分县的考古调查与发掘工作。1954年，赵全嘏、崔墨林、许顺湛率领从全省各地抽调的文物干部多人，支援河南省文物二队的工作，不但进行了大面积钻探，大致摸清了洛阳市地下文物的情况，而且还进行了大规模的发掘工作。

3. 河南省文物一队与河南省文物二队合并为"河南省文化局文物工作队"（以下简称"河南省文物工作队"）

1958年春，随着"大跃进"形势的发展，全国各地的工农业基本建设工程普遍兴起。为了更好地配合全省范围内工农业基本建设工程进行文物调查、保护、修葺和考古发掘等工作，根据河南省文化局的指示，于1958年2月将河南省文物一队和河南省文物二队合并为河南省文物工作队，队址设在郑州市原河南省文物一队旧址。河南省文物二队的图书、资料、文物都留给洛阳博物馆，工作人员除蒋若是、米士诚等同志留归新成立的洛阳市博物馆外，大部分工作人员都到河南省文物工作队工作，并在洛阳原河南省文物二队旧址设立了河南省文物工作队洛阳工作组继续担负起配合洛阳市基建工程进行考古发掘工作。1961年洛阳工作组撤销，配合洛阳市基建工程的考古发掘工作由洛阳市博物馆及后来的洛阳市文物工作队承担。

合并后的河南省文物工作队，队长由许顺湛（兼书记）担任，副队长安金槐、路传道，秘书丁伯泉、王润杰，下设调查保护组（组长周到）、古代建筑组（组长杨宝顺）、田野第一组（组长裴明相）、田野第二组（组长李京华）、保管组（组长张建中）、编辑组（组长由安金槐兼任）、办公室（主任由丁伯泉兼任）。

1964年，河南省文物工作队的领导班子进行了调整，书记李庆生，队长丁伯泉，副队长安金槐、吉思敬，秘书赵青云。

4. 河南省文物工作队一度并入河南省博物馆

1970年1月，河南省文物工作队与河南省博物馆合署办公，河南省文物工作队的文物仓库仍留在郑州市陇海北三街的旧址未动。合署办公后河南省文物工作队的任务仍然是承担河南全省地下与地上的文物保护、修葺考古发掘和整理研究工作。1981年1月，河南省文物工作队与河南省博物馆分开。合署办公的十年间，河南省文物工作队的负责人先后有李庆生、王润杰、安金槐、赵青云等。

5. 河南省文物研究所成立

1981年2月，河南省文物工作队与河南省博物馆分开后，经报请上级批准，将河南省文物工作队改名为"河南省文物研究所"，所址又迁回到郑州市陇海北三街原河南省文物工作队旧址。分开后，由于原河南省文物工作队承担的古代建筑与石窟、石刻的保护、修葺、整理研究等工作，由拟成立的"河南省古代建筑保护研究所"承担，革命文物工作由河南省博物馆承担，所以河南省文物研究所的任务主要是负责河南省地下历代古文化遗址与古墓葬的调查、保护、发掘及整理研究工作。

1981年2月，河南省文物研究所成立时，所长由安金槐担任，副所长王润杰（兼党支部书记）、赵青云，下设第一研究室（主任裴明相）、第二研究室（主任李京华）、编辑室（主任贾峨）、技术室（包括照相、修复与化验等，主任张建中）、保管室（包括图书、资料、文物仓库等，主任武志远）、办公室（主任由赵青云兼任，副主任郭建邦、王桂枝，1984年增补主任许天申）。另外，在郑州市东里路设有负责郑州商城发掘工作的郑州工作站，新郑东关设有负责"郑韩故城"发掘工作的新郑工作站，淮阳平粮台设有负责淮阳平粮台龙山文化城址发掘工作的淮阳工作站，登封告成设有负责王城岗龙山文化城址与东周阳城发掘工作的登封工作站。主要工作人员有郝本性、曹桂岑、赵世纲等75人。

1983年12月，根据上级指示，河南省文物研究所的领导班子进行了调整，安金槐任名誉所长，王润杰任党支部书记，郝本性任所长，副所长赵青云（1984年11月任调研员），1984年11月武志远任副所长，下设机构及主任，除个别调整外，基本保持原样。

1986年4月，副所长武志远调到文物报社任负责人，杨肇清和许天申任副所长。成立《华夏考古》编辑部，主任贾峨，副主任赵世纲。1987年5月又调杨育彬任副所长。

1989年11月，根据上级指示精神，河南省文物研究所的领导班子又进行了较大调整，安金槐任名誉所长，杨肇清任党支部书记，所长郝本性，副所长杨育彬、许天申、张文军，下设办公室（主任由许天申兼任，副主任郭向亭、李占扬，后又增赵清、刘海旺）、第一研究室（主任曹桂岑，副主任张居中）、第二研究室（副主任张玉石、姜涛）、第三研究室（副主任孙新民、张志清）、《华夏考古》编辑部（副主任方燕明）、保管室（主任陈焕玉，副主任戴伦英）、技术室（副主任先后有臧广兰、郭民卿、杨磊、马新民）、保卫科（科长郭向亭）、老干部科（副科长马晓建）及兼办的郑州文物干部专科学校（校长由安金槐兼任，书记由王润杰兼任，主任翟继才）。

（二）河南省文物研究所（包括其前身河南省文物工作队）的基础设施发展情况

1952年6月，河南省文物工作队成立时队址设在开封市刷绒街原河南省图书馆内东北角的一个小院内。当时的办公用具都很简单，但重要的是在开封旧书摊上选购和接收了数千册有关文物考古方面的古籍图书，其中还有一些珍藏本，成为河南省文物工作队的宝贵财产之一。现就以后成立的郑州文物工作组、洛阳文物工作组和改置的河南省文物一队、河南省文物二队，以及一、二队合并后河南省文物工作队和河南省文物研究所的基础设施发展情况，分段介绍于下。

1. 郑州市文物工作组与河南省文物一队的基础设施发展情况

郑州市文物工作组刚成立时，除在郑州惠工街101号的一个小院内有11间平房存放禹县白沙水库和泌阳板桥水库出土的文物外，还在郑州砖牌坊街借用郑州市第三中学的3间平房，作为工作人员办公、住宿和放置文物用，工作条件很差。

1953年4月，随着发掘文物数量的日渐增多，3间房已不够使用。经与原郑州市文教局协商，将郑州市文物工作组搬到郑州火车站附近的文化里原郑州市扫盲委员会院内办公。共有房屋6间，其中3间供工作人员办公和住宿，另3间作为文物仓库。从文化里到二里岗发掘工地，往返需要步行5公里，大家每天都是早出晚归，中午送饭到工地，当时的二里岗是一片荒野沙丘，工作、生活条件很艰苦，但同志们都被新发现的商代遗址和战国墓群的发掘工作所吸引，都是满腔热情，干劲儿十足，充分表现出革命的乐观主义精神。

1953年5月，为了改善郑州市文物工作组的办公和存放文物的条件，同时也为了缩短办公地与发掘工地之间的距离，经郑州市有关部门批准，将郑州市文物工作组的办公地迁到前阜民里31号的一个小院内，院内共有平房9间，后又租借相邻院内的平房3间。其中6间供工作人员办公和住宿，另6间作为文物仓库。后来，由于出土文物数量的增多，又在院里搭起了一个大席棚，作为临时存放文物的场所。

1953年秋，文化部文物局王冶秋副局长和博物馆处处长裴文中来郑州视察文物考古发掘工作时，看到郑州市文物工作组的同志们的办公与住宿十分拥挤，同时认为把发掘出来的文物存放在席棚下很不安全，于是决定回京后即研究解决郑州市文物工作组的文物仓库和办公、住宿问题。1954年春，文化部文物局拨给郑州市文物工作组4万元，按通知的要求，这些钱用于购买土地和兴建砖木结构文物仓库二幢18间及办公、住宿用房一幢9间，随通知寄来的还有在北京已设计好的文物仓库和办公、住宿用房的图纸，这充分体现出各级领导对郑州考古发掘工作的极大关怀与支持，同时也给郑州市文物工作组的同志们很大的鼓舞。按照以修建文物仓库为主的通知精神，经与郑州市城市建设规划局协商，确定在现今的陇海北三街（原为郑州市第二工人新村）购买土地12.27亩，由郑州市建筑公司承建。1954年6月，这些建筑全部竣工，7月将发掘出土的文物和部分工作人员迁入新址。后经核算尚节余4000元，于是在南仓库与办公室之间又增建了6间食堂。迁入新址后，随着《郑州二里岗》考古发掘报告和其他发掘简报的整理工作相继展开，又增添了一些简易的绘图设备和照相设备，从而使郑州市文物工作组的考古发掘和整理研究工作得以顺利进行。

1954年8月，由于华东文物工作队支援郑州考古发掘工作人员的到来，办公、住宿用房和文物仓库又有一些紧张。就在这年的11月底，王冶秋副局长和文化部文物局文物处张珩副处长在陕西省视察文物工作后回北京途中，因关心华东文物工作队和河南省文物一队的文物发掘情况，又来到郑州视察工作，并亲自到各发掘点进行现场查看，除对两队的发掘工作表示满意外，还提出两点意见：一是在发掘工作中要抓重点；二是对发掘情况要及时整理报告。同时也查看了文物库房和工作人员的办公、住宿情况。当时，我们根据文物库房紧张，办公、住宿拥挤，尤其是一部分工作人员还住在前阜民里等情况，请求再拨款增建一幢文物仓库和办公、住宿用房。王冶秋副局长和张珩副处长当即研究决定，把已拨给陕西省修建文物仓库的 4 万元（因已届年终，陕西省不欲动工）转汇到郑州来。我们为了解决亟待用房问题，表示接款后将立即动工。于是张珩副处长向陕西省文化局发去电报，4 万元很快汇来郑州。为了抢时间开工，王局长和张处长还亲自审查确定采用二里岗一个单位的军用仓库和花园路河南新华分社寝办合一小楼的图纸进行兴建。河南省文物一队抽出十余名职工专搞基建，并做好一切准备工作，于 1954 年 12 月中旬开始动工，1955 年春竣工。共建东仓库一幢 9 间，422 平方米；一幢小楼两层 22 间，389 平方米，即北小楼。后又把节余的材料在北仓库与小楼之间建平房 7 间，120 平方米。从而大大改善了河南省文物一队的工作条件，为以后河南省文物工作队和河南省文物研究所的进一步发展奠定了基础。

1955 年，随着在开封的河南省文物工作队迁来郑州与河南省文物一队合并，人员增多，图书资料也全部运来郑州，办公与住宿用房又趋紧张。1957 年，河南省文化局拨款 2 万元，在河南省文物一队院内又建了一幢两层小楼，466 平方米，楼下办公，楼上为图书资料室。同时又在 1953 年所建的 9 间平房上面加建了 9 间房，共 420 平方米，即南小楼。

2. 洛阳市文物工作组与河南省文物二队的基础设施发展情况

洛阳市文物工作组于 1953 年成立时，是借用洛阳市丁家街 3 号小院内的 9 间平房进行办公，后又租赁相邻院内的 4 间平房。1954 年春，文化部文物局拨款 4 万元，并随款下达了与郑州市文物工作组相同的文物仓库和办公、住宿用房的图纸。洛阳市文物工作组接到通知后，经与洛阳市城建局协商，在洛阳西关周公庙附近，东邻中国科学院考古研究所洛阳工作站购买了 30 亩土地，修建了平房两幢，共 18 间，办公、住宿用房两幢，共 10 间。1955 年在办公、住宿用房的后面修建了与此相仿的办公、住宿用房 5 间，并在西侧建平房 7 间。1957 年又在前院修建了平房 7 间。后来相继购置了图书、照相与绘图等设备，使洛阳烧沟汉墓与其他墓葬的整理研究工作得以顺利进行。

1958 年，河南省文物一队与二队合并后，部分人员和办公用具运来郑州，房屋、图书资料及文物等到 1961 年时全部转给新成立的洛阳市博物馆。

3. 河南省文物一队与二队合并后的河南省文物工作队的基础设施发展情况

1958 年秋，由于 1957 年和 1958 年相继在信阳长台关发掘了两座大型楚墓，出土的大量木漆器需要用防腐药水浸泡和恒温保存，在当时的条件下认为把木漆器放在地下室较为适宜，于是就发动全队职工义务劳动，在河南省文物工作队院内的东仓库与中楼之间偏北处，挖了一个深约 4 米、长约 12.85 米、宽 6.85 米的土坑，并修建了一座下为地下室上为 5 间房屋的建筑，共 229 平方米。地下室专门存放信阳楚墓出土的木漆器。

1959 年，河南省文物工作队在其东北部购买了 1.3 亩土地，分别于 1959 年和 1964 年建起南北两排平房，共 18 间，作为职工住房，从而缓解了职工住房困难的问题。

随着河南省文物工作队房屋的逐渐增多，不仅解决了文物仓库问题，而且也解决了寝办合一用房的问题，特别是初步解决了过去极为拥挤的图书室、资料室、文物整理修复室、照相室、绘图室、木漆器脱水化验室、行政办公室、田野第一组、田野第二组、古建组、编辑组、保管组、调查保护组等的办公室问题，为各项工作的顺利开展，提供了良好的条件。

另外，为了重点考古发掘工作的需要，1964 年成立了新郑"郑韩故城"工作站，1975 年成立了登封工作站，1979 年成立了淮阳平粮台工作站，在各工作站购置了土地，并且每个工作站都建有房屋20余间，作为办公和临时仓库用。

4. 河南省文物研究所成立后的基础设施发展情况

1981年2月，河南省文物研究所成立后，迁回原河南省文物工作队旧址。随着河南省文物考古事业的发展，河南省文物研究所的基础设施也有了很大发展和改善。

1980年，河南省文化厅拨款20万元，在河南省文物研究所南仓库的南面，修建一幢五层家属楼，三个单元，共2489平方米，解决了30余户职工及其家属的住房问题。

1981年，河南省文化厅为解决河南省文物研究所高级知识分子的住房问题，在已建成的家属楼西端，又建了两个单元的家属楼（仅一层）。

1982年，国家文物局委托河南省文物研究所在郑州举办文物考古干部培训班，并拨款20万元，在1981年建造的一层两个单元的家属楼上面接建四层楼房作为培训班学生宿舍，还用河南省委宣传部拨给的7万元，将河南省文物研究所北仓库西侧的7间平房拆除，建起了作为培训班的教室、办公室和河南省文物研究所办公室与临时仓库的大楼，共五层，即现在的办公楼西半幢。1983年，经报请国家文物局拨款，将河南省文物研究所后院的两排平房拆除，改建成食堂、供暖用的锅炉房和浴室等设施。

1983年，借河南省外事办公室和河南旅游局为开展旅游而改建河南省文物研究所展览室的拨款，连同河南省文物研究所自筹的一部分款，将北仓库的9间平房拆除，建成了办公楼的东半幢（1300平方米），使办公楼全部完成，从而进一步改善了河南省文物研究所和培训班的办公、教学、图书资料、照相、临时仓库等方面的工作条件。

1985年，为了解决文物整理室和汽车库房，以及部分职工的住房问题，除拆除院内南部西端的6间平房，改建成下为汽车库、上为整理室的楼房（上、下各5间）外，还将惠工街101号早已破烂不堪的6间平房拆除，改建成一幢三层家属楼，共400平方米。

1990年，随着河南省文物研究所发掘出土文物的日渐增多，文物库房又不够使用，经报请国家文物局和河南省文物局批准拨款连同河南省文物研究所自筹的一部分资金，拆除东仓库，建起了一幢较为现代化的文物仓库大楼，连同地下室共六层，约3000平方米，大大缓解了河南省文物研究所文物仓库的紧张问题。目前，在河南省文物研究所院内，各种房屋建筑共有10108平方米。另外在郑州、新郑、淮阳平粮台和登封告成四个工作站，也分别建有办公室、文物仓库和文物展室等。

到1992年6月止，河南省文物研究所共有图书杂志71000卷（册）（其中图书47000册、杂志24000册）、各种调查与发掘资料24472份（包括调查与发掘资料14609份、拓片6200份、碑碣资料3663份）、照片底版63500张、各种图纸1290份、各种临摹壁画200余幅、已入库文物10余万件，另外照相、录像、制图、修复器物、复印、打印、照排等设备都基本齐全，为河南省文物研究所的整理研究提供了良好的工作条件。

（三）业务人员的培训与进修工作

新中国成立初期，随着文物考古事业的迅速发展，河南省与平原省相继成立了文物管理机构。但是当时的工作人员来自四面八方，其中除个别人员在解放前曾从事过短期文物考古工作外，其他均为新手。因此，提高职工的业务水平乃当务之急。为此，我们除要求职工在工作中边干边学外，自己还举办了文物干部培训班，并选送一些文物干部到专业部门培训深造，大大提高了工作人员的业务水平，取得了显著效果。

1. 对所内业务干部的培训与锻炼情况

（1）参加中央文物训练班

1952年至1955年，先后选派18人参加由文化部文物局、中国科学院考古研究所和北京大学联合举办的考古人员训练班（共四期，参加培训的人员绝大多数都是参加过田野考古发掘或河南省第一期文物干部训练班的同志，并且有平原省文管会文物干部2人）。1964年又选派3人参加了文化部文物局在北京和山东曲阜举办的古代建筑训练班。通过学习，提高了他们在文物调查、保护、考古发掘和古代建筑等方面的知识、技术，并且在以后的工作中都发挥了重要作用。

（2）对新参加工作的大学毕业生的锻炼

从1961年起，原河南省文物工作队和河南省文物研究所，几乎每年都分配有大学生或研究生，有的毕业于历史系、考古系或历史系考古专业，有的毕业于物理系、化学系。为了提高这些同志的工作能力和业务水平，一般都派他们到田野工作第一线从事考古调查、保护、发掘和古建筑修葺等工作，使他们在工作实践中提高各方面的业务知识、技术和研究水平。

（3）选派文物干部到大学进行培训

从1977年至1992年，为了提高部分同志的业务水平，曾先后有7位同志分别被选送或考取到北京大学、吉林大学、武汉大学、复旦大学进行学习深造。

由于所（队）领导认真地贯彻了上级确定的"出人才、出成果"的指示精神以及业务人员在田野第一线的刻苦钻研与工作实践，出现了许多德才兼备的业务骨干，其中有不少已成为河南文物考古界的专家学者，有的担任了河南文博界的领导职务。现仍在河南省文物研究所工作（包括已退休反聘的）具有高级职称的10人，其中研究员有安金槐（名誉所长）、裴明相、贾峨，副研究员有郝本性（所长）、杨育彬（副所长）、杨肇清（书记）、李京华、赵青云（调研员）、赵世纲、曹桂岑（第一研究室主任）。原在河南省文物工作队和河南省文物研究所长期从事田野工作，现已调出并在河南省文博单位任领导职务或已评为高级职称的有杨焕成（河南省文物局局长、古建专家）、孙传贤（河南省文物局副局长、副研究员）、张文军（河南省文物局副局长，原为河南省文物研究所副所长）、许顺湛（河南省博物馆名誉馆长、研究员）、汤文兴（《中原文物》副主编、副研究员）、吕品（河南省博物馆，副研究员）、张家泰（河南省古建研究所所长、副研究员）、杨宝顺（河南省古建研究所，副研究员）、张建中（河南省古建研究所、副研究员）、郭天锁（河南省古建研究所，副研究员）、陈进良（河南省古建研究所，副研究员）、郭建邦（河南省古建研究所，副研究员）、周到（河南省石刻艺术馆，副研究员）、刘建洲（河南省石刻艺术馆副馆长、副研究员）等。调入其他单位已评为高级职称的有郑杰祥（河南省社会科学院考古研究所所长、副研究员）、马世之（河南省社会科学院考古研究所，副研究员）、李绍连（河南省社会科学院历史研究所所长、副研究员）、李友谋（郑州大学历史研究所副所长、教授）、陈旭（郑州大学历史研究所，副教授）、刘式今（河北大学历史系，副教授）、刘笑春（安阳市博物馆原副馆长、副研究员）、蒋若是（洛阳博物馆名誉馆长、研究员）、贺官保（洛阳市文物商店经理、副研究员)、傅永魁(巩县文管会,副研究员)、欧正文(河南大学历史系,教授)。此外还有已故的武志远(《中国文物报》原负责人、副研究员)。

2. 对各地、市、县文物人员的培训

从1953年春至1979年秋,在原河南省文化局的直接领导下,曾委托河南省文物工作队负责举办了四期文物干部训练班,共培训学员200多人。

(1)第一期河南省文物干部训练班,1953年1月至3月,在开封市刷绒街原河南省文管会院内举办。由于当时河南省文物保护工作的全面展开,而各地、市均无文物考古专业人员,给全省文物工作的开展带来了一定困难。为此,经报请领导部门批准,由各地、市文化部门选派二至三人,共20余人参加了"河南省第一期文物干部训练班"。结业后均回原单位从事文物保护管理的专职工作,这对新中国成立初期河南省文物保护管理工作的顺利开展起到了很大作用。以后,随着河南各地配合基本建设的考古发掘任务日渐增多,参加第一期文物干部训练班的部分同志,又先后调到郑州市文物工作组、洛阳市文物工作组和以后的河南省文物一队、二队工作。其中有不少同志经过考古发掘锻炼和刻苦钻研业务,已成为河南文物考古队伍中的骨干力量。

(2)第二期河南省文物干部训练班,1954年3月至5月,在今河南省文物研究所院内举办。当时郑州和洛阳两市配合基建的考古发掘工作日渐繁重,需要增加文物工作人员。于是,经报请上级批准,由省直部分单位抽调干部20余名分别到郑州、洛阳两个文物工作组工作。为了使新调进来的同志了解文物知识和考古发掘技术,在河南省文化局领导下,举办了第二期文物干部训练班。参加训练班的人员还有部分地、市的文物干部,共有30余人。学习结业后,这些学员多被分配到郑州和洛阳两个文物工作组工作,大大充实了两市的考古发掘力量。

(3)第三期河南省文物干部训练班,1957年6月至8月在郑州河南省戏校西院(原河南省文化干校)举办。由于当时全省开展了兴修水利、平整土地和修筑道路的高潮,在各地的工程中不断发现古文化遗址和墓葬,但各县又很缺乏具有一般文物知识和进行抢救性发掘的文物干部,于是经上级批准,由各县(市)抽调一名文化馆干部,共130余人,在河南省文化局领导下,由河南省文物一队负责培训,并调河南省文物二队部分同志协助。学员结业后均回原单位从事文物保护、调查和一些抢救性清理发掘工作。其中绝大部分同志现已成为各县(市)文物部门的骨干力量,为河南省的文物考古事业作出了很大贡献。

(4)第四期河南省文物干部训练班,1979年8月至11月在河南省电影学校举办。首先是理论学习,后到淮阳平粮台遗址进行田野考古实习。十年动乱结束后,部分地、市、县的文物干部有些变动,在新调进文物部门的人员中,有些缺乏文物知识和田野发掘技术。为了适应工作需要,在河南省文物局领导下,由原河南省博物馆文物工作队负责举办了这期文物干部训练班。学员结业后均回原工作单位工作。

3. 举办"河南省中学历史教师文物训练班"

1958年夏,原河南省教育厅为了充实和提高部分地、市中学历史教师的乡土历史教学水平,经与原河南省文化局协商,于1958年学校暑假期间,由河南省文物工作队负责在郑州市碧沙岗公园内的郑州市博物馆筹备处举办了"河南省中学历史教师文物训练班",参加学习的历史教师 50 余人，主要学习有关文物考古知识和河南省范围内已发现的文物古迹情况等内容。

4. 协助部分地、市、县举办地方文物工作人员训练班

1958 年至 1965 年间，随着全省文物普查工作的全面开展，一些文物古迹比较多的地、市、县，文物普查工作人员不足，需要举办地方性的短期文物人员训练班，并要求河南省文物工作队派人协助。为此，河南省文物工作队曾先后派出 30 人次，到各地、市、县协助举办了文物工作人员训练班 30 多期，培训文物工作人员达 500 余人，为各地、市、县文物普查工作的顺利开展作出了一定的贡献。

5. 国家文物局和河南省文物局委托河南省文物研究所承办文物干部培训班与专科学校的情况

1982 年初，国家文物局为了提高全国各省、市、自治区及所辖各地、市、县的 70 年代以来新调进文物与博物馆部门的高、初中毕业职工的业务知识、技术水平，曾在部分省、区开设了不同类型的文物干部训练班。河南省文物研究所承办的郑州文物干部训练班，就是国家文物局与河南省文物局协商后委托河南省文物研究所举办的。后来，随着形势的发展，训练班的名称和培训对象也有一些变更。

（1）文物干部训练班名称的变更

1982 年春，经文化部文物事业管理局（后改为国家文物局）与河南省文化厅文物局（后改为河南省文物局）协商，决定委托河南省文物研究所承办"文化部文物局郑州文物干部训练班"。原定地点在临汝风穴寺，后改在河南省文物研究所院内。据此，文化部文物事业管理局下达了（82）文物计字 94 号文件"关于划转（训练班）基本建设资金的通知"，建校 1400 平方米，投资 20 万元……1984 年，国家文物局又拨给一部分改建食堂和锅炉房的款项（修建和改建项目，可参见前文所述的河南省文物研究所基础设施部分）。

1984 年春，接文化部文物事业管理局（84）文物字第 081 号文件"关于改定各培训中心名称的通知"，将"文化部文物局郑州文物干部训练班"改名为"文化部文物局郑州培训中心"。

1984 年秋，在国家文物局的提议下，经河南省人民政府以豫政函（1984）147 号文批准，又将"文化部文物局郑州培训中心"改名为"郑州考古干部专科学校"，仅举办一届两年制大专班即告停止。

1989 年秋，经河南省教委以豫教工农字（1989）71 号文批准，将"郑州考古干部专科学校"改名为"郑州文博职工中等专业学校"，并于 1991 年秋季开始招生，学制两年半。

（2）培训人员情况

自 1983 年开始举办"文化部文物局郑州文物干部训练班"以来，共举办全国招生的训练班和大专班、中专班 8 次，培训人员 305 人；在河南省范围内招生的训练班 7 次，培训人员 460 人。

A. 全国招生的训练班、大专班、中专班

a. 文物干部训练班，1983 年至 1984 年，共举办三期，每期学习时间为 4—6 个月，每期参加学习的学员为 50 人左右。学员来自山西、山东、陕西、河南、安徽、江苏、河北、

宁夏、青海、内蒙古、甘肃、湖北、湖南、浙江、四川、江西、广东、广西、福建、贵州、云南、吉林、黑龙江、辽宁、新疆、北京、上海、天津等28个省、市、自治区。学习内容主要是有关文物政策法令和文物考古、博物馆等方面的业务知识，并进行一个月左右的田野考古发掘实习。教师除由河南省文物研究所和河南省博物馆的一部分具有高级职称的学者担任外，还邀请了郑州大学考古专业的教师和一部分省外具有高级职称的学者或业务骨干担任。

b. 大专班（两年制），1984年经河南省人民政府批准改为"郑州考古干部专科学校"后，于1985年面向全国招生，共招学生27名，另有1名旁听生。学生来自辽宁、河北、山东、河南、宁夏、江苏、四川、浙江、安徽等9个省、自治区。教学内容按照大学考古专业两年制的课程安排。课堂学习一年半，分基础课和专业知识课。教师除由河南省文物研究所部分具有高级职称的业务骨干和郑州大学考古专业的教师担任外，还邀请了湖北、湖南、江西、广东、甘肃和北京大学具有高级职称的专家学者来郑州授课。在专业知识课的讲授中，均采取讲课与参观河南省文物研究所标本室相结合的方法进行，学员们反映效果很好。田野考古发掘实习与整理为半年时间，是与河南省文物研究所正在发掘的工地结合进行的。每个学员通过发掘实习都写出了考古发掘报告草稿，毕业时写出自选题材的毕业论文。其中有些学员的毕业论文已在刊物上发表。学员们都很好地完成了学习任务，并都领到了由河南省教委颁发的大专毕业证书。据学员所在单位反映，这届大专毕业生回到原工作单位后，都成了当地文物考古战线上的骨干力量，有的还担任了文物部门的领导工作。

c. 古代钱币训练班，是根据各省、市、自治区文物、博物馆部门的要求和经国家文物局的批准而举办的。1985年和1989年，分别举办了两期。第一期学员52人，第二期学员64人，每期学习三个半月。学员来自18个省、市、自治区。学习内容除系统的古钱币理论和知识外，还从河南省文物商店调来800多公斤古钱币供学员们进行分类实习，从而使每个学员都能运用考古学和统计学的方法进行排比分析，全面了解古钱币的铸造、书体、币值、时代和流通等方面的知识。教师主要由全国知名的古钱币专家学者担任，如上海博物馆的汪庆正、山东博物馆的朱活、中国历史博物馆的耿宗仁、天津市社会科学院的唐石父、北京的戴志强和上海的吴筹中、马定祥等。因而，学员们学得非常认真，回原单位后，一般都能独立工作。

d. 考古绘图训练班，是在不少省、市、自治区文博单位的要求下，并经国家文物局批准举办的。1988年4月开始招生，学习四个月，共有学员27人，分别来自17个省、自治区。教师主要由中国社会科学院考古研究所技术部的三位高级工程师担任，讲授了绘图原理与方法，并由河南省文物研究所三位有绘图经验的同志辅导。通过学习，学员们基本掌握了各种不同器物的绘制方法。

e. 中专班（学制两年半），1989年，经河南省教委批准，将"郑州考古干部专科学校"改为"郑州文博职工中等专业学校"后于1991年举办的。面向全国招生，共招收学员29名。这些学员分别来自河南、内蒙古、宁夏、青海、贵州、安徽等6个省、自治区。现在正在进行基础课和专业知识课的学习。

B. 在河南省范围内招生的学习班

自 1987 年至 1990 年，在河南省文物局的指示与批准下，共举办考古钻探人员训练班两期、文博专业技术培训班两期和文物藏品建档训练班三期。每期参加学员 60 人左右，学习时间一般为一个月左右。这些短期学习班，多以实际操练为主，兼有一些课堂学习。

（四）开展全省范围内的文物普查工作

1952 年至 1963 年，为了全面了解河南省地上与地下的革命遗址、革命纪念建筑物、石窟造像、古代建筑、历史纪念建筑物、石刻和古文化遗址、古墓葬等文物保护单位的现存情况，向河南省人民政府提供河南省文物保护单位名单和向中央推荐全国重点文物保护单位名单，原河南省文物工作队在全省范围内做了两次较大规模、深入细致的文物普查与复查工作。

1. 省级文物保护单位的普查与复查工作

1950 年，河南省文管会成立后，为了了解河南省各地文物古迹的保存情况，曾邀请对河南各地文物古迹比较熟悉的武慕姚等六七位老先生在河南省文管会进行了数次座谈，并草拟了一份包括古文化遗址、古墓葬、古寺庙、古碑碣等共 500 余处的"河南省古迹保护单位"名单。后经河南省文物工作队和部分地、市、县文化部门的调查了解，得知其中有些文物古迹还存在，有些文物古迹早已荡然无存了，并且又新发现了一些古文化遗址，其后又增加了几处革命纪念建筑物与纪念地等，于 1956 年整理出"河南省重点文物保护单位"名单 400 多处，报请河南省人民政府进行公布。嗣后，随着各地不断发现新的古文化遗址、古墓葬、古代石刻和革命纪念建筑物等重要文物单位，并根据 1961 年国务院在公布全国第一批重点文物保护单位时发布的《文物保护管理暂行条例》中"各级文化行政部门必须进行经常的文物调查工作。并且陆续选择重要的革命遗址、纪念建筑物、古建筑、石窟寺、石刻、古文化遗址、古墓葬等，根据它们的价值大小，按规定下列程序确立为县（市）级重点文物保护单位"的精神，河南省文化局认为需要对 1956 年已公布的"河南省重点文物保护单位"名单进行全面复查、修改，并增补新的文物保护单位再行公布。于是从 1961 年至 1963 年，河南省文物工作队抽出文物干部 20 余人，组成了豫北组、豫南组、豫西组、豫东组，分赴各地与各市、县的文物干部一起进行了文物保护单位的全面复查工作，并填写出了每处保护单位的登记表和补充材料，然后又汇总整理出河南省第一批文物保护单位名单及简要说明，重新报请河南省文化厅审核。经审核后又报请河南省人民政府批准，于 1963 年 6 月 20 日又公布了"河南省第一批文物保护单位"名单，共 253 处。其中革命遗址及革命纪念建筑物 13 处、石窟造像 8 处、古建筑及历史纪念建筑物 62 处、石刻及其他 46 处、古文化遗址 107 处、古墓葬 17 处。

2. 古代碑碣调查登记工作

河南省各地散存的古代碑碣数量比较多，其中有一些重要碑碣散存在偏僻的深山区寺庙里，因而河南境内究竟保存有多少具有重要史料价值的古碑碣，过去很难说清楚。因此，根据河南省文化局的指示精神，从 1959 年至 1962 年，河南省文物工作队组织人力，分成豫北组、豫东组、豫西组、豫南组，分赴各地与各市、县的文物干部一起进行了一次全省范围内的古碑碣调查登记工作。调查登记的原则是：

（1）凡有古碑碣的地方，不管山高路远、偏僻荒野、道路艰险，都要亲临现场察看实物保存情况进行调查登记。

（2）凡是具有史料或参考价值的古碑碣，无论整、残，字迹清与不清，只要能辨认出一部分，都要填写登记表（每个碑碣填写一份）。登记内容包括碑碣名称、年代、现存地点、范围及附属物、内容说明、备考等部分。

（3）凡是能够进行拓片的，尽量拓出碑碣拓片，如拓片实有困难，也要把碑碣的内容抄录下来作为资料保存。

通过这次调查，共登记散存的古碑碣3411份、造像碑28份、墓志146份、石刻造像17份、摩崖题记20份、石窟16份、铭记505份、帖8份、其他石刻17份，共4168份（已保存在各博物馆和文化馆的碑碣石刻不在调查登记范围之内）。其中不少是新发现的重要碑碣资料。

值得提出的是，在古碑碣调查登记时，正是河南省发生严重自然灾害，人民生活处于极端困难的时期。从事古碑碣调查登记的同志们，都是在很困难的情况下进行这项工作的。在调查中，有的同志每天要步行八九十里地，翻山越岭进行调查登记，致使不少同志体力不支，甚至有的得了病。但这些同志为了祖国的文物考古事业，从未叫苦叫累，坚持认真工作，充分表现出对工作的热情和负责精神。在已调查登记的古碑碣中，有一部分碑碣在十年动乱中遭到了破坏或损毁，因而这部分古代碑碣的资料就更加珍贵了。

3. 古书与古字画的调查登记工作

在调查古代碑碣的同时，根据河南省文化局的指示，对散存于河南各地的古书与古字画也进行了一次清查登记工作。1960年至1962年，河南省文物工作队抽出三位同志与从河南省博物馆借调的三位同志共同组成了古书与古字画调查登记组，分赴保存古书与古字画较多的市、县进行调查登记工作。通过调查，除在部分市、县文化馆内发现有一些具有重要价值的古书与古字画外，还在一些市、县发现有几个私人藏书家收藏了数量较多的古书。尤其是发现了一些珍善本古书与真迹古字画。后因河南省文物工作队的发掘任务增多，古书与古字画的调查登记工作没有完成即告停止。最后把已调查的古书与古字画的登记表和记录都转交给河南省图书馆保存，作为掌握河南省各地古书与古字画保存情况的参考资料。

4. 河南各地小型石窟的调查工作

在河南省境内，除了著名的洛阳龙门石窟和巩县石窟外，在一些市、县还保存有许多规模虽小但内容丰富的小型石窟（包括摩崖石刻）。为了摸清河南各地小型石窟的分布内容和保存情况，河南省文物工作队于1958年至1959年进行了一次调查，共发现小型石窟和摩崖石刻30余处，收集了大量的文字、线图和照片等方面的资料。其中有不少石刻造像具有重要的历史价值和艺术价值。最后在调查的基础上，草拟了《河南小型石窟调查报告》初稿。

5. 河南古塔的调查工作

历代古塔在河南省许多市、县都有保存，其时代从登封的北魏嵩岳寺塔，一直到明清时期的古塔，数量比较多，其中有登封少林寺和临汝风穴寺两处塔林。为了有计划地收集河南古塔资料，从1958年至1965年间，以杨宝顺、杨焕成、张家泰等三位同志为主，调查收集了许多河南古塔的文字、照片与线图资料，并草拟出《河南古塔》一书。其中有些古塔在十年动乱中遭到破坏，因而其资料就更显得珍贵了。

（五）考古发掘工作

河南省是全国文物大省，地下埋藏的历代古文化遗址与古墓葬甚为丰富，是研究我国古代各个时期政治、文化等方面的重要实物资料。1951年和1952年，中国科学院考古研究所在河南省境内先后建立了"安阳工作站"（负责安阳殷墟的主动考古发掘工作）和"洛阳工作站"（负责汉魏故城与隋唐故城的主动考古发掘工作），1959年和1983年又分别在偃师二里头和商城建立了两个工作队，负责二里头遗址和商城遗址的主动考古发掘工作，另外还在河南省境内建立有裴李岗文化考古发掘工作队和探索夏文化的考古发掘工作队。近40年来，中国社会科学院考古研究所在河南省做了大量的考古发掘工作，取得了显著成绩，其中有许多是闻名于国内外的重大发现。

而河南省境内其他广大地区的考古发掘工作，尤其是配合河南各地基本建设工程的考古发掘工作都是由河南省文物研究所（包括其前身河南省文物工作队，郑州、洛阳两市的文物工作组，河南省文物一队和二队）承担。从1951年起，河南省文物研究所就开始了这方面的工作，并且还有部分主动考古发掘工作。其中最早进行的是1951年春至1952年秋为配合治理淮河工程即禹县白沙水库和泌阳板桥水库建设的考古发掘工作。虽然当时参加发掘的文物干部多数是首次进行考古发掘工作，但通过一年多的边发掘边学习，使一处仰韶文化遗址和一处龙山文化遗址以及400多座战国、汉、唐、宋等时期古墓葬的发掘基本符合要求。

1952年秋，河南省文物工作队派人协助中央第一届考古人员训练班在郑州二里岗和洛阳东郊进行考古发掘实习。对河南省文物工作队的工作人员来说，也是一次很好的学习机会，通过这次协助工作，提高了他们发掘古文化遗址和古墓葬的水平。

从1953年1月起，河南省文物工作队以郑州、洛阳和信阳等地为重点，开展了较大规模的配合基本建设的考古发掘工作和主动的考古发掘工作。

1954年及其以后，随着全省各地、市、县大规模基本建设的相继开展，河南省文物工作队及改名后的河南省文物研究所，除继续以郑州和洛阳为重点进行考古发掘工作外，还配合全省其他地、市、县的基建工程进行考古发掘和主动考古发掘工作。据初步统计，从1952年6月到1992年6月的40年间，共试掘或发掘历代古文化遗址80多处。其中试掘或发掘面积最小的约有100平方米，共计10余处，如漯河电厂裴李岗文化遗址、登封双庙沟新石器时代遗址、新乡潞王坟商代遗址、郑州上街商代遗址等；发掘面积较大的约有2000平方米，也有少数达1万平方米以上，共计15处，如长葛石固新石器时代遗址、舞阳贾湖新石器时代遗址、淅川下王岗与黄楝树新石器时代遗址、淮阳平粮台龙山文化遗址、登封王城岗龙山文化遗址、郑州商代遗址、郑韩故城遗址、巩县铁生沟汉代冶铁遗址、南阳瓦房庄汉代铸铁遗址、禹县钧台窑遗址、宝丰汝官窑遗址、鹤壁集瓷窑遗址等；大多数古文化遗址的发掘面积约在500—1000平方米之间，共计50多处。合计发掘古文化遗址总面积约12万多平方米。发掘历代古墓葬1万余座，其中以汉代墓葬数量最多，新石器时代和战国墓葬次之，秦、魏、晋、六朝、隋、唐、五代、宋、元、明各代的墓葬较少。在已发掘的古文化遗址与古墓葬中，有许多是我国考古学上的重大发现。

1. 旧石器时代遗存的调查与发掘

1963年河南省文物工作队和中国科学院古脊椎与古人类研究所合作，对豫西的新安、渑池等地的旧石器时代地点进行了调查，发现和采集了一些旧石器。1987年，河南省文物研究所、北京大学考古学系、南阳地区文物工作队联合，对南召县小空山旧石器时代遗址进行了考古发掘，为小空山上洞的地层堆积、石器工艺和哺乳动物化石等方面的研究提供了重要资料。1989年，河南省文物研究所对豫西灵宝县营里旧石器时代地点进行了调查，并采集了一些旧石器。

2. 新石器时代早期裴李岗文化遗址的调查与发掘工作

裴李岗文化遗址是河南省文物工作队于1958年9月在配合漯河市火电厂建设的发掘中首次发现的。由于当时对裴李岗文化遗址的面貌还不清楚，所以曾误认为是属于仰韶文化遗存而未引起重视。1965年，河南省文物工作队在新郑县裴李岗发现了裴李岗文化的石磨盘与石磨棒，并对其出土地点进行了现场调查，只因未发现陶器和陶片，也未能引起足够的重视。1975年夏，原河南省博物馆文物工作队在登封县告成镇双庙沟一带的乱石灰土层中发现有比仰韶文化稍早的新石器时代早期的陶片、兽骨和木炭屑等遗物，并进行了试掘。发掘出土的木炭碎块经中国社会科学院考古研究所碳-14测定，为公元前5071±170年，即距今7000年左右，从而证明这是当时河南境内发现的一处较早的新石器时代文化遗址。所以，1977年12月，夏鼐所长撰写的《碳-14测定年代和中国史前考古》一文就把登封双庙沟发现的新石器时代文化遗址排列在中原地区已发现的新石器时代文化遗址中的最前面。1977年，开封地区文管会和新郑县文管会在新郑县裴李岗村发现了石磨盘、石磨棒与陶器共存的裴李岗文化墓葬，从而命名这类遗存为"裴李岗文化"。接着河南省博物馆文物工作队于1977年冬发掘了密县莪沟裴李岗文化遗址，1982年河南省文物研究所发掘了长葛石固裴李岗文化遗址，1983年河南省文物研究所又发掘了舞阳贾湖裴李岗文化遗址。通过这三次较大规模的发掘，不仅为裴李岗文化的分期提供了大量资料，也为裴李岗文化早于仰韶文化的论断提供了重要的地层学依据。另外，通过对大量裴李岗文化墓葬的发掘，为探讨其文化性质提供了一些重要线索。尤其是舞阳贾湖裴李岗文化遗址内骨笛与龟甲上刻制文字符号的出土，成为我国考古学上的一项重大发现。截至1991年6月，在河南境内已发现裴李岗文化遗址近百处，为进一步发掘和研究裴李岗文化开辟了广阔前景。

3. 新石器时代仰韶文化遗址的发掘工作

仰韶文化遗址在河南中部、西部与北部地区分布得相当广泛。新中国成立后的40多年来，在配合各地基本建设工程中，发掘以仰韶文化为主的遗址10余处。其中最早进行的是1951年对禹县白沙水库仰韶文化遗址的发掘，后来又相继对郑州林山寨（1956年）、洛阳孙旗屯（1956年）、渑池县西凡（1957年）、郑州后庄王（1958年）、鲁山邱公城（1958年）、临汝大张（1959年）、禹县谷水河（1975年）、长葛石固（1975年）、渑池仰韶村（1980—1981年）、登封八方和双庙（1982年）、濮阳西水坡（1987年）、灵宝涧口（1987年）等仰韶文化遗址进行了发掘。通过对这些仰韶文化遗址的发掘，为河南境内仰韶文化不同类型与分期的研究提供了重要资料。特别是濮阳西水坡仰韶文化中用蚌壳摆塑龙虎图案的发现，为研究中原地区仰韶文化的内涵又提供了新的重要资料，并成为我国考古学中的一项重大发现。

在此值得提及的是，1981年在鹿邑武庄遗址的发掘中，发现了略晚于裴李岗文化，早于大河村一、二期文化的一种文化类型遗存，其出土物与安徽侯家寨下层的新石器时代文化相似。这对于研究该地区的新石器时代文化与周围地区新石器时代文化之间的关系是相当重要的。

4. 新石器时代屈家岭文化类型遗址的发掘工作

河南西南部的南阳地区与湖北江汉平原相衔接，南阳地区的大部分县又属于汉水流域，因而江汉平原的屈家岭文化类型遗址在河南南阳地区也有多处发现，且进行了较多的发掘。其中最早进行的是1953年对信阳市三里店鲍家山遗址和阳山遗址的发掘，这两处遗址中都包含有一些屈家岭文化的因素。后来又相继对南阳市黄山（1958年）、唐河寨茨岗（1958年）、唐河茅草寺（今属社旗县，1958年）、镇平赵湾（1958年）、淅川下集（1959年）、淅川埠口李家庄（1960—1967年）、淅川双河镇（1964年）、淅川黄楝树（1966年）、淅川埠口桐柏庙（1966年）、淅川雷嘴（1966年）、淅川下王岗（1971—1974年）、淅川马岭（1975年）等遗址进行了发掘。通过对这些以屈家岭文化因素为主的遗址的发掘，并结合在该地区的考古调查，不仅初步掌握了屈家岭文化类型遗址在河南省西南部的分布情况，而且为研究河南境内屈家岭文化的分期、社会经济状况、葬俗，以及仰韶文化、屈家岭文化与龙山文化的先后发展序列等问题，都提供了重要的实物资料与地层依据。

5. 新石器时代大汶口文化遗址和淮河中、下游新石器时代遗址的发掘工作

河南东部和山东西南部相连，因而在该地区曾发现一些大汶口文化类型的遗址，或在部分遗址中发现具有大汶口文化类型或包含有大汶口文化因素的文化层、灰坑和墓葬等。如：1978年在郸城段寨遗址的发掘中，发现有大汶口文化类型的墓葬和灰坑；1979年在淮阳平粮台遗址的发掘中，就发现在龙山文化层的下面叠压有大汶口文化类型的堆积层；1987年在鹿邑栾台遗址的发掘中，发现在龙山文化层的下面叠压有大汶口文化类型的文化遗存。这些发现为研究大汶口文化与河南东部地区仰韶文化晚期的相互关系，提供了重要资料。

河南东部的淮河中、下游地区，分布着一些具有明显地方特征的新石器时代文化遗址，尤其是从遗址中出土的陶器特征看，具有明显的地方特性。如1991年发掘的罗山李上湾遗址，虽然该遗址的时代可能与大汶口文化、仰韶文化晚期和屈家岭文化相当或相差不远，且它们之间也可能相互影响，但陶器的形制与纹饰与其他文化类型的陶器有着明显的不同。所以这类文化遗址的发掘，为研究淮河中、下游地区的新石器时代文化类型与发展序列，以及与周围各种新石器时代文化类型的关系等都提供了新资料。

6. 龙山文化与探索夏文化的考古发掘工作

河南地区的龙山文化多是在当地仰韶文化晚期和豫东的大汶口文化、豫西南的屈家岭文化的基础上发展起来的一种具有划时代意义的文化类型，也可以说是中原地区由原始氏族社会向奴隶制社会过渡时期的一种文化类型。因此也有人把龙山文化称为"龙山文化时期"或"龙山文化阶段"。特别是河南中西部地区的龙山文化中、晚期，还有可能与探索夏代早、中期文化有着密切关系。

龙山文化遗址在河南境内不仅数量多，而且分布范围也相当广泛，几乎在河南的各地、市、县都有发现。40年来，发掘以龙山文化遗存为主的遗址20余处。其中最早进行的是1951年对泌阳板桥水库荆树坟龙山文化遗址的发掘，后来又相继对郑州二里岗（1952年）、

郑州牛砦（1954年）、郑州毓岙王（1956年）、巩县小訾殿（1959年）、偃师灰嘴（1959年）、济源原村（1959年）、登封王城岗（1976年）、淮阳平粮台（1979年）、登封程窑（1980年）、禹县瓦店（1983年）、郑州站马屯（1984年）、郾城郝家台（1986年）、罗山擂台子（1990年）等龙山文化遗址进行了发掘。通过对河南省各地龙山文化遗址的发掘，不仅对龙山文化承袭当地仰韶文化、大汶口文化和屈家岭文化发展而来的演变过程，以及河南东北部、中部、西部、西南部、东南部等地区不同龙山文化类型的遗物特征与分期有了比较明确的认识，而且对龙山文化早期与中、晚期的社会性质也有了一些新的看法。特别是登封王城岗、淮阳平粮台和郾城郝家台三处龙山文化中、晚期夯土城垣建筑遗址的发现，为探索河南省境内龙山文化中、晚期的社会性质问题提供了重要资料。至于登封王城岗龙山文化城址是不是文献记载的夏代"禹都阳城"的所在地问题，也引起了学术界的广泛讨论。因此说，河南境内龙山文化遗址的发掘，尤其是龙山文化中、晚期文化遗址的发掘，为探索中原地区及其周围地区的历史发展，以及夏文化和相当于夏代的方国或族属文化等问题提供了重要资料，并已引起考古学界和历史学界的极大关注。我们相信，随着河南省境内龙山文化中、晚期遗址的继续发掘，将会为研究龙山文化的社会性质，提供更多的实物资料。

7. 二里头文化类型遗址的发掘

二里头文化类型遗址，是介于河南中西部地区的龙山文化晚期和商代二里岗期文化之间的文化遗存，也是探索夏代晚期文化和商代早期文化遗存的重要内容。这种文化类型的遗址，首先是1953年春在河南登封玉村附近发现的，由于当时对玉村遗址只做了小面积的试掘，所以对这种文化类型遗址的文化内涵没能全面了解。1956年在郑州市洛达庙村附近配合基建的发掘中，又发现了这种文化类型的遗址。通过对洛达庙遗址较大面积的发掘，证明这种文化类型遗址的早期应是承袭当地龙山文化晚期发展而来，晚期则与商代二里岗期有着明显的渊源关系。于是当时就把在洛达庙村附近发现的这种文化类型的遗存命名为"洛达庙类型"或"洛达庙期"。1959年秋，河南省文物工作队为了探索夏代文化遗存，曾根据文献记载与传说中的有关夏代都城遗址所在地望或活动区进行了一次较大规模的考古调查，并在偃师二里头村一带发现了与洛达庙文化遗存类同的文化遗存。通过试掘发现偃师二里头遗址比郑州洛达庙遗址的内涵更为丰富，更具有洛达庙期文化的代表性。接着，中国科学院考古研究所在对偃师二里头遗址进行调查后，也认为很重要，并在二里头建立了工作站，对二里头遗址进行了大面积的主动发掘工作，并取得了重大成果。鉴于二里头遗址比洛达庙遗址更具有这种文化类型的代表性，于是就以"二里头文化"代替了原定的"洛达庙期"。

二里头文化类型遗址，在河南中西部地区还发现很多，并进行了一些发掘。如我们对郑州上街（1958年）、新乡潞王坟（1958年）、巩县稍柴（1959年）、偃师灰嘴（1959年）、渑池鹿寺（1959年）、登封八方（1977年）、陕县西崖村（1983年）等遗址进行了发掘。通过对这些二里头文化类型遗址的发掘，不仅对二里头文化类型遗址的来龙去脉和分期问题有了一些了解，而且为二里头文化类型遗址各期中哪些属于夏代文化发展阶段，哪些属于商代早期发展阶段或者是否属于夏代文化等问题的广泛讨论和研究都提供了重要资料。我们相信，随着今后对河南省境内二里头文化类型遗址的继续发掘，这些问题将逐步得到解决。

需要提及的是，1987年在河南东部发掘了鹿邑栾台遗址，1988年发掘了夏邑三里堌堆遗址。在这两处遗址中发现有近似山东岳石文化类型的遗存，这对于研究该地龙山文化、岳石文化和商代二里岗期文化的发展序列是非常重要的。

8. 商代文化遗址的考古发掘工作

河南省境内商代文化遗址的考古发掘工作，除中国社会科学院考古研究所在偃师和安阳设立工作站长期对偃师商城和安阳殷墟进行主动发掘外，原河南省文物工作队和改名后的河南省文物研究所在配合河南各地的基本建设工程中，也对商代遗址做了大量的考古发掘工作。其中除前面所述二里头文化类型遗址中有一部分可能属于商代早期文化遗存外，还重点发掘了以商代中期为主的郑州商代遗址和其他地区的商代遗址。

（1）郑州商代遗址的发掘

郑州商代遗址是1950年秋韩维周同志首先发现的。从1952年秋，为配合郑州市的基本建设工程而进行考古发掘开始，至今已有40年，现在仍在继续发掘。郑州商代遗址是以郑州商代中期的二里岗期为主的遗址，不仅分布面积大，而且各种遗迹和遗物也很丰富，其中也包含有少量商代早期的二里头文化晚期遗存和相当于商代晚期的郑州人民公园期遗存。由于郑州商代遗址的发掘工作首先是在郑州二里岗一带进行的，并且二里岗商代遗址又略早于安阳殷墟的商代中期遗存，所以就把在二里岗新发现的这种商代中期文化遗存定名为"商代二里岗期"，并根据商代二里岗期的上下层叠压关系和上下层内包含陶器特征的明显不同，把商代二里岗期分为"商代二里岗下层"和"商代二里岗上层"前后两大期。嗣后，随着对郑州商代遗址的进一步发掘，又相继发现了许多商代二里岗期的重要遗迹与遗物，使我们对郑州商代遗址的重要性有了更多的了解。如1953年至1955年春，相继在郑州南关外和紫荆山北发掘了两处商代二里岗期的铸铜作坊遗址，在紫荆山北发掘了一处商代二里岗期制骨作坊遗址，在铭功路西发掘了一处商代二里岗期制陶作坊遗址，在杨庄、白家庄和北二七路发掘了许多座商代二里岗期随葬有青铜器和玉器的墓葬，另外还在南关外发现有略早于商代二里岗期的"商代南关外期"遗存，在郑州市人民公园发现有叠压在郑州商代二里岗期文化层之上的商代晚期的人民公园期文化层与墓葬。尤其是1955年秋，在配合黄委会黄河医院附近的顺河路的建设中，发现了郑州商代二里岗期城垣的东北角，后来又通过钻探和发掘，不仅把周长7公里的商代城垣全部找出，而且为证明郑州商城是属于商代二里岗期也提供了许多重要依据，使我们对郑州商城及城外的各种遗迹的分布有了较为全面的了解。郑州商代二里岗期城址是我国发现最早的一座有夯土城垣建筑的商代城址，它的发现在我国考古学中具有重大意义。

1972年秋至1985年，除对郑州商城的夯土城垣继续进行发掘外，于1974年在郑州商城内东北部发现了大面积的商代的宫殿区，共发现9座大型宫殿夯土基址，另外还发现了填埋有许多带锯痕的人头骨沟。与此同时，在郑州商城西墙外的杜岭张寨南街和商城东南角外的向阳回族食品厂内发掘了埋藏有许多大型青铜容器的祭祀坑（又称窖藏坑）。这些发现大大充实了郑州商代遗址的内容。

值得注意的是，近些年来，在配合商城西墙外约600米处（即郑州火车站东侧一带）的基建工程中，发现了一条略呈南北走向且似为商代二里岗期的夯土墙，夯土墙的南端似与1954年在郑州商城南墙外约600米处发现的一条呈东西走向且似为商代二里岗期夯土墙的西端相应接，这是不是郑州商城的外廓城墙，已引起我们的极大关注。1990 年，在郑州商城外西北约 20 公里的小双桥村旁的高岗上，先后出土了两件商代二里岗期的铜建筑构件，并在此发现了一片夯土建筑基址（有石柱础等遗物）。其中青铜建筑构件的形制之大和器表所饰饕餮纹之精湛，可表明有可能是商代二里岗期大型建筑上的青铜构件。它的发现，引起了考古学界的高度重视。所有这些发现都可以说明，郑州商城内外及其周围地区还有大量的考古调查与发掘工作需要我们进一步去做。另外在河南省其他地区，也发现了几处范围较小的商代二里岗期遗址。

（2）安阳殷墟周围地区的考古发掘工作

为配合殷墟周围地区的一些基本建设工程，河南省文物研究所也曾进行了一些考古发掘工作，如 1955 年秋在小屯村南地发掘了一个灰坑和一座房基，1957 年秋发掘了安阳薛家庄殷代遗址与墓葬以及高楼庄殷代遗址，1958 年春发掘了安阳大司空村殷代墓葬等。在发掘中，不但出土有大量陶器、石器、骨器，而且还有少量铸造铜器的陶范和白陶片硬陶器，尤其是还出土了一件刻字较多的牛肩胛骨。

另外，1956 年发掘了孟县涧溪商代晚期遗址，1958 年发掘了南阳市十里庙商代晚期遗址，尤其是 1991 年在罗山天湖发掘了几座商代晚期墓葬，出土了许多带铭文的青铜器及玉器、陶器、木漆器等。通过对各地商代遗址与墓葬的发掘，使我们对河南境内商代早、中、晚各期遗存的分布与内涵有了进一步的了解和认识。

9. 西周文化遗址与墓葬的发掘

对于西周文化遗址与墓葬，河南省文物研究所也做了大量的考古发掘工作，如信阳三里店北丘遗址（1953 年）、郑州董砦西周遗址（1956 年）、信阳孙砦西周遗址（1959—1961 年）、襄县西周墓（1975 年）、洛阳西周墓（1975 年）等。其中在信阳孙砦西周遗址中发现的一处鱼苗养殖坑及出土的竹鱼罩、竹鱼篓、竹筐、木桨、木橹、木豆、木匕、草鞋等遗物为其他地区的西周遗址所罕见。1986 年至 1991 年，在平顶山市滍阳岭上发掘了一处西周时期的"应国"贵族墓地，墓内随葬有大量带铭文的青铜礼器和玉器等遗物。特别是 1990 年至 1991 年，在三门峡市上村岭虢国墓地发掘了许多墓葬与车马坑。其中有两座西周晚期的虢国贵族墓（M2001、M2009），墓内均随葬有大量的青铜礼器、玉器、金器、陶器、竹木器、皮革制品和麻布等遗物，尤以铜柄铁剑、遣策以及墓主人周身上下、面部覆盖的各种玉器等最为重要。根据两墓出土的大量带有铭文的青铜礼器，可以推知墓主人的身份很可能是西周晚期虢国的国君陵墓，因而这两座虢国墓均成为我国考古学中的重大发现。

10. 东周遗址与墓葬的发掘

东周（春秋、战国）时期的城址和墓葬在河南省境内发现也不少。其中经过初步发掘的城址有郑州管城、新郑"郑韩故城"和登封阳城等，并且也发掘了大量春秋、战国时期的墓葬。现择其有代表性的东周城址和墓葬，分别介绍于后。

（1）郑州管城的发掘

管城夯土城垣是附加在郑州商城外侧修筑而成的。1955 年和 1972 年，在发掘郑州商城时，对管城也进行了两次发掘。城垣周长约 7 公里。在管城内发现有大型房屋基址、文化堆积层、灰坑和灰沟等遗迹，出土了大量陶器、铁器、板瓦、筒瓦等。在部分战国残陶器上印制有许多陶文,其中有"亭"字(有人认为是"亳"字)戳记。另外,在管城西墙外约 2 公里的碧沙岗发掘了一处春秋时期的墓葬群,在管城西北角外的岗杜和东南角外的二里岗分别发掘了一处战国墓葬群。在这三处墓葬群中,共发掘春秋、战国时期的墓葬 500 多座,其中除少数为战国晚期的空心砖墓外,大多为土坑木椁墓。

(2) 新郑"郑韩故城"的发掘

郑韩故城是春秋时期的郑国和战国时期的韩国的都城所在地。它是通过 1961 年至 1966 年的长期考古调查、全面钻探与部分试掘后才被证实的。嗣后,为配合城内外的基本建设工程,曾做了大量的考古钻探及发掘工作,现在这种工作还在继续进行。经过 30 多年的考古调查与发掘工作,不仅对郑韩故城夯土城垣的形制结构和先后修补情况有所了解,而且在城垣内还发现了春秋、战国时期的宫城、夯土台基建筑区、地下冷藏窖以及铸造青铜器、铁器和制作骨器、陶器的手工业作坊遗址,并在铸铜作坊遗址附近发现有许多带铭文的戈、矛等铜兵器。另外在城内外发掘了数百座春秋时期的贵族墓、车马坑,以及战国时期的墓葬、窖穴、灰坑、壕沟等遗迹,出土了大量青铜礼器、铁工具、铸造铜及铁器的陶范、陶器、玉器、骨器等遗物。所有这些都为研究郑国和韩国的政治、经济、文化等方面的问题提供了珍贵的实物资料。

(3) 登封东周阳城的发掘

阳城位于登封县告成镇北,是春秋时期郑国和战国时期韩国西面的一个军事重镇。它是通过 1975 年至 1980 年的调查与试掘才被证实的。在阳城内外,发现有战国时期从城外向城内引进的供水设施,还有铸造铜器、铁器与烧制陶器的作坊遗址,以及春秋战国时期的墓葬群等。尤其是在阳城内外发掘出土的战国陶器和陶片上,发现印制有"阳城"和"阳城仓器"等篆体陶文戳记,这为证明东周阳城确在登封告成一带提供了可靠的文字证据。其中,在阳城内外发现的由许多陶直通管、陶三通管、陶四通管和弯头管组成的长达 2000 多米的地下输水管道以及配套的蓄水池、阀门坑等供水设施,是我国考古发掘中发现的比较完整的配套输水设施,也是我国考古学中的一项重大发现。

(4) 信阳长台关楚墓的发掘

1957 年和 1958 年,相继在信阳市北 20 公里的长台关西北小刘庄后土岗上发掘了两座东西并列的战国时期楚国大型木椁墓。两墓均为带斜坡墓道的"甲"字形墓,七个墓室中间的主室并放有双重木棺。两墓内均随葬有许多制作精致的铜与木乐器、木漆器、铜礼器、玉器、陶器、铁器、竹编器、竹席、竹简、丝织品、果核等遗物,共 1200 余件。为研究战国时期楚国的历史及楚墓的形制、葬俗等方面的问题提供了极为重要的实物资料,这也是我国考古学上的一项重大发现。

(5) 固始侯古堆大墓与陪葬坑的发掘

1978 年,在固始县城东南约 2 公里的土岗上(当地群众称"侯古堆"),发掘了春秋战国之际的一座大型木椁墓和一个大型陪葬坑。该墓为带墓道的"甲"字形墓,墓坑内用砂石混合封填。墓内为双层木椁,椁内置一棺,在内外椁之间和外椁四周有 17 个小棺。经鉴定除墓主人为年轻女性外,小棺内的殉葬者多为 20—40 岁的女性。墓内随葬有大量陶器、玉器、铜礼器等。陪葬坑位于大墓以北约 13 米处,长方形竖穴坑,并用方木构成椁室。椁室内随葬有车马器、铜器、乐器、木漆器、陶器、硬陶器、原始瓷器、玉器等，特别是陪葬坑中出土的3乘木肩舆极为罕见。这是继信阳长台关楚墓之后，又一大型木椁墓的重大发现。它对于研究东周时期吴国与宋国的关系，提供了非常重要的实物资料。

(6) 淅川下寺楚墓与车马坑的发掘

1978年至1979年，在淅川县下寺的丹江水库淹没区内，发掘了26座春秋楚墓和5座车马坑。其中2号墓的形制较大，为长方形竖穴土坑墓，墓室内有巨大的木构椁室，椁室内有两具木棺。墓内随葬品非常丰富，有青铜礼器、乐器、车马器、兵器及玉器等。从铜器铭文看2号墓的主人为"令尹子庚"。这次发掘，共出土青铜礼器200多件，铜、石乐器100多件，铜兵器100多件，铜生产工具30件，玉、石器3400余件，贝币4000多枚。淅川下寺一带是春秋时期楚国的贵族墓地，下寺春秋楚墓的发掘为研究春秋时期楚墓的形制、葬俗等问题提供了许多实物资料，是我国考古学上的一项重大发现。1990年至1991年，河南省文物研究所又在丹江水库沿岸发掘了春秋战国时期的楚墓31座及车马坑1座，出土了大批青铜器和玉器等，一些青铜器上铸有铭文。这是继下寺春秋楚墓之后的又一重大发现。

(7) 淮阳马鞍冢与平粮台楚墓的发掘

淮阳古称"陈"，为战国晚期楚国都城"陈"的所在地。1980年曾在现今淮阳夯土城垣下发现有战国时期的夯土城墙，它是不是"陈"的都城遗址，因未进行大面积发掘，尚难确定。但是在淮阳县城东南约5公里处的马鞍冢却发掘了两座战国晚期的大型楚墓并在大墓西侧发掘了两个南北并列的战国晚期的大型车马坑。在两个车马坑内，发掘清理出木车31辆、马骨架24副、泥马20多匹、狗2只，还有铜、铁车马饰及陶俑、陶器等。车分安车、猎车、轺车、战车，并有用大量海贝镶饰的六面旗，这些都是在过去的考古发掘中所罕见的。另外在马鞍冢南约1.5公里的平粮台土岗上（即龙山文化城垣内）发掘了一处中小型楚墓群，墓内的随葬品以仿制青铜礼器的大型陶明器和玉器为多。淮阳马鞍冢大墓、车马坑以及平粮台中小型楚墓群的发掘，为研究战国晚期楚国没落阶段的历史提供了十分重要的实物资料。

(8) 新野曾国墓的发掘

1971年和1974年，相继在新野县城西关外发掘了两座春秋早期墓葬，墓内均随葬有青铜礼器、车马器和兵器等。根据铜器上的铭文可以认为这是一处曾国的贵族墓地。

(9) 汤阴县五里岗战国时期阵亡军士墓群的发掘

1982年至1983年，在汤阴县五里岗发掘了一处分布范围大、埋葬密集、排列整齐有序的战国墓葬群，共发掘200多座，均为小型竖穴土坑墓，墓内随葬有陶器、铜器、玉器等遗物。经鉴定，墓主多为青壮年男性，其中有些骨架还插有铜镞或刀砍痕。据文献记载，这里曾是战国晚期的战场，因而推测，这处墓地埋葬的可能是阵亡的军士。

(10) 平顶山应国墓地的发掘

1986年至1991年，对平顶山市滍阳岭上的应国墓地进行了发掘。在已发掘的几十座大中型墓中，既有西周晚期的墓葬，也有春秋战国时期的墓葬。在春秋战国时期的墓葬中，出土有大量青铜礼器、乐器、兵器、车马器和玉器、石磬、贝币等，一些铜礼器上铸有铭文。通过发掘，进一步证实了这里是一处应国的贵族墓地，同时为研究中原地区周代各封国的历史提供了重要资料。这也是近年来河南考古的重大发现之一。

（11）三门峡上村岭虢国墓地的发掘

1990年至1991年，在三门峡上村岭虢国墓地，除发掘有西周晚期的国君墓外，还发掘有形制较小的春秋时期的贵族墓，并出土有大量的青铜器、玉器、陶器等，为研究上村岭虢国墓地提供了新资料。

（12）温县西张计村盟书遗址的发掘

1980年至1982年，在温县西张计村发掘了一处盟书遗址。在已发掘的124个坑中，有16个坑出土写有盟辞的石片，达万余件，其中有的坑内出有石圭片，有的坑内出有石简片，有的坑内石圭片与石简片共出，有的坑内仅出土玉璧、玉兽等，还有35个坑内分别埋葬着羊骨架。这是继山西侯马发现东周盟书之后，我国又发现的一大批盟书，是我国考古学上的重大发现。这为研究东周的盟誓制度和东周历史提供了重要资料。

此外，在洛阳东周王城附近、上蔡蔡国故城附近以及其他地、市、县，也都发掘了许多春秋战国时期的墓葬与墓葬群。总之，40年来，共调查东周城址10余座，发掘东周时期的墓葬近千座。通过对河南省境内东周城址和墓葬的调查与发掘，不仅对东周城址的现存状况、城市布局、东周时期墓葬的形制等方面有了较多的了解和深刻的认识，而且也为东周历史以及东周考古各方面问题的研究提供了丰富资料。

11. 汉代遗址与墓葬的发掘

（1）汉代郡、县城址经过调查的有多处，如南阳宛城、荥阳、郑州管城等，但均未进行较大规模的发掘。经过发掘的只有三处冶铁遗址和两处村落遗址。

已发掘的三处冶铁遗址是：巩县铁生沟冶铁遗址（1958—1959年）、南阳瓦房庄冶铁遗址（1959—1960年，并在冶铁遗址东部发掘了汉代铸铜与制陶作坊遗址）、温县西招贤村烘范窑遗址（1974年）。通过这三处冶铁遗址的发掘，使我们对汉代炼铁炉与烘范窑的形制结构、炼铁方法有了较多的了解，同时也弄清了各种生产工具、车马器、生活用器的铸造方法以及陶范模的形制结构。尤其是温县西招贤村烘范窑中大量较完整的叠铸陶范的出土，说明了汉代铸造铁器的技术已具有较高的水平。

已发掘的两处汉代村落遗址是：泌阳荆树坟汉代村落遗址（1952年）和遂平县小寨汉代村落遗址（1984年）。在两处遗址中，除发现有少量残破的房屋基址和铺设的地下陶水管道外，大多为汉代水井。这为研究汉代水井的建造方法及形制结构提供了大量实物资料。

（2）汉代墓葬的发掘

汉代墓葬在河南境内分布较广，且发掘也比较多。据初步统计，40年来，共发掘汉代各种类型的墓葬达3000座左右，其中以洛阳市发掘的汉墓数量最多。现就河南各地已发掘的各种类型的汉墓，择其有代表性的分别概述于后。

洛阳汉墓的发掘数量比较多。从1953年至1961年共发掘汉墓1500多座，有土洞墓、空心砖墓、空心砖与小砖混合结构墓、小砖墓等。墓内都随葬有陶器，有的还随葬有铜镜、铜钱、铜车马器、铜兵器以及粮食、果仁等。通过对洛阳烧沟一带汉墓的发掘与整理，使我们对洛阳地区汉墓的形制结构、墓内随葬品的发展变化以及汉墓的发展序列有了充分的了解，同时也为研究河南境内其他地区汉代墓葬提供了重要标尺。值得提及的是，在洛阳老城区西北发掘了一座用空心砖和小砖混合建筑的西汉壁画墓，形制结构比较特殊。在主室中部采用竖立空心砖中柱，柱顶架空心砖横梁，梁上又加筑有三角形与方形空心砖透雕隔墙额形成房脊形墓顶，并且在支柱、梁额、隔墙、后壁以及主室顶脊砖上，均绘制有精湛的彩色壁画，为研究西汉的建筑工艺及文化艺术提供了重要资料。另外在洛阳汉魏故城之南还发掘了许多汉代的刑徒墓，在墓内的墓砖上，分别刻有死者部属、无任或五任、狱名或郡县名、刑名、死期等砖铭，为研究东汉刑徒墓提供了重要资料。

在河南其他地区也发掘了近千座汉墓，其中以1951—1952年为配合禹县白沙水库和泌阳板桥水库工程发掘的汉墓数量最多。墓的形制结构和墓内随葬品与洛阳汉墓类同。在豫西南、豫中、豫东和豫北等地发掘的汉墓中，除有许多小砖室墓外，还有形制结构比较特殊的汉代画像石墓、壁画墓与画像空心砖墓。

已发掘的汉代画像石墓与壁画墓主要有南阳七里园汉代画像石墓（1956年），密县打虎亭、后士郭汉代画像石墓与壁画墓（1959—1963年），永城堌上村汉画像石墓（1961年），南阳杨官寺汉代画像石墓（1962年），襄县茨沟汉画像石墓（1963年），孟津送庄汉黄肠石墓（1964年），唐河针织厂汉画像石墓（1971年），浚县屯子画像石墓（1971年），永城鄘城汉画像石墓（1974年）等。通过对这些墓葬的发掘与研究，我们可以把河南汉画像石墓分为南阳、永城、密县、浚县四个区。这四个地区画像石的雕刻方法与内容都有各自的明显特征。墓中发现的各种丰富多彩的画像与壁画内容，为研究汉代中上层地主阶级厚葬习俗和奢侈豪华的生活提供了十分重要的实物资料。

汉代画像空心砖墓，多发现在郑州及其周围地区。1959年在郑州南关外发掘了一座平顶形的画像空心砖墓，1961年在郑州市第二人民医院发掘了一座屋脊形顶的画像空心砖墓。多数砖上都印制有精湛华丽、形象生动的门阙、楼阁、人物、舞蹈、狩猎等图像，为研究汉代中上层地主阶级的社会生活及汉代的文化艺术提供了重要资料。

另外，在河南西南部地区还发掘有许多东汉的花纹小砖券墓。尤其是在河南灵宝、淮阳、焦作、淅川等地的汉墓中，出土了许多塑制精湛、形象逼真的楼阁、水榭等陶模型，为研究汉代的建筑与雕塑艺术提供了重要资料。

（12）魏、晋、南北朝遗址的调查与墓葬的发掘

对于魏、晋、南北朝时期的遗址没有进行过发掘，仅对部分冶铁遗址进行过一些调查。如1974年对渑池县火车站附近一处冶铁作坊遗址和一个窖藏坑进行了调查，发现窖藏坑内埋藏有铁范120多件、铁器4043件，在一些铁范与铁器上铸有地名文字。其时代早到东汉，晚至北魏。

魏、晋、南北朝时期的墓葬，在河南各地曾有一些发掘。如1956年在洛阳涧河西发掘了一座曹魏墓，墓内出土的铁质帐构上铸有"正始八年八月……"的铭文。1953年至1959年在洛阳发掘了54座晋墓，在其中的三座墓中分别出土有太康八年、元康九年和永宁二年的墓志。1957年在郑州、1962年在南阳等地发掘了9座西晋墓。1956年在洛阳西车站发掘了一座北魏正始三年平北将军燕山刺史寇猛墓。1958年在邓县发掘了一座南朝彩色画像砖墓。1971年在安阳洪河屯村发掘了一座北齐武平六年范粹墓等。通过对这些墓葬的发掘，使我们对魏、晋、南北朝各个时期的墓葬形制特点、随葬品的变化以及各阶段的发展序列都

有了一些了解和认识。

13. 隋、唐、五代时期文化遗址与墓葬的发掘

（1）对于隋、唐、五代遗址的发掘主要有洛阳含嘉仓以及隋、唐时期的一些瓷窑遗址。

洛阳隋、唐含嘉仓遗址是 1969 年发现的。1970 年河南省博物馆文物工作队与洛阳市博物馆联合对该遗址进行了钻探与发掘工作。在约 43 万平方米的含嘉仓遗址范围内，探出纵横排列有序的仓窖 287 个，并对其中的 12 个仓窖进行了发掘。仓窖均为口略大于底的圆形竖井形。在其中的一个仓窖中发现有堆满粮食腐朽变质后的炭化粟粒（谷子）壳，并在部分空仓窖内发现有记载仓窖位置、储粮品种、数量、来源和管理人员的职务、名字等内容的砖铭。通过对洛阳含嘉仓遗址的发掘，使我们对地下仓窖的筑法和仓窖顶部设施建筑等方面都有了初步了解。

隋、唐时期的瓷窑遗址，经过调查的有巩县白河唐代瓷窑址（1958 年）、密县西关和登封曲河唐宋瓷窑址（1961 年）等。经过调查并发掘的有安阳隋代相州瓷窑址（1974 年）、鲁山段店唐宋瓷窑址（1978 年）、巩县大小黄冶唐三彩窑址（1976 年）等。通过对这些隋、唐瓷窑址与三彩窑址的调查、发掘，使我们对河南境内隋、唐时期瓷器的生产状况和品种特点有了较多的了解。特别是唐三彩的产地在巩县大小黄冶村一带被找到，应是我国考古学上的一项重要发现。

（2）隋、唐时期的墓葬，在河南各地已发掘 200 余座。其中以唐墓的数量较多，隋墓的数量较少。在发掘的隋、唐墓葬中，比较重要的有安阳琪村隋墓（1955 年），禹县白沙水库唐墓（1952 年），洛阳十六工区唐墓（1955 年），郑州新庄、孙庄、二里岗等地的唐墓（1956—1958 年），偃师唐代崔沇墓（1957 年），郑州上街唐墓（1958 年），郑州南关外 187 号唐墓（1960 年），上蔡贾庄唐墓（1962 年），温县唐代杨履庭墓（1962 年），扶沟唐代赵洪达墓（1964 年），温县城关唐墓（1975 年）等。这些隋、唐墓葬的发掘，为研究隋、唐墓在河南境内的分布和分期，以及各地隋、唐墓的随葬品情况提供了很多实物资料。

14. 北宋、金、元、明等时期文化遗址与墓葬的发掘

（1）北宋、金、元、明等时期文化遗址的发掘

除对开封市北宋都城遗址做了较少发掘外，主要是对宋、金、元等时期的瓷窑遗址进行了发掘。

北宋都城遗址的发掘，是 1980—1982 年为配合开封市龙亭公园内的建设工程而进行的。由河南省文物研究所和开封市博物馆联合，对文献记载中的所谓北宋都城的宫殿区进行了少部分发掘。从发掘资料看，这一带很有可能就是北宋宫城区所在地。另外还对开封市郊的北宋京都外廓城和部分城门做了一些考古钻探、试掘工作。虽然发掘面积小，但收获还是比较大的。通过钻探和发掘，除发现有可能为北宋宫城的城墙线索外，还发掘出一处保存较好的明代周王府院落遗址。在院落遗址内，发现有保存尚好的房屋墙壁、石台阶和铺地砖等遗迹，房内还保存了一些残木质家具和明代青花瓷碗等，为研究明代历史提供了一些实物资料。

经调查，北宋、金、元等时期的瓷窑遗址在河南境内已发现近百处，其中有些瓷窑址是承袭唐代或五代瓷窑址延续下来的，有些是从北宋时期开始发展起来的，还有一些北宋瓷窑

址一直延续到明、清时期。在这些瓷窑遗址中，以北宋瓷窑址数量最多，规模也较大。据文献记载北宋时期的五大名窑（汝、钧、官、哥、定）中有三个（汝、钧、官）在河南境内。经过多年来的认真调查和较大规模的发掘，且已被证实为北宋官窑址的有禹县钧台窑址（1973—1974年）、宝丰清凉寺汝官窑址（1989—1990年）。这两处北宋官窑址的发现，曾引起国内外考古学界的高度重视。经过发掘的北宋民窑址有汝州市的严和店汝窑遗址（1958年）、鹤壁集瓷窑遗址（1963年）、新安瓷窑址（1973年）、内乡大窑店邓窑遗址（1977年）、鲁山段店瓷窑址（1978年）、宜阳县城关的宜阳瓷窑址（1984年）等。通过对这些官窑与民窑址的发掘，使我们对河南境内北宋时期的钧窑系、汝窑系和鹤壁窑系的分布及其特征有了基本了解，并为研究河南境内各种瓷窑系的发展都提供了相当多的实物资料。

（2）北宋、金、元、明等时期墓葬的发掘

已经发掘的宋墓数量较多，据初步统计，40年来共发掘200余座宋墓。墓葬形制可分为土洞墓、砖室墓和仿木结构的砖室墓等。主要有1951—1952年在禹县白沙水库发掘的3座仿木结构和一座墓内绘有人物、用具壁画的砖室墓，1951—1955年在郑州南关外发掘的3座北宋砖室墓，1955年在洛阳涧西发掘的北宋小型土坑墓与砖室墓共170余座，1956年在洛阳北关邙麓街发掘的一座仿木结构砖室墓（墓内有8具人骨架，其中迁葬1具，火葬7具，均用陶罐作葬具），1958年在方城盐店发掘的一座宋代砖室墓（墓内随葬有许多罕见的石雕用具与石人像），1959年在偃师酒流沟水库发掘的一座仿木结构的宋代砖室墓（墓内墙壁上镶嵌有大块表现庖厨、杂剧的雕砖），1961年在巩县孝义镇宋代王陵墓区内发掘的一座宋益王夫妇合葬的砖室墓，1965年在上蔡发掘的一座人物雕砖壁画宋墓，1980年在登封大金店西发掘的一座宋代砖室壁画墓，1984年在巩县西村乡滹沱村北宋陵墓区内发掘的一座宋太宗元德李后陵等。其中以北宋元德李后陵的发掘尤为重要。李后陵的陵园布局基本和皇帝陵大体相同，神道两侧均有石刻，宫城有神墙，神门外有石狮。陵台位于宫城中部，呈覆斗式，其中有砖砌单室地宫，地宫内有石棺床，墓内还绘有壁画和星象图。该墓虽被盗掘，但仍残存一些玉、瓷、石、铜、铁和木器等随葬品181件。这是经过正式发掘的第一座北宋皇室陵墓。这些墓葬的发掘，为研究宋代的建筑史及宋史提供了重要的实物资料。

金代墓葬经过发掘的多集中在豫北地区。主要有1955年在安阳郭家湾发掘的5座金代土坑墓，1973年在焦作王庄发掘画像石墓、老万庄壁画墓、西冯封雕砖墓和随葬有彩绘陶俑的新李封墓，1978年发掘的老万庄2号、3号壁画墓等。金代砖室墓的形制虽多与北宋砖室墓相似，但墓内的雕刻和壁画则具有明显的时代特色。

元代与明代的墓葬，发掘较少。主要有1956年在洛阳郊区发掘的1座仿木结构的元代砖室墓和在洛阳涧西发掘的1座元代土洞墓，1954年在郑州二里岗发掘的1座明代砖室墓，1958年在郑州南关发掘的1座明代砖室墓，1956年在杞县高高山发掘的2座明墓（墓内随葬有陶院落模型），1962年在扶沟汴岗清理1座明代砖室墓（墓内也随葬有陶院落模型）等。另外，1977年对新乡市潞王坟潞简王墓及其次妃赵氏墓进行了认真调查。

总之，40年来，在河南省境内发掘了许多处各个时代的古文化遗址和大量的古墓葬，其中不少是我国考古学上的重大发现，为研究河南地区古代政治、经济、文化等方面的发展提供了重要的实物资料。但是在对有些古文化遗址的发掘中，因只限于配合工程的建设部分，而对有些遗址的重点部分作为保护范围而未进行发掘。遗憾的是有些古文化遗址的重点部分由于建设部门的扩建而遭到程度不同的破坏或损毁，造成了无法挽救的损失。

（六）古代建筑、古代石刻与革命纪念建筑物的保护修葺工作

1952年至1980年间，原河南省文物工作队还担负着全省范围内的古代建筑、古代石刻和革命纪念建筑物的调查、保护与修葺工作，并设有专门负责此项工作的"古建组"与"调查组"（也叫地上组），除对全省范围内的古代建筑、古代石刻与革命纪念建筑物进行全面的调查、登记和保护工作外，还对一部分古代建筑、古代石刻和革命纪念建筑物进行了修葺工作。据初步统计，共修葺古代建筑、古代石刻和革命纪念建筑物60余处。

1. 对古代建筑、古代石刻的保护与修葺的项目有开封宋代铁塔、开封宋代繁塔、开封清代龙亭、相国寺、登封中岳庙清代峻极门、登封会善寺唐代净藏禅师塔、少林寺、邓县宋代福胜寺塔、汝州市城内唐代法行寺塔、安阳五代天宁寺塔、温县五代至明代的慈胜寺大殿及其附属建筑、汝州市风穴寺明代钟楼、巩县唐代杜甫出生窑、登封唐代永泰寺塔、滑县宋代明福寺塔、永城宋代崇法寺塔、唐河宋代泗洲寺塔、陕县金代宝轮寺舍利塔、沁阳天宁寺三圣塔、禹县白沙明代义勇武安王大殿、汤阴明清岳飞庙、辉县百泉元明建筑及碑林、淮阳明代太昊庙、襄城县明代文庙、许昌市明代文峰塔、南阳市清代诸葛武侯祠、社旗县清代山陕会馆、洛阳白马寺、济源济渎庙、阳台宫、登封东汉三阙保护房、正阳东汉石阙保护房、荥阳东汉循吏故闻熹长韩仁铭保护房、临颍县繁城魏受禅碑及公卿将军上尊号碑保护房等。

2. 对革命纪念建筑物的保护与修葺项目有新县鄂豫皖边区兵工厂旧址、新县鄂豫皖边区苏维埃政府旧址、确山县竹沟中共中央中原局旧址、渑池东关八路军兵站旧址等。

3. 对全省范围内已修葺和未进行修葺的古代建筑、古代石刻和革命纪念建筑物都进行了认真的调查，并收集了大量的文字记录、拓片、测绘图和照片等资料。其中有些古代建筑在调查和收集资料后，由于种种原因而被损毁，如密县法海寺塔和超化寺塔，在1968年被毁掉，因而在收集的古代建筑资料中有的已成为极为珍贵的档案资料。

（七）整理研究工作

整理研究是文物考古工作中的重要组成部分。它是通过田野考古调查与发掘，把收集来的大量古文化遗址、古墓葬、古代建筑、古代石刻和革命纪念建筑物、革命纪念地等资料，在田野初步研究的基础上，经过全面系统的排队对比、分析研究，并结合有关资料，整理出科学的考古调查与发掘报告专集、考古报告、简报等图文并茂的科研成果进行发表，为历史学界和考古学界的进一步综合研究提供资料。40年来，河南省文物研究所（包括河南省文物工作队、郑州市文物工作组、洛阳市文物工作组、河南省文物一队、河南省文物二队）在不影响考古调查与发掘工作的情况下，共编写发表考古调查与发掘报告专集、长篇报告和简报以及报道等600多篇（本），合160多万字，并在整理研究的基础上写出论文200余篇，合100余万字。现就已发表的专集、报告、简报与报道分别摘要于后。

1. 已发表的考古报告专集与图录19册

（1）《郑州二里岗》：河南省文物工作队编著，安金槐、裴明相、张建中等执笔，16开本，1959年科学出版社出版。这是新中国成立后，河南省文物工作队发表的第一本考古报告专集。根据1953年至1955年在郑州二里岗发掘的商代遗址和200多座战国墓葬的材料，

经过研究编写而成。报告根据二里岗商代遗址的地层叠压和上下层内包含主要陶器形制特征的明显变化，把商代二里岗期分为"商代二里岗期下层"和"商代二里岗期上层"前后两大期，并对二里岗战国墓葬的形制特征与随葬陶器的变化进行了分期，从而证明在战国晚期已出现空心砖墓。

（2）《洛阳烧沟汉墓》：洛阳地区考古发掘队编著，蒋若是等执笔，16开本，1959年科学出版社出版。根据1953年至1955年在洛阳烧沟一带发掘的汉墓资料，经过整理研究编写而成。报告根据这批汉墓的形制和对随葬品的对比研究，总结出由西汉到东汉时期汉代墓葬的发展序列及其特征，并结合文献记载进行了论证。

（3）《河南信阳楚墓出土文物图录》：河南省文物工作队第一队编著，裴明相、贾峨撰写序言与说明，张建中摄影，16开本，1959年河南人民出版社出版。根据信阳长台关一、二号楚墓出土的部分彩绘木漆器和铜器编辑而成。

（4）《河南出土空心砖拓片集》：河南省文物工作队编，许顺湛、王润杰、张超人等收集和撰写序言，16开本，1963年人民美术出版社出版。根据解放前后在河南各地收集和发掘出土的部分图案花纹较好的汉代空心砖拓片进行分类排列汇集而成。

（5）《巩县铁生沟》：河南省文物工作队编，赵青云、赵国璧执笔，16开本，1962年文物出版社出版。根据1958年至1960年在巩县铁生沟冶铁遗址发掘的全部资料，经过整理研究编写而成。是我国首次出版的有关汉代冶铁遗址的发掘报告专著。

（6）《巩县石窟寺》：河南省文物工作队编，安金槐、贾峨等执笔，张建中、王兆文摄影，高秋菊、刘建洲等描图，冯天成拓片，16开本，1963年文物出版社出版。根据巩县石窟寺的全部材料，包括文字、拓片、照片和线图等资料编著而成。

（7）《邓县彩色画像砖墓》：河南省文物工作队编，许顺湛、陈大章执笔，16开本，1958年文物出版社出版。该书对邓县彩色画像砖墓的发掘经过、墓室的结构、墓内彩色画像砖的位置和内容做了全面系统的介绍。

（8）《河南邓县彩色画像砖》：贾峨撰写文字说明，张建中摄影，折叠装，1963年上海美术出版社出版。根据邓县六朝墓内的彩色画像砖，择其有代表性的图片汇集成册，并附加文字说明。

（9）《河南名胜古迹》：河南省文物工作队编，安金槐、裴明相、贾峨等撰写文字说明，张建中摄影，16开本，1964年河南人民出版社出版。本书是选择河南境内重要的古文化遗址、古建筑、古石刻的照片资料汇集而成，并附以文字说明。

（10）《安阳修定寺塔》：河南省文物研究所编，杨宝顺等执笔，16开本，1983年文物出版社出版。本书根据位于安阳县西北35公里清凉寺山上的唐代修定寺塔的形制结构和砖雕图案内容，对修定寺塔进行了研究，并附以大量的线图和照片。

（11）《千唐志斋藏志》：河南省文物研究所编，武志远、郭建邦执笔，8开本，1984年文物出版社出版。本书根据张钫先生解放前收集的藏于新安县铁门镇的近千块以唐代为主的墓志拓片编著而成。

（12）《信阳楚墓》：河南省文物研究所编，裴明相、贾峨、黄士斌、张建中等执笔，16开本，1986年文物出版社出版。根据1957年至1958年发掘的信阳长台关一号与二号大型楚墓的全部材料，通过整理研究编写而成。

（13）《淅川下王岗》：河南省文物研究所等单位编，曹桂岑、杨肇清、刘式今、李绍连、王明瑞等执笔，16开本，1989年文物出版社出版。根据1971年至1974年发掘的淅川下王岗的全部资料，通过整理研究编写而成。首次对豫西南地区的仰韶文化、屈家岭文化和龙山文化的先后发展序列和社会性质等问题进行了探讨。

（14）《淅川下寺春秋楚墓》：河南省文物研究所编，赵世纲、张剑、陈立信、王与刚等执笔，16开本，1991年12月文物出版社出版。根据1977年至1979年在淅川县下寺发掘的15座春秋楚墓和5座车马坑的全部资料，经过整理研究编写而成。这是目前已发表的最多的一批春秋楚墓的资料。

（15）《登封王城岗与阳城》：河南省文物研究所等单位编，安金槐、李京华、王明瑞、方燕明等执笔，16开本，1992年1月文物出版社出版。根据1975年至1981年发掘的登封王城岗龙山文化中晚期城址和东周阳城遗址的全部资料编写而成，为探讨夏文化与阳城的问题提供了重要资料。

（16）《中岳汉三阙》：河南省文物研究所等单位编，吕品执笔，16开本，1990年文物出版社出版。根据1961年原河南省文物工作队对登封东汉太室阙、少室阙、启母阙的实测图、拓片、照片与文字资料，通过整理研究编写而成。

（17）《河南出土商周青铜器（一）》：河南省文物研究所编，贾峨、杨育彬、裴明相等编著，王露摄影，16开本，1981年文物出版社出版。本书是选择新中国成立后至1980年河南各地新出土的商代和西周时期的青铜器中有代表性的器物，按时代先后，并采用照片附加说明的方式编著而成。为研究河南出土的青铜器提供了重要资料。

（18）《河南钧瓷、汝瓷与三彩》：河南省文物研究所编，16开本，1987年紫禁城出版社出版。它是中国古陶瓷研究会1985年的郑州年会的论文集，论文集中主要收集了有关河南境内汝瓷、钧瓷与唐三彩的研究论文。

（19）《汝窑的新发现》：河南省文物研究所等单位编，赵青云撰写序言，16开本，1991年10月紫禁城出版社出版。本书选择新中国成立以来河南汝州市和宝丰县出土的以及收集的汝官窑、民窑瓷器中有代表性的器物，采用照片附加文字说明的方式编写而成，为研究汝窑瓷器提供了重要资料。

2. 已交出版社和完成初稿的考古报告专集4本

（1）《新郑东周铜兵器》：郝本性执笔。

（2）《密县打虎亭汉墓》：安金槐等执笔。

（3）《固始侯古堆东周墓》：赵青云、郭建邦等执笔。

（4）《禹县钧台窑》：赵青云等执笔。

3. 已发表的个人专著（指在河南省文物工作队或河南省文物研究所工作期间撰写的）有9本

（1）《灿烂的郑州商代文化》：许顺湛著，32开本，1957年河南人民出版社出版。根据1955年以前郑州商代遗址已发掘的主要遗迹与遗物，论述了郑州商代遗址的重要性及其社会状况。

（2）《商代社会经济基础初探》：许顺湛著，32开本，1958年河南人民出版社出版。根据发掘出土的商代各种遗迹与遗物，结合有关文献记载，对商代社会经济基础进行了一些探讨。

（3）《中国陶瓷史》：安金槐为主编之一，16开本，1982年文物出版社出版。安金槐承担夏、商、周陶瓷部分，首次将商代西周的原始瓷器编入中国陶瓷史内。

（4）《郑州商城初探》：杨育彬著，32开本，1985年河南人民出版社出版。根据考古发掘资料和有关文献，对郑州商城的建筑、经济、文化、性质等问题进行了探讨。

（5）《河南考古》：杨育彬著，大32开本，1985年中州古籍出版社出版。本书根据新中国成立30多年来河南各个时代的考古发现进行了综合研究。

（6）《中国考古》：安金槐主编。系国家文物局委托编写的考古学教材。1991年已交上海古籍出版社出版。

（7）《中国古陶瓷》：安金槐参与编写陶器部分。系国家文物局教育处委托编写的考古学教材参考书。1991年已交上海古籍出版社出版。

（8）《河南陶瓷史》：赵青云著。1990年已交紫禁城出版社出版。

（9）《中国文物地图集·河南分册》：杨育彬主编，张玉石为副主编。系国家文物局和河南省文物局委托编写，1991年中国地图出版社出版。

4. 已报请中国社会科学规划办公室批准，并给基金资助的"八五"期间重点科研课题2项

（1）《郑州商城》考古报告专集：安金槐、杨育彬、裴明相等承担。

（2）《舞阳贾湖》考古报告专集：张居中承担。

5. 《华夏考古》：河南省文物研究所主办，是文物考古学的学术性和资料性的刊物。主要内容包括：（1）中原地区考古发掘报告和简报；（2）与中原地区文物、考古研究有关的论文；（3）有关文物科学技术保护资料等。1987年创刊，国内外发行，每年4期，至1992年6月已出版20期。

6. 已在国内各种文物、考古期刊上发表的考古调查与发掘的长篇报告与简报共有117篇

（1）旧石器时代：《河南灵宝营里旧石器地点调查简报》等。

（2）裴李岗文化：主要有《河南密县莪沟北岗新石器时代遗址》、《河南长葛石固新石器时代遗址发掘报告》、《舞阳贾湖裴李岗文化遗址》等。

（3）仰韶文化：主要有《郑州西郊仰韶文化遗址发掘简报》、《河南鲁山丘公城古遗址的发掘》、《河南渑池西庵村新石器时代遗址发掘简报》、《郑州后庄王遗址的发掘》、《濮阳西水坡仰韶文化遗址发掘简报》、《渑池仰韶村遗址的发掘》、《河南临汝大张遗址发掘简报》、《河南禹县谷水河遗址发掘简报》等。

（4）屈家岭文化：主要有《河南信阳三里店遗址发掘报告》、《河南信阳阳山新石器时代遗址试掘记》、《河南唐河茅草寺新石器时代遗址》、《河南唐河寨茨岗新石器时代遗址》、《河南镇平赵湾新石器时代遗址的发掘》、《淅川下集新石器时代遗址的发掘》、《淅川黄楝树新石器时代遗址发掘报告》等。

（5）龙山文化：主要有《郑州牛砦龙山文化遗址发掘报告》、《郸城段寨遗址试掘》、《郑州眦岳王村遗址发掘报告》、《登封程窑遗址试掘简报》、《河南淮阳平粮台龙山文化城址试掘简报》、《禹县瓦店遗址发掘简讯》、《河南南召二郎岗新石器时代遗址》、《河南泌阳板桥新石器时代遗址的调查与试掘》、《河南偃师汤泉沟新石器时代遗址的试掘》、《郑州站马屯遗址发掘报告》等。

（6）二里头文化与同时期的遗存：主要有《河南登封县玉村古文化遗址概况》、《郑州洛达庙遗址发掘报告》、《河南巩县稍柴遗址的发掘》、《郑州上街遗址的发掘》、《渑池鹿寺商代遗址试掘简报》、《河南偃师灰嘴遗址发掘简报》、《河南新乡潞王坟商代遗址发掘报告》、《郑州南关外商代遗址的发掘》、《陕县西崖村遗址的发掘》等。

（7）商代二里岗期与商代晚期：主要有《郑州商代遗址的发掘》、《郑州白家庄遗址发掘简报》、《郑州第5文物区第1小区发掘简报》、《郑州商代遗址》、《郑州商代城遗址发掘报告》、《郑州商代城内发现商代夯土台基和奴隶头骨》、《郑州白家庄商代墓葬发掘简报》、《郑州市人民公园第二十五号商代墓清理简报》、《郑州商代铸铜遗址发掘报告》、《郑州商代制陶遗址发掘简报》、《郑州新出土商代前期大铜鼎》、《郑州商代城内宫殿遗址区第一次发掘报告》、《郑州新发现商代窖藏青铜器》、《一九五五年秋安阳小屯殷墟的发掘》、《一九五八年春安阳市大司空村殷代墓葬发掘简报》、《河南安阳薛家庄殷代遗址、墓葬和唐墓发掘简报》、《一九五七年秋安阳高楼庄殷代遗址发掘》等。

（8）西周：主要有《信阳孙砦遗址发掘报告》、《洛阳两座西周墓》、《洛阳东郊西周墓发掘简报》、《河南襄县西周墓发掘简报》、《河南淮阳出土西周铜器和陶器》等。

（9）东周：主要有《郑州碧沙岗发掘简报》、《郑州岗杜附近古墓葬发掘简报》、《河南南召二郎岗战国墓发掘简报》、《河南上蔡战国墓的清理》、《河南新郑郑韩故城的钻探和试掘》、《河南固始侯古堆一号墓发掘简报》、《固始侯古堆发掘一座大型陪葬坑》、《河南新野古墓葬清理简报》、《河南郏县发现的古代铜器》、《河南潢川县发现一批青铜器》、《河南信阳平桥春秋墓发掘简报》、《新郑郑韩故城发现一批战国铜兵器》、《河南温县东周盟誓遗址一号坎发掘简报》、《河南扶沟古城村出土的楚金银币》、《汤阴发现战国阵亡军士墓》、《淮阳马鞍冢发现楚国车马坑》、《淮阳平粮台十六号墓发掘简报》等。

（10）秦汉时期：主要有《河南泌阳发现一座秦墓》、《南阳汉代铁工厂发掘简报》、《汉魏洛阳城刑徒坟场调查记》、《河南禹县白沙汉墓发掘报告》、《河南泌阳板桥古墓葬及古井的发掘》、《洛阳西汉壁画墓发掘报告》、《洛阳30、14号汉墓发掘简报》、《一九五五年洛阳涧西区小型汉墓发掘报告》、《郑州二里岗汉画像空心砖墓》、《郑州二里岗的一座汉代小砖墓》、《河南荥阳河王水库汉墓》、《河南新安铁门镇西汉墓葬发掘报告》、《郑州南关159号汉墓的发掘》、《密县打虎亭汉代画像石墓与壁画墓》、《南阳汉代石刻墓》、《密县后土郭汉代画像石墓发掘报告》、《河南南阳杨官寺画像石墓发掘报告》、《河南襄城茨沟汉画像石墓》、《唐河针织厂汉代画像石墓的发掘》、《河南桐柏万岗汉墓的发掘》、《灵宝张湾汉墓》、《济源泗涧沟三座汉墓的发掘》、《正阳县汉代石阙调查》等。

（11）魏、晋、南北朝时期：主要有《洛阳16工区曹魏墓的清理》、《河南郑州晋墓发掘记》、《河南南阳晋墓》、《洛阳晋墓的发掘》、《洛阳涧西16工区82号墓清理记略》、《洛阳西车站发现北魏墓一座》、《洛阳北魏长陵遗址的调查》、《一九五五年洛阳涧西区北朝及隋唐墓葬发掘报告》、《河南安阳大司空村六朝墓的清理》、《渑池县发现古代窖藏铁器》、《河南安阳北齐范粹墓发掘简报》等。

（12）隋、唐、五代时期：主要有《洛阳隋唐含嘉仓的发掘》、《安阳修定寺唐塔》、《河南安阳隋代瓷窑址的试掘》、《河南密县、登封唐宋窑址调查》、《巩县黄冶唐三彩窑址的试掘》、《河南安阳琪村发现隋墓》、《洛阳16工区76号唐墓清理简报》、《郑州罗新庄唐墓清理记》、《河南偃师唐崔沈墓发掘简报》、《郑州上街唐墓发掘简报》、《河南上蔡县贾庄唐墓清理简报》、《河南温县唐代杨履庭墓发掘简报》、《河南扶沟县唐赵洪达墓》、《河南温县两座唐墓清理简报》、《河南鲁山段店窑的新发现》、《陕县唐代姚懿墓发掘报告》等。

（13）宋、金、元、明时期：主要有《河南鹤壁市古煤矿遗址调查简报》、《河南渑池县发现宋代铸铁遗址》、《河南汤阴县发现大规模古瓷窑场遗址》、《汤阴、鹤壁古瓷窑遗址》、《汝窑址的调查与严和店的发掘》、《河南省鹤壁集瓷窑遗址发掘简报》、《河南禹县钧台窑址的发掘》、《内乡县大窑店窑址的调查》、《宜阳发现宋瓷窑作坊遗址》、《河南省新安县古瓷窑遗址调查》、《洛阳发现的带壁画古墓》、《河南巩县发现宋益王墓》、《河南巩县宋魏王赵頵夫妻合葬墓》、《洛阳涧西宋墓的发掘》、《郑州南关外北宋砖室墓》、《河南方城盐店村宋墓》、《偃师酒流沟水库宋墓》、《宋太宗元德李后陵发掘报告》、《河南安阳郭湾小型金墓》、《焦作金墓发掘简报》、《河南武陟县小董金墓》、《洛阳涧西发现元墓》、《杞县高高山明墓清理简报》、《新乡潞简王墓调查简报》、《济源发现一座元代建筑》《河南温县慈胜寺古建调查》、《安阳天宁寺塔》、《登封观星台》、《河南泌阳金代三圣塔调查报告》等。

7. 已发表的考古调查、发掘工作报道：这里主要是指在各种报刊上发表的考古调查，发掘总结，重要消息，重要器物、遗址与墓葬的调查发掘资料等，因没必要编写调查与发掘报告或简报，所以多以简短的形式进行发表的报道。共有549篇。

（1）有关工作总结性质的主要有：《河南在治淮工程中出土文物简讯》、《河南古文化遗址报道》、《一年来郑州市的文物调查发掘工作》、《八个月的郑州文物工作概况》、《郑州西郊发掘纪要》、《洛阳防洪工程清理2700件文物》等。

（2）有关考古发掘的报道主要有：《洛阳邙山发现新石器时代遗址》、《洛阳市又发现龙山遗址一处》、《洛阳市东郊的几处遗址》、《河南新乡龙山文化遗址调查》、《河南南召县发现古遗址一处》、《河南淅川县的新石器时代遗址》、《汤阴朝歌镇发现龙山和商代等文化遗址》、《豫北古墓葬调查记》、《河南信阳的新发现》、《河南伊阳汝河沿岸古遗址调查纪要》、《临汝夏店发现商文化遗址》、《焦作市发现一座古墓》、《洛阳涧河西发现古代窑址》、《林县发现金代义军印》等。

（3）有关古文化遗址与古墓葬的报道主要有：《洛阳东郊的几处遗址》、《郑州殷商遗址地层关系介绍》、《河南郑州二里岗又发掘出"俯身葬"人骨两具和有凿痕龟甲一片》、《郑州市铭功路西侧的商代遗存》,《郑州市北郊紫荆山一带发现商代遗迹》、《河南孟县涧溪遗址发掘》、《河南信阳小胡庄春秋遗址》、《河南西峡县及南阳市两古城调查记》、《河南鹤壁市汉代冶铁遗址》、《南阳发现大型汉代画像石墓》、《南阳东汉小砖券墓的发掘》、《郑州二里岗空心砖墓介绍》、《郑州南关外东汉墓的发掘》、《洛阳市西郊谷水工地发现晋墓一座》、

《洛阳龙门发现北宋墓》等。

（4）有关出土器物的报道主要有：《邓县出土大批古铜钱》、《淮阳出土的西周铜器和陶器》、《鲁山发现一批西周铜器》、《河南新郑仓城发现铸铁器泥范》、《洛阳西汉墓出土彩绘陶俑》、《荥阳县汉墓出土的彩绘陶楼》、《介绍一件东汉晚期的陶水榭》、《密县汉墓陶仓楼上所绘的地主收租图》、《河南新野出土的汉代画像砖》、《河南郸城发现汉代石坐榻》、《河南桐柏平氏镇发现汉代铜器》、《河南焦作东汉墓出土的彩绘陶仓楼》、《洛阳出土西晋鸡头壶》、《河南温县发现唐三彩瓷狮》、《河南巩县出土的唐代书名陶俑》、《洛阳北郊墓葬中发现大量北宋漆器》、《密县北宋塔基中的三彩琉璃塔和其他文物》、《虞城发现元代木兰碑》、《新乡县发现一颗明代铜印》等。

（5）有关古代建筑的报道主要有：《洛阳白马寺》、《济源发现一座元代建筑》、《林县洪谷寺唐塔调查》、《嵩岳寺塔》、《河南安阳宝山寺北齐双石塔》等。

8. 已发表的论文：随着河南考古调查与发掘工作的不断发展和研究的不断深入，同志们除编写了大量考古调查与发掘报告、简报、报导外，还撰写了许多具有较高学术价值的论文，共有 219 篇。

（1）有关新石器时代早期裴李岗文化方面的论文主要有：《略论裴李岗文化与磁山文化的关系》、《试析锯齿形石镰》、《裴李岗文化的几个问题》、《裴李岗文化陶器制作工艺》、《磁山裴李岗下潘汪与石固》、《试论贾湖类型的特征与周围文化的关系》、《贾湖骨笛在音乐史上的重大价值》等。

（2）有关新石器时代仰韶文化方面的论文主要有：《"仰韶"时期已进入父系氏族社会》、《仰韶文化同类型的来龙去脉》、《鄂西北、豫西南仰韶文化的性质与分期》、《试论仰韶文化下王岗类型的渊源》、《关于中原新石器时代文化的几个问题》、《仰韶时代文化刍论》、《仰韶文化陶鼓辨析》、《仰韶文化社会性质的讨论及我见》、《濮阳西水坡第 45 号墓主人考》等。

（3）有关龙山文化与夏文化探索方面的论文主要有：《试论河南"龙山文化"与夏商文化的关系》、《夏"都"阳城在哪里？》、《夏"都"斟鄩在哪里？》、《少康"中兴"与迁原》、《夏文化探索》、《对夏文化探索一文的商榷》、《豫西夏代文化初探》、《二里头文化商榷》、《夏文化的再探索》、《谈谈夏代文化的问题——兼对〈郑州商城即汤都亳说〉一文商榷》、《夏文化的探讨》、《近年来河南夏商考古的新收获——为中国考古学会第四次年会而作》、《关于登封王城岗遗址几个问题的探讨》、《淮阳平台龙山文化古城名考》、《河南发现的夏商古城址》等。

（4）有关商代文化方面的论文主要有：《试论郑州商代城址——隞都》、《试论郑州商代的几何印纹硬陶》、《试论郑州商代瓷器的几个问题》、《试论商代"汤都亳"与"仲丁都隞"》、《关于郑州商城的两个争论问题》、《近年来郑州商代遗址发掘收获》、《商代的楚文化遗存及其有关问题》、《对于我国瓷器起源问题的初步探讨》、《谈谈河南商周时期印纹硬陶及其有关问题》、《略谈郑州前期的骨刻文字》、《郑州商代铜器铸造述略》等。

（5）有关周代文化方面的论文主要有：《楚人在河南活动遗迹》、《再论楚都丹阳》、《楚都陈城考》、《王子午鼎铭文试析》、《再论信阳楚墓悬鼓及鼓虡的复原问题》、《淅川下寺楚墓王孙诰钟的分析》、《楚都丹阳试探》、《楚文化在河南的发展历程》、《固始侯古堆一号墓墓主人身份的探讨》等。

（6）有关汉代及其以后各代的论文主要有：《巩县铁生沟汉代铸铁遗址再探讨》、《汉代的铁钩镶与铁钺戟》、《洛阳古墓中的铁制生产工具》、《汉代铁农器铭文释译》、《河南汉代冶铁技术初探》、《河南古代铁农具》、《密县汉墓陶楼上所绘的地主收租图》、《从南阳宛城遗址出土汉代犁铧模和铸范看犁铧的铸造工艺》、《古代烘范工艺》、《关于汉代球墨铸铁中球状石墨和基本组织成因的研究》、《河南天目瓷的起源与发展》、《钧台窑的兴起与昌盛》、《鹤壁集窑黑褐彩陶瓷的初步研究》、《汝瓷探源》、《试论河南出土的越窑瓷器》、《北宋官窑与南宋官窑》等。

总之，通过对河南省文物研究所 40 年发展历程的回顾，可以清楚地看到，在党和政府的领导下，特别是在国家文物局、河南省文化厅、河南省文物局的直接领导与关怀下，广大文物考古工作者勤勤恳恳，积极努力，认真负责，不辞劳苦，辛勤工作，使河南省文物研究所在文物保护，古建修葺，考古调查、发掘、整理研究，培养人才等方面都取得了显著成绩。我们相信，随着改革开放和社会主义经济建设事业的进一步发展，我们的文物考古工作会更上一层台阶，并为中国的文物考古事业作出新的更大的贡献。

1977年11月登封告成遗址发掘现场会（左一夏鼐，左二孙作云，前右一作者）

1980年在登封王城岗遗址研讨出土青铜器残片（左起李先登、作者、贾洲杰、李京华）

1983年夏鼐（左一）参观登封告成文物工作站（左二作者）

1992年在密县打虎亭汉墓内研究壁画（左一作者，左二楼宇栋）

1993年在南阳参加学术会时参观内乡县衙（左一作者，左二杨育彬）

1994年接待张光直先生（左二）来省文物考古研究所参观（左一作者，左三省文物局副局长张文军，左四方燕明）

1996年作者撰写《郑州商城》考古发掘报告

1999年4月作者（右一）陪同邓楠同志（左二）参观郑州商城工作站（左一杨育彬）

1999年作者（右三）陪同陈全国副省长（前左一）参观郑州商城发掘工地

1999年7月作者当选"河南省十大新闻人物"

河南省文物研究所建所感言

裴明相

编者按：这是我所已故的著名考古学家裴明相先生1992年9月为40周年所庆所写的感言，文中阐述了我所40年来发生的巨大变化，充满了一位老考古人对文物考古事业的热爱，令人感动。

忆往事，信心倍增，斗志更坚。

值此40年所庆之际，抑止不住内心的喜悦，桩桩往事，涌现在眼前。

50年代初，我们的办公地点原在开封市刷绒街十间左右的破房内，后又搬到郑州市前皋民里一座简陋小院内。而现在呢？则是高层次的办公大楼和钢筋水泥的一级仓库。

50年代初的所藏文物较少，仅有供参观、学习用的几架标本器物。而现在呢？所存文物以数万计，并已分级造册，妥善管理。另外，还设立图书室、资料室、绘图室、照相室、修复室等等，为科研工作创造了有利条件。

50年代初的专业人员，只有十几位，而今天却增至百人左右，其中获高、中级学术职称的有30多人，约占全体职工人数的三分之一。他们刻苦钻研，蔚然成风。研究范围涉及旧石器、裴李岗、仰韶、龙山、夏商、楚文化、秦汉、魏晋南北朝、唐宋等一系列的考古课题。截至目前，在《考古》和《文物》及其他刊物上发表的考古报告和简报117篇，发表的考古调查和报道549篇，发表较有价值的学术论文219篇，已出版的考古专著28部，尤其是我所编辑的《华夏考古》是定期季刊。创办六年多来，已发表文章200多篇，更促进了我所与国内外单位的定期学术交流。总之，以上这些专著、报告、简报以及各类文章的发表，对黄河下游物质文化的研究、新中国两个文明的建设以及中外文化的交流都有着积极的意义和作用。初步统计，在我所（含文物队）先后工作过的同志共计250余人，他们到所的时间有早有晚，工作的期限有长有短，但他们在我所工作期间都是含辛茹苦，日夜奋战，冒风雪，顶寒暑，流了不少汗水，付出了不少心血。他们有的积劳成疾，甚至有的献出了自己的生命。这些可歌可泣的事例，是多不胜举的，这次建所40年所写的几篇回忆录，只是部分同志的片断追忆，分别概述了他们在不同的时间和地点在关键时刻，以忘我的精神，无畏无惧勇于拼搏的前前后后。显然，这对我们正在工作的同志是莫大的鼓励和鞭策。随着今后改革开放政策的逐步深入以及文物队伍的发展壮大，定会在文物工作岗位上涌现出更多"回忆录"一类的篇章。

1962年碑刻调查在南阳卧龙岗合影（后排左三作者、左一杨育彬、左二崔庆明，前排左一田玉芳、左二李淑珍、右一魏仁华）

1991年作者（左一）在广西参加学术会（左二邹衡，左三杨式挺）

1992 年作者研究商代青铜器

20 世纪 90 年代作者（右三）参观郑州小双桥遗址

艰苦岁月的回顾

许顺湛

河南省文物考古研究所的前身是河南省文化局文物工作队，从1952年至2012年整整60年，60年的风风雨雨，潮起潮落，直到现在的辉煌时期，我全看在眼里，印在心上，回忆起来，真像一部多集的电视剧，一幕一幕的画面浮现出来，有艰苦、有狂热、有懊悔、有痛苦、有喜悦，五味杂陈，直到现在的春暖花开。

20世纪50年代初期，河南省文物管理委员会负责全省文物工作。文管会办公地址在开封市刷绒街的一个小院里，主任委员由著名学者河大校长嵇文甫兼任，副主任委员和不少委员都是由各单位领导兼任。住会委员多为高级统战人士。另外，还有一批中青年干部。1952年冬天，省里领导决定，高级统战人士划分到河南省文史馆，中青年干部组成河南省文化局文物工作队，河南省文物管理委员会保留空名。河南省文化局文物工作队在"文化大革命"后期，合并到河南省博物馆。"文化大革命"结束后，文物工作队更名为河南省文物研究所，从河南省博物馆独立出来。下面我主要对"文化大革命"前的河南省文化局文物工作队的基本情况作以回顾。

一、文物工作队的人员、机构基本情况

省文物工作队成立了，但懂得文物的人寥寥无几，韩维周在新中国成立之前曾与文物考古有过接触，算是唯一的老资格。另外，安金槐、蒋若是、裴明相三个年轻的大学生，于1952年参加了文化部、中国科学院、北京大学联合举办的全国考古工作人员培训班学习，1953年第二届全国考古工作人员培训班河南又派去六位同志学习，我本人也在其中。之后，第三届、第四届河南都派人参加学习。参加过学习的同志都成了河南省文物工作的骨干力量。直到20世纪60年代之后，才不断吸收了一些考古专业毕业的大学生。在这之前，从事文物考古的干部，其学历结构除少数几个大学生外，绝大部分都是初中、高中学历，甚至还有只上过小学的。从年龄结构看，机关在编的职工有70多人，百分之九十五以上都是40岁以下的年轻人，绝大部分职工的年龄都是在30岁以下，其中也包括我。从文物考古知识层面来观察，除了在全国考古工作人员培训班学习过的同志外，其他同志全是清一色的彻底外行，都是一张白纸。为了能够适应工作，只有举办各类学习班，不仅在郑州举办全省性的学习班，而且还派人到各地、市举办。另外，采取师傅带徒弟的办法，在工作中学习，在学习中工作，鼓励自学和相互学习。当时出现了一种非常好的学习气氛，每天晚上都能看到，各个寝办合一的房间内，一直都是灯火通明。这样一批年轻人，不怕困难，勤奋学习，思想单纯，工作热情高，经过在实践工作中磨炼，终于形成了一支能打阵地战，能打游击战，在全

国颇有影响的文物考古队伍。

河南省文化局文物工作队早期下设三个组，洛阳组由蒋若是任组长，负责配合洛阳基本建设中的文物保护和发掘；郑州组由安金槐任组长，负责郑州基本建设中的文物保护和发掘；还有一个机动组，由裴明相任组长，负责全省文物调查保护和突发性的考古发掘任务。这种组织结构时间不长，根据当时实际情况的需要，郑州工作组改为河南省文化局文物工作队第一队，洛阳工作组改为河南省文化局文物工作队第二队。随着1954年省会迁到郑州，省文物队原来的领导与省文化局文物科合并办公。原来机动组的同志合并到文物工作第一队。第一队除重点发掘郑州商城外，负责全省大面上的工作。在洛阳的第二队重点配合当地基本建设的发掘工作。1958年，一、二队合并，河南省文化局文物工作队的组织机构：除郑州商城重点发掘外，应付全省工作设地下组，负责各地考古发掘；设地上组，负责地面文物调查保护和古建筑维修工作。机关内部设保管组、编辑组和办公室。为了便于集中领导培训，1958年把机关年轻人主要是刚参加工作的中学生，组成了"刘胡兰小队"和"黄继光小队"，由有经验的干部和技工带领。"黄继光小队"后改为"长江流域规划办公室考古队河南分队"，负责丹江水库和南阳地区的文物考古工作。就是这样一个河南省文化局文物工作队，在省文化局领导下，与各地、市紧密合作，承担了全省的文物调查保护和重点发掘任务，而且取得了可喜的成绩。

二、主要工作概况

配合基本建设兴工动土以及农田水利工程进行考古发掘，在郑州主要是发现了商城，发掘了后庄王仰韶遗址和眈岇王龙山遗址；在偃师灰嘴发掘了龙山和夏文化遗址；在巩县稍柴发掘了可能是夏都斟鄩遗址；在淅川发掘了下集、黄楝树仰韶和屈家岭文化遗址；在南阳发掘黄山仰韶文化遗址；在巩县铁生沟和南阳瓦房庄发掘了汉代炼铁遗址；在鹤壁发掘了宋元瓷窑遗址，发现了宋代挖煤矿井；在洛阳和郑州等地发掘了一大批各时代墓葬，特别是在密县发掘了打虎亭、后士郭汉墓，其石刻壁画内容十分丰富；在信阳长台关发掘了楚墓，出土了一批罕见的漆木器、编钟和竹简。维修了登封少林寺、初祖庵、中岳庙，温县慈胜寺，济源阳台宫，临汝风穴寺，滑县明福寺塔等多处著名的古代建筑。对全省文物进行普查登记，整理重点材料，申报国家级重点文物保护单位和省级文物保护单位。大量的工作是与地方合作，如对重点文物保护单位建立"四有"，即有标志、有保护范围、有档案资料、有保护人员。除此之外，在20世纪60年代初期，对全省散存的碑刻墓志进行普查登记，建立档案，重要的碑刻还要抄录原文或拓拓片。当时把文物队绝大部分人力分成几个组投入工作。这对摸清家底进行保护十分重要。在科学研究方面当时还很难提到议事日程。虽然提出"出人才，出作品"的口号，由于整体基础差，起跑线差几个档次，在科研方面只可说还处于萌发阶段，所以当时只有少数人能写一些调查、发掘简报。深入研究，综合研究或大型发掘报告，很少有人问津。以上挂一漏万的简单介绍，即可以看出当时的工作大概状况。尽管工作中有许多不尽如人意的地方，但是从总体来说，在那个历史阶段，我们同志的工作成绩是可圈可点的。正因为如此，1956年河南省文化局文物工作队被推荐为全国先进单位，其代表参加了全国先进生产者（先进工作者）代表大会，之后，1959年又参加了新中国成立10周年天安门观礼。1960年，河南省文化局文物工作队又被推选为全国先进单位，参加了教科文卫全国群英会。这些荣誉的获得，是对这一支年轻的文物考古队伍工作成绩的肯定。以上所谈到的工作成绩，是当时历史阶段的产物，与现在河南省文物考古研究所相比，不论是人员素质、工作环境、工作条件、工作成绩真有霄壤之别，不可同日而语。

三、大环境与工作条件

当时工作的大环境，是处在阶级斗争和狂热的大潮流中，反右派斗争、反右倾、拔白旗、"大跃进"、大办钢铁、人民公社等，一个运动接着一个运动。在这个大环境中工作，都得随着阶级斗争的浪潮滚爬，运动与工作交织在一起，人们的言行都得谨小慎微，互相戒备，人人都得思想警惕，稍有不慎就会大祸降临。在这一时期说不清有多少人受到批判斗争，甚至声名扫地，家破人亡。在言行不自由、思想受压抑的时代，河南省文化局文物工作队这一批年轻人，抱着一颗赤诚的心，热爱祖国，热爱事业，迎着困难，日夜拼搏，积极工作，取得了有目共睹的成绩，的确难能可贵。

文物工作队的小环境，除了政治上受大环境影响外，本身也是困难重重，工作环境和条件都使人难以想象。例如郑州文物工作组后来改为文物工作队，在郑州开始工作的那几年，虽然是一个单位，但是没有办公地点，今年借用这家的房子，明年租那家的房子，我记得最后借租的房子在前阜民里，房子不够用，在院里搭建席棚。多数人都是在外边自找房子住。我从开封来到郑州，对我特别优待，给了我一个单间房，里边只能放置一张单人床，这就是我与妻子的住室。除在洛阳工作的同志外，文物队全体同志都集中在郑州，办公、住宿便成了头等大事。国家文物局和省文化局筹集一些款项，在郑州南关外第二工人新村为文物队盖了一些房子，总算是像个机关单位，文物队鸟枪换炮了，有了自己的办公和住宿地，大家都高兴极了。其实新建房子除库房、大办公室、图书室、照相室之外，供住宿的房子并不多，有家属的同志多在机关外租借房子，单身者在机关住宿，不仅是几个人住在一起，而且还是寝办合一。只有几个机关领导分配的是寝办合一的单间房子，例如安金槐同志的房间超不过8平方米，进去一看屋内相当简单，一张单人床，一张小桌子，两把椅子，一个电灯，一个洗脸盆架，十几年如一日，这就是他办公和睡觉的安乐窝。还有一位领导是丁伯泉，他的住室就在机关大办公室门外的楼梯间，房内放置一张小桌，一张单人床伸入楼梯下，只有在床的一端可以站起来，另一端只有脚放置的空间。楼梯间的门很低，高个子进出门时得弯着腰。领导的寝办合一房间如此简陋，其他同志的寝办合一房子就更可想而知了。不论哪个办公室或住室，在夏天不仅没有空调，而且连简单的电扇也没有，都是自备手扇。冬天没有暖气设备，各个房间都是烧煤炉取暖，安装抽烟筒，煤炉还不是烧蜂窝煤，都是散煤。秋天蚊子很多，各人都得自备蚊帐。生活用水没有自来水，都是地下井水。如果洗衣服都得自己从井里打水。机关有公共食堂，个人用不着起灶。机关只有一部老式电话机。整理文物没有房子，在院里搭建一个大席棚。有时开大会也在席棚里。

文物队的工作绝大部分都在野外。例如在郑州进行发掘工作，除了郑州商城重点发掘外，还有其他发掘工地，近处距机关有几里路，远处有几十里路，到发掘工地去，不论是工人还是干部，都是两条腿走路，而且还得背着发掘工具。机关的交通工具不仅没有汽车，而且连公用自行车也没有。发掘工人、干部到工地去每天只走一个来回,而负责几个工地的监督、指导、检查的领导,来往穿梭各个工地,实在是太辛苦了。我记得安金槐为了方便工作,是机关第一个购买自行车的人,大家都非常羡慕。那时能买一辆自行车,从经济角度说,比现在的干部买一辆汽车还要难些。在工地发掘是非常辛苦的,挖土工程主要是临时力工的事,但当时的技术工人和干部也干力工的活。发掘工地每天都有文物出土,特别是遗址发掘每天都有大量的陶片,文物不能存放在工地,都得及时运回机关,机关没有运输工具,全是人拉着架子车搬运,天天都有陶片流入机关,周围的群众调侃说:文物工作队是一个瓦片公司。在外地的发掘工地条件更差,走的全是坎坷不平的土路,甚至还得背着自己的行李,住宿有时有床,很多情况都是集体打地铺,有的地方没有电灯,只有点蜡烛。从事外地文物调查保护工作的同志,靠两条腿长途跋涉,走荒山野岭,过急流险滩,忍饥受饿更是家常便饭。我到过各地发掘点,也参加过文物调查,我有亲身体会,的确条件差,相当辛苦。同志们每日的工作时间,虽然规定是8个小时,但实际情况是,不分上下班,不分黑夜白天,不分节假日,都可以是工作时间。有一次我出差归来,黎明时回到机关,发现仍然是灯火通明,原来是机关同志打扫卫生干了一个通宵。对加班加点没有发加班费的概念。文物队的多数干部多数时间都在野外,按规定都有田野补助费,可是田野补助费少得可怜,每人每天补助3毛8分钱,当时机关整体经费每年只有十几万元,真是一个穷家。想想过去,看看现在,发展到今天的河南省文物考古研究所,大环境如沐浴春风,机关的小环境也是风调雨顺,工作条件相比之下,犹如人间天堂。

四、个人生活状况

文物队这一批年轻人全是靠工资吃饭,最高工资每月不到一百元,最少的每月只有三十多元。有一半以上的人都没有结婚。不说赡养父母,自我享用不少人都很紧张。在20世纪50年代早期有自行车的人是个别的,后来有自行车、有手表的人才逐渐多些。年轻人结婚没有房子,只能在寝办合一的住室住几天,然后各自东西,只能在星期六团聚一次。结婚基本上没有什么仪式,只是给同事散发几块喜糖而已。文物队同志运气真不好,正处在狂热年代、困难年代,国家实行统购统销,许多生活用品都靠计划供应,吃糖得有糖票,吃肉得有肉票,食油、鸡蛋、香烟、点心等许多小商品都得有票证,没有票证,虽然有钱什么也买不到。最重要的是布票和粮票。没有布票,穿衣服就困难,在那时没有穿过补丁衣服是少数人。四肢的关节处和臀部最肯烂,补丁多在衣服的这些部位,有的还是补丁摞补丁。过去形容穷人穿衣服,新三年,旧三年,缝缝补补再三年。在困难年光,省直机关干部在穿衣方面有多少人都成了"穷酸"。没有布票,衣服可以缝缝补补多延长几年,没有粮票是最要命的。人常说:人是铁饭是钢,一顿不吃饿得慌。我记得省直机关干部每人每月供应27斤面粉,面粉还要区分粗粮和细粮。如果是现在的27斤面足够吃了,因为有充足的副食品,但在那时根本不够吃,特别是饭量大的年轻人,经常处在饥饿状态。当时营养不良是普遍现象。文物队有70多人,在一次检查身体时,竟发现一半以上的同志得了浮肿,让停止工作休息。浮肿的原因不是其他什么病引起的,主要是营养不够,长期吃不饱。医生有什么办法?机关有什么办法?一时束手无策。后来上级领导号召搞"瓜菜代",城市的菜场根本供不应求，可喜的是，那时农村已允许农民种自留地，有一些瓜菜之类可吃的东西，机关派人到农村寻找，高价买回来不少干红薯片、红薯叶、南瓜干和一些萝卜、白菜，机关食堂可以把菜补充主食出售。过去形容一个人抠门，总是斤斤计较，这时在食堂买饭都得两两计较，早饭2两，中午饭4两，晚饭3两，每天只能吃9两，每月30天正好吃完，如果是大月31天，就不够吃了。有的人计划不周，月终就作大难了。没有办法只有从食堂多买菜汤喝。以上是在机关食堂吃饭的情况，到外地出差搞调查发掘的同志，体力劳动消耗很大，他们更苦了。例如在密县发掘打虎亭汉墓的同志，在公社食堂吃饭，天天吃一些淀粉馍，吃了以后便秘引起大便流血。有三个同志到南阳搞文物调查，有一个同志在路上拾了几把干红薯片，等到休息时三个人分着吃。有一位同志到老君山调查碑刻，早出晚归，半路饥饿难耐，扯下一些树叶充饥。我也有类似的经历，在登封调查文物保护情况时，晚上住在公社交了粮票，早上在公社食堂吃饭，每人一碗菜汤、一个豆腐渣馍，馍刚拿到手便酥成一堆，很难吃。各个同志都有自己的故事，这里就不多说了。幸运的是，文物队还没有饿死人，也没有因为饥饿而病死的人。各地农村就不同了，据说信阳地区就饿死了一百多万人。我看到一份材料，困难年代全国非正常死亡的不下几千万人。我的祖母在农村就是因为缺粮而死于浮肿。关于上述情况的原因中央早有结论，现在不必评说，在这里我只是作为今昔对比的一段回忆。

五、结束语

　　从以上介绍的情况看，河南省文物考古研究所的前身河南省文化局文物工作队，经历了那一阶段艰苦岁月的磨炼，更加坚强，一大批的年轻干部，也逐步迈向中年，使之更加成熟。在那样艰苦的年代，一批年轻干部经得起考验并且茁壮成长，是什么原因？现在回忆起来，主要是都有一颗热爱祖国、热爱党、热爱事业的赤诚的心，都有一个崇高的理想，充分发挥了不怕困难、吃苦耐劳的精神，发挥了不顾个人得失的奉献精神，发挥了勤奋学习、天天向上的精神，发挥了紧密团结的集体主义精神。这种精神值得传承和发扬光大。

　　河南省文物考古研究所（包括它的前身）是锻炼培养干部的大熔炉。例如从河南省文化局文物工作队出来的干部，后来分散在省文物局、河南博物院、省古建筑研究所、省社会科学院、郑州大学、河北大学和洛阳市以及留在文物考古研究所的同志，现在具有高级职称的30多人，他们在文物考古事业上都作出了应有的贡献。从文物工作队出来的干部，在后来文物考古研究所连续担任了三届所里的主要领导；担任了省文物局的局长和处长；河南省博物馆连续三任馆长都来自文物工作队；省古建研究所的所长和省社会科学院考古研究所的三届所长也是来自文物工作队。有的同志到洛阳市文化局担任领导。以上情况，说明这一批人才，都曾在艰苦岁月时代河南省文化局文物工作队磨炼过。现在河南省文物考古研究所的条件更加具有培养干部、锻炼干部的功能，更是出人材的洪炉，但是在庆祝河南省文物考古研究所成立60周年之际，不要忘记那一段艰苦岁月的历史，它可能会激励后人更加努力前进。

1959年7月作者（前左一）陪同郭沫若（前左二）视察郑州商城工地和标本室

1986年参观偃师商城博物馆（右起赵芝荃、安金槐、作者、杨育彬）

1987年9月参加安阳学术研讨会时参观淇县摘心台石刻（左起秦文生、作者、杨育彬）

许顺湛先生近影

2007年《中原文化大典·文物典》全体编辑合影（前排左四为作者）

漫话文物工作

陈嘉祥

编者按：这是年届90的离休老同志陈嘉祥先生在1992年所庆40周年时写的一篇回忆文章，坎坷经历，报国之心，深情动人。如今刊出，并祝陈老健康长寿。

我自1954年从事文物考古工作至今近40年，回顾既往，感触殊多，经历是崎岖而平庸的。

我国的田野考古事业始于1921年仰韶村遗址的发掘和仰韶文化的发现。河南有正规考古队伍应始于50年代初的河南省文化局文物工作队的成立（即省文物研究所前身）。40年来，她为河南文物事业的振兴发展，作出了显著的成绩和贡献。

解放前，文物考古鲜为人知，以为挖墓与玩古董可能与文物考古、古人古事有关联。高等院校很少设立考古专业，都认为它是"冷门"，少人问津。挖墓是要和死人打交道的，也会发现稀世之物，惹人关注和喜爱。而挖墓毕竟不是正道，称挖墓人为"挖墓贼"，被人唾弃，众人所恶，还咀咒他不得好报。

解放后，50年代初，宏伟的基本建设即将展开，为保护地下埋藏的文物不被基建挖土而遭破坏，保证建设永恒巩固，文物考古事业兴起，势在必行，1953年河南文物事业管理委员会承办文物干部训练班，讲授发掘方面的知识和保护文物的政策法令。我是1954年河南省第二届文物干部训练班学习结业的学员。

1954年4月来郑州南关外前阜民里郑州市文物工作组的住地，并配备了背包、小铲、尺子、绘图板、铅笔、记录用纸、绘图米格纸，田野实习由此开始了。一早院中熙熙攘攘地集满了打工的人。敲铁板的声音就是指令，它告诉我们要出发去工地了。等日落西山，夜幕笼罩大地时，方徒步归来。这样早出晚归，日复一日，实习生活开始了。

第一个实习点是陇海路南面的商代铸铜遗址，它在黄土路旁的田野中。已经挖开许多探方，暴露出铸铜陶范碎块、坩埚片、红烧土及浇铸青铜器的地面。这是三千多年前商代的铸铜作坊。在奴隶主驱赶指使下，奴隶们在这里艰苦地进行生产劳动。这遗存下来的文物和场面，提供给我们研究当时铸铜工艺、生产、生活及文化等方面的珍贵实物资料。

安金槐队长及裴明相、赵青云、赵世纲、丁伯泉、赵纯泰、杨宝顺诸位先生都曾做过我们的导师或辅导员，介绍发掘遗址的重要意义，讲述一系列工作常识，指导怎样使用指北针（罗盘），考古工作要认真负责、一丝不苟，发掘记录要详实明确，不能含糊，注意每个地层的土色和包含物的变化，不能混乱。注意晚期的东西万万不能扰进早期地层中去，谨防地鼠盗洞的干扰，划分地层要慎重不能倒置，地层的早晚与所包含的陶片要互为印证。他们还强调，要凭证据。弄不清楚的迹象，不要急于挖掉，可以现场"会诊"，仔细探讨，必要时可挖小切面。

在传授考古要诀的同时，他们还现身说法，示范使用发掘工具的方法。找迹象用小铲一侧刃垂直壁面刮削，不能铲。找灰坑或墓壁，用平头铲垂直壁刮剜土，使坑或墓中填土壁面自然分离，露出原来的壁面，不能用小铲与壁面平行的挖土方法，避免损伤原壁面。在挖土时随时观察土色和手感硬度，以掌握用铲力度的强弱，求其适中。

我们在发掘实习中，不时有领导到现场检查。查看发掘情况，查看记录材料，如对剖面分层线，他可以提出询问，由发掘人回答，解释这样做的道理。对检查出来的问题，现场讨论，拟出解决方案，不时翻看挖出的陶片，反复验证。

安金槐同志说："咱这行工作是艰苦的，也是极光荣的。祖国文物第一手材料由我们来研究，去开发保护，说句老实话，这是很难得的机遇，是人民委托和信任。它的前景是非常广阔的……"语重心长的忠告，听在耳里，记在心中，时刻在激励我们，兢兢业业战斗在田野考古工作第一线，度过了风风雨雨的岁月，做了许多田野发掘工作，为河南文物事业发展打下基础。

在二里岗战国墓群实习发掘时，辅导员提醒我们要注意安全，严密监视坑口出现裂缝，以防塌坑。对土质松软的，除用木板横撑外，还指定专人看坑口，发现险情，及时发出警告。徐凤山老先生，拐杖不离手，经验丰富，和年轻人一样，早出晚归，去工地专事看坑口。经过写发掘记录，填墓葬发掘表、绘图，实践增添新的知识。明白何谓二层台、壁龛及战国时期的陶器鼎、豆、壶等。辅导员具体教我们怎样绘图，怎样定基线，以及坐标纸的使用方法等等。

首次在墓坑中绘人骨架，有一种不舒服的感受。经过多次实习，掌握住要点，看起来烦琐，绘起来也并不难，且十分有趣。

1955年，南关外第二工人新村文物工作队新址建成，竖起了一栋南仓库和一栋会议室。同志们由前阜民里迁进新址，暂住到仓库里，睡的是地铺。后来西北隅又盖起小宿舍楼，才移居到楼里，添上了床板、三斗桌。院子内外还都是农田，长着庄稼。没有像样的路，晴天尘土起，下雨水和泥。

发掘任务逐渐繁多，人员分成多个小组，分别负责各个工地。我先后参加过人民公园、白家庄、铭功路各遗址的发掘，仍然是边工作，边学习，在发掘中提高。人民公园遗址由张建中、马全负责。商代人民公园期别的名称，即由此来，它晚于二里岗上层。白家庄遗址发掘由东红负责。回忆发掘人有张法民、白相聚、"大头"（绰号）。此工地离文物队或自己家都较远，都是携带午餐来工地的。中午小憩，找个田边地头的树荫底下，边进餐边聊天，有时唱几句豫剧，有时说几段相声，相互取乐，忘却辛苦和劳累。

组长东红背一架国产120方盒照相机，当时，我们很受鼓舞，视它为最珍贵的仪器。从此有机会摸索试用这种东西，用它谨慎细心地摄下发掘的现场。在这个发掘工地还学会用小平板测绘技术，能测平面图及等高图。铭功路制陶遗址的发掘，是由裴明相负责的，在这里我认识了什么是陶坯。我具体发掘了商代小型墓葬，墓底腰坑殉葬小狗，有二层台、朱砂铺地、出土玉柄饰等。

经过多次实践，基本掌握了发掘方法及规程，唯出土的器物是多种多样，形态奇异，很难在短期内完全掌握，需要长期广泛发掘，多看多问，积累经验和资料。实践出真知，经验丰富认识。若能把出土实物作纵向和横向站队比较，找出其共同点与不同点，进一步总结出其源流规律，为此已走进研究的门槛了。

1956年，在郑州西南方洛达庙村附近的砂轮厂（402厂）工地，队里派我带工人驻厂发掘。该地大半还是旷野，仅有一两幢新建低层楼房。在这里我第一次见到推土机，推来推去，发出轧轧的响声，推过去之后，地表被推出一条又宽又深的沟，我非常惊奇。据说这工程是东德援建的。远远望去，树起了排列整齐的水泥柱桩，那就是我国后来远销几十个国家和地区砂轮的生产车间。

402厂负责工地事务的褚科长，他懂得文物工作的重要性，很支持发掘工作，并高兴地给我们腾出一间空房，让我们住宿、放工具。介绍我们上食堂就餐。有时还能在其澡堂洗澡。每逢星期六下班后，还可以乘搭职工的汽车，回家团聚，这种革命的友谊，使我感到分外满意。

在402厂，只发现两座小砖室墓，扰乱得很严重。但是，仍按发掘规程记录、绘图。有一天，援建的东德专家一行跟一位翻译，围绕一墓口观察，考虑如何处理墓穴的问题，同时要拍摄电影"拷贝"送给中国。之后，我并没见过那份"拷贝"。

402厂垒围墙，在该厂东南方动土，意外发现灰土层，这可真是"踏破铁鞋无觅处，得来全不费功夫"。这一灰土层竟是商代早期的文化堆积。经安金槐、裴明相、贾峨有识之士鉴定所出陶片，认为陶片的形制有异于二里岗下层，也不同于河南龙山遗物。该地西南不远处为洛达庙村，因而定名为"洛达庙期"文化。此后，在洛达庙村附近董砦发掘，又发现洛达庙期地层叠压在二里岗下层的下面。最近黄委会青年公寓（原称食堂）也发现同样的地层关系。进一步证明洛达庙期文化应该是商代早期文化。

意想不到的是，在玉碎珠沉、同室操戈的"反右"斗争中，我被划成了"右派分子"，被打入另册，开除公职……十一届三中全会召开以后，我的问题改正了。单位通知我说："你现在就来上班。"我感到突然，我认为不可能的事成为现实，血在体内沸腾，心却在哭泣。扪心自问："还有资格为人民工作吗？"离开自己的工作岗位二十余年，经历了风风雨雨、坎坷生涯后，终于又回来了，回来了。激动的心情，不言而喻。往事如烟，不堪回首。在1980年10月13日偶有所感，赋诗一首。诗曰：

昨夜秋雨渐沥下，
今晨旭日透朝霞，
忆昔坎坷二十载，
今又重返自己家。

文物似友又重逢，
面目仍然若陌生，
努力熟悉丢失艺，
塞翁失马苦练功。

>　　头发虽黑鬓不白，
>　　将是六旬年老翁，
>　　黄忠百战老益壮，
>　　奋蹄再奔万里程。

我错划右派的问题改正后，就到石固遗址参加考古发掘，长葛石固遗址的发掘是由郭天锁组长负责，其他发掘人还有吕振海、丁清贤、李建增、王胜利。遗址内涵包括新石器时代的裴李岗文化和仰韶文化。仰韶文化为人所熟知，但裴李岗文化是近年来新发现的文化类型。50年代初漯河电厂虽出土有这类遗物，但被列入仰韶文化中。对裴李岗文化的性质和分期还缺少系统的资料。目前发掘材料认定它早于仰韶文化。将石固裴李岗文化试分为四期（即石固Ⅰ—Ⅳ期）。贾湖遗址裴李岗文化试掘材料分早、晚两期。裴李岗文化在新石器考古中所处的时代段落，从提法上看尚欠一致，有说它是新石器时代早期的遗存，有说它是早期偏晚的遗存。根据陶器器形的造型较成熟，筑窑烧制等情况，以及有人研究裴李岗文化的陶器制作工艺，已采用"轮上泥条盘筑成型法"的论点。我认为裴李岗文化应该是早于仰韶文化的，属新石器时代早期偏晚阶段比较妥当。《长葛石固遗址发掘报告》刊于《华夏考古》1987年1期。

1980年搞全省范围内裴李岗文化遗址的调查，我负责禹县、襄县、郏县、宝丰、临汝、叶县、平顶山七县市调查任务。郏县水泉村落实有一处裴李岗文化遗址，其他县、市未发现。

1981年6月试掘舞阳贾湖遗址。试掘整理后，证实有两个层次（早、晚两期），写《舞阳贾湖遗址的试掘》刊于《华夏考古》1988年2期。

1984年至1989年10月，我负责文研所郑州工作站工作，于郑州商城遗址范围内，配合基本建设进行考古发掘。在此期间，发现和试掘郑州商城外夯土墙，写《郑州商城外夯土墙基的调查与试掘》，刊《中原文物》1991年1期；发掘黄委会青年公寓商代遗址，发现商代宫墙一段、洛达庙中期墓葬6座，洛达庙晚期陶窑1座。还有洛达庙、二里岗下层，战国各个时期灰坑若干个，资料待整理；其他东里路东头路南保险公司家属院发现商代柱础4个，由东北向西南呈直线排列，还有洛达庙期文化层遗存；黄委会锅炉房下发现战国柱洞多个；市体育场发现商代二里岗上层灰坑和唐宋时期灰坑；金水河南岸黄委会55号宿舍楼下发现唐宋时期的烧窑。这些较零星的发掘资料，拟综合整理发刊。

发掘工作，稍有疏忽，文物安全和人身安全就会出现事故。我对文物安全特别注意，而发掘中曾出现人身误伤两次。我在黄委会青年公寓T35中绘图，背后西壁滑坡塌落，将我砸趴在地，腿和脚被压在土中，幸无重伤。另一次是在市体育场T3中绘图，以南5米T4内发掘扰土，一块砖头飞落，砸在我后脑勺上，流血不止，缝了两针。只干工作不考虑安全要不得。

在此期间，曾参加渑池召开的仰韶文化讨论会，会上印发《仰韶文化及"前仰韶文化"试探》，刊于《中原文物》1986年特刊（总5号）；在全国科技史与文物考古学术会议上印发《就石固裴李岗文化制陶工艺试述其所处的历史时期》（拟加修改补充投刊）；写《对石固遗址出土管形骨器的探讨》，刊于《史前研究》1987年3期。

我年近古稀，已离休。身退而心不能退。还有等待我去完成而未完成的考古整理材料，须要作个交待，尽我责任。

省文物研究所随改革潮流会有更大的发展。不足和应该改革的地方，终非永存死隅。望在前进中得到完善。

2009年参观郑州商城隞墟陈列室（左起王润杰、孙新民、作者、魏周兴、王明瑞）

2010年作者（左一）参加河南省文化厅第22届老运会掷飞镖

祝贺河南省文物考古研究所六秩华诞

刘东亚

弹指一挥间，转瞬迎来省文物队（省文物考古研究所）耳顺之年。忆往昔感慨万千，看今朝业绩辉煌，深入贯彻科学发展观，更上一层楼。我以感恩的心情，回忆那些激情燃烧的岁月！

一、历　　程

我们不会忘记，在百废俱兴的年代里，根据工作需要，1954年春，从省直各单位抽调一批工作人员，首先参加文物短训班后，迅速投入工作，支援文物发掘第一线。我原本是搞财经工作的，与文物工作不沾边，可谓一窍不通，纵然初学一些新知识，能否胜任和适应，十分担心。一群人马来到郑州（有的分往洛阳）住到前阜民里几间旧民房。院内堆满大批陶片和探铲等工具，每天吹哨集合上班，各奔工地。

其后，在二里岗西即郑州烟厂之南新落成的三座平房，说是文物仓库，文物队常设机构办公地址迁移此地。但范围较小，老同志无不关心，总想扩大一些，以利科研工作的开展。1973年为扩展地盘，寸土必争。同年冬，我被下放刚回到博物馆（队合并馆）不久，当时王润杰主持办公室工作，提出文物队院内空心砖堆积成山，打算移出院南侧的空地，以便整理发表。二话没说，我立即去市规划局见何子良工程师（负责东区规划）将内情相告，经过几次沟通都没有表态，最后一次见面，他思索半天，答复是，可先把文物（指大砖）搬到院外少部，若无人过问，就慢慢移，然后砌临时院墙，越快越好。领会了何工的意图，马上采取措施照办，事不宜迟。与领导研妥，立即组织一班泥工，到现场划定范围，夜间进料，白天施工，虽属严寒，风雪交加，恰为难得的机遇。昼夜不停，很快一个一米多高、三面墙的小院告竣。中途虽有邻人指责，但无大的阻力，现在的家属楼位置，就是早年抢占的部位。

60年过去了，忆前半段岁月，正值壮年时期，身强力壮，从无苦累二字，不分寒暑，没有节假日，一年中有八个月是在文物发掘调查第一线度过的。出差每天补助0.38元（含衣鞋费）和自身粮食标准九两（工人高一些）。在固定发掘点，日子会好过些。否则满天飞，每天跋涉三四十里是常事。我的工作地上、地下几乎无所不包，主要有：

1. 考古发掘方面：经回忆，从1954年至1958年，5年间，曾先后参与发掘的遗址有：郑州林山寨村（仰韶文化）、西山村调查（仰韶文化）、盹岙王村（龙山文化）、唐河寨茨岗（屈家岭文化）、郑州洛达庙村（早商）、二里岗（商）、国棉五厂（春秋）、新郑白庙范（战国）等。也就是说，从中原仰韶文化、龙山文化、屈家岭文化至洛达庙与二里岗商文化、国棉五厂与白庙范（春秋战国）等文化。若将各时代联系起来，约从公元前3500年至公元前221年，数千年间文化系列发展概况，有粗略了解。因之，对河南考古，收获颇丰，可谓幸得机遇，永远难忘，值得一提。碑碣调查，任务艰巨，必须下乡普查。我与杨育彬同志刚到襄县，队部不断打电话急调杨返郑，留我由县里人陪同遍跑全县。

2. 古建修葺方面：登封中岳庙（峻极门、大殿）、永泰寺塔、初祖庵（保护房），济源济渎庙（寝宫），密县打虎亭（两墓道）。

3. 文物调查方面：新郑郑韩故城、方城文物保护经验以及文物登记、碑碣调查等。

4. 全省因工作所到之处有：虞城、永城、柘城、睢县、汤阴、内黄、淇县、鹤壁、辉县、浚县、安阳、新乡、新郑、密县、正阳、济源、武陟、登封、巩县、偃师、洛阳、荥阳、西华、扶沟、商水、襄县、宝丰、临汝、许昌、叶县、方城、新野、唐河、林县、邓县、社旗、淅川、新县、商城、罗山、驻马店、南阳、鄢陵、上蔡、禹县、郏县、淮阳、孟津、原阳、新安、漯河、郾城等53个县、市。

多少年来深知文物工作的特点，不论承担任何任务，要牢记必须力争全面掌握第一手资料。比如照相、绘图，记录、传拓及取标本（木炭），避免走弯路。进入整理撰文阶段，就得心应手。回忆所写的简报、报告、论文等，在《光明日报》、《中国文物报》、《河南日报》、《郑州晚报》、《文物》、《考古》、《考古学报》、《中原文物》、《中州今古》、《中国文化报》、《文物工作》等先后发表了约40篇，以及协助省文化局编《青铜器小辞典》、《小潞王朱常涝篆刻三百例》等书。

二、方城县是怎样做好文物保护工作的

1958年春，领导突然要我去方城了解文物保护方面的经验，为当年召开全省文物保护工作会议作准备。我考虑，觉得水平差，这是软任务，从未做过，没有模式，难以胜任。答复是，事在人为，只要思想解放，没有克服不了的困难。压力很大，最终硬着头皮，抱着试试看的态度，立即前往方城。县文化馆同志热情接待，将他们近年来有关保护文物的文件初步浏览一遍，他们的工作有声有色，很不错。要写出有分量的文字，必须下一番功夫，我以投石探路的方法，按照走过的路重新落实，脑、腿双管齐下，深入基层，调查询问。对宣传各项效果的真实程度非单听汇报，又非依靠文件所言。经内外结合，心里有了着落，遇到问题，就东奔西跑，例如县东小石店村离县城八九十里，不得不徒步只身前往，山上石刻造像，现状保护良好，有群众保护小组，他们了解文物知识，履行职责，长年不懈，令人佩服；到废品收购公司，他们对保护文物义务和发现文物立即上报或送县文化馆形成常态化……模范事迹，屡见不鲜，不愧为全省的楷模。初步写出经验草稿，回到郑州，对有缺陷处不避艰辛，再次赴县，一丝不苟，最终撰文并在《文物》1958年第4期发表，后来《河南文化报》全文转载。或许在全省甚至全国对文物保护工作的做法，提供一些有益的启示。

三、禹县县委书记指名要见我

1958年，"大跃进"开始不久，毛主席来河南视察。在郑州召开中心县委书记会议，有登封蔡振忠、禹县刁文等人参加，主席问刁文禹县过去（历史）叫什么名。刁文答，叫阳

翟。问哪个"阳"字，刁说姓杨的"杨"。主席笑了，在座的胡乔木说，不对，是太阳的"阳"。又问"翟"（狄）字呢，刁说是姓翟的"翟"。这一问一答，引起在座书记们对历史的重视，否则，就要闹笑话。主席对《读史方舆纪要》了如指掌，每到一地谈问题总要涉及当地历史沿革。后来刁文回到禹县，立即到县文化馆找县志，了解韩都阳翟故城的问题。文化馆同志对刁文说，为调查故城遗址，省文物工作队刘东亚同志在此住了数天，已回郑州。不久刁文急忙赶到省文物队指名要见我，了解阳翟故城概况。不料我已出差，没见到面，刁文留言，老刘再去禹县，一定告诉我，争取见一下面。虽事过境迁，但可以看出，作为县级的主要负责人，他们要求了解当地历史沿革的愿望是多么迫切。

四、失而复得的宋代戏剧雕砖——再发掘奇闻

早在 20 世纪 50 年代，河南省文物二队曾在偃师李村公社酒流沟水库发掘宋代砖室墓，出土大块雕砖 6 块，其中 3 块为日常生活的画面，有三个侍女，分别抱经瓶、砍鱼和整理炉子；另外 3 块是杂剧雕砖，精湛形象逼真。第一块叫"艳段"或"引首"（图 1），即杂剧的开场。第二块叫"正杂剧"（图 2），画面上是两个人在演示。第三块叫"杂扮"（图 3）即杂剧的后散段，为杂剧的结尾。画面上也是两个人，一人左手托鸟笼，另一人拇指和食指含入口中，吹口哨逗鸟叫。

图 1　　　　图 2　　　　图 3

这三块杂剧雕砖中从人物的外形可以看出末尾的"杂扮"是由男演员演出，"艳段"、"正杂剧"都是由女演员装扮的。这说明在宋代杂剧中，男女合演的情况是存在的，对研究宋代戏剧的表演形式、内容、化妆、道具等方面是一批难得的重要资料。现藏于河南博物院。

1958 年 4 月发掘工作结束后，意想不到的事发生了，所有出土文物当事人没有随身带回，领导也未过问，此后再也无人提及此事，至《文物》1959 年 9 期刊出后，戏剧界颇为关注。中国戏剧家协会主席田汉同志得悉，立即通知河南省文化局，拟前来河南看这批雕砖，省文化局要文物队准备一下（洛阳的省文物二队已于 1958 年春合并省文物队）。经翻箱倒柜，查询一遍，发掘资料及实物竟不见踪影，省文化局得悉后，局长陈建平一怒之下，责令省文物队立即派人前往现场追查，在万般无奈之际，队领导遂指派我承担这一艰巨任务。我大吃一惊，又不能推诿。我思索许久，认为像这样的无头案，任凭你有三头六臂，也

是大海捞针。试问，时隔17个月，把文物丢到当地农村，又无寄存手续，何况当事人已调离本单位，希望渺茫。最好派两个人遇事好商量，但要求落空了。最终，为赶任务，只好立即整装，星夜孤身西上，奔赴偃师事发地。

与县文化馆有关人员座谈后，他们对此事不仅莫名其妙，而且难以派人协助。探寻工作，遇到艰难，我只好跋涉50多里以外的李村公社。工作如何进行，两条原则，一是争取地方党政领导支持，二是依靠群众。公社负责人听完来意后，当晚主持召开有关村干部座谈会，会上简要介绍："1958年4月在酒流沟发掘的宋墓，出土一批雕砖，发掘人没有随身带走，全部放到本公社，没有委托保管人，也没手续，上级领导对此十分重视，要求限期查明，追回文物，不得有误。"与会人员听了报告后，你一言，我一语，气氛热烈。结论是，雕砖原放在公社人民法庭和新华书店（均撤销）几间临街房内，因无专人管理，小孩们随便拿着当鞭鼓敲打。后来法庭干脆派犯人打扫卫生，一扫而光，作为垃圾处理了。根据上述反映情况，我立即与公社负责人研究下一步措施。一是深入群众调查摸底，二是查清雕砖失落去向。当时适值三秋大忙季节，所有犯人又早已押解新疆服刑，只有向住在原法庭附近的群众、村干部了解情况。多数人反映，打扫垃圾时，可能弄到原法庭东边不远处那个空院的大粪坑里去了。得悉这一重要线索，我火速到大院查看。只见约1500平方米的荒凉空院，看不到坑形痕迹，四周全是住家户。经了解，原坑形似簸箕形，很大，几乎占去整个院落。经仔细查看，在粪坑上面，突然发现一大块纸箱皮，请当地老人辨识说，该破烂纸箱，十有八九就是当时装雕砖用的。听他这一讲，我顿时大为振奋，心想，下步要背水一战，开挖粪坑，探寻雕砖，势在必行。把计划连夜向公社汇报，他们听后，满口答应。

第二天一早，召开生产队会，决定从两个队抽调6名工人，带上各种工具（含铁筛），挖掘任务开始了。对此，引起不少人议论，多数人摇头，认为找到雕砖，希望不大，也有人说，没关系，就是找不到，肥料也可送田种麦嘛！关于如何挖的问题，这与遗址发掘不能相提并论，既要有的放矢，又要循序渐进，不能粗枝大叶走过场，首先弄清原来的粪坑形状，平时倒垃圾的走向和顺序。据了解原坑东浅西深，深度从零到三米左右，坡度很大，现肥料积成平地，必经很长时间，而将雕砖当做垃圾处理事件不到一年，从发现纸箱情况看，第一表明事件不到一年，第二垃圾倒的时间不会很长，可以推断，雕砖入坑位置不会在深处。探寻原则决定由外而内，由浅至深，进行挖掘，所挖出之肥，一律过筛，不得遗漏。社长每天了解情况，工人干劲儿很大，前两天未见雕砖，但工人们有信心，要把粪坑翻个底朝天，看这雕砖到底啥样。挖到第三天，突然传来惊人消息，找到了！找到了！工人喜出望外，又蹦又跳，高喊不停，雕砖一露面，在场的人兴奋不已，公社领导得悉后，高兴异常，并鼓励大家，继续寻找，争取全胜。接着每天或多或少都有发现，雕砖碎块有大有小，集中后，经过刷洗，雕像清晰，雕砖的重要部位均已找到。经过六七天的发掘清理，从露出坑状看，近些年倒入的垃圾在坑的浅处（即边缘），这些部位，大体清理一遍。决定暂告结束。至于未找到的残砖，一是原来可能就未倒入坑内；二是砖块可能仍在隐藏。今后工作有待生产队密切注意，可能还会发现，争取所失雕砖完整无缺，重见天日，让古代灿烂文化永放光芒。雕砖虽失而复得，但教训确是深刻的。这件事也暴露了当时管理工作的漏洞，让我们认识到不认真执行考古发掘规程，将会造成多大的损失。

五、郑韩故城调查纪要

早在 20 世纪 60 年代，劳动锻炼刚返郑不久，意想不到的难题就来临了。领导要我调查郑韩故城，疑虑重重，难以推诿。调配了师傅胡天喜和青工阮光明，一个老中青的调查小组成立了。

当日登程南行，到达新郑。落脚县文化馆。那里人去楼空，听说都下乡搞中心去了。原本想请他们协助的想法落空了。

两千多年前的故城，文献多有记载，而今到底啥样，形状如何？不详。此次调查，旨在以实物为基础，佐证故城历史变迁，揭开面纱，弄清真相，以解昔日谜团。

工作开始，群众见我们肩扛探铲手提工具，开口就问干啥的，我们说，调查郑韩故城的。有人点头，有的摇头，认为土城那么大，怎样查法，甚或不少干部、群众和学生对为啥叫郑韩故城不理解。为此，我们着手编印了简明宣传品，重点介绍故城历史和保护意义。广为散发，群众看后反映不错，事实上文物调查必须依靠群众，否则事与愿违。

故城西有双洎河（即洎水）；东有黄水河（溱水），南流而去。两水汇合于故城东南的双龙寨。据《竹书纪年》记载："晋文侯十四年，郑人灭虢（今成皋），十六年迁于溱、洎。"

周平王东迁洛阳以后，郑武公（公元前 766 年）建都于此。传位二十三世，历时 390 多年。到韩哀侯二年（公元前 375 年）韩灭郑，也在此建都，传位八世，历经 140 多年，直到秦统一全国，前后 500 多年，这里一直是郑韩首都，为两国政治、经济、文化的中心。出了县城，向北不远，即可看到蜿蜒起伏、断断续续的土城墙，宛如一条巨龙俯卧在大地上，巍巍壮观。

从洎水东岸，即故城墙西端，沿城墙内外侧向东，进行拉网式普查，遇到城墙缺口，对墙断壁上层层夯土构成及修复现象、夯土内所含陶片，进行采集、绘图、照相、记录。墙上虽杂草丛生，荆棘满目，登墙困难，但依然上上下下看个究竟。见到城墙被破坏现象，群众反映，挖墙土积肥、当煤土盖房是常有的事，更甚者，还有人利用城墙建窑烧砖。对此，我们看在眼里，急在心里。常听到"四十五里牛角城"的传说。日复一日，查遍城墙沿线附近数十个大小村寨，如阁老坟、李堂坟、边家、裴大户寨、和庄、双龙寨、前端湾、后端湾、毛园、前屯、后屯等。对故城现状基本查清，初步掌握了第一手资料。

绘制故城平面位置图，是面临的最大难题。无独有偶，突闻新郑县政府有这方面的资料。几经周折，终将这份故城原始图复制出来，至今难忘。也为后人研究故城，提供了真实可贵的资料。

故城略呈矩形，周长约 19 公里，中间有一道南北隔墙，把故城分为西城和东城两大部分。

西城略呈长方形。北墙长约 2.4 公里，隔墙长约 4.3 公里，大部分墙基被埋在地下。南墙被洎水冲毁，尚存一段（俗称望母台）。

东城呈不规则的长方形。北墙长 1.8 公里，东墙长约 5.1 公里，南墙长约 2.9 公里，与隔墙南端相接。

城墙全是用黄土或黏土一层一层夯筑而成，每层上面布圆夯窝，现存墙高 15—18 米，墙基宽 40—60 米。墙内夹有春秋时期的陶片，并发现有修复痕迹。墙下部夯层厚 10 厘米左右；而上部夯层 10—19 厘米，表明城墙为春秋时期营造，战国时期进行了加高。

当时郑、韩是一个多战之地。据《玉海》上说："春秋战争之多，莫如郑国，战国战争之多，莫如韩国。"统治阶级为了维护其生命财产，不得不筑城以御敌。据《左传》记载："宣公十二年来，楚子围郑……郑人修城。"从秦灭韩，这座故城日趋凋敝，修城的事，不复见了。

古城内遗址分布面大且广，欲一气查清，绝非易事。经研究，深入群众，开展宣传，依靠他们提供文物线索，一点一滴都不放过，是唯一途径。时值三秋大忙季节，走向田间与之接触。有人说不断发现铜渣和陶片，有人说在张玉庄经常见到骨器和白玉片，甚至有人从家里拿出文物让我们看。线索源源不断，从而便调查有了很大的进展。

农民日出而作，我们不分上下班，更无节假日。在困难年月，虽然生活标准低，体力不支，但未影响我们每天奔波数十里的决心。踏遍在故城内岗地和沟壑任何角落，终于在东城东部一带发现冶铜、冶铁、制玉、制骨、制陶等手工业作坊遗址，查清了具体位置和范围。

在西城，即今县城西北隅发现大片宫殿遗址，约分为大宫、西宫、北宫及内宫……据《左传》记述："襄公九年，冬十月，诸侯伐郑……围北宫"；"襄公十年，帅贼以入，晨攻执政与西宫之朝……"；"襄公三十年，郑伯及其夫人，盟于大宫。"在宫殿区北不远处为居民区，在遗址周围断壁上，有大小不同的房基，陶制管道一节一节砌起来的水井。

群众对传说最感兴趣的是"三台遗址"。

1. 授印台：位于东城毛园村西侧，为"分金岭"即城墙的一段，又叫"武公台"，高 5 米，周长 20 米。

2. 望母台：位于县城南关外，洧水南岸。为西城南城墙的一段，高约 9 米，相传是郑庄公登台望母的地方。

3. 梳妆台：位于西城内，阁老坟村西，高 7 米，南北 100 余米，东西 80 余米。相传郑女嫁齐，梳妆于此。

在故城内还有一些与都城有关的村寨，如竹园村，传为当时的竹林区；前屯村和后屯村，是当时驻军的地方；教场村，是阅兵点将的场所。值得提出的是，在洧水旁还有关于子产的传说。据说，有一次子产见洧水猛涨，往来行人受阻，便在此设船摆渡，解决了群众过河问题。中国古都学会会长、著名史地学教授朱士光先生认为，对古都现状的研究固然重要，但对于故城有关的传说、文献或遗迹的考察，也是不可忽视的重要资料。在故城调查的数月里，与群众见面多了，不管走到哪里，他们都主动打招呼，并提供文物线索。

调查告一段落后，即转入下列工作：一是对仓城村冶铁遗址进行试掘，出土有熔铁炉、铸铁器陶范及铲、锛等铁器。二是在新郑县城内南街李家楼一带，由于 1923 年出土一大批春秋铜器、玉器计 700 多件，影响中外。为此曾组织工人在此普遍钻探，搞清了地下情况。

为确保故城安全，我们曾采取下列措施：

①在古城墙破坏多发地带的村庄，以县文化馆名义，组织生产队骨干，共建立文物保护小组十多个，任命 70 多人为文物保护员，发给文物保护证。明确职责，履行义务，发现问

题，即上报县文化馆。

②在东城北墙李堂庄西，群众利用城墙建窑烧砖，城墙惨遭破坏，建议县委宣传部立文并下达有关大队，立即停止烧砖事件，经过督查，七八座砖窑全部撤离。

③在县文化馆举办了"保护郑韩故城人人有责展览"，内容有文字简介、实物陈列、照片及保护员先进事迹等。通过县报社、广播站，开展保护故城是每人应尽的光荣义务的宣传。

关于郑韩故城的历史地位，据中国历史年表，春秋时期（公元前770—前476年），战国时期（公元前475—前221年）。历史学家称春秋为奴隶制社会，战国为封建制社会。早年郭沫若先生认为，郑韩故城是研究奴隶制过渡到封建制社会至关重要的遗址标本。

时过不久，本人曾撰文《漫游郑韩故城》，《河南日报》1961年3月2日刊登，《光明日报》全文转载。

六、可汤泡馍引起争议

在密县西6公里打虎亭村，密临公路南侧有两座东西相连的大型汉墓。1960年底，文物队派人发掘。两墓葬品被盗一空，但墓室保存完好，西为画像石墓，东为壁画墓。内容丰富多彩，反映了当时地主阶级中显贵人物的生活形象。

1961年密县文化部门申请修葺墓门券洞的报告，省如数批拨，他们根据设计图纸预算，认为经费不足急需追加。为此，于同年底，我陪同省文化局傅月华处长和省文物队丁伯泉副队长前往密县协调此事。省的原则是按已拨款数不变，不予追加，并且两位领导强调"可汤泡馍"的原则，让我与乙方协商，我考虑了一会儿，认为此事难办，乙方预算是根据图纸设计要求搞的，何况又是地下工程有不少局限性，如券洞长度和深度是死限制。洞长则坡度大，踏步台阶一般规格为16厘米左右。洞短则坡陡，台阶必然增高（现达20厘米以上，违背建筑标准）。与建筑社有关设计、施工负责人座谈。他们摇头犯愁，最后，把预算总额改为省批拨的数额，最终在合同上签字。回到招待所与领导汇报，认为不错，总算把事办成了。

次年春，工程如期开工，监工任务交给我承担，其间，游人不断，因大墓封闭，谢绝参观。恰有开封师范学院孙作云、朱绍侯两位教授要求实地考研图腾问题，希望给予支持。时值炎夏，墓内外温差大，每天出出进进。未久身发高烧，难以忍受，返郑治疗，文化馆的老牛同志一再挽留，要求在县医院治。我决定离开工地，回郑急诊，后返工地。经过近两个月的紧张施工（抢在雨季前），两座墓门券洞最终告竣。

此后，陈建平局长陪同中国戏曲家协会主席田汉同志前往参观考察。一进券洞产生困惑，因踏步台阶过高，加上他年已高龄，由局长搀扶，缓行进入墓室。过后引起议论，甚至有人当面质疑，对不了解内情的人可以谅解。"可汤泡馍"的提法是违背建筑学的，应以此为戒，永不再现。

七、登封峻极门大修纪实

中岳庙峻极门（又称将军们），左右两侧为东西两掖门。创建于金大定年间（1161—

1189年)。面阔五间，进深六架，面积290平方米。单檐歇山绿色琉璃瓦顶，五彩斗拱，彩绘栋梁。

1963年，以峻极门为主的四项（含大殿、永泰寺塔、初祖庵保护房）修葺任务确定后，省拨经费6万元，数额之巨，为新中国成立后第一次，任务之大，前所未有。时值中秋刚过，这么大的事，领导要我负责，如千钧压顶，无所适从，面临的任务紧急，往哪儿找施工单位？当地又难以解决，万分着急，无独有偶，在人民公园见一琉璃八角亭修得不错。一打听是中原区建筑社建的，立即去该社联系。拟请去登封修古建，他们满口答应，只提出甲方须付远征费1万元。我回到队与领导汇报后，马上拍板同意。事不宜迟，二次见面时他们已做好准备。不日，两方人马前往登封，经现场检查后，预算、合同拟妥。合同规定，生活、工伤及旅费等乙方自理，包工不包料。质量要求是，整旧如旧，任何原来规格和标准，必须照仿，不得擅自变更。

当时立冬迫近，加上地处山区，天气干寒，必须抢在大冻前结顶，否则，质量难保。主料已备齐，从文物队运红杉10余方。李长武监督永泰寺塔的加固，我与张家泰住工地，宫熙主管财务及其他。

开工后，檐、飞梭等所有木构件损毁程度很大，施工任务加重。乙方提出挑角木的制作，技术问题无法解决，我们立即请北京古建木制作大师井庆生先生前来工地指导。泥活任务大，必须抢在大冻前施工。经奋战，基本在大冻前完成上瓦任务，于11月中旬竣工。

八、破四旧文物遭灾

1. *汤阴岳飞庙*（省级文物保护单位）

1966年"文化大革命"开始不久，掀起一股破四旧浪潮。我们一直担心文物的命运，截止到当年，1960年公布的全国重点文物保护单位13处，省级文物保护单位253处。这么多的重点文物分布在全省各地，安全成了问题。从全国看，破坏文物的事件已经发生。国务院发出紧急通知，要求各省（市）要采取措施立即制止破坏文物事件的发生。为贯彻中央指示精神，省文化局要求文物队立即派人赴各地检查并上报。当时文物队领导已靠边站，一切行政工作由群众组织处理。据了解岳飞庙古建筑发生问题，在斗批紧要关头，指派王明瑞和我奔赴汤阴。到岳飞庙现场，见到负责人了解情况，他们说在破四旧紧张时，确实有些不明真相的人群，来到庙里，企图动手动脚。他们随即拿出北京清华大学红卫兵写的大字报让大家看，上写："谁破坏岳庙古代建筑一砖一瓦，就要打烂谁的狗头。"对保护岳庙安全非常有效。后来，这张大字报像圣旨一样保存下来。古建的安全有了保障。

2. *洛阳汉魏故城*（全国重点文物保护单位）

据悉，汉魏故城墙遭到破坏，指派王明瑞和我星夜奔赴白马寺，立即到故城现场，沿着高低不同的南北城墙看了一遍，在西墙南端城墙上，发现了不少掩体坑，圆形，口径、深度均60厘米左右，南北排列有10多处，十分规整。回到寺内遂约见驻军团级负责人，说明来意，他们一再解释，是作战部为备战训练实习所为，因不了解是国家文物古迹，致使古城墙受到破坏，非常遗憾，深表痛心，望谅解，一定教育战士，永不再犯。

3. *登封少室阙*（全国重点文物保护单位）

少室阙位于登封县城西6公里邢家铺村，为汉代少室山庙的神道阙，建于东汉元初五年至延光二年（118—123年）。它与太室阙、启母阙并称中岳"汉三阙"。获悉破四旧时遭受破坏，指派我和杨宝顺前往检查。到达登封，经了解是城关公社一个造反派小头目，带领部分群众撬开了保护大门，进入室内破坏的。阙的上部被砸掉几块，原物仍存。为了查明真相，决定查找带头破坏人，经了解此人在焦枝铁路工地登封独立团。与负责人说明来意，他说，此人现出差外地，等他返后，让他检查，承认错误。

恶梦醒来是早晨，这些文化大破坏毕竟过去了。对比党的十七届六中全会审议通过的《中共中央关于深化文化体制改革、推动社会主义文化大发展大繁荣若干重大问题的决定》，真是今非昔比，令人感慨万千！

1963年初在省文物队前院合影（前排左起杨焕成、丁伯泉、张家泰、李德保、汤文兴，后排左起作者、安金槐、贺官保、杨宝顺）

1963年12月14日至1964年1月14日，在登封中岳庙峻极门工地（左起张家泰、井庆升、张魁一、作者、宫熙）

2010年作者（右二）参加省文化厅第22届老运会照片

辛勤耕耘半世纪　累累硕果收桑榆

——回忆我的考古生涯

廖永民

本人祖籍河南省濮阳市。我的前半生，是在硝烟弥漫的战争年月中度过的。1944年抗日筑先师范毕业即参加八路军，在抗日前线转战华北冀、豫和山东地带，先后参加了解放滑县、长垣战役。日本投降后，接着是三年解放战争，参加了华北解放与著名的淮海战役。1948年由部队转地方工作。1954年由河南省人事厅分配到河南省文化局工作队开始了考古生涯。当时，对于我来说，考古是个完全陌生的工作，思想波动很大，觉得参加革命工作十几年了，竟要与死人骨架、破盆烂罐打交道。真正树立专业思想，对考古工作产生兴趣是在参加了文物干部培训班之后，进一步认识到考古工作的科学性、学术性与专业性。曾参加了郑州二里岗商代遗址与战国墓群的发掘，还参加发掘了郑州紫荆山商代青铜冶铸作坊以及制骨器作坊遗址的重要发掘。1956年开始在全国性刊物《文物参考资料》上首次发表文章，1957年初又主持发掘了安阳殷墟商代青铜器冶铸作坊遗址的发掘，开始撰写考古论文。但这时不幸的事发生了，在颠倒黑白、兄弟阋于墙的"反右"斗争中，我被打成了"右派分子"，在豫北内黄县白条河农场劳动教养三年，开始离开了已由郑州文物工作组改为河南省文物工作第一队，20多年后才得到彻底平反。这其间，正是我风华正茂的岁月，实在可惜。好在错划右派期间，时光并未完全虚度。劳动期间放猪放羊时，就搞考古调查，竟在张召、亳城等村附近发现仰韶文化、龙山文化遗址各1处，古城址2处，唐代碑刻1通。自费把采集的文物标本寄给河南省文化局，并写信介绍遗址与唐碑的详细情况。后在濮阳县新华书店工作时，趁下乡卖书机会，顺便进行考古调查，先后发现新石器时代与春秋战国等不同时期的古遗址13处，古墓群3处，唐、宋碑刻各1通。当发现戚城仰韶文化、龙山文化直接叠压层后，我自费把采集的遗物标本寄给中国科学院考古研究所，并附信介绍遗址详情。此外，还与北京大学李仰松教授一起受中国科学院郭沫若院长的嘱托，调查了顼颛和春秋时期卫国的都城帝丘。在中共濮阳县委宣传部支持下，1962年前后主持濮阳地区的考古调查，在《河南文物通讯》上发表了《濮阳地区考古调查简报》一文。1963年又与北京大学李仰松先生一起对戚城遗址进行试掘，1976年编写了《濮阳文物志》。当时，我虽然不在文物考古工作岗位上，却未减退对考古事业的热爱与负责精神，并取得了一定成果，那就是开辟了濮阳地区的考古工作，填补了濮阳地区考古工作的空白。

1979年初，调入郑州市博物馆考古部工作，1980年开始在郑州大河村遗址从事考古发掘与研究工作，先后发表论文16篇。1988年晋升为副研究员。在发表的论文中总结了大河村遗址考古成果,并结合其他同类遗址综合分析探讨,所以在仰韶文化研究方面有所成绩,在类型的划分、社会形态的演变、自然环境的变迁等方面提出不少新观点。

1988年离休后,至今未离开考古工作岗位,并且取得了一定的成绩。就是说,我的主要考古成果是在离休后创下的。首先在1989年巩义市文化局举办的文物人员培训班上主讲文物考古课,编写讲义约百万字。采取讲课与实践相结合的教学方法,带领学员在山野田间进行考古调查,发现古遗址多处。现在培训班学员中不少人成为巩义市文博部门的领导或业务骨干。1990年开始,带领文物工作人员又在巩义市境内进行考古调查与发掘工作,长年累月奔波在山坡丘陵之间。先后发现不同时期古遗址、古墓群近80处。其中洛汭地带、坞罗河流域和休水流域的考古调查以及瓦窑嘴遗址、里沟遗址的考古发掘等,都有重大考古发现。特别是在洛汭地带调查中发现了中原地区时代最早、面积最大,属于仰韶文化早中期的伏羲台祭祀遗址(包括祭坛、祭祀坑等),继之,又发现了属于新砦时期的花地嘴祭祀遗址。就此,1992年5月19日《光明日报》头版头条报道了对我的专访。我指出:洛汭地带的考古发现非常重要,继续开展工作将对远古时代社会形态的发展演变、文明起源以及东方民族意识形态体系与传统观念体系等方面的研究具有重要意义。又由于国内外媒体对这次专访的大量转载,引起国内外学术界的注意。1993年10月,中国炎黄文化研究会在巩义市召开了国际学术研讨会,联合国教科文组织派代表参加了会议。来自海内外120多位学者,结合洛汭地带的考古发现,就中华文明起源、社会发展的复杂化进程等课题进行了探讨。会上,我就自己对考古学资料与历史文献相结合进行研究、考察的体会,作了"洛汭——中原地区最早的祭天圣地"的发言,后经过补充,发表在同年《河南日报》上。随之,1994年夏,由联合国教科文组织每年出资5万美元,以中(中国社会科学院考古研究所)、美(哈佛大学)、澳(拉楚布大学)的专家、教授、院士、博士等组成的联合考古调查团,在巩义市境内以洛汭地带为中心进行拉网式考古调查达5年之久,我为调查团成员之一。2003年由美国密西根大学院士华翰维等根据调查到的遗迹、遗物资料撰写了《中国文明腹地的社会复杂化进程——伊洛河地区的聚落形态研究》一文,以多种文字在中、美、澳、英和加拿大等国的历史、考古专刊上发表。文中全面、具体阐述了中国文明腹地从早期聚落形态的演变,进而探讨社会结构走向复杂化的进程。此文的权威性很高,不仅代表着国际学术界对中国早期社会形态演变模式的研究成果与见解,而且是中西方学者合作取得的共识。这些研究成果主要是从对洛汭地带远古文化遗存的剖析中得来的。2005年,继国家夏商周断代工程完成之后,又推出了中华文明探源工程。经专家组审定,把洛汭地带遗迹、遗物最集中的花地嘴遗址确定为实施这一考古项目的重点之一。多年来,花地嘴遗址进行了大规模考古发掘和探测,现已探测、揭露面积达30多万平方米,发现大面积夏代早期的城址以及城址内包含的壕沟与多种祭祀遗迹,出土与祭祀有关的完整或可复原的遗物千余件。就花地嘴遗址的考古发掘取得的阶段性成果,2008年7月由中国社会科学院考古研究所、北京大学考古文博学院与郑州市文物考古研究院等单位主持召开了第二次国际学术研讨会。

十多年来,国内外考古界在洛汭地带的考古调查、发掘和研究,充分证实了我16年前接受《光明日报》记者专访时所作的论断。

半个多世纪的田野考古生涯,使我对中原地区不同时期文化遗存的文化性质、分期、断代以及类型划分等方面积累了较丰富的经验。又由于勤奋学习，善于思考，学术研究上往往独辟蹊径，具有新颖见解，早在1987年，就提出区域原始文化陶器谱系学说的思路。认为各不同区域自成体系的原始文化，其每种最具特征意义的主要陶器和特有陶器，都可按其各部位有规律地演变轨迹分式排列，各归其位，使之有了自己的坐标，这就使我们对每件器物与其他器物的纵横关系看得清清楚楚，即可进而列出这种器物的谱系表，附以文字说明。不仅如同门捷列夫研究出来的"元素周期表"，又如同一个家族的世系表。我具体提出，此表可称为"原始时代陶器谱系表"，简称"陶系表"。这一思路显然有助于对不同地域原始文化陶器的分期、类型划分以及不同原始文化之间的影响、族属的区别等方面加深认识。我按照这一思路，在1988年第1期《中原文物》上发表了《试析豫中地区原始时代的陶鼎》一文。文中把中原地区原始文化中最具典型性、代表性的陶鼎列成谱系，并在文字中加以详细分析、解释。此文的示范作用赢得了学术界的好评，所以《考古与文物》1990年第2期转载了这篇文章。我的工作态度是认真、严谨、扎实的，在研究工作上强调真实性、科学性，重在深度、广度、高度上下工夫。

2000年以来，先后发表学术专著有《黄冶唐三彩窑》（获省社科类图书二等奖）、《洛汭·神都山》（获省社科类图书二等奖）、《洛汭诗赋诠著》、《中国古代镇墓神物》（评为2003年至2004年全国文博类十佳图书）、《河南唐三彩与唐青花》、《河南唐代白釉彩瓷》、《河南省文物志名词术语注释》、《创新型名窑——巩县窑》、《国民革命军的北伐与郑州碧沙岗》等书，另在国内外发表论文、考古报告等70余篇，总共约770多万字。此外，还与他人共同主编了《洛汭与河图洛书》、《仰韶文化论文集》、《郑州碧沙岗与北伐》等论文集。应特别指出的是，以上著述，百分之八十是在80多岁以后完成的。

当前，我仍担任着郑州市文物考古研究院学术顾问，河南省炎黄文化研究会理事，河南省收藏协会陶瓷分会、江苏省聚德古典艺术品拍卖公司、四川省树王文化产业发展有限公司等单位的业务顾问，经常参加国际性或全国性专业学术研讨会。

已是近87岁高龄的我在2010年完成约10万多字的《创新型名窑——巩县窑》和30多万字的《国民革命军的北伐与郑州碧沙岗》两本书。当前正在做着两件事：一是编写12万多字、80多页图版的《巩义瓦窑嘴》和60多万字的《嵩岳河洛史迹录》两本书；二是争取各级党政领导的支持，以郑州碧沙岗烈士陵园为基地，创建国家级北伐战争纪念馆。真正是辛勤耕耘半世纪，累累硕果收桑榆。

2008 年作者提供的河南省人民政府文化事业管理局文物工作队证章，已是非常珍贵的文物

2007 年 9 月作者（前）老当益壮出席纪念裴李岗文化发现 30 周年暨学术研讨会，参观唐户遗址出土文物

六十年回忆话沧桑

王润杰

2012年是河南省文物考古研究所建所60周年，对我这个年已八旬的老考古人来说，回顾展望，感悟感动，打开记忆的大门，历史长河奔腾而过，多少往事一下涌上心头。所里让老同志撰写回忆录，当仁不让，撷取岁月精彩的片断，以定格历史的瞬间。

一、两幅珍贵题词与郑州商都文化

郑州商代遗址的发现与发掘，尤其是在郑州商代遗址中心部位规模巨大的商代前期夯土城垣的发现与发掘，曾引起了国内外考古学界与历史学界的高度重视与关注。最初发现城址东北角一段商代夯土墙基时，曾被认为可能是一座商代墓葬填土的夯土层。但是在钻探勘察中，夯土基址的两端越找越长，并且在发掘的深沟中也发现了几座打破夯土墙基的小型商代墓葬，显然不像是商代大型墓葬的特征，这才提出可能是商代城墙的问题。问题一提出来，就有人提出不同意见。理由是在安阳殷墟的发掘工作中，并未发现过商代城墙的遗迹，郑州商代遗址在年代上比安阳殷墟还早，不可能会有商代城墙，质疑可能是发掘工作中质量有问题。就在这时，著名考古学家与历史学家尹达先生来郑州对发掘工作进行考察，他先察看了考古发掘资料和出土文物，然后到城东北角发掘工地上，这时工地上为探查夯土墙基已连续开挖了七条探沟，尹达先生拿着尖头小铲下到正在发掘的探沟里，蹲到地上用小铲刮来刮去，审视墓葬和遗址地层的叠压与打破关系，看了一条探沟再到另一条探沟里察看，一连察看了几条探沟。最后他从探沟里出来，对在场的工作人员说："是城墙不是城墙还需要再做工作，但这一段是商代墙基没有问题。"这说明尹达先生对发掘工作质量是肯定的。1959年7月4日，郭沫若先生来郑州视察商代遗址的考古发掘工作。这时在配合基本建设中，已发掘了一部分商代遗址和墓葬，出土了一批代表郑州商代二里岗期的重要文物，在原河南省文化局文物工作队院内已经建立了文物标本室。同时对郑州商代城墙已经展开了全面的考古发掘工作，东、西、南、北四面城墙上都开有探沟。当时南城墙在地面以上保存得比较高，最高处达5.7米，从上到下开挖的探沟，一直挖到商代墙基的底部，墙基底部宽一般都在20米左右，最宽的达36米。因此城墙剖面的面积很大，夯层也很清楚，看起来商代城垣相当壮观。特别是城墙的西北角，当时地面以上已经没有城墙存在，埋在地面以下的墙基很深，探沟挖下去很深才见到墙基的底部。郭老看后可能印象比较深刻，所以郭老在诗词中有"地下古城深且厚"的诗句。当时开挖的几条主要探沟，郭老都一一进行了认真的视察，并参观了文物标本室。郭老这次视察，对当时文物工作队的领导和群众鼓舞很大，发掘资料和出土文物尽可能请郭老多看一些。郭老对这次视察的兴趣也很高，当看过这些丰富的实物与发掘现场后，郭老亲笔在一张四尺的宣纸上赋诗一首：

郑州又是一殷墟，
疑本仲丁之所都。
地下古城深且厚，
墓中遗物富而殊。
佳肴仍有黄河鲤，
贞骨今看商代书。
最爱市西新建地，
工场林立接天衢。

郭老这首诗翔实地描述了他所看到的场景，也肯定了郑州商城是一座商代古城，并提出了可能是仲丁迁都的都城，这应该反映出了当时郭老对郑州商代城的看法。诗中有"最爱市西新建地，工场林立接天衢"的诗句，应该是指郭老在市西看到的几座新建的纺织厂。临走时，郭老又同在单位工作的同志们合影留念。

当时文化部文物局王冶秋副局长对郑州商代遗址的发掘工作非常重视，他每次到郑州来都要到每个发掘工地进行视察指导工作。在发掘工作中遇到许多的问题都是冶秋副局长亲自主持解决的。在他视察中看到郑州的发掘任务很大，人员又少的情况，1954 年他在郑州市文物工作组办公室主持召开有关方面的领导开会，将郑州市文物工作组改建为河南省文化局文物工作队第一队，并调华东文物工作队到郑州支援发掘工作一年。他看到工作人员没有固定的工作地方、出土文物都堆放在席棚里，也是 1954 年拨款征地在郑州南关外建起了文物仓库，使两年搬三次家的文物队和出土文物有了固定的家。特别是郑州商代城址发现后，冶秋副局长对发现的商代城址坚信不疑更是大力支持。那时的发掘经费全部由文物部门承担，发掘商城遗址需要大量经费。新中国成立初期国家经济很困难，冶秋副局长总是想尽办法，每年拨专款支持发掘工作。几十年中都是靠冶秋副局长的支持，一步一步地把郑州商都文化发掘清理展现出来的。原本无名的郑州商代遗址，到 1961 年被公布为全国第一批重点文物保护单位。郑州商城遗址的保护工作，也是在冶秋副局长的指导下，按他提出的"重点发掘，重点保护"文物工作方针，将城墙内外划出各 20 米的重点保护区，在城内分别划出重点保护区和一般保护区，报北京由冶秋副局长审批确定下来的。冶秋副局长对郑州商城遗址的发现、发掘和保护工作给予了最有力的支持。

河南省文化局文物工作队（河南省文物考古研究所的前身）为了彻底搞清郑州商代遗址的范围、城墙内部的结构、夯土层内的包含物、地层叠压与打破关系和城墙的时代问题。围绕周长近 7 公里的城垣，先后开挖过 23 条探沟。特别是东城墙的探沟 7（CET7）、西城墙的探沟 5（CWT5）和南城墙的探沟 4 与探沟 5（CST4、CST5）的发掘，为证明郑州商城的修建和使用时间是在郑州商代二里岗下层二期至二里岗上层一期之间提供了重要的地层依据。几条探沟相比之下，城东路探沟 7 的南壁剖面更有代表性。在城墙下面压有郑州洛达庙三期的灰沟；在城墙内侧有郑州二里岗下层二期和二里岗上层一期的文化层直接压着城墙夯土的叠压关系，并且是唯一能在地面以上看清楚的探沟；在城墙外侧有护城河遗迹和战国时期修复使用的城墙夯土层。为了保护这个最典型的剖面，河南省文物考古研究所在安金槐所长安排下，在附近建起了几间房子，指派所里职工及家属住在那里，日夜看守着，以防人为的破坏。因为缺乏经费，一直没有建起城墙剖面的保护房。

东城墙探沟 7 是 1972 年发掘的，考古资料发表后，曾引起对郑州商城遗址考古发掘工作关注的领导和专家们的重视，这个资料在有些大学考古教材中作为典型资料引用。日本学考古的学生参观时，都是拿着教材上的这个剖面图在现场核对。因此发掘后，这条探沟的南壁剖面经常有人参观考察，每次有人来参观时，我们都需要派人打扫清理现场。开挖的其他探沟，为保护商代城墙遗址不被损坏，在地面以下的都回填封存，在地面以上的封存后又恢复城墙原貌。唯有东城墙探沟 7，因常有人参观，保留在地面上没有封存，安先生深知这条探沟的重要性，生怕有一天这条探沟会被毁掉。1987 年秋，河南省旅游局有意为郑州商城遗址开辟个旅游点，一贯重视文物保护工作的安先生，很快向旅游局推荐出保护开发东城墙探沟 7 的意见。省旅游局张处长到现场了解情况后，没有几天，省旅游局就决定拨款要求施工。这项工作在安先生主持下，经郑州市城建局批准后，边设计边施工。在施工中我一直协助安先生开展工作，首先建起了城墙剖面的保护大棚，保护大棚的建成治好了安先生多年来的一块心病。他说："我天天都担心这个剖面会被一场大雨毁掉，毁掉了这个损失是无法弥补的，大棚建起来了我算放心了。"接着建起了几间接待室和办公室，用了几个月时间，到 1988 年春天这个旅游点就建成了。再后就是整理环境和布置陈列。前后用了 7 万多元，就把原来杂草丛生、垃圾成堆、城墙残缺不全的这个角落，变成了环境整齐、陈列有序的旅游景点。省旅游局领导看了很满意，称赞干得好、干得快。安先生把这个旅游景点命名为"河南省文物考古研究所郑州商代城墙发掘现场陈列室"。河南省文物局和河南省旅游局协商批准，由河南省文物考古研究所派人管理，1990 年 4 月，旅游点就正式对外开放了。1993 年，国家文物局又拨款对保护大棚进行了加高翻修，使其空间更为宽敞明亮，既改善了保护条件又方便了游客参观。

1989 年我退休后，安先生提议经所领导研究决定派我到此负责旅游点的工作，于是我和已退休的王明瑞同志共同担起了旅游点的接待工作。旅游点的大门是一所古建式的门楼，我们看来看去，觉得门额上空荡荡的，参考老式习俗，应该悬挂一块匾额，才显得古朴与引人注目。于是我们就请安先生题字，但他一直没有写。过了一段时间，安先生对我说："咱请苏秉琦先生题写最好。"当时我们都非常赞成，苏先生是全国考古界的老前辈，德高望重，学识渊博，知名度很高，是中国大学考古教育的主要创始人和新中国考古工作的重要指导者，当时也是中国考古学会的理事长。苏先生对郑州商城遗址的发现与发掘也是非常关心的，发掘工作中曾多次得到苏先生的指导。1989 年 9 月下旬，安先生要到北京参加全国哲学社会科学规划会议，我陪安先生到了北京。在会议的间隙，于 9 月 24 日上午我们到苏先生家里。安先生参加过 1952 年文化部、科学院和北大联合举办的全国第一届考古人员训练班学习，苏先生在训练班讲授考古学，因此安先生也是苏先生的学生，安先生对苏先生非常敬重。第一届训练班学员田野考古实习就是在郑州二里岗发掘商代遗址，这次发掘工作的重大意义，在于它揭开了郑州商都文化的面纱。苏先生和安先生对郑州商文化都有一种特别的亲切感。安先生像是以学生向老师请教的姿态汇报了郑州商城遗址的保护情况，并说明由河南省旅游局拨款在东城墙探沟 7 的剖面上建起了保护房，准备开辟一个商代城墙发掘现场旅游点，在旅游点的门上想请苏先生题几个字制作成匾额。苏先生听后对这样保护商城很赞成，也同意题几个字。但商议写什么字合适时，是"郑州商城"、"郑州商都"或是"隞都映辉"，苏先生提着笔深思片刻说：什么映辉不映辉的，就写"隞墟"吧。说罢大笔一挥而就，"隞墟"二字就这样诞生了。当时学术界对郑州商城是"隞"还是"亳"的问题已争论多年，苏先生对双方的情况都了解，他一贯治学严谨，题写"隞墟"也是表明了自己的看法。回郑后，我们很快就制作成了匾额，悬挂在大门上，看起来非常醒目。因为街上这种门额很少，来往路人很多都会驻足欣赏片刻，不少人称赞这两个字写得好，带摄像机和照相机的人们都会随手拍摄下来。也有人不认识这两个字，就会找我们询问，我们不仅让他们认识这两个字，而且还要向他们介绍这两个字的由来与含义，一般听了都很满意。"隞墟"这个词在这里天天向外传播，二十多年来已经形成这个旅游点的"名片"了。现在很多人都知道郑州市城东路上有个隞墟，里边有商代城遗址展览。这个门头成了旅游点的标志，也是城东路上的一景。游客和路人都喜欢在门前合影留念，而且都要突出"隞墟"二字。外地人到郑州找商城遗址，出租汽车司机就会把他们送到这里来。现在和我们联系工作的单位或个人，打电话或写信称这里是隞墟。也有些外国游客给我们寄照片，也是写中国郑州市城东路隞墟。

为了充实旅游点的内容，我们更想到了三十年前郭沫若先生题写的那首诗。1989年11月，我们把原件找出来，用大的复印机按原大复印出来，选好的石料，找雕刻技术最好的工匠，严格要求按原字体精雕细刻，制成了一块碑刻，碑身设计高1.60米，宽0.70米，厚0.12米，加上碑座高0.30米，碑身通高1.90米。石碑正面按原大镌刻郭老的诗词，背面镌刻安先生绘制的郑州商城遗址示意图和安先生题写的说明词。我们将这一碑刻树立在进门对面的碑亭里，显得非常古朴醒目。郭老学识渊博，才华出众，文如其人，字如其人，其娴熟的技巧和深厚的功力与精湛的书法艺术在字里行间充分得以体现。整体字面气势非凡，笔墨飞舞，流畅自如，笔起笔落，自成一体。行草端庄宽博，飘逸洒脱，笔势连绵回绕，前呼后应，线条粗细长短各得其所，真是一幅书法艺术杰作。游客一进门第一时间就被郭老的书法艺术吸引住了，接着就是导游员向游客讲解诗词的含义，很自然地就形成了游客参观隞墟的第一亮点。由于郭老的知名度很高，书法也写得很好，又是参观点上显著的标志，游客参观后集体或个人都喜欢与碑刻合影留念，有的甚至抱住石碑照相，还经常有游客提出求购收藏碑刻的拓本。

为了向游客提供拓本，苏先生题写的隞墟二字，我们也制成了石刻，镶镌在院内显著的位置上，既可以长期保存，又可以拓印拓本，更能供游客近距离欣赏，也有不少游客与石刻合影留念。

两幅珍贵题词对郑州商都文化的传播发挥了非同寻常的作用。在商城遗址陈列中，我们将两幅题词分别制作成版面，摆放在陈列的最后一个单元里，让游客先参观商城遗址的各项重要发现，在结尾时又看到两幅题词的陈展，更显得两幅题词包含着极其丰富的内容，使游客对这两位名人的题词更感兴趣，对郑州商城的印象更深刻。两幅题词在河南省文物考古研究所编著的《郑州商城》考古发掘报告中也被收入书中，而且发掘报告用大量的发掘资料与出土文物论证的结果，也与两幅题词的观点一致，《郑州商城》发掘报告一套三册也是陈列室展品，常有游客求购。我们编写的郑州商代遗址简介小册子，书名就用了"隞墟"二字，把两幅珍贵题词也收入到书中，深受游客喜爱，小册子印数更多，宣传面更广。最初印的门票上参观项目是"郑州商城遗址"，后来因为都称这地方是"隞墟"，我们又印过两次门票，就把旅游点的名称印成"郑州隞墟"了，但在下边加了个括号注明"商代城址发掘现场陈列"。门票上还印有大门的门楼和出土青铜大方鼎的图案。保存一张门票即可识别出参观过的地方。我们注意到许多游客参观后都喜欢把门票留作纪念。也有专门收藏门票的爱好者找上门来征集藏品。所以门票也是一种很好的宣传品。这个旅游点不是以风景吸引游客的，而是以深厚的商都文化吸引游客的。两幅名家题词也提高了旅游点的知名度。

这个旅游点建起来后，吸引了不少游客到这里参观，特别是国外旅游团体到郑州参观商城遗址时，都是到这里来的。他们看到约3500年前周长近7公里的商代古城址和出土的重要遗迹和文物，都会对中华文明有一种钦佩感，常有人说，中国地下到处都是宝，真了不起，并伸出大拇指表示很棒。我们接待过30多个国家的旅游团队，有些国家几乎年年都有一些团队前来参观，二十多年来有的国家团队领队已经和我们很熟悉了，每次带团前来参观，进门一见面就用不很标准的中国话说：我又来了。而且非要求我们两个老人给他们讲解，他们领队再翻译，游客参观得很开心。也有外国领队带团要求参观隞墟，结果中国导游和司机不知道路怎么走，反而由外国领队把旅游车带到这里。开始只有郑州的一些旅行社带团到这里来参观，现在洛阳、开封、安阳等地的旅行社也经常带团到这里参观。甚至国内外一些大学也带学生来参观考察。本来我们门票收费就很低，但对省、市各单位带领的客人和当地大、中、小学生都是免费参观的，有的学校年年组织学生来参观，把这里作为对学生进行历史知识教育的课堂。国家旅游总局有位领导参观后说：你们这个地方是小而精，展室不大却展示着商代都城的大文化，细看能学到不少知识。旅游点范围小，好管理花钱少，你们两位退休同志就能管理。这比有些地方搞得很大，人力财力不足半途而废好多了。中央、省、市多家电视台经常到这里摄制宣传郑州商都文化的宣传片，两幅珍贵题词也在其中。一些报社和杂志社的记者常到这里采访，郑州商城遗址的报道不断在报纸和杂志上刊出。这个旅游点不仅经常向宣传部门提供资料，宣传部门更扩大了郑州商都文化的宣传。

郑州商代城遗址的发现与发掘，在不同时期曾有过不同的意见与争鸣。初期，在发掘工作中，根据地层叠压和打破关系，发掘工作者提出可能是商代夯土城墙时，就有人不承认商代有城，当城垣全部清理出来后，商代城的问题才有了统一认识；中期，城垣确定后，是不是都城，又有不同看法，当发现了宫殿区和一批大型青铜器后，都城的问题得到了解决；后期，肯定了都城后，又出现了"隞"与"亳"的争论，这一争论更为激烈。在这场争论中，有人对两幅题词也提出了质疑。曾有一个人从门前路过时，看到匾额上有"隞墟"二字，即大声说道："隞根本就不在郑州，怎么在这里写上隞墟呀。"说着就进到门里，有点想找人质问的样子，但在门里又看到郭沫若先生写的诗词，诗词中有"疑本仲丁之所都"的诗句，他很不理解地说："据说郭老对历史文献熟悉得都能倒背出来，他为什么也这样写？"当时我们就问他：你说隞在什么地方？他说，按文献记载应该是在荥泽西南十七里的地方。我们又问，那里有没有商代城遗址？他说，不知道。我们向他解释，考古工作者在你说的那些地方进行过多年的考古调查，并没有发现像郑州这样的大型商代遗址，郑州商城遗址也是在无意中发现的，也是郑州地区唯一的一处大型商代城垣遗址。郭老、苏老都是著名的考古学家，他们也都是在视察过郑州商城遗址发掘工作后，才写出自己看法的，你说这有什么问题。他听后说，你们说的也有道理，便匆匆离去。也有人猜疑郭老的诗词是按安金槐先生的意思写的。我认为这是一个很大的误解。在当时那个特殊时期，虽然安金槐先生主持着郑州商城遗址的考古发掘工作，但当时他是党外人士，郭老是国家的重要领导人，安先生根本就没有机会接待郭老的视察工作。当时是省文物工作队的许顺湛队长接待的，可以说安先生连郭老的面都未见到，这不是什么秘密，当时省文物工作队的同志们都知道，所以郭老的诗词与安先生的意思毫无关系。像郭老这样出口成章的名家，题几句诗，写几个字易如反掌，这还有质疑吗？

我们在接待工作中也接待过一些与郭老和苏老观点一致的专家学者，他们对这两幅题词非常欣赏，认为这两幅墨宝极为珍贵，两位大名家各抒己见留下的墨宝可以作为历史的见证，其拓本也有收藏价值。有的讲述，郑州商城的发掘资料很丰富，出土文物各时期都有不同的特征，地层叠压和打破关系也很清楚，从地理位置与时代判断应该是"隞"的所在地。他们大部分学者在这场学术争论中，都发表过自己的研究论文。特别是夏商周断代工程的《^{14}C 年代框架与夏商周年表》发表后，更有些专家说，夏商周断代工程排列出的年表，对照郑州商代二里岗文化的分期，城址和宫殿的始建与建都的使用期，是在二里岗文化下层二期至二里岗文化上层一期之间，即从公元前 1480 年至公元前 1390 年，前后中间是 90 年。那么二里岗文化下层一期始于公元前 1580 年，止于公元前 1480 年，中间是 100 年，这一时期城址尚不存在，只有商代前期的一般村落遗址，与商汤建都时间在公元前 1600 年相比，中间相差已 120 年，如果再加上城址和宫殿等设施的修建时间相差的时间就更多了。所以郑州商城的使用期与商汤的建都时间对照年表，在时间上相差较远。根据郑州商代城遗址的发掘资料，二里岗文化上层一期发现的遗迹与文物最为丰富，最为重要，是确认郑州商都的重要依据，也证明这一段是郑州商都最兴盛的时期，其时间是公元前 1430 年至公元前 1390 年，中间为 40 年。兴盛时间较短，应与"帝仲丁迁于隞"在郑州建都时间不长有一定关系。但郑州商城遗址的发掘和研究工作还在继续，大家期待着有更重要的新发现，问题总是在新的发现中不断得到解决。

二、十年树木，百年树人——省文物考古研究所办教育十年

2011 年，即将迎来河南省文物考古研究所 60 周年所庆，又是安金槐先生逝世十周年。安先生是"新中国河南考古第一人"，学术上的贡献是学术界共知的。他还主持了十年文物考古教育的工作，为国家培养了大批人才。这也是河南省文物考古研究所六十年历程中一个特殊的亮点，也是一段历史的记录。

河南省文物研究所办教育，也是在特定的历史条件下接受的一项特殊任务。"文化大革命"十年动乱，影响了人才的培养。党的十一届三中全会后，拨乱反正，中国有特色的社会主义建设事业进入了一个新的历史发展时期。全国文博战线面临着人才奇缺的局面。当时，文化部文物局对培养人才的工作抓得很紧。先后在湖南的板仓、山西解州关帝庙、四川大邑、山东泰安、江苏扬州，开办了不同类型的文博干部培训班。1981 年初，文化部文物

局拟在河南筹划举办考古干部培训班，并与河南省文物局和洛阳专署文化局协商，初步选址在临汝县风穴寺院内。1981年11月，文化部文物局财务处处长王泽和教育处处长夏桐郁再次来河南考察在临汝风穴寺办班问题。两位处长到我们文研所与安金槐所长商议，要省文研所派人去风穴寺筹办培训班的具体事宜。安所长考虑到，风穴寺地处山区，交通很不方便，距郑州又远，教师往返教学和学员生活安排都会有些困难。不仅时间有些浪费，而且经费开支也大。安所长建议，如果培训班能在我们所里开办，那可方便多了。郑州交通方便，既节省人力，也节约开支。两位处长听了，认为这个建议很好。他们还说，现在山西解州关帝庙，四川大邑办的培训班就已经出现了这些问题。接着，两位处长在所里看了办班可利用哪些房子，并一一拍下照片。看后，两位处长很高兴，他们提议把破旧的房子整修一下，正在建的宿舍楼有两个门洞只建了一层，我们再接上四层，教学、生活和学员住宿就可以完全解决了。又经与省文物局领导协商，就改变了在风穴寺办班的计划，决定在郑州市河南省文物研究所院内办班。两位处长回北京后，1982年2月8日，文化部文物局以"(82)文物计字第94号"文件，拨来20万元的基建费，要我们抓紧时间筹办培训班的工作。

当时我任河南省文物研究所党支部书记兼任副所长。我也赞成这个新方案，并积极协助安所长筹办培训班的工作。1953年1月，我参加河南省第一届文物工作人员培训班时，安先生是我们的老师，这时他已经60多岁了，身体也不太好，业务方面的工作很重，他参加社会活动也多。因此，办班的工作我应主动多承担一些。在安所长指导下，我们很快办完了基建的审批手续，1982年4月开始施工，到年底基建工程就完成了。不仅宿舍楼接了四层，还把靠边的平房拆了，建起办公楼与教学楼。1983年，又经过半年多的筹备，"文化部文物局郑州考古干部训练班"就成立了。1983年6月，第一期考古干部培训班开学。安所长兼任训练班主任，我兼任训练班党支部书记。下设训练班办公室，翟继才同志任办公室主任，贾淑德同志任会计，李延斌同志参加办公室工作。又聘请河大毕业的徐炳炎老师负责教务工作，聘请有管理经验的王乃耀同志管理生活，王登臻同志负责仓库保管。文研所中级职称以上的专业干部和郑州大学考古专业的教师分担教学任务。安所长也分担有教学任务。训练班一开始就非常正规。

1984年春，文化部文物局下达通知，把"郑州考古干部训练班"更名为"文化部文物局郑州培训中心"。

文化部文物局根据基层干部的反映，都希望参加有学历的干部培训。文化部文物局的领导在杭州教育工作会议上提出，有条件的培训中心，可以开办学历教育。会后，河南省文化厅与河南省教委协商办学历教育问题，省教委很支持开办在职干部的学历教育。经省文化厅请示，文化部文物局批复，同意在"郑州培训中心"的基础上，建立"郑州考古干部专科学校"开办大专班。又经各方努力，1984年9月14日河南省人民政府以"豫政函〔1984〕147号"文件批准，正式成立"郑州考古干部专科学校"。省编委还批给了15个编制，并指明，"学校由文化部文物局和省文化厅双重领导，以省文化厅为主"。安所长兼任校长，我兼任党支部书记。1985年起纳入河南省成人招生计划，面向全国文博系统招生。凡年龄在40岁以下，工作5年以上的在职干部均可报考。因为处于特殊时期，又在文研所院内办学，规模不可能大，一次只能招一个班，这也是对在职干部进行学历培训的一种尝试。

1988年9月，国家文物局在青岛召开教育工作会议，我们在会议上介绍了办学情况。会议上张德勤局长作总结报告。会后，张德勤局长来河南考察工作，在文研所与安先生专门谈了办学问题。张局长说："现在各大学都在办文博大专班，你们不要再办大专班了。现在我们缺乏的是中专技术人才，咱们办中专班吧。"按局长指示，即确定开办中专技术班。局长回京后，国家文物局下达办中专技术学校的文件。1989年秋，河南省教委以"豫教工农字〔1989〕71号文件"，批准将"郑州考古干部专科学校"改建为"郑州文博职工中等专业学校"。1991年秋，学校面向全国文博系统招收了一个中专班，学制两年半。经过正规培训，到1993年底毕业，河南省教委颁发了中专毕业证书。由于办学的几位同志都退休了，安先生的年纪也大了，与国家文物局教育处的领导商议，招生工作暂停下来。安先生说："当初我们承诺能办十年，现在已经十年了。"

十年中，举办全国性培训班、大专班、中专班计8期，培训人员305人；为河南办培训班计7期，培训人员460人。在举办教育工作的十年中，国家文物局教育处处长夏桐郁、冯屏、袁南征及教育处的同志们，都经常到郑州指导工作。

一、1983年至1984年，办考古干部培训班3期。第一期，学习时间6个月；第二、三期，学习时间4个月。每期参加的学员50人左右。学员来自山西、山东、陕西、河南、内蒙古、安徽、江苏、河北、宁夏、青海、甘肃、湖北、湖南、浙江、四川、江西、广东、黑龙江、广西、福建、贵州、云南、吉林、辽宁、新疆、北京、上海、天津等28个省、市、自治区。学习内容有：文物政策法令、中国考古学基础理论知识、中国考古学专题讲座。在学习理论的基础上，组织学员参加田野考古发掘实习。在一个月的实习中，通过发掘、整理，学员写出系统的发掘实习资料。这三期培训班的实习，集中发掘了郑州站马屯遗址。又经过统一整理，发表了《郑州站马屯遗址发掘报告》（《华夏考古》1988年1期）。

二、大专班（学制两年）。于1985年面向全国招生，招收在职干部27名，另有一名旁听生。学生来自辽宁、河北、山东、河南、宁夏、江苏、四川、浙江、安徽等9个省、自治区。教学按照大学两年制的课程安排。除原有的兼职教师外，又邀请了湖北、湖南、江西、广东、甘肃和北京大学的专家学者来郑州授课。课堂学习一年半，实习和资料整理为半年。实习地址在郾城县郝家台遗址，也是河南省文研所配合铁路建设的发掘工地。学生每人负责开一个探方，学校派专人进行辅导，严格要求按田野考古操作规程进行发掘。实习结束后，通过资料整理，每人写出探方发掘小结，拼入编写发掘报告资料。毕业时每人写出自选题材的毕业论文，后来有些论文已在杂志上发表。学生完成学习任务，经考试合格，在毕业典礼上，由河南省教委领导颁发大专毕业证书。

三、古钱币整理培训班。古钱币是历史文物的一个重要组成部分。新中国成立以来，各地在基本建设动土工程中，经常有成批的古铜钱被发现。据国家文物局统计，当时各地保存的古铜钱有200多吨。对这批古铜钱的整理研究，不是少数几位专家就能干得了的。国家文物局为在全国开展古钱币的整理研究工作，决定在郑州举办两期古钱币整理研究工作骨干培训班。办古钱币培训班，专业性很强，又需要调动全国古钱币专家授课。国家文物局古钱币整理工作组的专家们，都亲临培训班指导教学和实习工作。

1985年3月20日，第一期培训班在郑州开学。国家文物局副局长庄敏同志，河南省文化厅副厅长侯彦斌同志，河南省文物研究所名誉所长、郑州培训中心主任安金槐同志分别在开学典礼上讲了话。中国钱币学会副秘书长戴志强先生、上海博物馆副馆长汪庆正先生分别致贺词。他们都讲到，今天开学的古钱币培训班，是我国钱币史上第一期全国性的古钱币培训班，它将给我国钱币史上增添新的一页。学员来自全国18个省、市、自治区的文博单位和钱币学会，学员52人。学习时间三个半月，两个月的课堂学习，一个半月的钱币整理实习。邀请授课的专家有：上海博物馆的汪庆正、郭若愚、孙仲汇，天津市社科院的唐石父，山东博物馆的朱活，中国历史博物馆的耿宗仁，北京市文物研究所的高桂云，中国钱币学会的戴志强，宁夏回族自治区博物馆的牛达生，陕西省考古研究所的吴镇烽，陕西省博物馆的陈尊祥，广东省博物馆的王贵忱，中国人民银行天津分行的杨学勋，洛阳市文化局的蒋若是，上海财经学院的吴筹中、马定祥，上海钱币学会的王松麟，河南文物研究所的李京华等。讲授课程有：中国货币体系概论，先秦货币，秦汉货币，三国、两晋、南北朝货币，隋、唐货币，五代、十国货币，两宋货币，辽、西夏、金、元货币，明、清货币，历代农民起义军政权的铸币，近代金银铸币，中国历代纸币，中国铜元，革命根据地货币，易混圆钱的鉴别，钱范和钱币铸造，中国历代货币书籍介绍等。

在学习钱币学基础理论知识的基础上，转入古钱币的整理实习。河南省文物商店提供河南浚县、上蔡两地出土的古铜钱800多公斤，供学员们整理分类实习。天津市社科院唐石父先生和国家文物局古钱币整理工作组的专家们直接领导实习工作。整理方法，是运用考古学和统计学相结合的方法，进行排比分析，以全面了解钱币的铸造、书体、币值、时代和流通等方面的知识。经过粗分和精选，整理出144048枚钱币，还发现几枚稀有的古钱币。通过培训，学员基本上掌握了古钱币学研究的多种知识和古钱币整理、分类、保养与管理的科学方法。

1989年3月16日，第二期古钱币培训班在郑州开学。学员来自全国各地文博单位和钱币学会，学员64人。教学内容与实习方法和第一期培训班基本一致。由于要求每位教师在讲课前都必须编写出讲义，由学校统一印发给学员，所以，两期培训班结业后，就形成了一套比较系统的钱币学教材。这批钱币整理后的资料，随后在《华夏考古》杂志上发表了。

四、考古绘图培训班。按国家文物局的安排，1988年4月，在郑州开办了一期考古绘图培训班。举办全国性考古绘图培训班，这在我国考古史上也是首次。学员来自17个省、市、自治区，学员27人。学习时间4个月。教师主要由中国社会科学院考古研究所技术部三位高级工程师担任。在讲授考古绘图原理的基础上，主要通过实习练习其操作技能。由我们文研所提供各类资料与器物，每人一套绘图工具。培训班的多半时间，都用在实习上，使学员用不同的方法，绘制各种器物图。教师在实习中反复向学员讲授绘图原理与操作技巧。我们文研所绘图室的三位技术人员，也都全力以赴地参与实习辅导工作。通过培训，使学员基本掌握了各种不同器物的绘图方法与技术，达到能独立制图的能力。

五、开办中专班（学制两年半）。1989年，河南省教委批准建立"郑州文博职工中等专业学校"后，我们即着手筹办招生工作。1991年面向全国文博系统招生，招收学生29名。学生来自河南、内蒙古、宁夏、青海、贵州、安徽等6个省、自治区。这是一个文物考古专业技术培训班。作为中专班，要求文化知识、考古学基础知识和专业技术学习更为全面。因此，课程设置分为：文化基础课：语文、政治、数学、地理。考古专业基础课：考古学通论、文物鉴定学、革命文物、中国古代史、古代汉语、文物政策法令。专业技术课：文物调查保护、考古发掘技术、钻探技术、测绘技术、照相技术、装裱技术。专题讲座：古文字学、古代科技史、古代石刻艺术、陶瓷史、中国美术史。教学主要由省文研所的科研人员与技术人员分担。另外又聘请了几位担任文化基础课的教师。课堂学习一年半，各种专业技术操作实习一年。文物调查保护、测绘、照相、装裱、钻探技术的实习，都分别在郑州安排进行。最后集中在新郑"郑韩故城"遗址进行田野考古发掘实习。通过培训，学生都能掌握几项专门知识和技术。学习期满，通过考试，都取得了毕业资格。在毕业典礼上，由河南省教委领导颁发毕业证书，国家承认其中专学历。

六、为河南省办培训班七期。自 1987 年至 1990 年，由河南省文物局安排，在培训中心办了七期培训班。其中考古钻探技术培训班两期，在讲授钻探技术知识的基础上，主要到田野进行实际钻探工作，使其基本掌握钻探方法和识别土质的技能。文博专业技术培训班两期、文物藏品建档培训班两期、全省文博系统安全保卫干部培训班一期，每期学员 60 人左右，共培训干部 460 人。

七、编写教材工作。国家文物局为适应文物博物馆干部培训工作的需要，决定编辑出版一套文博教材。其中有中国考古学、中国博物馆学基础、中国陶瓷、中国青铜器、中国书画、中国古代建筑、中国古钱币、中国文物博物馆摄影。为此，国家文物局在山东长岛专门召开一次参加编写人员的工作会议。会议研究了编写内容与编写方法，并确定实行主编负责制，书稿完成后，由国家文物局负责出版，新华书店上海发行所发行。

《中国考古》一书，1984 年国家文物局邀请安先生为主编。在安先生主持下组成了一个五人编写小组，并且都参加了长岛会议，每人分担一部分编写任务，也确定了交稿时间，最后由安先生汇总成书。但后来由于各种原因，只有郑州大学匡瑜先生交来一部分草稿，其他均未交稿。这样，全书的编写任务就落在安先生一个人身上。眼看着别的书已经出了几本，国家文物局也几次催要书稿，但安先生一句怨言都未说过，下决心一个人也要把书编出来。他平时工作就比较多，参加社会活动也很频繁。于是，他利用一切时间，白天黑夜连续加班加点工作，就是到外地出差也带着资料，见缝插针编写书稿。我们一起出差开会，住在一个房间，他每天都是四点钟起床，在那里写东西。我劝他多睡一会儿，他总是说：习惯了，不起来也睡不着。《中国考古》这本书计 59 万字，安先生就是这样辛苦地完成了任务。1992 年，国家文物局交上海古籍出版社出版。同时，安先生还是《中国陶瓷》一书编写组的成员，他分担编写的是陶器部分。安先生也是用同样挤时间的办法，完成了 20 万字的书稿。《中国陶瓷》一书，1994 年国家文物局交上海古籍出版社出版。

十年树木，百年树人。我们文研所办学十年，还搞学历教育，这在全国文研所中也是不多见的。在安先生的主导下，经过全所同志们的努力，为促进文博事业的发展作出了应有的贡献。安先生不仅主持了十年的培训工作，而且还千辛万苦地编写出了《中国考古》和《中国陶瓷》里"陶器部分"的两本教材，这是安先生晚年为考古事业作出的一大贡献。安先生这种坚韧不拔的实干精神是值得我们学习的。在安先生逝世十周年之际，我把这十年办学教育的经历整理出来，也是对安先生的缅怀。

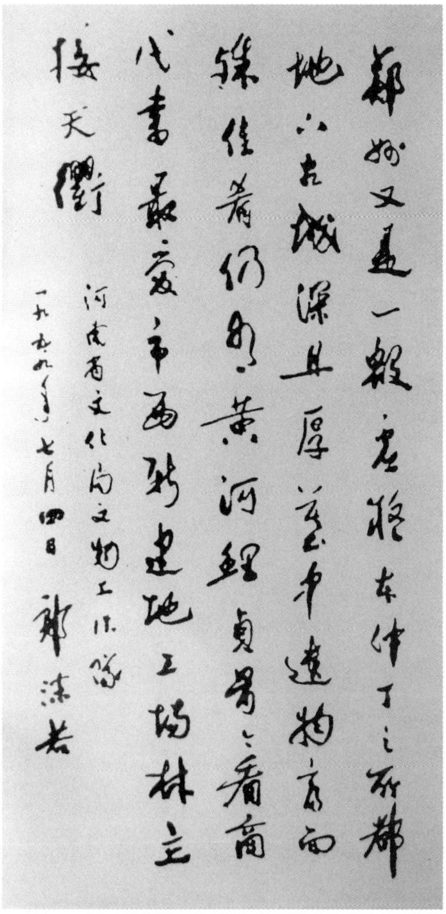

六十年回忆话沧桑　　81

郑州又是一般，老骥东仲丁之所都
地下亡城深且厚，墓中遗物多而
殊。佳者何耶？黄河鲤鱼号看商
代青最爱。市西新建池工场林立
接天衢

一九五九年七月四日　郭沫若
河南省文化局文物工作队

1959年7月郭沫若视察郑州商城后在省文物工作队题诗

1959年7月郭沫若《颂郑州》诗碑拓片

1959年郭沫若先生（前左二）视察郑州商城遗址（前左三许顺湛）

1989年9月我国考古学泰斗苏秉琦为郑州商城东城墙遗址题写"隞墟"手迹

1989年9月苏秉琦"隞墟"石刻拓片

郑州商城东城墙隞墟遗址大门（门上方"隞墟"匾额，进门立《颂郑州》诗碑）

1985年6月文化部文物局郑州培训中心在省文研所举办的第一期钱币工作人员培训班结业（前排左五为作者）

1985年下半年开始招生的郑州考古干部专科学校学员在图书室学习

1993年12月在省文研所举办的郑州文博中专91级学员毕业典礼（左一作者，左二安金槐，左三省文物局常俭传局长，左四杨育彬）

2011年作者（左一）在隞墟遗址讲解商城城墙保护工作

文物考古难忘事

李德保

编者按： 这是我所老同志李德保1992年为建所40周年所写的一篇回忆录，文笔朴实无华，事迹平凡感人，展现了一位离休老业务干部的风采！

我1953年元月参加河南省文化局举办的"河南省第一届文物干部训练班"，同年5月任新乡行署文教科文物专职干部，1957年元月调入河南省文化局文物工作队（文物研究所前身）。在文物工作岗位上度过了四十个春秋。

忆往昔，多少事萦绕心头，艰苦的环境，不怕苦、不怕累的工作精神，同志们并肩战斗，遇到困难相互帮助的精神……都使我难以忘却，但使我更难忘的有以下几件事：

一、全省文物调查

1957年3月15日，队领导派我到商丘县倪楼村进行古文化遗址调查，我愉快地接受了任务。记得火车是12点从郑州发车，到达商丘的时间是16点左右，天下着小雨，路无行人，加之自参加文物工作以来，除对新乡地区熟悉外，其他地方均无去过，商丘县城离倪楼村还有多远？在什么地方？我一无所知，且天在下雨又渐天黑，自己也没带雨具，心情十分着急，畏难的眼泪即将夺眶而出。正在这时，有位四十多岁推独轮车的男同志迎面走来，我向他打听了去倪楼的方向和路程，得知由此到倪楼还有三十多华里。为了尽快到达目的地，早日完成工作任务，冒雨一连步行通过五个村庄，终于到达目的地见到村干部时已是晚上近10点钟了。在村干部家里边烤淋湿的衣服，边谈发现遗址的情况。第二天早晨即赴现场进行调查，在该村东北有一处新石器时代遗址，已露出地面4个灰坑，当即采取了保护措施。

封丘县青堆遗址破坏情况的调查，更使我终生难忘。那是1957年七八月间，正是黄河洪峰期间，郑州黄河铁路大桥处于最危险时刻，国家防汛总指挥部命令暂停通车，就在这种情况下，我接到调查青堆遗址的任务。郑州黄河铁路大桥暂不通车，封丘县境内的古文化遗址遭到了破坏，怎么办？经和调查组同志们商量，决定转经开封，由开封渡口渡过黄河抵达目的地。当时黄河洪峰虽然开始回落，但黄河渡口几天来未能开船，渡口南岸大堤上挤满了人群，自己也只好在大堤露宿了一夜，第二天上午才得以乘船渡河。但由于渡船需要逆水行驶，临时组成了一支30人左右的青壮年拉船队，我主动参加了拉船队，我们一直拉了十余华里才乘船渡河。当船行至河中央时，高达2—3米的水浪向乘船打来，木船几乎被水浪打翻，船工以娴熟的技术使我们转危为安，但浪花打来的一瞬间，船上的百余人都是顿时胆颤心惊，吓得目瞪口呆。经过8个小时的乘风破浪才到了对岸。我立即赴青堆进行调查。得知该遗址是一处新石器时代遗址，采取了保护措施。

为了事先了解水利建设的较大工程，做到有计划地配合进行文物钻探和发掘，1957年10月间，我到豫西南通过水利部门调查了禹县、宝丰、鲁山、南阳、镇平等5个县。当时领导要求尽快完成任务，时间紧，任务重，自己克服了种种困难，如一天下午5点多到了许昌，前往禹县，最后班车已过，怎么办？为了赶时间，雇了个三轮车，坐了一会儿，因车夫年龄较大，蹬车的速度太慢，六七十里路何时到达？干脆，我蹬车，让车夫坐车。加快速度，天黑前赶到了目的地，为调查工作赢得了时间。甚至，有时要步行几十华里，有时要冒雨前进，终于按时完成了工作任务。为做好配合基本建设工程文物钻探、发掘、保护准备工作，提供了可靠资料。

辉县碑碣调查，给我所留下了宝贵的资料。1962年，我省开展了碑碣调查工作，我被派往辉县执行调查任务。在调查中，翻山越岭，共调查碑碣300余块。为了完整地把碑文留下，当时想，如果进行抄文，很可能会出现漏字现象，为了避免错字漏字发生，采取了墨拓的方法。在拓的过程中，由于是野外作业，刚刚把纸贴上，很快就被晒干，且没有充分的工具，自己想方设法，用砖头等当凳子，爬高上低，顶着炙热的太阳，历时60天，终于把所调查的300余块碑碣全部墨拓了下来，留下了完整无漏的历史资料。自己虽然吃了苦，但看到完整的墨拓资料时，心中却十分欣慰。

二、郑韩故城的勘探

这是在1963年10月前刘东亚同志工作的基础上进行的。根据国务院文化部文物事业管理局和河南省文化局的指示精神，依照"重点保护，重点发掘"的方针，省文物工作队成立了"郑韩故城"文物调查小组，由安金槐为总负责人，武志远为田野负责人（实际没做具体工作），王与刚、欧正文、杨育彬三位同志为田野小组成员，以及技术工人李敬昌同志，于1964年六七月间先期到达工地组织力量，开始在阁老坟村进行普探。我于当年8月间到达工地工作。根据配合工农业基本建设的需要，在故城内进行了大规模的文物普探工作。后因工作需要，先后到达工地的有马世之、赵全嘏、王治国、马志祥等。1965年又邀请了洛阳5名技术工人进行技术辅导，培养、组织当地临时民工百余名，从故城西北角向东南方向进行全面文物普探。在普探中，我们将"郑韩故城"内划定为31个大探区，又在每个大探区内根据其自然边界划分为若干个小探区，进行了布孔钻探。洛阳的5名同志工作一段时间后即返回原单位。后又根据工作需要，经上级劳动部门批准，又增加了冯忠义、马献学、郭德慰、李玉良、刘巨荣、崔苏生、崔玉林、时天玉、邓永昌、武振昌、周遂、张希久等12人。在工作中，大家团结一致，努力工作，因各种原因仅完成了计划钻探面积的三分之二。故城内的中部有一条南北向夯土城墙，把故城分成了东西两部分。一般把东部称为东城（或外城），把西部称为西城（或内城）。这次普探，在西城内发现春秋战国时期的夯土建筑基址较集中地分布于西城内中部偏北和西北部地势较高的阁老坟村周围（即宫殿区）。除此之外，在东城还发现了铸铁遗址、铸铜遗址和制骨遗址等。共发现各种遗址及夯土台基1000处，墓葬472座，灰土区（即文化堆积区）607处。初步澄清了故城内各种遗迹的分布情况，为今后的考古研究、文物保护以及基本建设的安排等，提供了重要依据。

为了进一步了解和研究郑韩故城，划定重点保护区，做好"四有"工作，特向文化部文物局申请在故城内进行试掘，该局于1965年4月2日，以（65）考字第2号考古发掘许可证，同意试掘300平方米。

这次试掘选择了阁老坟村、仓城、张龙庄村南三个点，由安金槐队长领队，成员有马世之、欧正文、王与刚、赵全嘏、李德保及李敬昌、马志祥、冯忠义、王治国等21人。通过试掘，阁老坟村找出了战国时期地下冷藏室遗迹，仓城找出了战国时期铸铁遗址，张龙庄村南找出制骨遗址，三处遗址出土遗物均较丰富，为研究我国古代的冷藏方法和铸铁、制骨发展史以及古代社会的分期问题提供了重要地层关系和实物资料。其中阁老坟的试掘更令人难忘。那是1965年的四五月间，选择阁老坟村北的夯土建筑遗迹进行了试掘，共开探方5个（T1—T5），安队长为总负责，欧正文试掘T1、T3探方，我试掘T4探方，马世之试掘T5探方，在这个探方内发现了战国时期地下冷藏室遗迹，面积176.72平方米，当时大家高兴的情景至今记忆犹新。特别是安队长，除白天参加工地发掘、及时处理发现的问题外，每天晚上整理资料，为开展下一步工作做好准备，他仍是晚睡早起，孜孜不倦地工作，给大家做出了榜样。

文化部文物局王冶秋局长的到来，给我们的整理和郑韩故城的保护工作，增添了干劲儿和信心。1965年6月24日，王局长和庄敏处长视察郑韩故城。由省文物工作队副队长安金槐、办公室秘书丁伯泉及参加阁老坟冷藏室遗迹发掘的马世之、李德保和王与刚等陪同参观了正在整理的冷藏室遗迹出土的遗物，我还给他们照了相。参观后，王局长对郑韩故城的保护和整理工作做了指示，为今后的工作奠定了基础。

三、郑韩故城宫殿遗址的发掘

该遗址位于新郑郑韩故城西城东部城墙基中段西侧（原新郑县城东门外），即今郑韩集贸商场与新建北路之间。首先是在配合新郑县二工局基建工程中发现大型房基（F1），东西长29.2米，南北宽8.5米，计248.2平方米，经发掘得知破坏严重，让其基建工程向南移动了地方，并对该处就地保存。接着，新郑县税务局拟在该夯筑基址的西侧修建家属楼。经钻探确认该处是郑韩故城内一处重要的夯土台基。根据国家文物局的批文精神和河南省文物局（豫便字82-128号考古发掘证）指示，组织人力，于1982年10月至1987年10月进行发掘，累计26个月。其中1984年春，因故停工，1986年9月间继续发掘。共发掘探方（沟）23个，面积2006.7平方米，遗迹面积1525.7平方米，柱础21个，灰坑41个，窑址3座，古井8眼，出土遗物有陶、铜、铁器等。在发掘的夯筑基址中，房基2（F2）规模最大，保存也较完整。其平面呈长方形，南北长45米，东西宽28米，南北向墙基4条，基址的南北两端又分别有东西向墙基4条，在房基2的中部，又有东西两排磉墩8个，在房基2南端距墙基2.6米远的地方，又有一排东西向磉墩6个，墙基均为地面以下，距地表深0.4—1.24米。

1987年4月4日，我所所长郝本性陪同中国社会科学院考古研究所古建专家杨鸿勋先生，在现场察看后鉴定：此房基应是高台建筑物，在建筑方法上，地面下全部经夯打，这是建筑基础方面的技术革新。根据房基2处在夯基址群西南边沿这一现象，杨鸿勋先生认为，该房基是一座坐西向东的配殿。通过发掘，出土遗物有浅盘细柄豆、敞口浅腹钵等。该夯筑基址的时代应属战国晚期。

忆往昔,与同志们一道工作中难忘的事还有很多,真是件件可圈可点,激情满怀。让我们在共同的岗位上,努力奋斗,为我所的发展昌盛,为我国的考古事业,再创新的成绩,留下更使人们难忘的足迹。

2002年作者（后排左一）参加河南省文物考古研究所50年所庆留影

2010年作者（前）参加省文化厅第22届老运会掷飞镖

回忆抢救淅川猿人牙齿化石和发现南召猿人的经过

王儒林

编者按：这是王儒林同志1992年口述的一篇为庆祝建所40周年回忆录。他当时已调到南阳汉画馆，但对文物普查考古发掘仍然情有独钟。早些年他不幸因病逝世，今发表此文，以示对儒林同志的缅怀！

我从事文物考古工作已经40年了。40年来，为了普查文物、发掘古遗址和古墓葬，我的足迹踏遍南阳地区的村村寨寨和山山水水。值此庆祝河南省文物研究所建所40周年之际，特将我们70年代抢救淅川猿人牙齿化石和发现南召猿人化石的经过写出，以作为40周年所庆的献礼。

一、抢救淅川猿人牙齿化石的始末

1973年4月，中国科学院古脊椎动物与古人类研究所的王半月同志来南阳调查时，我向她汇报了南阳地区哺乳动物化石的分布情况。随后，我们一起到南阳地区中药材仓库挑选哺乳动物牙齿化石，在众多的"龙骨"中，找到一枚人类牙齿化石。后来王半月同志把这枚人牙化石带回北京，经吴汝康教授鉴定属于猿人牙齿化石。同年9月，该所的吴新智和孙文书同志又来到南阳，我们又前往淅川调查，在淅川县文物干部张西显同志的协助下，在该县的金河、莲花寺、毛堂、魏营等地进行调查和发掘，发现有剑齿虎、肿骨鹿、犀牛、羊等动物化石，但不见猿人化石。10月，吴汝康教授也来到南阳，得知西峡县中药材仓库龙骨最多。第二天，吴教授与地委宣传部刘莹同志和我一同来到西峡县中药材仓库挑选，从"龙骨"中又找到了12枚人类牙齿化石。这一重大发现，促使我们又一起赶到淅川。在该县的毛堂、黑水庵、石燕河等处调查发掘，发现有鹿、羊、野猪、蚌等化石。一周后，为了尽快地抢救淅川猿人牙齿，我和吴新智先生又回到西峡县中药材仓库认真复查，但没有新发现。继之，我又到桐柏、唐河、邓县、南阳进行调查，在南阳县中药材仓库，又找到一枚人类牙齿化石，吴汝康教授得知后，甚为高兴。1973年冬吴教授他们返回北京。次年春我又同该所许春华同志到淅川进行野外发掘。不料，在与参观者的谈话中，得知湖北郧阳梅铺有一"龙骨"洞，洞中多有"龙骨"。许春华知道后，遂于1976年去湖北调查，发现了郧县、郧西猿人化石遗址。

两年中，我们在南阳地区抢救出30枚人类牙齿化石，这种成绩的取得与北京中国科学院古脊椎动物与古人类研究所和我们南阳同志的共同努力是分不开的。

二、南召猿人牙齿的发现经过

由于我长期从事哺乳动物化石的调查和保护，依据地层年代学推断，南召县云阳有动物化石存在的可能性。果然，1978年四五月份，南召县云阳公社于云阳北约3.5公里杏花山脚下在群众挖出的"龙骨"中，发现有动物化石，其中有2枚人牙。后经吴汝康教授鉴定，一枚人牙为年龄23岁左右青年人的右下第二个臼齿，所处地质时代为中更新世，大致与北京周口店猿人时代相当。同年十月，又对这一地点进行发掘，发现一批哺乳动物化石，其中有剑齿虎、中国鬣狗、肿骨鹿、三门马、巨貘等。1979年4月，我又和许春华、王建中、张维华、赵成甫等同志在这一地区进行调查和发掘。6月份又发现了南召云阳小空山旧石器时代遗址。

南阳淅川和南召云阳猿人化石是我省首次发现，也是我国旧石器时代考古的重要发现。它填补了我省旧石器时代考古的一项空白。这些猿人牙齿化石的发现标志着南阳地区长期有古人类活动的遗迹，为在中原地区进一步探索人类的分布提供了新材料。

"三十而立，四十而不惑"。河南省文物研究所成立40年来，在党的领导下硕果累累，这也是我们大家辛勤工作的结果。我祝愿河南省文物研究所40年庆祝盛会取得圆满成功，祝同志们身体健康，工作顺利，万事如意！

1958 年底至 1959 年初，南阳地区第一次文物普查学习班全体学员，在南阳卧龙岗老汉画馆前合影。背景是南阳地区最早的汉画馆，建馆期间，郭沫若先生曾亲笔题名"南阳汉画馆"五个大字，并在汉画馆门前建了一座"汉碑亭"。如今，老汉画馆已经不存在。（前排右一汤文兴，二排右一作者）

新中国成立初期洛阳文物考古工作追记

李健永

编者按：这是河南省文化局文物工作第二队的元老李健永同志在建所40周年时写的一篇回忆录，为新中国成立初期的文物考古工作贡献了自己的青春年华。他后来调至洛阳八路军办事处纪念馆，继续努力为革命文物工作尽心尽力。通篇满怀深情，十分感人。

1948年4月，洛阳解放后，随着经济建设的发展，文物考古工作进入了一个创新的时期。洛阳文物考古是全国的重点，因为洛阳是我国闻名中外的一座文化名城，在中国历史上，建都朝代多，建都时间长，名列全国古都之首。千余年作为我国政治、经济、文化中心。特别是在它的地下，埋藏着极为丰富的文化遗存，在我国当为最大的一座地下博物馆。

解放后，在中国共产党领导下，洛阳翻了身，冲出了旧日城堡的围墙，越瀍水，出老城，过涧河，一直伸向遥远的周山之下的谷水之乡，要在老城北烧沟区开辟新的建设区，要把涧西无垠的一片绿色田野，变为烟囱林立的工业基地。根据基建的需要，洛阳的考古工作，必然要走在建设队伍的前面。1951年9月，洛阳专署率先建立了专区文管会，但当时的文管会是个虚体，它的人员组成和经费开支，全由河南省文化局文物队的编制人员中拨指标，拨经费。编制中设秘书一人，由我负责，文管会下设发掘股，由蒋若是同志任股长，裴琪同志任副股长，郭文轩同志代总务股工作。文管会地址设在洛阳老城丁家街福音堂后院。

1953年下半年，中央文化部副部长兼文物局局长郑振铎、文化部文物局副局长王冶秋等领导同志，对洛阳文物工作特别重视。我曾在北京文化部文物局，向郑振铎局长（兼）汇报了洛阳的文物工作，他非常支持，"打开洛阳地下博物馆的大门"这个口号就是他首先提出来的。王冶秋副局长和北京大学历史系教授苏秉琦先生，首先来到洛阳，和专署领导及文教科长杨庆生等同志商谈，并给洛阳专区文管会拨款14亿元（旧币，折合人民币14万元），作为文物保护及配合基建进行发掘使用。将周公庙旧址，包括原洛阳牡丹公园旧址，进行了规划，东边一部分拨给中央考古所，修建了驻洛考古站，西边又拨款5亿元（旧币），由文管会盖起办公房三排，文物仓库两座，并接收了周公庙定鼎堂及各处厢房等展室，当时只有数百块墓志均砌在屋壁上。这时，对文物机构进行了充实，由原来的五个人增至二十余人，临时工几十人，雇钻探工数百人。为了提高文物干部的业务能力，送全国考古人员训练班学习两人，到省文物干部培训班学习十余人。从人力、财力上都做了准备，迎接洛阳这座新兴城市文物工作高潮的到来。

1954年，中央文化部文物局文物处长、地质考古学家、北京周口店猿人头盖骨的发现者裴文中先生和中国科学院考古所副所长、留学英国的著名考古学家夏鼐先生一同来到洛阳。裴文中先生首先在洛阳老城商场剧院,为洛阳文物干部及史学界做了关于全国新石器时代遗址分布及发掘情况的学术报告(当时贾峨同志做了记录并整理印发),洛阳文物考古干部及史学界人士,受到了一次难得的教益。接着经洛阳专区、洛阳市政府、文化部文物局、中央考古所、省文化局共同协商后,成立了"洛阳区考古发掘队",推选裴文中为队长,夏鼐和洛阳专区文管会的张廷超为副队长,下设发掘股、总务股,在洛阳专区文管会配合下,组成了一支声势浩大、历史上空前未有的配合基建的文物保护及考古大军。现将当时的工作进行情况,简述于后。

一、文物调查

中央考古所、北大历史系、省文化局文物队和洛专文管会等单位,分别组成调查组,对东周王城、隋唐东都城、汉魏故城、汉河南县城,以及洛阳城周围的黄河、洛河、伊河、瀍河、涧河等流域沿岸的高台地上分布的新石器时代遗址及邙山、周山等地各时代帝王冢都分别做了调查。当时在调查中,我还记得有一件难忘的往事,就是一次我和裴文中先生从老城西关平坦的田野上向西出发,一路上首先发现耕地头上到处堆积着唐代砖瓦片,那次我们认定这就是唐宫建筑区。在另一处我们发现沙石冲积河道,怀疑这是否金谷河道。接着一直向西步行到西工小街,在小街东边的一条南北路沟的东壁崖上,突然发现明显的隋唐城西夯土墙,这引起我俩很大兴趣,于是便沿着城墙基向北步行,直寻到铁道北的肉联厂附近,突然在厂东边的沟沿上断了路,沟有丈余深,沟沿上长满了带刺的野草,我劝裴先生折返而归,但不料裴先生为了查明唐城墙的延伸点,便坐在沟沿上,手举拐杖,在杂草丛中顺沟滑坡而下。这位年届六旬、满头银发、不顾个人安危的著名科学家的吃苦精神,深深感动了我,当时也为我们青年一代的考古者树立了良好的榜样。另外,又抽调文管会干部,到陕县、灵宝、渑池、洛宁一带进行文物调查,前后发现陕县的温塘石窟,渑池县的鸿庆寺石窟,在三门峡黄河沿岸的新石器时代遗址十余处,洛宁洛河南岸的陈宋、王村等新石器时代遗址,并对"刘国故城"进行考察。还有北大历史系考古专业学生,随同文管会干部,在阎文儒教授的率领下,对北邙山各村进行唐墓志的调查录访,获得了很大收获,计查到唐墓志数十块。阎文儒教授还在《考古学报》第九册(1955年)发表了《洛阳汉魏隋唐城址勘查记》。这些调查成果和收集到的大量资料,对当时进行文物保护和研究,都创造了有利条件。

二、文物钻探

依据国家有关规定,凡是进行基建,必须由文物部门批准,首先进行钻探和发掘处理好地下文物后,方可进行建筑。在钻探时要使用"洛阳铲",进行有计划、有目的的钻探,掌握了地下墓葬及遗址的分布后,再进行科学发掘。

当时钻探工作的组织进行,是由文管会统一领导的。调动了数百名熟练的钻探工人,他们被分配到各个建筑工地上进行钻探,有专人做记录,详细记工时,按工场地时数量发工资,当时钻探场地到处开花,在城西的西工区,涧西区,瀍河区,洛河、伊河两岸等大片田野上,真是千军万马,形成了一支可观的钻探队伍。在工作实践中,老工人研究出打"梅花点"的探孔方式,这样可避免漏墓情况发生。有些老工人分辨土质的能力很高,对钻探出的古墓,用白灰标出的各朝代墓形都很准确。1953年,在烧沟文化区工地上,探出历代古墓近千座,涧西探出汉墓较多,因为涧河西是当时汉县城的西郊,形成汉墓群也是必然的。1954年9月,从老城西关到西工,在一条中州中路的路面上,计探出战国墓和汉墓上百座。

三、文物发掘

洛阳考古发掘队除配合洛专文管会统一部署进行发掘外,还邀请了北大历史系考古专业学生来洛发掘实习,中央举办的一、二期全国考古人员训练班也是来洛实习参加发掘,中央考古所、省文物队等一些专业人员都投入到了发掘队伍。省内其他考古专业人员,也前来进行发掘工作。著名的北师大前校长徐旭生先生和考古学家郭宝钧先生等均亲临工地指导工作。发掘战线拉得很长,涧西、西工各发掘组,都在工地架起工棚,吃住都在野外,他们忘我的工作态度,都表现出非凡的工作热情。记得在1953、1954年两年的大雪纷飞的严寒季节,洛阳城外辽阔的原野上,大雪覆盖大地,刺骨的寒风怒吼,考古人员踏着尺厚的积雪,奔向各自的工地,都悄悄地进入刚打开千余年后的墓室,细心操作。在短短的两年中,发掘了千座墓葬,保护了上万件出土珍贵文物。在学术上最早完成了《洛阳烧沟汉墓》,并由科学出版社于1959年出版。这份考古报告专集不知浸入了多少考古人员、文物工作者的心血与智慧啊!还有周墓、晋墓、唐墓和各时代遗址的发掘报告,保护文物数十万多件的各项专论著述,都给洛阳人民的考古事业留下珍贵的财富。

四、保护文物的宣传工作

解放前,洛阳的考古工作是一片空白。新中国成立后,考古事业才被提到议事日程,受到了党和政府的重视。关于保护文物的宣传,当时在古都洛阳是刻不容缓的事。在旧社会,洛阳盗墓之风长期盛行,盗卖古物者屡见不鲜。为此,我们首次在老城洛阳高中校园里,趁暑假学生不在校之机,举办了大型保护文物宣传,展出文物有汉代陶器、铁器,唐代三彩马、俑等,还有出土的各朝代铜器、玉器、石器等数千件,在九天的展出中,观众达3.6万多人。通过此次宣传,不少群众受到一次深刻的教育,有的将私存文物,纷纷捐送政府,马坡乡群众交出石刻161件、陶器240余件,受到政府的表扬。当时还有利用物资交流会、劳模表彰会、戏曲观摩会等,举办了文物展览,对保护文物也起到很大作用。1954年,文化部文物局在故宫博物院紫禁城北门城楼上,举办全国性的配合基建出土文物展览,洛阳被列为重点,辟划单独展室,展出的文物精品有汉代彩陶壶、唐三彩、汉陶仓、陶房,还有罕见的汉代石兽。特别是汉代陶仓中装的粮食,引起河南农学院的重视,派教授亲自来洛阳提取化验,说明在汉代洛阳也盛产大米。这些珍贵文物的展出,引起了很大的轰动。关于石兽的发现,是在修孙旗屯大渠时,我从山上往下走时,突然在玉米地土里看见躺着一对石兽,近前细看时,才发现是一对汉代石兽,一个背上刻着"天禄",另一个背上刻着"辟邪"。刻工系偃师县缑氏人,恰好和我是同乡,我喜出望外,后将"天禄"送北京参展,"辟邪"现留在洛阳艺术馆。这两件艺术精品,当时曾名震全国,受到中外人士的赞誉。

重新拾起被遗忘的东西

李侯卿

编者按：这是李侯卿同志1992年为建所40周年写的一篇回忆录。她在从事一段文物工作之后被调到禹州方山煤矿工作，但对文物考古工作一直念念不忘。而人们对她在隋唐洛阳城考古工作中的贡献也是铭记在心。

1954年到1957年，我在洛阳从事文物工作。在专家教授们的指导下，和同志们一道做了些有意义的事情，可惜这些东西都半途而废了，没有起到它应有的作用。迄今35年，记忆犹新，兹叙述于后，希望和我一起工作过的诸公予以补正。

一、编写《洛阳周墓发掘报告》

在洛阳市主干线（今中州路）上，先后发掘了400余座周代墓葬。在这批墓葬中，出土器物甚为丰富，是从殷末周初到秦汉这八百多年的历史文物，对研究周代历史提供了可靠的地下史料依据。当时成立了编写小组，由蒋若是、郭文轩、陈克己和我四个人负责。我负责整理出土器物。

出土器物主要是陶器，是这个报告的主要部分。是把公元前11世纪到秦统一天下这八百多年的出土器物，全面地、系统地展示出来，确实是有许多困难的。对我这个只有一年文物工龄的人来说是有压力的。但由于同志们的帮助和专家教授的指导，最终胜利地完成了任务。

首先我翻阅了商、西周、春秋、战国等各个时期的发掘报告资料，仔细研究了出土器物的形制特征；然后把400余座墓葬出土的器物，摆列在一所大房子里，根据它们的特征，搬过来，移过去，如此三番五次地挪动、对比，终于把它们分成西周、春秋、战国三个大组。这时，郭宝钧先生住在洛阳，我不断地去向他请教，也不断请他到实地看看，他对我的工作非常支持，总是有问必答，从不厌烦。在三个大组的基础上，我进一步把它们再分成早、中、晚各期和不同的型和式。八百多年时间记得分了11个段落。可以说这个排列是比较合理的。

经过细致的观察、分析，再观察、再分析，终于找出了顺理成章的陶器器形发展规律是：由小到大，由低到高，由粗到细，由简到繁。出土的种类是：由少到多。在春秋晚期到战国时期，则出现了盥洗器，《礼记·檀弓篇》中有"匜实于盘中，南流"的记载。在战国后期，则出现了容器：仓，内装小麦、稻谷等粮食。

在这里值得注意的是：战国中后期，同时出现了两种形制相同而特征不同的器物，把它们分作甲组和乙组。一种向着前进的方向发展下去，直到秦汉时期；另一种则是没落退后了，直到消失。这种现象是值得研究的。

出土的匕首和剑，属青铜器，它的规律也是由小到大，由短到长，由窄到宽，由粗到精。战国晚期还出现了铁剑、铁刀。

墓葬形制：同是长方竖穴。主要是由殷代沿袭下来盛放随葬物的"腰坑"，在西周初期稍晚一些没有了。取而代之的是"壁龛"，在死者的头部上方，距墓底1米左右。它的明显规律是由高到低（直至和墓底平），由小到大，由浅到深，到战国后期发展成了洞室。它的作用，由盛放一些器皿，进一步把棺材也放进去了。这就是后来各式各样的洞室墓的先河。整个顺序的排列完成以后，中国科学院考古研究所夏鼐副所长亲临洛阳进行审查，我们几个人向他们汇报了排列顺序的过程和依据，得到了他们的支持。

编写考古发掘报告是一件艰苦的工作，要找出规律明显、特别突出的每一期一组一型一式的器物，搬放在办公桌上看着写，写完了再换一件，如此搬搬放放，不知搬放了多少次。写，只是用文字把它们的形制特征描述在纸上，还需制图、拍照，来进一步呈现器物的形状。图，是米士诚绘制的。照，是设在洛阳老城青年广场南头西侧，由上海内迁的万氏照相馆里的摄影师童先生在不影响营业时间的夜晚拍摄的。

整个工作完成以后，由我刻版油印50份，装订成册，送各有关单位征求意见。以后的事情和它的命运如何，就不得而知了。

二、调查洛阳隋唐故城

隋唐故城是隋文帝杨坚建设的一座新城，经唐代武则天完成了全部的城市建设，并迁天下20万大商户实之。它"前直伊阙，后依邙山，洛水贯都，有河汉之象焉"。在地理位置上，正如古人所说，北枕黄河天险，南面嵩山屏障。西踞函谷，东扼虎牢，是理想的首都城池。然而历经沧桑，早已毁于兵燹之灾，它那巍巍雄姿已不复存在。而今对它进行调查，弄清楚它的建筑形式和重大建筑物的方位，对今天进行大规模的经济建设、城市规划和保护地下文物都是大有益处的。于是，由我带领几名工人便奔赴田野了。时在1957年春季，开始了这项有一定意义的工作。

当时，我仅有的资料是北京的同志给我送来的明代《永乐大典》里的一张隋唐东都城阙图（？），这张图是影印下来的，几近正方形。另外的资料是清代印出的《两京城坊考》，内有一图，几近长方形，把它放大使用。其次是北京大学历史系阎文儒教授的一篇文章《洛阳汉魏隋唐故城址勘查记》，发表在什么杂志上已记不起来了（编者按：《考古学报》第九册，1955年）。阎先生对城的四周和城门位置进行了肯定。我按照他的提示，首先进行核对。当我行至古城村南时，发现有一土岭，此是隋唐故城留在地面的一段城垣，面南是农民的菜圃。在城墙上有两位菜农开挖一洞穴，洞门上方写着"二仙洞"三个大字。我看到后，不仅失声大笑，指着两位老人曰：想不到和合二仙竟住此地，此处虽非首阳乃首阳也。两位老者也朗声笑了。我当时即告诉他们，这段土岭乃隋唐时之南城墙，风流皇帝杨广及女皇武则天都住在这座城里边。你们二位以后不要再开挖洞穴了，要认真保护。若有人挖土运土，都要制止他们。若你保护得好，我可请市政府对你通令嘉奖，说你们保护文物有功；若是破坏了，不是这个样子了，我还要请市政府对你们进行处罚。两位老人听后表示愿意尽责。后来，因调查工作的需要，我曾几度路过这里，和他们成老相识了。

四周和城门位置核对以后，即由正南门——定鼎门开始以铲探形式向北探寻。这条大街叫建国门大街，或叫端门大街，又叫天街，宽一百步，每逢天子行幸，千乘万骑，风伯清尘，雨师洒道，可想其壮观场面，确实令人翘首相望。在实地勘探中，探得街宽为91米，最窄也不少于70米，这可能是被破坏的缘故。街道路面为土路，在今地表下一米左右，探得了由天街向北到天津桥及向南和向北的大"十"字口，地域辽阔，敞开在广袤的田野上，同时探得洛河上的天津桥桥位，过天津桥即是皇城正南门——端门，进端门过集贤殿直通皇宫。端门位于今周公庙以西。

在洛河以南的平原沃野上，即是当时人们居住的街坊里区，我最注意履道坊和仁风里。因为伟大诗人白居易住在履道坊，仁风里则是杜甫姑母居住的地方，李白和杜甫这两位诗坛仙圣就是在这里会面的。这两处旧址，我多方位丈量，把它们圈定在一平方华里以内，打算请专家考核后，请示上级建一纪念亭供文人骚客观赏、怀古抒情之用，不料都付之烟云了！

邙山脚下有个村庄叫岳村，村内有一土丘。据当地群众讲，此土丘古已有之，没有人动过，细观此土丘，乃夯土筑成，按其所在位置应为宫城南墙之残留部分。由此可以说岳村以西为皇宫所在地，这对地下发掘和保护以及社会主义建设都是大有益处的。

在调查过程中，清华大学建筑系莫宗江教授从北京赶来，他向我详细询问了调查所得之收获及新的发现以及调查之依据和对隋唐故城的认识等。我同时向他展示了放大图上所标之调查纪实文字以及个别部位的草图，他看后不禁肃然起敬，认为他的研究成果和我实地勘察之收获几近相似，而且有新的突破，从根本上纠正了《永乐大典》和《两京城坊考》这两部书里所载洛阳隋唐故城的绘图错误，是难得的资料。我要求他给我一张，他欣然答应了。

交换意见之后，我带领莫先生到野外作实地参观考察，我告诉他有一条灌溉农田的水渠，在这条水渠上有一石碑，上刻"通津"二字。是否隋唐城内的"通津渠"，有待进一步考察证实。他叫我带领他去看，我站在石碑旁，他认真地拍了一张照片作为留念，并嘱咐我这条水渠的位置弄清楚以后写信告诉他。

我本打算完成调查以后，写成《洛阳隋唐故城街坊里区调查报告》，能在研究中国古代城市建设和规划现代城市以及保护地下文化遗址等方面起到参考作用。想不到这项有意义的工作却夭折了，至今想起来仍为一件憾事。

到此，我的回忆就算写完了。因为我长期生活在梦幻之中，现在重新回忆这些事情是非常吃力的。况且长期不写东西，而今拿起笔来，不管从哪方面都不能应心顺手，因而写得很不理想，敬请原谅。

亲切回忆 永恒怀念

张超人

编者按： 张超人同志早年从事河南文物工作，并为之作出一定贡献。1958 年调到开封市人民政府。她虽然离开了文物工作岗位，但对文物工作却一直感情至深。这篇回忆短文展现了一位老同志对河南省文物考古研究所的情怀。

河南省文物研究所，是在省文管会和省文化局文物工作队的基础上建立起来的。

我是 1951 年 6 月调入省文管会工作的。那时我还年轻，对文物工作一无所知。但是，我认为能够作为文物战线上的一个新兵，自己感到无比的欣喜和光荣。1952 年末，省文管会分别在洛阳、郑州成立第一和第二文物工作队，在洛阳、郑州等地进行科学的考古发掘工作。1953 年省文管会改组，在省文管会的靳志、孙文青、刘庄甫等老前辈，受聘省文史馆搞文史研究工作。我和其他五位同志调到了省文化局文物科。1954 年省直机关迁郑后，第一和第二文物工作队归属为省文化局建制。这时，领导分配我到省文物工作第一队。在一队一起工作的还有许顺湛、安金槐、王润杰和裴明相等同志。我在上述的各个文物工作单位，主要担负行政和资料档案的管理工作。1958 年元月，由于工作需要，上级调我到开封市搞社教工作。于是，我才恋恋不舍地告别了从事多年的文物工作岗位，惜别了多年相处无间的同志们。

回顾自己在文物工作岗位的那些岁月里，经常受各位老前辈谆谆教导；精通业务的许顺湛、安金槐、王润杰、裴明相等同志，从业务方面给以热诚的辅导与帮助，使我学到了文物考古的知识和技能。尤其是我在文物工作一队工作期间，由于许顺湛和王润杰两位同志的启发和引导，我们三人利用自己的业余时间，对文物工作一队和二队从郑州、洛阳等地发掘出土的空心砖，认真地进行了探索和整理。通过实践，不仅使我丰富了空心砖的历史价值和知识，参与了制作空心砖图案艺术拓片的全过程，而且从中还掌握了制作拓片的方法与技巧，为省文化局文物工作队编辑《河南出土空心砖拓片集》一书（人民美术出版社 1963 年出版）作出了贡献。这反映了战国、汉代当时社会生活情况和文化艺术的一些成就。我所付出的劳动虽然微不足道，然而我能为社会做出这一微薄的奉献，却感到无限的欣慰。

新中国成立以来，在党和政府的正确领导下，我省文物事业有了迅猛的发展，在保护、收藏、研究以及发掘出土文物等各个方面，都取得了极为辉煌的成就。文物战线结出的每一个绚丽的硕果，都使我感到无比的兴奋和鼓舞。韶光易逝，岁月如流。我虽然离开文物工作岗位已有 34 个春秋了，但是每当我回忆起以往和同志们一起工作，一起学习，互助互勉，朝夕相处的美好情景，就会引起自己无限的缅怀与思念。值此纪念河南文物研究所建所 40 周年之际，我衷心地祝愿我省文物事业繁荣昌盛！祝愿坚持在文物工作战线上的同志们工作顺利！

词 两 首

康 君

卜算子慢

四十年所庆杂感

编者按：这是康君同志1992年为建所40周年所写的两首词。她是巩义康百万的后代，从事文物工作一片丹心。昔日坎坷，烟消云散。后调到洛阳第三十四中学，辗转教坛，桑榆捐身。但对文物工作痴心未改，一往情深。

春华秋月，
四十征程，
往事历历犹新。
忆配建厂，
正是方年宜人。
护文物，
铮骨献丹心。
触风雨，霜雪何惧，
笑谈初伤旧痕。

光风霁月今。
任昔日坎坷，
消烟散云。
辗转教坛，
犹可桑榆捐身。
喜相聚，
咏絮思情深。
纵写得，
离肠万种，
何如相见亲。

满 江 红

赞文物工作者

伟哉中华，
纵千古，
横连八荒。
更贵有，
民众精英，
文化盛昌。
物华天宝育情种，
人杰地灵聚绮章。
炎黄德，
金玉盈六合，
孙满堂。

济美事，
须发扬；
余庆情，
应大光。
文物工作者，
任重道长。
披星戴月掘珍品，
饮冰食蘖挖宝藏。
衷心甘，
重美轩辕誉，
文明邦。

看似一幅画　听像一首歌

——回忆在河南省文化局文物工作队难忘的日子

黄士斌

时间过得真快，河南省文物考古研究所成立已经60年，回忆我在省文化局文物工作队工作和学习的经历，有许多高兴的故事想与老同事和年轻一代共同分享。

1952年秋，我在原洛阳县三十里铺小学任教，上级通知我去参加学习，到洛阳专署文教科报到后，才知道是叫我到河南省第一届文物训练班学习。洛阳共去4个人，当时的河南省政府所在地还在开封市，4个人一起坐火车到开封。第一届文物训练班学习了3个月。学习的主要内容是文物知识和田野考古发掘。先学习文物知识，后来在洛阳烧沟学习发掘墓葬，在郑州二里岗学习古文化遗址的发掘。经过这样的短期培训班，初步奠定了文物工作的基础。这时洛阳烧沟汉墓发掘工地正缺少发掘人员，就把我们充实到洛阳烧沟汉墓发掘工地。当时烧沟汉墓的发掘是文化部派考古专家主持，洛阳市文化局也派郭文轩同志协助发掘工作。经过洛阳烧沟汉墓的一段时间发掘，使我基本掌握了考古发掘技术，我也更加热爱文物工作，也使我从此走上了文物考古之路。

大约在1953年春，由于洛阳烧沟墓地发现了大批汉代墓葬，中央文化部、科学院考古研究所、省文物管理委员会和洛阳专署文物管理委员会共同组成洛阳区考古发掘队。洛阳专署文物管理委员会编制10人，我也被编制到文管会。发掘队由裴文中任队长，夏鼐和张廷超担任副队长，考古所派来了一批考古发掘人员，在当时来说业务能力是很高的，我向他们学习了有关发掘的知识，提高了业务能力，并奠定了个人业务技术工作的基础知识。

记得第一次独立完成考古任务的时间是1953年夏末秋初，洛阳市第八步兵学校进行建设，部队为防止地下古墓影响工程质量，再三要求我们进行钻探和发掘，专署文管会派我去，由于该学校建筑面积较大，我根据施工的实际情况挑选百余名钻探工人首先对营房区进行钻探，当时考古现场种的全是玉米，只有把玉米扳倒后才能钻探，根据实际情况，我们只对房基四周钻探。当时正是三伏天，农村条件很差，钻探工人住在群众家里，天热再加上卫生条件差，钻探工人染病很多，大约十多天后实在无法工作，领导决定暂停，等秋季以后才又进行钻探和发掘。

1954年洛阳白马寺东边的荣军学校开始建设，我带领40余名人员进行钻探和发掘，因工地离白马寺很近，我们吃住都在白马寺院内。记得钻探出墓葬较多，主要是西周和汉墓，钻探工人后来也成了发掘工。记得发掘的西周墓葬较深，墓底大量出水，随葬器物都淹在水下，这给发掘工作增添了不少麻烦。为了解决墓葬出水问题，想到农民浇地时用的抽水车，就借用农民的农用水车，把水车架在墓上边抽水。水车即是一个管子内套上拉链和皮垫，利用皮垫把管子内的水带出来，推水车的人必须跑步推，才能把水抽出来。由于墓葬深，水量太大，用人工推水车才可能把文物抢救上来，但是水车太简陋，抽水时墓葬内如同下大雨一般，每天衣服都湿透。由于墓下条件限制，考古绘图均在墓上进行，一个人在墓下量尺寸，我在墓上把器物一件一件制成图。发掘的这批墓葬一般保存得都较好，出土器物也相当丰富。现在回想起来，当时的发掘条件太差，工作一天十分辛苦。由于当时年轻，有初学考古的极大热情，又能看到很难见到的出土器物，困难再大也要完成领导交给的考古任务。

随着洛阳市大规模建设的开始，钻探发掘工作愈加繁重，文物机构也做出了调整，原洛阳专署文物管理委员会把发掘人员分离出来，其中大部分人员编入河南省文物工作队第二队（由洛阳市文化局代管），我也随之编入。新中国成立后，洛阳开始了大规模基本建设，国家的大型工厂都在洛阳建设，如中国一拖、洛阳矿山厂、洛阳轴承厂、洛阳铜加工厂等组建了办公室在洛阳选址建厂。厂址最早选在洛阳东郊，先由文物部门对厂区进行钻探。钻探的方法是在厂区的不同方位画出几个方块，在方块内进行钻探，当时动员了洛阳市郊的大批农民参加钻探，经钻探发现地下有大批古墓葬，这才放弃了在东郊建厂，转向洛阳市的涧西区建厂。在几个大厂的建设中，省文物二队负责技术工作，即技术人员的选拔及管理，在洛阳工厂的大规模建设中，早期的寻找墓口的方法是开挖探沟，这种方法既费工又费时，洛阳的文物工作者想到利用解放前盗墓者使用的工具探铲进行古墓葬钻探，在使用探铲钻探古墓后，这种又快又省力的工具很快得到大家的认可。在后来的使用过程中，我们解决了钻探中的许多技术问题，总结了一整套文物钻探管理方法，如文物钻探队伍每 30 人为一队，有队长、技术员、记录员等。钻探队按钻孔多少计算工资，布孔的方法按梅花点等方法。使在旧社会用于盗墓的洛阳铲，在新中国的建设中发挥了应有的作用。以后又经过洛阳王城、隋唐城、金谷园、洛阳中州路的建设过程，这套文物钻探方法进一步完善，后来，北京中国科学院考古所都使用了洛阳铲进行考古钻探。经过洛阳建设中考古钻探的反复试验，我觉得洛阳铲应该在考古工作中广泛使用，遂写了一篇《洛阳铲》（与蒋若是合写）发表在《文物参考资料》1959 年 7 期。

中国科学院考古所在洛阳王城的勘探工作由我配合，由于周王城的具体位置不清，纱厂在金谷园一带基建，发现了一大批汉墓，由我主持配合纱厂的汉墓发掘工作。这批汉墓中出土了大批陶器，其中部分陶器上写有文字，内容主要记载器物内所盛之物，写的文字是象征性的，如"小麦万石，大豆万石"等。文字字体也不太规整，我整理了汉墓中的文字资料，写了《洛阳金谷园汉墓中出土有文字的陶器》发表在《考古通讯》1958 年第 1 期。

洛阳刑徒墓地是历史上一谜。早有墓砖出土，端方在《陶斋藏砖记》中说出自孟津，有人认为是修造皇陵的刑徒。《恒农冢墓遗文》和《恒农砖录》说出自灵宝，弘农有铁官，陈直认为是冶铁的，由于对文物的出土地点不清，所下的结论也不一样。1958 年考古所黄盛璋在汉魏故城南部（洛河南岸）偃师的西大郊村见到了刑徒墓砖。随后领导派我到西大郊村做调查工作，我把散落在农民家中的一大批墓砖收集起来，查了大量文献资料，写了《汉魏洛阳城刑徒坟场调查记》，发表在《考古通讯》1958 年 6 期。纠正了历史上的谬误，解决了这些刑徒坟场的确切地点，而这些刑徒是为了修汉魏故城而死在这里的。

洛阳涧西大规模的发掘工作开始，由河南省文化局抽调全省文物干部集中到洛阳来，省文化局文物科科长赵全嘏、副科长崔墨林亲临工地，解决发掘工作中的问题。当时的发掘由厂方成立的古墓处理委员会负责，任务很紧张，日夜不停地干，有时只能深夜在墓下清理，上边用小卷扬机拉土，弄得满身是土。

河南省文物二队对各县的文物发掘工作也负责，我曾先后参加陕县观音堂煤矿发掘汉墓，在孟津麻屯及偃师南蔡庄也进行了零星发掘，并写出《河南偃师唐崔沈墓发掘简报》发表在《文物参考资料》1958年8期。

1958年省文化局将河南省文物一队、二队合并，成立河南省文物工作队。我同时到河南省文物工作队工作，当时和马志祥、汤文兴、贺官保等同志前往信阳长台关发掘楚墓。信阳因在1957年已发掘了信阳一号楚墓，并且也发现了二号楚墓，这些都引起文物考古界的重视，认为这是一个较大的楚墓群，二号楚墓的发掘显得特别重要，我们按照发掘的程序，找到了墓口，后又发现有盗洞，发掘的方法是用人往上担土，按照原墓圹往下挖，直挖至白膏泥层和顶盖木，白膏泥土中的树叶如刚落下的一样。顶盖木上铺的席纹饰都很清晰。文物队又派裴明相等同志前往发掘。因二号墓被盗，出土文物较凌乱，与一号墓相比，墓的规模一样，但二号墓的出土文物较粗糙。全部运往郑州。由裴明相、贾峨和我参与编写了《信阳楚墓》一书，1986年由文物出版社出版。

1959年至1960年，为配合信阳出山店水库建设，由我和杨焕成、马志祥在信阳县孙砦遗址进行了考古发掘。在发掘中，工程方面无偿提供劳力，我们负责业务技术工作。首先在东北方的小胡庄发现了春秋时代的遗址，因文化层较薄，只发现了几个灰坑，但灰坑不深，遗物不丰富，即停止了发掘，见我写的《河南信阳小胡庄春秋遗址》，发表在《考古》1964年5期。在孙砦遗址的发掘中，由于发掘人员太少，难以应付，和信阳专署协商抽调各县市的文物干部参加发掘，一方面对他们进行业务上的培训，提高技能，也解决了业务人员的不足，省文物工作队又派贾峨等同志参与发掘工作。孙砦遗址位于孙砦东北台地上，四周水塘围绕，在遗址东部主要是龙山文化遗址，出土文物极少，在遗址的西侧是西周文化，发掘主要在西侧的一个大坑，坑长42米，宽约16米，深约4米。坑内出了陶鬲、陶豆、陶盆、陶罐和石斧、石锛、石铲，还有铜斧、铜刀和铸造铜器的陶范，又有一批木豆、木匕等。特别重要的是出土了一大批木漆器，有船上用的木舵、木桨等，竹编织品和草鞋、草绳等。对竹编织物、草绳，必须将四周的泥一点一点剔净，用刷子沾水扫净，才能露出编织的纹饰。一般的只能清出一面，原竹编织物已变形，只能一块泥挖出，下面用木板垫上取出，竹编织物互相挤压，有的和其他东西互相叠压，能起出一件较完整的很不容易。出土的竹编织品和船上用的木桨、木舵与渔业生产有关，并有完整的鱼骨架，由此可证是一处渔业养殖场。由我执笔编写了《信阳孙砦遗址发掘报告》，发表在《华夏考古》1989年2期。发掘到后期，工地上只有我和杨焕成、马志祥、曹法显等人。当时国家正值困难时期，生活极度困难，我们工地上种了一些南瓜，靠用南瓜蒸、煮来补充粮食的不足。但南瓜常吃、多吃会拉肚子。在这种情况下，整个水库工程暂停，我们工地有些工作没有结束，只有暂告一段落。

三年困难时期，河南省组织了一次石刻大普查，当时由于生活困难，有的得了肝炎、浮肿等病。我去的是桐柏、开封、孟津等县，普查只是登记、抄录碑文，只要知道什么地方有，总要千方百计到现场抄录。如在开封市繁塔上的石刻得攀到塔顶再沿到石刻处才能看见，是相当危险的。在桐柏县跑到淮河源头，来回都是上百里的路途，当时唯一的交通工具就是腿。有时在外食宿，在孟津伏羲寺调查因碑碣较多，晚上住在寺内，那里的蚊子大得出奇，身体用单子蒙住，头也得用毛巾包住，当时有马全、郭建邦和我。尽管抄录了碑文，由于文化水平不一，差错也很多，至今也未整理出来。但参加此工作的同志们，是付出了很大的心血的。

1959年在汉魏故城中做了多次调查，发现在龙虎滩村西北岗有不少瓦削文字，我捡了一部分进行研究，与解放前出土的《瓦削文字谱》相比完全一样，而把时代定在汉代，出土地点在金村。我认为出土地点应该在今龙虎滩一带，因在金村一带未见到有瓦削文字可证。其时代和汉代瓦不一样。陈直先生在《两汉经济史料论丛》中说是东晋初作品。从汉魏故城建筑年代和瓦的特征看，应该是北魏的。瓦上所刻月、日、姓名等，都是出自当时的工匠之手。所刻的瓦削人、削瓦人、昆磨人、昆磨等都是制瓦工种的不同。北魏建国后，对工匠控制很严，官府对手工业也是严格控制。我综合了这些研究成果，编写《汉魏故城出土的有文字的瓦》，发表在《考古》1962年9期。

1963年下半年，汉魏洛阳故城由洛阳市文化局代管，孟津、偃师二县隶属洛阳专署。当时孟津翟泉为修水渠，洛阳市制止不住。洛阳市对偃师、孟津两县管理不便，只有委托洛阳专署管，因专署没有文物干部，确定由我在专署领导下，负责汉魏故城保护工作。在汉魏故城内建立了文物保护小组，宣传文物保护知识和文物政策法令，还派了兼职的文物保护员，加强故城的保护工作。后来由于十年动乱，工作停止。

1977年，洛阳地区文物管理委员会由我一人又增加了张怀银、郭引强两人，我们就开展了一些力所能及的工作。10月左右，为了摸清洛阳地区16个县、市的文物情况，抽调各县、市文物干部和业余文物工作者30余人，历时八个月，对全区进行了一次全面的文物普查。普查要求要走遍全县各个角落，不漏掉一个村庄和一件文物，力争每件文物都要详细地登记，要有文字记录，有示意图等资料。要求大家必须步行。首先在偃师县，经培训后分组进行普查，摸索经验。偃师普查结束后，又将全体成员分为三个组，分到各县、市去普查，这次共普查了16个县、市的202个公社，2117个大队，普查革命文物55项，遗址446处，各种碑碣、石刻176块，古建筑38处，古化石产地15处，获得了一批重要的文物资料。参加普查的同志们，都是任劳任怨，有时每天步行近百里，不管是山高路远，还是酷暑严寒，没有一个掉队，没有一个叫苦，大家都是互相帮助、谦让、团结一致，这种精神，值得我永远学习。同时也锻炼了一批新的文物干部，发现了一批重要文物。我写了《河南偃师县发现汉代买田约束石券》，发表在《文物》1982年12期，《豫西地震碑碣调查纪要》，发表在《河南文博通讯》1980年1期。

1978年秋，临汝县中山寨在村北高台平整土地时，发现有仰韶文化遗址，经请示同意由我们发掘，因我们当时力量有限，难以完成，就组织了原来在中国科学院考古所工作过后被辞退回家的人员参加发掘工作。从发掘上看，中山寨遗址内涵非常丰富，出土文物可复原的较多，在文化特征上有独特的风格。以后又在伊川的白元、宜阳张午等地进行了试掘，主要是想通过试掘，摸清洛阳地区的文化性质、特点、相互关系等学术问题。对仰韶文化的研究，我写了《试论临汝阎村文化遗址的有关问题》，发表在《论仰韶文化》一书中。这些发掘工作为洛阳地区培养了一批发掘的力量，并成立了洛阳地区文物处文物发掘队，由我任队长，张怀银、郭引强同志任副队长，为以后的发掘工作奠定了基础。

1979年秋，为配合故县水库的发掘工作，先由我们组织人员对由卢氏至洛河两岸的淹没区和工程区进行文物调查，分别编造发掘和搬迁预算。1980年在故县配合水库工作进行发掘，主要在故县南砦、水渍等地发掘。发掘一个环形的沟，并有灰坑等物。这种沟是作为围墙还是其他用途尚不清楚。以后又把精力转到卢氏祁村湾遗址上，发掘面积较大，挖出有房基多处，均是地上建筑，有柱洞、柱基，地下有灰面，有单间和套间，有两个门口，已知有多层叠压，墙壁较坚硬，并有烧陶窑、灰坑等，又在其东部发现有一墓地，有三人或两人合葬，也有伏身葬、仰身直肢等。这个遗址较丰富，出土文物有多种，文化性质有庙底沟二期、半坡类型等都在这里交错，是一个很有价值的遗址。

1979年在三门峡市上村岭配合基建工程时，发现了一大批墓葬。这些墓为竖穴或在一侧挖一侧室，有直肢葬和屈肢葬两种，出土文物有釜、缸、盆等物，与我们常见的战国墓有别，与秦墓相似，认为发现较少，而在洛阳一带更是少见。遂将这些秦墓进行整理成《上村岭秦墓和汉墓》发表在《中原文物》1981年特刊。由于当时所见秦墓较少，认为有些可能是西汉早期墓，而实际应全是秦墓。

以后又写了《革命纪念地及名胜古迹》，收入《洛阳地区概况》一书，又为河南省文物志写了原洛阳地区的条目。还写了《宜阳县牌窑西汉画像砖墓清墓简报》，发表在《中原文物》1985年4期。在瓷器研究上写了《汝窑正名》，发表在《河洛春秋》1991年2期。《谈汝窑的一些问题》收入《河南钧窑汝窑与三彩》一书，1987年紫禁城出版社出版。在钱币研究上写了《试论金饼的几个问题》、《王莽币制改革浅论》、《陵州井课银饼考略》等，收入《洛阳钱币》一书，由中国社会科学出版社出版。还写了《汉代铜饼考略》，刊登在《河洛春秋》1990年3期；《金银币在洛阳的发现和流通》，刊登在《河洛春秋》1993年2期；《建国后洛阳出土古钱币大事撮要》，发表在《河洛史志》1991年4期和1992年1期；《巴、蜀王国的桥形铜币质疑》，发表在《考古与文物》1992年1期。

如今，我已退休多年，但在省文化局文物工作队的那些激动人心的日子，真是"看似一幅画，听像一首歌"，一直伴随着我，终生难忘。

1960年在信阳孙砦西周遗址发掘工地与信阳地区文物培训班学员合影（后排左一作者，左五杨焕成，左六董祥，左八靳世信，左九马志祥）

从事文物考古工作四十一个春秋

傅永魁

我于 1931 年 9 月 15 日，出生于河南省巩义市（原巩县）康店镇山头村。1951 年春，正式参加"洛阳专区文化馆站干部训练班"工作。训练班的主要负责人是洛阳专区文教科副科长李健永同志和专区文化馆馆长裴琪同志。我分工安排训练班做总务会计和管理饮食工作。干训班共办两期，共六个月。干训班结束后，健永同志仍回文教科兼任洛阳专区文物管理委员会工作；裴琪同志专职负责文管会工作，并任该会文物工作组组长。办公地址设在洛阳市西北隅丁家街福音堂内。

1951 年冬，由李健永、裴琪同志选拔推荐，我参加洛阳专区文管会文物工作，任务是配合洛阳东关和北关建校委员会汉代墓葬的铲探和发掘工作。我主要是负责铲探记录和发掘清理工作。后来，我被调到室内参加文物修复、洗刷、粘结、拓片、登记、编号、装箱入库等，为后来编写出版《洛阳烧沟汉墓》的绘图、照相、撰稿打下了基础。

1954 年春，我与李宗道、张文亮等同志，被选拔保送到当时的省会开封市参加河南省文化事业管理局举办的河南省文物干部训练班学习，学期三个月。学员主要来自洛阳、郑州、开封及部分地市，治淮指挥部也调来部分学员。授课的专家讲授考古理论和田野实践知识各一个半月。讲课地点在开封市刷绒街原河南省图书馆，后为河南省文物管理委员会院内。田野实习发掘分两组进行，一组去洛阳发掘古墓葬，另一组去郑州发掘古文化遗址。训练班结束后，我仍回原单位洛阳专区文物工作组工作。不久，机构变动，在文管会的基础上，组建洛阳专区文物工作组，裴琪担任组长，蒋若是同志负责全面业务及行政工作。

1955 年，河南省文化局决定，在郑州、洛阳文物组的基础上，在郑州建立河南省文化局文物工作第一队，在洛阳建立河南省文化局文物工作第二队。我在洛阳第二队工作，队部由丁家街迁至西关周公庙。队长由路传道担任，秘书是丁伯泉同志。我的工作是配合洛阳市拖拉机厂、矿山机械厂、滚轴厂、有色金属加工厂、劳改砖瓦厂（29 工区）以及周王城、汉河南县城、中州路、中州大渠、孙旗屯村等古遗址、古墓葬的勘探发掘工作。

1958 年，河南省文物一队与河南省文物二队合并为"河南省文化局文物工作队"，之后原二队部分同志隶属"河南省文化局文物工作队洛阳组"，负责洛阳市区及洛专各县的文物保护工作。组长李京华，后改为赵青云同志。后来，洛阳组又分为两个工作点：洛阳市区工作点，指定我为点长，共 15 人，主要负责洛阳市区及各县文物保护和发掘工作；临汝点，点长是赵国璧同志，主要任务是发掘临汝县大张村新石器时代遗址。发掘时间有一年多。

我主持的洛阳点，又细分为两个小组，市区组和洛专组。市区组，负责市区各基建单位的考古发掘工作；洛专组，负责洛专各县的文物保护工作。为了加强洛专组各县的文物保护工作，经省文物队及洛阳专区文教科林科长批准，抽调洛专各县文化干部集中培训，伊川县、洛宁县、宜阳县、偃师县、新安县、孟津县、渑池县、灵宝县、卢氏县等文化馆干部20多人，集中到洛阳市周公庙原文物队部。授课内容主要是对各县文物进行全面普查。

1958年，洛阳专区开始兴建"洛阳中州大渠"工作。该渠由洛阳市至偃师县，全长30多公里，从洛阳市北郊邙山半腰东西通过。这里历代古墓较多，又从汉魏故城北通过，洛阳专区文教科和省文物队为了加强该渠的文物保护，双方研究成立"洛阳中州大渠文物队"，我任文物队队长，进行大渠的文物勘探和发掘工作。通过勘探和发掘，出土了一大批周、汉、唐的珍贵文物。特别是发掘的西周墓出土的铜簋，造型精致大方，花纹细腻，共铸有铭文几十个字。发掘文章在《文物》杂志上发表。

在洛阳工作期间，共发表文章有《洛阳29工区三年来出土的漆器》、《珍贵的古代文物铜马和玉瓶在本市出土》、《洛阳兴修中州大渠工程中发现珍贵文物》等，分别发表在《文物》1958年5期、《考古通讯》1958年6期、《考古》1959年4期和1960年2月8日《洛阳日报》等。

1959年10月期间，我调回郑州队部，1961年春至1962年秋，我和黄士斌前赴南阳地区进行石刻、碑碣的调查工作。先后对南阳市、桐柏、泌阳、确山等县市的石刻、碑碣及其他文物，进行了重点调查。

巩县文物较多，特别是巩县石窟、汉代冶铁遗址、杜甫故里与杜甫墓、唐三彩及白瓷窑遗址、宋陵、康百万庄园等重点文物遍及全县，以我家系巩县籍，让我回巩县工作。

1962年9月，我任巩县文化馆文物专干。1981年4月6日，设置"巩县文物保扩管理所"，任馆员、所长、党支部书记。1986年，被评为副研究馆员。

在巩县的工作有：审定了《巩县文物志》，编写了《巩县文物介绍》，并对全县文物进行了三次普查，基本上弄清了全县文物的分布及宋陵的布局、建制、埋葬规格、陵数、石刻数等。特别是对永昭陵的建筑遗址，进行了全面勘探和试掘，使宋陵建制获得了第一手科学资料。另外对地面上的巩县石窟寺进行四次维修；对巩县大、小黄冶唐三彩窑址进行五次实地考察和一次配合发掘工作，对宋陵进行四次实地考察，考察期间主要是靠三本书（《文献通考》、《宋史》、《巩县志》）、两条腿（当时没有交通工具）。对康百万庄园进行数十次考察，基本上弄清了巩义市的地上地下文物，人称活字典。

1966年，占用康百万庄园的康店公社、粮管所、邮电所、地段医院，经请示省有关部门批准，另拨专款，建立新址，迁出庄园，恢复了康百万庄园的原有文物，筹办展览，对外开放。

1979年，占用巩县石窟的寺湾村石窟寺小学，经请示巩县有关部门批准，另建新房，定期迁出，使石窟寺殿房重归文物部门管理。

文物维修方面也做了大量工作，从1963年开始，对巩县石窟寺修葺3次，杜甫故里2次，杜甫陵园1次，宋陵2次，康百万庄园2次，并在巩县石窟寺、康百万庄园分别设立文物保管所，杜甫故里建立纪念馆，请郭沫若院长题写"杜甫故里纪念馆"及"杜甫诞生窑"，宋陵设立保管组等。

编写报告和研究方面：主要有《洛阳东郊西周墓地发掘简报》、《洛阳29工区三年来出土的漆器》、《洛阳清理一座东周墓出土四匹铜马》、《洛阳兴建中州大渠工程中发现珍贵文物》、《河南巩县唐三彩窑址》、《河南巩县宋陵石刻》、《河南巩县石窟寺发现一批石刻和造像龛》、《巩县宋陵客使初探》、《巩县宋陵包拯墓调查报告》、《河南巩县大小黄冶村唐三彩窑址调查》、《巩县宋陵包拯墓调查报告》、《巩县出土汉画像石和汉画像砖》、《巩县宋陵》、《河南巩县叶岭发现一座汉墓》、《河南巩县稍柴清理一座宋墓》等文章，以及《巩县石窟寺宋陵包拯墓》、《杜甫故里与杜甫墓》、《河南巩县（石窟本末）抄本初探》等共发表文章和出版专著 114 篇（本）。

改革开放以来，利用巩义文物来宣传巩义，经济发展离不开古老文化。巩义地处中原文化中心，有古老灿烂的文物和历史古迹，加大对外宣传力度，以对外文物旅游为窗口，要让国内外都知道巩义，了解巩义，认识巩义，要让人们都知道诗圣杜甫的家和墓都在巩义，清官包拯墓陪葬巩义宋陵。所以国内外的学术交流频繁，文物工作也越来越被社会重视，文物干部的社会地位也相应提高。先后参加学术团体和担任社会职务有政协巩县（巩义市）委员会三、四、五届委员，中国考古学会会员，中国古陶瓷研究会会员，中华炎黄文化研究会会员，中国杜甫研究会常务副秘书长，河南省考古会会员，河南省炎黄文化研究会理事，河南省文物勘探技术资格考评委员会委员，当代民间书画艺术研究会顾问，郑州历史学会理事，郑州市钱币研究会理事，郑州市钱币研究会巩义分会副理事长，河洛文化研究所副所长等。《中华百年人物篇》、《中国当代高级专业技术人才大辞典》、《中国专家人才库》、《中国当代创业英才》、《中国当代历史学者辞典》、《中国专家人名辞典》、《中国当代著作家大辞典》、《中国当代文博专家志》等辞典已收入本人传记。

1987 年 10 月 9 日，国家文物事业管理局、河南省文化厅、河南省公安厅、郑州市人民政府进行表彰。奖状原文："傅永魁同志，在查处文物走私工作中成绩显著，特授二等奖，以资表彰。"

我于 1951 年参加文物工作，至 1992 年退休至今，因为在巩义市我是个老文物工作者，所以，我还经常应邀参与巩义市的地上、地下文物保护规划工作，继续为巩义市的文物保护工作发挥自己应该发挥的作用，同时也提出了诸多合理化建议，受到当地政府和同志们的一致好评。以上是我从事文物工作 41 年来的大致回忆，从而看出文物事业的发展历程。随着改革开放政策的不断深入，国家的文物事业在今后将会有更加辉煌的成绩和发展。预祝河南省文物考古研究所 60 年所庆活动圆满成功，并在今后的工作中，为全国和全省的文物科研事业作出更大的贡献。

2006年7月作者（右一）陪同宋新潮先生（坐者）等研究巩义白河窑出土瓷器

河南考古战线上的一支生力军

——记刘胡兰小队

赵青云

1958 年是我国处于全面"大跃进"的时代,各行各业都在鼓足干劲,力争上游,在多快好省建设社会主义的感召下,为早日实现社会主义现代化而奋勇前进,工作不计报酬,大家齐心协力,为实现共同的目标,做出自己的奉献。当时有个响亮的口号:我为人人,人人为我;毫不利己,专门利人。每位同志都是以这种思想,支配自己的行动。女同志要撑起半边天,更是不爱红装爱武装,和男同志一样战斗在不同的岗位上。

由于形势的发展,工作的需要,1958 年 9 月,经郑州市教育局审批挑选,推荐了十名优秀的女子应届高中毕业生到我队(河南省文物考古研究所的前身——原河南省文化局文物工作队)参加工作。

根据当时的工作需要,先分别安排她们整理图书资料、整理出土文物、文物的造册和文物的入库保管等具体的琐碎工作。由于她们刻苦钻研、认真负责,经过一段时间的工作实践,很快就掌握了各种不同的工作程序,并工作得有条有理。在工作中她们发现,参加野外考古调查与发掘的同志,任务特别的繁重,常年出差在外,连节假日休息的时间都没有。她们商量达成共识后,主动请缨,要求下田野与其他同志并肩作战,到考古发掘现场接受锻炼与考验。在她们的强烈要求下,文物队党支部和队委会共同研究决定,把她们组织起来,1958 年 10 月组建成一支"穆桂英发掘队",后改为"刘胡兰小队",同时把工作在田野考古第一线的男青年也组建成一支"黄继光小队",都给他们独立工作的机会,让他们在实践工作中,经历风雨的考验,开阔视野,活跃思想,茁壮成长。

黄继光小队以游清汉同志为队长,并且多数成员已有实践经验,完全可以独立工作。可刘胡兰小队全是刚毕业的学生,虽然工作的热情和积极性都很高,但却从未有过田野考古与发掘的经历,若让她们独立工作,难度是可想而知的。经领导认真研究决定,要选派一名经验丰富、作风正派的同志担任她们的辅导员。一方面是从专业的角度出发,在实践工作中加以辅导培养,同时也需要注意思想教育,从正面引导,把她们培养成又红又专的考古工作人员。队员有王绍英、陈焕玉、梁荣、李淑珍、罗桃香、要宝彦、张秀英、蒋英芬、张淑麟和苗凤莲,并确定队长由王绍英担任,陈焕玉、梁荣做副队长。决定后领导找我谈话:经党支部研究决定让你担任"刘胡兰小队"的辅导员,一定要更好地完成组织上交给你的任务。当时的情况是服从组织的决定就是高于一切!我原来担任豫北组组长,几位同仁也配合得非常默契,工作上一切顺利,真是舍不得离开他们和原来的工作环境,很是犹豫,但还是服从了组织的决定，并向党支部建议，是否能再派一位有经验的老技工。这样我们两个男同志在一起，工作更方便。组织上答应了我的请求，决定派为人忠厚、受人尊敬、业务熟练的老技工王治国同志和我一起辅导"刘胡兰小队"的全面工作。

一、待命出发

刘胡兰小队组建后就因外出工作的需要，给大家短暂的准备时间，自带行李和衣物。那时已进入初冬季节，棉衣、棉被都需要带齐了，同时每人还要配备一套发掘工具，如背包、绘图板、皮尺、钢卷尺、文具盒、米格纸、标签、登记表、记录本等一样都不能少。每个工地里还配有测量仪、探铲、发掘铲、包装纸、纸绳和当时很时髦的相机。这就更加重了行李的重量。

由于大家是第一次下田野，缺乏实践经验，所以对上述的各种工具的使用方法及操作程序还不太清楚，都要我们一一讲解说明。为了让大家更快地掌握各项技能，专门组织大家学习了工作中的工具使用方法与操作技术，还特意组织她们学习，进行思想动员，使大家在首次参与野外工作的准备过程中始终保持很高的热情，十足的信心。发誓要把自己的青春献给新中国的考古事业，为社会主义建设奋斗终身，在事业上干出一番新天地，拿出成绩与男同志争高低，让人们也看到女同志照样也能撑起半边天。

刘胡兰小队的队员们做好了出发前的一切准备工作，就等先派遣出去的同志的调查报告了，需要根据调查报告来安排工期的时间要求和任务量的大小，再来确定各队的出发地点和配合发掘的主要项目。经与一线工地的长途电话联系，并根据目前工期时间的需求和任务量，经领导研究决定：黄继光小队负责南阳黄山工地，刘胡兰小队负责南召县的二郎岗工地进行考古发掘。据事先的调查报告，二郎岗工地既有古文化遗址，又有古墓群，工期要求在两个月内全部完成，一切准备就绪，一声令下刘胡兰小队就即刻出发。

二、初战告捷

当时交通很不方便，我们的行动都是以军事化要求的，1958年11月中旬，得到上级的指令，就立即出发。先乘火车到许昌，又转汽车（是那种没有座位、带帆布篷的老解放牌汽车）到南阳，再到南召县二郎岗，虽然路程不是很远，但当时也需要两天才能到达。

"大跃进"时代，全国上下一盘棋，积极向上。经事先联系南召县的文化部门已经为我们提前安排到当地的一所学校里住宿就餐。安置好之后，我们马上看了调查钻探的文物分布图纸资料，然后又到工地现场具体勘察，并根据水利工期时间要求与县文化局长共同研究，布置了具体的工作规划，估算每天的发掘面积及出土工作量，请当地公社派劳力给予协助。按照当时的具体要求：一、要保证工期，绝不能拖水利工程的后腿；二、要保证质量，不能使文物遭受损失。

这些工作人员大都是新手，要想顺利地完成任务，首先得做好计划合理安排，分成两组，边干边学。由我和王治国同志分别以示范的方式开始工作。同时还利用晚上休息时间上课，白天发掘，工作、学习两不耽误，一切工作都在按步就班紧张地进行着，使大家系统了解掌握田野考古规程和要求。

在白天的发掘中，这些新人都是跟着辅导员边干边学，挖土方由农民劳力负责。分层、清理灰坑、剔骨架，全得大家分工亲自动手。记笔记、做记录、绘图、照相，每人必须认真细致地做好。经过几天的操作，我们的工作进度从时间上计算，两个月内完成任务是有一定的困难的，大家只好早出晚归，延长工作时间来弥补队伍工作的进度。虽然很辛苦，但大家依然保持着工作的热情，干劲儿十足，无一叫苦叫累，踏实的工作态度和刻苦的学习精神，每个人都表现得非常出色，坚决完成党交给我们的考古发掘任务。在南召二郎岗工地发掘将要结束之际，队领导派人到现场进行工作检查验收，认为我小队发掘的文化遗址地层叠压打破关系清楚，分层准确，墓葬发掘资料记录、绘图资料齐全，出土文物小件、登记造册、包装保管均合格，一切工作都很到位，检查验收合格。经过大家一个多月的艰苦奋战，终于提前 10 天完成了任务。人心鼓舞，工作的热情更加高涨。

二郎岗工地的工作结束后，我们又立即赶往黄山工地与"黄继光小队"会师，并肩作战，在两个小队的相互默契配合和大家努力奋战下，终于使整个鸭河口水库工程范围内的文物都得到妥善保护，既完成了考古发掘的任务，又保证了水库工程的进度。为此受到了水库工程总指挥部的表彰，回队时又受到留守在郑州工作的领导和同事们的夹道欢迎。

第一次的出征，经过两个多月的田野考古实地操作锻炼，"刘胡兰小队"的队员们勤学好问、吃苦耐劳，逐步掌握了田野考古发掘的操作方法，又完成了配合水利工程的考古发掘工作任务，一举两得。可谓初战告捷，载誉而归。

三、新的征程

探索夏文化，已是在学术领域中迫切需要解决的重大课题。河南地处中原，是夏文化活动的重要区域，为此河南于 1959 年率先纳入工作计划。当时的文物工作队下设豫北组、豫西组、豫南组、调查组（即地上文物调查兼机动组）分工合作，各地区如有需要配合基本建设的考古调查与发掘项目，就由各地区组进行配合，刘胡兰小队不负责某一地区的任务，而是主要担任夏文化的考古调查与重点发掘项目。她们先后对豫北、豫东、豫西及豫西南地区做了全面的考古调查，结合文献记载，调查收集了很多重要线索和一些实物标本，并对其分出主次。先后对郑州上街、偃师灰嘴和二里头、巩县小芝田与稍柴、济源庙街等地，进行了考古发掘，获得了大量的实物标本，并从地层叠压打破关系，找到了夏文化的堆积层。从夏文化地层中出土的实物标本，就其陶器的造型特点、纹饰特征，以及其他石器和骨器的造型种类及其制作工艺，对夏文化的一些基本面貌，有了一些初步的了解，从而对探索夏文化这一重大学术课题有了突破性的进展。她们爬山涉水搞调查，她们下农村和社员群众同吃同住，在艰苦的环境中进行野外考古发掘，她们认真执著、甘于奉献的工作态度，取得了显著的考古发掘成效。这支战斗在河南考古发掘第一线的女子生力军，对于今天我们事业的辉煌，功不可没，为我们河南文物工作队的光荣历史，谱写了光辉的篇章。

四、秋实丰硕

经过几年田野考古的实践，"刘胡兰小队"的队员们掌握了田野考古调查与发掘工作的方法与技能，同时还在坚持学习，不断提高自己的理论知识和研究水平，在各项考古发掘工作中坚持"边发掘，边整理，边研究"的工作方式，并能及时将发掘资料加以整理，编写出报告和简报，及时发表。她们对先后发掘过的南召二郎岗、郑州上街、偃师灰嘴、巩县稍柴和小芝田、济源庙街村的古文化遗址和墓葬，都做了及时的整理，并分工编写成简报或报告材料，予以发表，实现了豫北组1958年在安阳豫北纱厂考古发掘工地最先倡导的"边挖边整，多快好省，发掘结束，报告完成"的目标，这样既避免了她们考古发掘报告资料的积压，又能及时为历史与科学研究提供宝贵的资料。经过编写既可以提高考古发掘的工作质量，同时也锻炼了自己，提高了自身的研究水平和写作能力。通过考古的实践磨炼和经验的积累，再加上自己的刻苦学习，无论从理论水平、发掘技能及思想政治水平都有了显著的提高，业务技能更加熟练，适应性更广，各方面更显成熟。后来由于工作需要和她们的各自具体情况，她们分别被安排在其他的工作岗位上。有的调离，改做其他工作。经上级组织部门的考核，根据她们各自的工作能力和业务水平，她们分别被评为馆员、副研究馆员，有的被提拔为主任或处长，走向领导岗位，还有的加入了中国共产党。

五、结语

每每回忆起刘胡兰小队的成长过程，就更进一步地证明了河南省文物工作队的确是一个"出作品，出人才"的好学校。历年来从这里调出的同志有的担任了局长，有的当了院长，还有的担任了处长或所长，还有的担任了大学教授等，分布全国各地。

刘胡兰小队的成立，是河南考古战线上的一支新的生力军，她们经过党组织的培养，领导的关怀，一切行动听指挥，对工作从无怨言，对自身的工作严格要求，向高标准看齐，勇于承担重任，像革命战士一样甘当基石，哪里需要哪里搬。经历了考验，实现了自己的工作誓言，并为河南的考古事业作出了突出的贡献。

曾经青春年少的她们，现在都年已花甲，两鬓斑白，祝愿她们依然有颗年轻的心，青春常驻，欢度幸福的晚年。继续关心河南文物考古事业的健康成长，为其出谋划策。河南省文物考古研究所的后来人也不会忘记，是前辈们的汗水和辛勤为河南文物考古事业打下了坚实的基础，今日的掌声和鲜花，才那样的响亮和艳丽。前辈们的工作成果，铸就了河南文物考古事业的迅速发展，他们的工作是寻找古代先人们的伟大文明的轨迹，再现历史的辉煌，把过去与今日连接。他们的志向是，决心在党的领导下，把河南这个历史悠久、有着灿烂文化的发源地，以立足本职，真抓实干，刻苦钻研，力争文物保护与科研成果双丰收，成为文物考古的强省，为河南的文物考古事业更加辉煌再做奉献，再创丰功伟绩。

1958年12月在南阳地区发掘后作者（左一）与"刘胡兰小队"在白河岸边合影（后排右四为王治国）

1961年作者（前排中）与"刘胡兰小队"在偃师灰嘴遗址合影（后排左四为王治国）

1961年在郑州合影（后排左一为作者，左二为许顺湛，前排左起为裴明相、王绍英、张秀英、陈焕玉、赵蕊仙、李德保）

诗 一 首

杨宗琪

龙腾盛世迎甲子　艰苦创业六十春
——贺河南省文物考古研究所六十华诞

光阴似箭
岁月如梭
六十华诞
即将来临

创业伊始
举步维艰
锲而不舍
初见成果

青春岁月
锻炼成长
事业重任
勇于担当

人到中年
睿智成熟
人才辈出
硕果累累

回首往昔
感慨万千
展望未来
信心满怀

巩固成果
不敢懈怠
保持清醒
力戒骄傲

新的征程
再接再厉
爱岗敬业
勤奋钻研

继往开来
发扬光大
努力创新
再续华章

回忆我在省文化局文物工作队的日子

郭天锁

我 1962 年 8 月调进省文物考古研究所（时称省文物工作队），1984 年 10 月调出，在省文物考古研究所工作 20 多年，当时讲革命战士是块砖，哪里需要往哪里搬，我服从分配，这 20 多年里搞了多种业务工作，也做了些党的中心工作和其他工作，回忆如下。

一、整理石刻拓片及测绘仰韶遗址图

1. 整理石刻拓片

1962 年秋调省文物工作队后，领导知道我患病初愈，照顾安排我去整理单位存放的石刻拓片，参加整理的还有孙煌、郑杰祥，我跟他们学习整理方法。

在整理拓片中间，许顺湛队长从省人民出版社联系编著《河南名人辞典》，要我们参加，利用整理拓片来收集河南名人，我们三人参加了，白天工作中，遇到河南人，记录下来，晚上翻阅县志，收集材料。1963 年 3 月上旬，省文化局的领导把我们叫去批评了一顿，不让干，这项工作从此停止。

2. 测绘仰韶村遗址图

1963 年 4 月，我和孙传贤、郑杰祥两位同志一同到渑池县仰韶村用大平板测绘了仰韶文化遗址地图。这里是全国重点文物保护单位。70 年代末，我又到仰韶村调查了农民在遗址上建房的事情。这两次工作，为仰韶村遗址建四有档案，充实了材料。

二、豫西调查旧石器及以后从事这方面工作

1963 年 6 月，中国科学院古脊椎动物与古人类研究所的黄慰文和李功卓同志来河南调查旧石器，单位派我去配合。领导交代，要我好好向他们学习，咱单位缺这方面人才，你以后回来就从事这方面工作。我说绝不辜负领导希望。28 日晚 10 点，我们从郑州乘火车前往灵宝，到灵宝后，我们和有关单位联系，说明来意。后来我们到灵宝的阌乡、函谷关、朱阳，陕县张湾乡，三门峡会兴镇及沿黄河南岸的沟崖地带进行调查，在会兴黄河边的沟里还做了试掘。

这次调查历时两个多月，在炎热的三伏天，整天在田野跑，很辛苦，但有时也很高兴，因为有收获。在函谷关、张湾和会兴都找到了旧石器，我们发现了六处旧石器地点，在张湾一处断崖上我亲手挖出一个打制石刀，在会兴沟黄河水冲刷的断崖上，挖出一些很好的石核等旧石器，这些旧石器，后来在北京猿人遗址展室作为精品展出，在河南省博物馆展室里有复制品。

9月初，我们回到郑州，把这次采集到的旧石器在单位作了排列展示，让同事们观赏，随后由黄慰文带回北京，整理研究后，写出调查报告，在古脊椎动物与古人类刊物上发表。

这次调查，我向黄慰文等学到有关旧石器方面的一些知识，为以后从事旧石器和古动物化石工作开了个头。随后在70年代，我又多次配合古脊椎动物与古人类研究所的同志们在我省调查，结识了著名专家贾兰坡、吴汝康、吴新智及邱占祥、王伴月、许春华、阎德法等同志。和吴汝康等在淅川县调查古人类，在毛堂乡还进行过发掘。和邱占祥等同志在淅川、西峡、桐柏等县调查古动物化石几个月，在桐柏吴城做了发掘。还和许春华等同志在卢氏、新安县进行过调查。长时间多次配合古脊椎动物与古人类研究所调查发掘，使我从名人专家那里学到很多专业知识，吴汝康还寄给我他新写的专著。从实地学习和对书本的钻研中，使我对古人类古动物化石由一无所知，到有了一定知识基础，能独力工作。日后，全省哪里发现了古动物化石，告知单位后，单位都派我去处理。我先后到过鹤壁、浚县、伊川、巩县、密县、新郑、扶沟、临汝、淅川、项城、禹县、卢氏、新安等几十个县市调查过古动物化石，采集的恐龙蛋、鸵鸟蛋、象牙、犀牛头骨等化石都存放在省博物馆和县博物馆或文化馆，充实了馆藏内容。同时写的文章也在《化石》、《河南文博通讯》上发表。

三、赴豫东维修古建筑及学习发掘古墓

1. 在豫东维修古建筑

1963年夏末秋初，豫西大旱，豫东暴雨成灾，使一些多年失修的古建筑遭受损坏，单位很多同事，都被派出调查并维修古建筑，我分管尉氏、淮阳、永城三县，负责兴国寺塔、太昊陵、抗大四分校的修葺工作。

我9月28日出差到尉氏，联系了工作，住招待所，随后到城东关看了兴国寺塔，这里寺庙已无，仅存孤塔一座。过了国庆节，与文化馆的同志研究了修葺方案，我就前往淮阳太昊陵，它位于县城北关，是一处大古建筑群，这次要修的是陵前的太始门（转厢楼）。研究了修葺方案后，由县文化局的老骆同志负责备料，做准备工作，我又前往永城。在永城，同县文化馆魏馆长下乡，骑破自行车，到距县城65里的麻家抗大四分校，这里原是清代一所寺院，现仅存三间房，墙壁上还留存有当时写的标语和持枪战士的画像。抗战时期，新四军在这里办学校，培养抗日干部。同魏馆长研究了修葺方案，由他负责备料，我返回郑州汇报工作。

汇报完工作，听取了指示，我于10月24日又到尉氏，这时塔周围已无水浸泡，可以攀登观察。塔高30多米，七层，六角形，西侧有门可进入，内有阶梯可达顶层，各层都有门，可爬出瞭望，门外有一尺多宽的平台，内外壁有佛龛，佛像大多已毁坏，完整的很少，我和文化馆的同志爬遍各层察看，不同形象较完整地拍照，并翻石膏模，准备翻模烧砖，更换已毁的佛龛。翻模时，发现买的石膏粉过期，不能用，为节约开支，我建议用大锅炒炒再用。在塔外那么狭窄的塔檐上行走、考察、拍照、翻模，高空作业，也没什么防护，当时年轻，也不觉得害怕。

在太昊陵，我上到转厢楼房顶，在新铺的瓦板上，都写上这次维修的时间，以备考察。转厢楼西南角，挑角檐柱错位，上面房角还完好，扒掉扶正柱，浪费可惜，和县里负责维修的同志研究怎么修，我问柱子移位的原因，他们说是刮大风檐涨起，把柱子带起，落下时错

位，听罢介绍，我说既然吹起落下房角都没损坏，仅柱子偏位，我建议用千斤顶，把房角顶起，把柱子扶正到原位。他们采纳了我的建议，借来千斤顶，用千斤顶和木椽把房角顶起，把柱子扶正，而房角完好无损，节约了修缮资金。

另外，在修葺太昊陵期间，我住在陵旁的岳庙。一天夜里，一只狐狸溜进庙院觅食，早晨我们发现后，马上关闭大门，几个人拿棍追打，我拿根铁火锥，狐狸急忙爬上靠墙角的一堆椽子上，被椽缝夹住，同志们用棍顶住了它的身体，狐狸爬不上去，跳不下来，露出狰狞面相，张大嘴，要咬人，我趁机将火锥捅进它嘴里，直达咽喉，用力狠狠顶住，大家用棍把它打死，剥皮煮熟吃了，我是第一次尝鲜，吃狐狸肉，这肉味道不太香，也不像人们说的有酸味。

1963年冬季，我负责修葺的三处古建筑工程，仅完工太昊陵一处，其他两处因资金不足和烧砖、制作佛像问题没有完工。因天冷不能施工，修葺工作告一段落，12月20日我回到单位。

2. 学习发掘古墓葬

1964年元月，领导派我去学习发掘古墓葬，9日王与刚带孙传贤和我到安阳，原计划用十天到半月时间，发掘两三座墓葬，因下大雪误了几天，仅在申家岗机砖瓦厂发掘了一个汉墓，18日返回单位。这次学习，我学会了一般汉墓的发掘方法。

四、参加社教工作队，下乡搞"四清"

1. 在叶县搞"小四清"

1964年春节后，单位派我参加省文化局及局直几个单位组成的社教工作队，到农村搞"四清"。3月8日一早，我整理好行李，早饭后同志们为我送行，孙传贤同志代表大家把我送到火车站，看着我走下地道才回去。同志们热情送行，是希望我搞好工作，为单位争光，我一定努力工作，不辜负他们的希望。到许昌后，住了一夜，那时交通不便，第二天才到叶县，晚上见到带队的田处长和其他同志。13日，我们和县里的同志一起踏雪进村，到龚店区常李乡管辖的几个村，我和县里的王同志住在坡宋村，我的房东姓宋。该村有四个生产队，我主管一、二队，老王管三、四队。

这次搞社会主义教育，主要是搞"四清"，所谓"四清"，是指清仓库、清工分、清财物、清账目。目的是清出一种好制度、好思想、好干部，以防修，搞好农业生产，建设社会主义。

当时社员对集体生产积极性不高，产量低，生活水平也低，春天不少农户缺粮，安排群众生活成了大问题，我们未入村，就在乡里开了个安排群众生活会，进村后第一件事，就是开群众会，动员社员自报卖粮卖菜救灾，动员了两个晚上，只有二队报了200多斤粮，80多斤菜。其他三个队都没报，并且缺粮户还多。5月初，很多缺粮户都向我们要粮，有些不缺粮户，也跟着起哄要，政府拨的统销粮少，分配不下去。后来，我组织要粮户，各户自报公议评定的办法分配，这样干部群众都没意见，收麦前，我们向政府要了几次粮，每次都拨些粮，解决了社员的吃饭问题，没人外出逃荒要饭，都安心在家搞生产。

我们进村后做的第二件事，也是我们工作队的中心工作，就是组织群众，教育群众，进行四清。首先，找贫下中农，扎根子发动群众，组织农民协会，建立组织。然后，建立清查小组，同有关队干部共同进行仓库、账目、物资、工分四方面清查，对有些难搞清的问题，我组织有关人员共同对质说清，结果都搞清了，向社员宣布清查结果，队干部和广大社员都没意见。还建立了仓库、账目、工分管理制度，以防以后再出问题。

4月中旬，春雨连绵，造成村北的沙河暴涨，若决堤，村子要被淹，防汛指挥部通知：听到一声枪响，上堤，两声枪响，河已决口，在村看家护院，搞得很紧张，有的社员吓得直哆嗦，牙齿咯咯响。我把民兵都集中在一起休息，干部值班听通知，一夜来了两次通知，民兵们跑步到沙河渡口，加高了河堤，防止了漫堤决口。第二天，我把行李捆绑在大队部一棵树杈上，步行四五里，到河堤上慰问大家，看到满河床的洪水汹涌顺流而下。我放心了，回村告诉了群众，解除了恐慌。

长时间下雨，造成一些低洼地麦子被淹，天晴后，我组织四个队的队长，一起到各块地逐一查看受淹面积，评估灾情，上报工作队领导，再上报政府，酌情减免公粮。

这村社员养猪的很多，各户都养，少的一头，多的两三头，但是管得不好，多数没有圈，经常有猪跑到地里糟蹋庄稼，更有私心大的户，夜里把猪放到庄稼地去，社员们很有意见，就是没人管。一天午饭后，老王看到两头猪在花生地里拱着吃，很多社员在那里吃饭，看着也不管，没人去撵，他看了几次都没人去撵，他急了，回住处拿枪去打，一枪打死两头猪，这两头猪都有一二百斤重，是他当天吃饭的董家养的，搞得很不好看，影响也不好，作为同志，我批评了他。后来，我组织护青组撵猪，交代他们只准赶走，不准打，可是他们不听，有一天夜里，他们把故意赶到麦地吃的猪，用刀捅死，可见他们对这类人的痛恨。

当时下乡工作，是自带被褥，住农户家，到各户派饭吃，每天交1斤粮票四角钱，和农民一起劳动，这叫三同，即同吃、同住、同劳动，这样做，以便和农民谈心交朋友了解情况，发现问题，解决问题，做好工作。在坡宋村，有很多事都是在三同中发现的，在劳动中，我看到和学到当地一些务农技能，如种烟、下晚茬红薯秧等。6月初收完麦，播种了晚秋作物，工作队离村，我回到单位。这次下乡搞社教，受到磨炼，提高了工作能力，学到了做群众工作的方法。

2. 在信阳搞大四清

(1) 在信阳县长台关卢岗大队搞四清

回单位后，夏季，在郑州紫荆山公园做了一段时间文物钻探。秋天，又要我参加社教工作队，这次叫大四清，全省各地区都搞试点，省直很多厅局都参加，并要求领导带队，文化局杜希唐局长领队。参加的人很多，我们单位就有12人参加，由许顺湛队长带队。9月12日集中学习，为期一个多月，10月19日离开郑州到信阳，后来大家分开，参加到各县的社教工作团，我被分到省委宣传部负责的淮滨县党群组，和他们一起住在信阳市文化宫礼堂，帮他们放包袱，提高认识，武装思想，轻装上阵。

在县社教工作团的工作，根据地委的领导布署安排，分三步走，第一步是发动群众，揭批县主要领导和中层领导的政治思想作风问题和多吃多占问题，要他们作自我检讨改正，放下包袱；第二步要多吃多占的退赔；第三步是组织处理，好干部上，有问题未解决的下，组建新的领导班子，参加社教工作队。整顿县工作团的工作，进行了40多天，12月上旬结束，我回到省文化局社教工作队。在淮滨县工作团这些天，县里同志用我的脸盆洗脸洗脚，把脚气传染给我，随后又传染到头上，使我久治不愈，难受一生。

12月7日晨，我们社教工作队从信阳乘火车到信阳县长台关，这时天还未亮，先遣队的人已在那里等候我们，他们带大家到卢岗大队各自然村的生产小队，我和本单位张建中、群艺馆王治安三人进驻卢庄村，王住卢长俭家，张住邱大良家，我先住苏玉科家，春节后住卢长贵家，春天张回单位，我搬到他的住处住，那是邱家的一间磨房。

根据领导的部署，在发动群众的基础上，春节前，对干部多占的工分进行了清算退赔，后来发现这有些过"左"。春天对账目清理，发现卖牛款有问题，社员揭发和账目记载相差两头牛款1400元，我到浉港和长葛和尚桥作了调查，把问题搞清，队长承认，是他和大队长等把这笔款私分了，没记账。工作中，我们发动群众揭发问题，摆事实，讲道理，对生产队干部，不另眼看待，还要他们领导生产，这样做的结果，干部群众都没意见。后来安排领导班子时，原任干部有推托不愿干的，经我们教育，也愿再干。5月中旬选举生产队干部时，大家都欢聚一处，选了新的领导班子，多数原任干部被选上，干部群众多数都满意，我们希望新班子在我们走后能团结、带领社员前进。

在卢庄学习工作生活的几个月，和社员同吃同住同劳动，他们上山拾柴，我去接，他们从长台关往水库上运石，我同他们一起去挑运，我把在叶县坡宋村学到的育红薯秧技术传给他们，使他们由此栽上春红薯。春天，我们帮缺粮户要来统销粮，工作队还派专人从信阳打米厂搞来稻糠，解决社员烧柴的问题。在此期间我和社员们建立了感情，当我们5月底离村时，他们从田里跑来送行，很久不愿离去，我们依依惜别。

1965年过了春节，我们返回卢庄，天气不正常，下了几场雪，我得了感冒，鼻子不通，点滴鼻炎净，用的时间长，用得多，天暖和了，顺鼻往外流黄水，原本嗅觉很灵的鼻子，从此时好时坏，治疗也无效，后来嗅觉完全失灵，啥气味也嗅不到。这次搞四清，我落下脚气和嗅觉失灵两种毛病。

（2）在光山县砦河公社搞社教

1965年8月20日，我们社教工作队又从郑州出发，先到罗山，后又转到光山县，在那里学习一段时间，于9月21日到砦河公社，这里有省文化局、新县、光山县三个单位的社教队在搞社教，社教分团，由新县县委书记负责。省里去的负责大唐砦、刘堂、耿砦三个大队，春节后又新增张围子、黄桥两个大队，共五个大队。

砦河工委的工作，由新县的同志负责，组成人员中书记任跃清、办公室主任贺志强等都是新县人，另有公社的邹天银和我都是办公室工作人员，省文化局副局长参与社教分团领导，局直新华书店经理曹智杰为工委副书记，参与工委领导。工委领导平时都在下面蹲点，只有开会时才回来，经常在的就只有办公室几个办事人员。我们几个人有分工，我经常到省直工作的几个大队去了解情况，收集材料，向工委汇报，或向分团汇报，也传达上级意见，起上情下达、下情上传联络带作用。另外，还负责工委有关数字的统计工作。我们来自不同岗位，组成一个工作班子，大家分工负责，团结互助，工作热情很高，大家一起工作、劳动、娱乐。

在砦河工作期间，有几件事记忆深刻终生不忘，其一，是我在1966年3月26日加入中国共产党，了了我多年的心愿；其二，是我曾向省委反映了统计工作中表格繁琐问题；其三，是我在工委院小花坛中种下的几个核桃，已发芽长出，并茁壮成长；其四，忘不了新县的刘德福、黄世传等同志的友谊，邹天银同志还教我熬桐油的技能。

1966年8月，这批社教工作结束，8月下旬工作队回到郑州。从1964年春开始的"小四清"，到后半年开始的"大四清"（清政治、思想、经济等）社教工作，随着"文革"的开始而结束。

社教工作是中共中央反修防修的部署，中央有文件全国都在搞，前十条、后十条、二十三条等文件，是指导思想，是政策，农村进行社会主义教育，简称四清，参加者根据文件去工作。

五、"文革"时期

"文革"是由最高领导错误发动，自上而下搞的，后又被别有用心的人利用造成全国动乱，搞乱了思想，破坏了生产，使经济到了崩溃的边缘，使教育科研停止，毁了一代人，使国家停滞不前，使人民受苦。"文革"开始，我还在下面搞四清，回郑后，看到很多单位领导被批斗，被打成走资派，乱哄哄的。

1. 在新华一厂搞毛选校对和到北京看大字报

我是一名普通业务干部，先被省文化局抽到新华一厂帮助印毛选，搞校对，吃住都在厂里，没参加过单位和社会上的活动。搞了几个月，回单位后，群众选代表去北京串联，参观"文化大革命"，我被选为15人之一，1966年12月去了北京。这是我第一次进京，在京受到高规格待遇。晚上住文化部大楼走廊，下铺草，上盖天花板，很多人挤在一起睡，白天在外面参观大字报，我们到北大、清华和文博等单位。看了几天后，我们几个去排队为大家买返程火车票，返回郑州。随着势态发展，卷入到"文革"中去。

2. 参加群众组织任"起宏图造反团"服务员

参加"东风战斗队"：1967年春，为表示对一些事的看法，同住室的武志远、任常中和我三人合写了张大字报，随后有几个观点相同的人加入，大家协商成立组织，起名"东风战斗队"，推举武志远为队长。

单位内成立了很多群众组织，随着社会上相同观点的联合，单位内也联合，以东风、东方红等五个观点相同的战斗队联合在一起，起名为"起宏图造反团"，人数占单位绝大多数，大家推举我为团长（服务员），王与刚、王国藩为副团长。社会上我们参加了十大总部的省直总部。当时郑州群众组织分三大派：即十大总部、河造总和二七公社。春天，河南军区宣布二七公社为非法组织。7月份三方在北京谈判，中央文革钦定二七公社为造反派，河造总为犯错误的造反派，十大总部为保守派。

我任"起宏图"服务员时，我的指导思想是：本单位的事，我们还不清楚，外面的事，更不知道，少参加外边的活动，只搞内部活动；当时兴批黑线、批走资派，我们只搞这些，外边的事，只随总部开会、游行；内部批判，以理服人，不准打骂；与单位内不同派别的人，和平共处，不互斗，不以大压小；对个别想闹的，加以劝阻，办事处以公心。由于这种思想，并领着大家这样做，虽说"文革"是个错误，我们组织在这段时间内，没犯具体错误。当所谓造反派胜利后，"起宏图"解散，我写大字报声明：原组织有什么错事，我负责。没有任何组织和个人找我。相反，造反派有人找我谈，要我参加他们的组织。从此，"文革"中我再没参加任何组织。

3. 保护同事与回老家休息

1967年7月26日，郑州烟厂武斗，造反派围攻保守派，我们不知道，晚饭后，我们几个人出去散步，见陇海路烟厂段有人把守戒严，不准通行。回到单位，见造反派已组织本派人逃离机关，见此情况，我说我们也走。我们沿陇海铁路往火车站走，走到国棉二厂，拐布厂街，我到惠工街机关家属院，告诉那里的同志不要上街，注意安全，单位那边烟厂一带正在武斗。

同去火车站的有曹天道、李德保、杨宝顺等，在火车站还能听到烟厂那边几个高音喇叭声，一夜冲杀喊声不断。我们在火车站躲了一夜，天亮回单位，路上见有受伤的，有三个被打死的，满身血迹，在路边躺着。上午造反派和老领导招集部分人员开会，研究保卫机关问题，我很有意见，就说："昨天夜里你们到哪里去了，没有一个出来关心群众死活，这里不安全，我要回家。"说完我回宿舍拿上东西回老家了，后来，单位写信要我限时回来，我拗脾气发了，不回来，非等过了限时再回，看他们能把我咋着，这一住就是两个月，回单位后，也没人批评过问。后来，造反派动员我参加他们的组织，我不参加，对他们的打人行为和自私性，我看不惯，直到工、军宣队进驻前，我是自由人，但造反派还是相信我为人忠厚，办事公正，多次派我外调一些老同志的历史问题，我都实事求是去做，不带任何偏见。

4. 在西华县张庄做群联工作

1967年底，省直机关到农村搞斗批改，单位随省文化局到西华县红花集公社住张庄村搞斗批改，1968年春节就是在张庄过的。单位经常要和群众打交道，大家推举我和刘建洲同志与当地群众联系，做群众工作。那年冬天下了好几场大雪，我们常借群众的锨和扫帚扫雪，有时把锨弄坏了，修好奉还，有白事，我们去慰问送花圈，相处几个月，和群众关系一直很好，到1968年4月离开时，单位和当地群众对我们二人工作都满意。

5. 在博物馆政工组工作

1969年下放，我留在单位工作，1970年春节从家回来，文物队和博物馆合并，成立政工组，同事认为我到政工组合适，领导安排王润杰、王桂枝和我三人组成政工组，王润杰任组长，王桂枝管文书档案等，我管专案、青年团和后勤等。我努力工作，领导和同志们都比较满意。1970年，省革委文教组表扬先进工作者，馆里推举我和张玉玲二人出席省先进工作者会，并发奖状。

6. 参加拉练队伍

1971年冬搞备战，省直和省军区组织干部和军人野营拉练，馆里抽李庆生、郑杰祥、邓邦镇和我4人参加，我们和省军区一起行走，1971年元月15日从郑州出发，途经荥阳、上街、巩县、偃师、伊川、临汝、郏县、襄县、临颍、许昌、鄢陵、尉氏、新郑等县市，2月15日回到郑州，历时一个月，春节都在农村过。途中我们班的张金玉同志在墙上写宣传标语，没有大笔，我建议他买麻整理绑绑作笔，他做了，后来他还把这事写成快板书《一把麻》，说给大家听。春节期间，我们住下，练实弹射击，节后行军途中还做攻占山头等训练。我在日记本上记录了这次行军路线图，以示留念。

7. 筹建办公楼

两个单位合并后，缺办公室，上级拨两万元，让以文物资料室名义盖座两层楼，馆领导决定楼盖在邻馆后面的空地上，这块地皮属于省委所有，林治泰副馆长带我到省委和苗秘书长商议，要了过来。我找梁香花工程师要来图纸，到市建委要了计划内的砖，又找来林县施工队。在挖地基时，我想弄块地皮不易，盖三层，我问梁工这地基能盖三层不能，梁工说不能，你得挖三层楼的地基，我叫工人把地基拓宽加深挖成三层楼地基，为以后盖三层打下基础。为节约资金，我组织人员一起到南阳路拉预制板，和工宣队李师傅到新乡水泥厂买水泥。楼房墙砌到一层高，天冷停工，后来我有其他事，没再管。

8. 做临时工转正外调工作

原文物队和博物馆都有"文革"前的临时工，特别是博物馆大部分讲解员都是临时工，1970年，办"林县红旗渠"、"许昌杨水才"、"长垣阶级教育"展，三个地方来的讲解员都是临时工。1972年上级有精神，把临时工转正。拉练回来后，在政工组，又搞了临时工转正工作。我和工宣队的师傅一起，到每个临时工的家乡外调，取有关材料，搞政审建档，为他们转正，这些工作都做完了，1972年10月，我离开政工组，回文物队上班。

六、考古发掘

1. 新石器时代和裴李岗文化的发掘

1972年10月，到淅川下王岗遗址参加考古发掘，在这里我学会遗址发掘技能，并在工地向河医专家学会从骨骼、牙齿鉴别死者性别年龄的知识。其后，我主持了密县莪沟、长葛石固裴李岗文化遗址发掘，舞阳贾湖裴李岗文化遗址的试掘。用小平板测绘了贾湖遗址地图。据张居中同志讲，他写的贾湖遗址报告中，采用的就是我们测绘的地图。石固遗址发掘后，我和陈嘉祥同志合写了发掘报告，在《华夏考古》1987年第1期（创刊号）发表。

2. 固始葛藤山战国墓群的发掘

1983年秋冬，我在固始县葛藤山配合砖厂发掘了4座战国墓，出土了些陶器，另有一把带鞘的青铜剑和数粒珠子，只有一座墓内有棺木。遗憾的是这批材料，因我调动没有整理。这是我欠文物考古所的业务债。

3. 调查瓷器和写窖藏瓷器短文

1974年春，我到安阳、密县调查瓷窑址，采集了些标本。后来又到禹县钧瓷遗址作调查钻探准备发掘，因麦子长得深而暂停。

在石固发掘时，发现一处钧瓷窖藏，有碗、钵、盘等物，十分精美，存放在一大深腹铁釜内，上面盖着铁鏊子，保存很完好，我写了一篇《长葛县石固发现窖藏钧瓷》，发表在《中原文物》1983年第4期，向外界介绍，供学者研究。

七、尾　声

从事文物考古，基础知识甚差，蒙所内外专家同志指导，加自我钻研，终有收获。本人淡薄名利，与事无争，发掘调查，发文较少，了了数篇，尽责而矣。谢谢领导多方面培养，各位老师指导，同行协作支持。仅以此文，献给河南省文物考古研究所60年大庆。

1973年9月，作者于桐柏吴城发掘化石

1980年，作者在卢氏调查动物化石

我所亲历的河南文物考古

郝本性

1965年底，我从北京大学历史系考古专业研究生毕业。1968年分配到河南之后，先是在开封的一个解放军农场劳动，真正从事考古工作是从1970年开始的。今逢我所成立60周年大庆，感慨万千，值得回顾的事情太多，现在略陈一二，以表心意。

河南被中央确定中原经济区的根据之一，是因为这里是华夏文明的传承创新地。自古以来，河南便是华夏民族繁衍生息的中心区域，黄河中下游优越的自然环境是促成我国农业在此发生发展的天然条件。中国古代的文明也是在此产生并向外传播。这是我国先民对人类所做出的卓越贡献。

然而，随着时代的变迁与南方经济的持续开发，自南宋起，我国的经济文化也不断地逐渐南移，因河南自古就是人口密集、文化发达的大省，所以，当今如何将河南从文化大省，转化为文化强省，不能仅凭地下文物的埋藏量丰富，如果不经过科学发掘，地下文物也会出现流失现象，即便发掘出土，如果没有深入研究也不会揭示其历史、艺术与科学价值。因此，我们河南省文物考古研究所便历史性地担当起这份责任。

回忆建所以来，为扩大河南文物大省的知名度，仅从我本人担任所长十年期间的亲身所历，以下分三个方面举些实例，并加以说明。

第一，从参加全国各省市以及海外文物汇报展来看，我省展出的文物精品，对于提升河南作为文物大省、文化强省的地位发挥了重要作用。

1971年6月，在北京故宫博物院举办的"'文化大革命'时期出土文物展览"会上，我省展出文物精品共计百余件，此次展出彰显了河南作为文物大省的地位。

1974年，在全国各省市文物汇报展览期间，我省文物占据了相当重要的部分，此次展览，我本人担任了筹展组的副组长。在我接待人大代表参观时，楚图南、吕正操等领导还专门与我交谈，盛赞文物工作大有可为。

1983年，在中国历史博物馆成功举办了"河南省考古新发现"的大型展览。这次展出了河南出土的百余件文物精品。在京展出的百余天内，曾引起中外人士的极大关注，国内及日本等海外媒体也给予了大量报道，这次展览既宣传了河南的文化，也树立了河南的良好形象。此次展览的领导为安金槐、赵青云。参加筹展的有裴明相、贾峨、李京华、杨育彬等专家，我则是在前后两段参加。而随展组则为张居中、谢巍、郭民卿、王胜利等同志。

在此后的数年间，凡国家举办的出土文物展，不论是在国内，还是在国外所进行的文物展览，我省每年都是参展大户，而且所提供的展品不仅数量多，而且非常精美。

在每年全国评选的十大考古新发现中，我所的考古成果也总是占有一项或两项。而且河南全省的考古成果也在全国各省市中位居前列。

第二，从河南省辖城市出土的考古成果来看，有力地带动了全省文化旅游经济的发展。

郑州之所以能够成为全国八大古都之一，则是因为我省自50年代以来，在积极配合城市建设的同时，对郑州商城进行了大量调查、勘探和发掘，其中取得了多项成果。以安金槐、裴明相、杨育彬、陈嘉祥、宋国定、贾连敏、曾晓敏等为代表的一大批考古工作者为此付出了辛勤的劳动，他们的业绩将名载史册。

另外，从河南开发旅游的情况来看，众所周知，开发黄河游这是一条黄金线路，而在黄河中游沿线，洛阳以西区域，除渑池仰韶文化遗址是最早的仰韶文化发现地之外，其他如三门峡的知名度并不高，甚至还有不少人将"三门峡"与"三峡"两个地方混淆不清。在1956—1957年间，此处遗址曾配合黄河水库的建设进行过首次发掘。从1990年起，我所再次对三门峡虢国墓地进行考古，从此开始了长达十年的发掘工作；在2001号与2009号西周晚期虢国大墓与车马坑等遗址中，发掘出土了大批遗物，其中所出土的玉管铜柄铁剑被誉为"中华第一剑"，这一发现将我国冶铁的历史提前了一二百年。此后考古工作者又发掘出土了大批文物以及虢国的宫殿遗址。后来，在此处建立了虢国墓地博物馆，该馆至今仍是黄河旅游线路上的一个亮点。我所的姜涛、王龙正、贾连敏以及王胜利、郭移宏等人，为此付出了许多艰辛的劳动。同时，在保护上阳城址的问题上，我曾与三门峡市及区的主要领导据理力争，也取得了很好的效果。

1987年，濮阳市文物部门为配合中原化肥厂引黄供水工程，在西水坡修建了一座水库，此前在该地发现了一处仰韶文化遗址，我所的丁清贤、王明瑞与濮阳市文物部门孙德萱等人进行了第一次发掘。先后发现了用蚌壳精心构成的龙虎等动物图案，经媒体报道后，立即引起国内外专家及相关人士的强烈反响。因为该龙的形象与后代的龙形象基本相同，所以被誉为"华夏第一龙"。今年又逢龙年，回忆十二年来，濮阳通过多次举办龙文化的展示以及学术研讨会，极大地推进了中国龙文化的深入研究，同时，也使中华民族作为"龙的传人"的依据更加坚实。我本人所作的一首小诗《龙源在豫铁证强》，也被海政文工团谱成曲，在濮阳大地上不断地被播放。

第三，平顶山市应国墓地的发掘，曾引起了广泛的社会关注。

平顶山市是一座因煤而建的新兴城市，有关志书上，曾提到该地自从六朝就开始有所记载，但这里确是一座失落二三千年的古应国所在地。古城被白龟山水库所淹，而应国墓地就在水库边沿的滍阳岭上。自1979年12月，当地群众发现邓公簋以后，平顶山文管所送来拓片，请我对铭文考释，我认为该器物实乃邓国国君将其女儿远嫁应国时所制作的铜簋，后来又在此地再次发现了邓公簋。

后派王龙正前去与平顶山文管所协作，并开始试掘，确认是应国墓地后，又连续进行了多年的发掘与整理工作，将历史上曾经失落的古应国又重新寻找回来。这处应国墓地的发掘报告即将出版，无疑将进一步推动对西周封国史的深入研究。

当年，在平顶山市进行市标雕刻物设计时，我找到该市负责文化的王学明副市长，建议把"平顶山"代称为"鹰城"，并可以参照应国墓地出土的玉鹰雕塑一个雄鹰的形象。这一建议得到了市政府以及广大市民的广泛认同，如今鹰城已成为平顶山市的代称。但对于

"鹰城"的城市精神，我们还可以继续深入探讨。

八千年前的裴李岗文化在我省已发现或发掘了一百多处遗址，作为其中一种类型的舞阳贾湖遗址出土的骨笛，可以改写中国音乐史；刻于龟甲上的契刻符号，我们认为应是原始文字，虽然学界曾对此有所争议，仍可做进一步研究。

以上所列举的考古发掘成果，是在上级领导、全所同志奋力拼搏以及广大群众积极支持与配合下取得的。我们认为，如何使文物考古工作可持续发展，并能为河南建设中原经济区做出应有的贡献，还需各级领导的关怀与支持。包括人力资源与财力资源的支持。否则，我们的工作是难以进行的。俗话说"巧妇难为无米之炊"，河南地下的"米"不少，但如果国家不支持科学发掘，那么盗墓贼就会有机可乘。这样的损失将无法弥补。因此，我们呼吁国家有关部门以及各地政府应给予大力的支持，让我们的地下文物不再遭到肆意的破坏，这是我们对子孙后代义不容辞的责任。

1980年，作者（左）在河南温县东周盟誓遗址发掘工地绘图

1985年，在山西侯马与苏秉琦先生合影（后立者左起依次为李伯谦、杨育彬、作者）

1986年，作者（左三）考察濮阳蒯聩台遗址（左二丁清贤、左四南海森）

1987年，国家文物局委派专家组检查几省考古工地在南京博物院合影（左起为作者、马得志、黄景略、邹厚本、李伯谦）

上世纪80年代，作者在中国古文字研究会第三届年会上宣读论文

20世纪80年代，作者（前左二）陪同副省长胡廷积（右二）视察河南省文物考古研究所

20世纪80年代，作者陪同专家与领导考察淅川下寺楚墓出土铜禁（左起为陈滋德、安志敏、作者、夏鼐、王仲殊、宿白）

1999年，作者在波士顿参加美国亚洲学第31届年会时探望哈佛大学张光直教授（左一），在其书房留影（左二作者、左三赵世纲）

2001年11月作者（左二）陪同黄景略（左三）、张柏（左四）观看河南鹿邑长子口墓铜器修复

2002年在北京大学与宿白先生（前坐者）合影（后立左起为作者、杨育彬、张学海）

2009年，美国罗凤鸣博士（右二）、魏克彬博士（右三）在河南省文物考古研究所研究河南温县盟书（左二作者、右一赵世纲）

河南省文物考古研究所是文物考古工作者成长的摇篮

曹桂岑

2012 年是河南省文物考古研究所成立 60 周年，60 年是一个甲子，作为人是由嗷嗷待哺的婴儿从少年、青年、成年、步入老年的周期；作为树木，则是从小树苗变为参天大树的时期，用树木的成长来形容河南省文物考古研究所的发展历程是最恰当的。学习考古是我 1957 年参观了信阳楚墓出土文物展览后萌发的志愿。我考入西北大学历史系考古专业，四年的大学生活，系统地学习了历史学和考古学基础知识，明确了学习考古的目的，尤其是听完石兴邦先生的"新石器时代"后，喜欢上新石器时代考古。1961 年毕业，同年 10 月分配到河南省文化局文物工作队工作，即今之河南省文物考古研究所。

河南省文化局文物工作队的任务是文物调查、保护、研究，刚参加工作，正逢三年特别困难时期，参加工作后，深知自己的知识有限，要想做好文物工作，还需要努力学习。当时的工作热情很高，看到单位里许多同志刻苦钻研，晚上 12 点前都在学习，也很受感动。刚来时领导分配我参加文物仓库整理，我也认真地参加，作为一个学习的机会。

1962 年郑州二中施工中发现一块东魏造像碑，派我进行调查，并征集运回，这是参加工作以来的第一项田野工作，进行照相、拓片。通过对这块造像碑的研究，学习了佛教造像、造像的服饰等，最后写了一篇报道《郑州发现东魏造像碑》，发表在《文物》1963 年 7 期。

1962 年参加全省的碑碣调查工作，单位领导讲明了碑碣调查的重要意义和要求，并请老师讲了碑碣的有关知识，先是到开封搞试点，我同杨焕成同志到朱仙镇调查。后来单独到永城县进行碑刻调查。1963 年又到淮阳、太康、鹿邑、郸城、项城、沈邱、方城、南召、桐柏等地进行碑刻调查。

关于考古发掘，由于在学校没有参加考古实习，所以我把每次考古发掘工作作为学习的好机会，向有发掘经验的老同志学习，看书学习，1963 年我和李敬昌在汤阴石油公司发掘汉墓 1 座。不仅掌握了汉墓发掘技术，还拓展了与汉代墓葬有关的基础知识。

1963 年郸城黑河改道发掘汉墓，我和马志祥参加。这是一个黑河河道取直的取土工地，当时郸城县领导很重视，发现砖券或空心砖墓立即停工保护，我和马志祥一到工地立即开始发掘工作，马志祥同志是老技工，技术熟练，清理好后让我绘图，共清理汉墓 10 座，其中西汉空心砖墓 6 座，东汉小砖券墓 4 座。

1963 年河南水灾，一些古建筑受损，派我负责滑县明福寺宋塔的修缮，这又是一项新的工作，必须学习古建筑知识。古代建筑的修缮精神"整旧如旧，保持原貌"，一定要按照原来的建筑格式修缮，为了搞好修缮，我必须对该塔进行测绘、拓片、设计、备料、修缮，我按照考古绘图的方法对明福寺塔进行测绘，制定修缮计划，搞清所需用砖的尺寸、数量，予以备料。最后由汤文兴接替至竣工。

1963 年桐柏万岗汉墓的发掘，裴明相带队，我和武志远、李敬昌等参加发掘。

1964 年发掘漯河澧河遗址，裴明相带队，我和武志远、王治国、李敬昌等参加，这是我第一次从事遗址发掘，有裴明相先生带队，有了好老师，这次遗址发掘很重要，怎样布方，分地层，区分遗迹现象，记录、绘图等，是一次难得的学习机会。

1964 年，我同张静安到淅川丹江口水库淹没区进行文物调查，从淅川上集步行翻愁思岭，经双河镇、光化滩、三官庙至渠首，最后到达丹江口。

1964 年参加四清工作队，至 1966 年 8 月。

1966 年，我和马志祥到南阳进行白桐灌渠文物调查。

1966 年，我到邓县调查丹江口水库陶岔渠首输水渠道文物情况。

1970 年，我同李绍连到三门峡配合会兴纺织厂的建设发掘一批汉唐墓葬。

1971 年，我到邓县对福胜寺塔进行调查，对该塔进行了测绘，并将塔上的游人题记全部拓出，编制了维修预标，根据该塔的实际情况，应该是宋塔，不是隋塔，原来的隋代塔铭不是福圣寺塔的。

1971—1974 年配合丹江口水库建设，安金槐、王明瑞同志曾经对淅川下王岗遗址进行试掘，发现仰韶文化、屈家岭文化、龙山文化的重要遗物，认为下王岗遗址很重要，需要大面积发掘，领导让我主持淅川下王岗遗址的发掘，参加发掘工作的有杨肇清、李京华、杨宝顺、李绍连、刘式今、郑杰祥、郭天锁、王明瑞等，经过大家共同研究，明确了下王岗遗址发掘的目的是为了解决仰韶文化、屈家岭文化、龙山文化的社会性质问题。为提高考古发掘的质量，率先迈出了多学科参与考古的道路，请河南医学院的杜百廉、范天生先生到考古工地对出土的墓葬中的人骨进行性别、年龄鉴定，以判断死者生前的社会地位，他们又发现了古代疾病的病例；又请中国科学院古脊椎动物与古人类研究所的贾兰坡、张振标对墓葬中的人骨进行年龄、性别鉴定，对动物骨骼进行鉴定；请中国科学院贵阳地球物理研究所进行碳十四测年；请河南省地质公司对出土石器的石质进行鉴定。下王岗遗址的发掘，发现房基47 座、陶窑 5 座、灰坑 348 个、墓葬 689 座、文物 7254 件，在 1989 年文物出版社出版的《淅川下王岗》一书中，不仅在学术上解决了丹江流域的考古序列问题，即丹江流域从仰韶文化、屈家岭文化、龙山文化、二里头文化、西周文化等，下王岗仰韶文化、龙山文化被学术界定为"仰韶文化下王岗类型"、"龙山文化下王岗类型"。而且由于多学科的参与，使下王岗遗址的考古在人类学、古动物、古代疾病、古代气候的研究上提供了新的资料。

1976 年在"农业学大寨"的运动中，大兴平整土地，汤阴县白营遗址是河南省级文物保护单位，当时的白营大队计划将白营遗址挖掉，安阳地区文化局将此事报告省文化局，组织上派我和冯天成到汤阴白营龙山文化遗址试掘，发现这个遗址很重要，是一处重要的龙山文化聚落，建议进行抢救性发掘。后来以举办考古训练班的名义由安阳地区文化局组织大面积的考古发掘，我又以老师名义参加发掘工作，发现大批龙山文化的房基，并通过解剖确定这些房基大部分为平地起建的房屋。

1978 年参加林县洪谷寺唐塔的修缮工程，并测绘了该塔的平剖面图，对施工进行指导。

1978 年参加西平宝严寺宋塔的修缮工程，并测绘了该塔的平剖面图，对施工进行指导。

1978年，我和陈进良参加鄢城彼岸寺石幢的修缮工程，我测绘了该石幢的平剖面图，对施工进行指导。

1979年，我发现了平粮台龙山文化古城遗址，平粮台位于淮阳县城东南4公里的大朱庄西南台地上，面积百亩。1978年，当地生产队在此建窑烧砖瓦，许多古墓被挖坏，曾经出土一把"越王"剑，被淮阳县文管所征集。1979年5月，周口地区文化局举办考古训练班在此实习，我是讲课老师并辅导发掘，发掘7座楚汉墓，又出土一把"越王"剑。此后，我带领考古队对平粮台暴露出的古墓进行抢救性发掘，清理一批楚汉墓葬，出土文物100多件，其中有"越子"剑、"巴蜀"剑和一批玉器。1979年9月，安金槐先生带领河南省文物考古训练班的48名文物干部到平粮台实习，我又成为老师参加实习，因正逢雨季，墓内水位太高，无法发掘，临时决定改挖遗址。在平粮台遗址的东南部开了24个探方，发现了三排龙山文化的高台建筑，高台上用土坯砌墙，引起了我的重视，马上意识到这里可能是一座古老的城池。我认为高台建筑不是一般人的住房，可能是贵族住房，具有宫殿的雏形。能用夯土筑台，就有可能筑城，我的想法得到文物队领导的支持，所以，训练班结束后，我开始了在平粮台遗址寻找古城的工作，在遗址的四边和拐角处开了16个探沟，发现夯土城墙的延伸恰好呈正方形，城内四边长宽各为185米，加上城墙外侧附加部分，面积可达5万多平方米。通过发掘，发现了南城门的两个用土坯垒砌的门卫房和路土下埋设的陶排水管道，平粮台古城发现的陶排水管道相当重要，证明平粮台古城建设时有了先进的排污设施。从平粮台发现的高台建筑、门卫房、陶排水管道、灰坑、陶窑、墓葬看，平粮台古城是一座精心设计、用材先进的古城。开拓了我国正方形城的先河。经过专家和领导的论证，当时认为平粮台古城是我国考古发现的年代最早、面积最大、保存最好的龙山文化古城。并采取了征地保护措施，建立河南省博物馆淮阳工作站。根据史书记载的地理方位分析，和对大量出土文物的考证，认为平粮台古城址可能是太昊之墟"宛丘"。至此，文献记载的"陈为太昊之墟"得到了初步的证实。平粮台龙山古城的发现，对研究我国古代城市的出现、国家的起源等重大学术问题有着重要的意义。为保护好平粮台遗址，国家文物局拨款征地保护，1988年11月，国务院公布其为全国重点文物保护单位。我先后撰写发表了《河南淮阳平粮台古城址试掘简报》、《淮阳平粮台古城考》、《淮阳平粮台龙山文化城址出土的陶甗和陶水管》、《河南淮阳平粮台十六号楚墓发掘简报》等重要的考古简报和学术论文。

1979年，因为在段寨遗址曾发现大批大汶口文化的陶器，因此，单位派我和李敬昌对郸城段寨遗址进行试掘，发掘墓葬2座、灰坑18个，发现该遗址的文化堆积是大汶口文化晚期、龙山文化早期、龙山文化晚期。撰写了《郸城段寨遗址试掘》，刊登在《中原文物》1981年3期。

1979年同李胜利对淮阳县城南城墙进行试掘，发现淮阳县城是西周的陈国故城，又是战国时期的楚都郢陈。

1981年发掘了淮阳马鞍冢楚墓和车马坑，淮阳大连乡大昌行政村瓦房庄村西战国晚期两座大型楚墓和两个大型车马坑，领队曹桂岑，发掘者马全、李胜利，撰写《河南淮阳马鞍冢楚墓发掘简报》，发表在《文物》1984年10期。

1982年发掘淮阳于庄汉墓，发现西汉陶地主庄园。

1986年开始郾城郝家台龙山文化古城的发掘，郝家台遗址位于河南省郾城县东石槽赵村东北的台地上，群众称其为郝家台。据《郾城县志》记载："郝家台，县东五里许，上有裴晋公庙。"台地顶部高程为海拔62米。台地高出附近地面3米许，面积5万多平方米，文化层厚3—5米，京广铁路从该遗址的西南部穿过，将遗址分为东、西两部分，西部较小，东部较大。1986年京广铁路漯河至孟庙段在路东增加第三线，河南省文物考古研究所配合铁路建设进行考古发掘。考古领队曹桂岑，发掘地点在基建征地范围内，探方编号为T1—T25。6月18日考古发掘正式开始。9月19日国家文物局郑州文物培训中心大专班到郝家台遗址工地实习，发掘地点选在遗址的中心，共开5米×5米探方28个，至11月30日配合铁路建设的考古发掘工作暂时结束，由于发现龙山文化的城址很重要，但城址的年代需要进一步搞清。1987年3月17日至5月9日第二次发掘，基本上搞清了郝家台遗址是一座河南龙山文化的古城址。发掘面积3212平方米，清理房基14座、灰坑310座、墓葬90座、龙山文化古城遗址1座。

郝家台遗址的文化内涵丰富，有龙山文化、新砦期文化、二里头文化、商、周文化。尤以龙山文化最为丰富，郝家台遗址龙山文化可分五期，主要文化遗迹有古城址1座、房基14座、灰坑170个、墓葬62座、陶窑1座。

郝家台龙山文化城址平面呈长方形，南北长222米、东西宽148米，面积3.2万多平方米。城墙宽5米，门仅在东城墙的中段有一个夯土缺口，宽8.8米，南部、西部被京广铁路叠压。城内有长方形排房。城址内共有排房6排，正中是路，将每排房分为东、西两部分。房址F18位于城址内西北部，为长方形排房，共8间，从清理出的遗迹看，各单元房一律呈长方形，南部均设有门，与遗址东北部的排房F16相对应，是在两条平行线上的两排房。如F18的建筑过程是地面先垫一层黄花土，较坚硬，厚0.19米。烧土面在居住面中央。屋内居住面南北长3.3米，东西宽3.52米，墙残高0.18米，门宽0.72米。F18内出土陶器有罐、澄滤器、豆、碗等，生产工具有陶纺轮、石镰、石镞、骨鱼镖等。

城址建于郝家台龙山文化二期。根据碳十四测年，郾城郝家台龙山文化古城的建筑年代应该在距今4600年左右，是目前考古发现的河南龙山文化中时代最早的重要城址。

1990—1991年淅川和尚岭徐家岭的发掘，淅川县仓房乡陈庄行政村和尚岭和沿江行政村徐家岭共12座春秋战国墓和车马坑1座，我是考古领队，发掘者许天申、胡永庆、李胜利、柴中庆、范海、张西显、马新常、李玉珊、张伟等，撰写《淅川和尚岭楚墓的发掘》，发表在《华夏考古》1992年3期上并参与编著《淅川和尚岭与徐家岭楚墓》（大象出版社，2004年）。

1994—1995年淅川杨河楚墓的发掘，淅川香化乡北坡村北战国楚墓2座，领队曹桂岑，发掘者胡永庆、李胜利、柴中庆、马新常、李玉珊等，根据出土的铜兵器铭文，此墓当为战国早期的楚国封君墓。

1996—1997年淅川郭庄（九女冢）楚墓的发掘，淅川香化乡北坡村北战国楚墓9座，我任考古领队，发掘者胡永庆、柴中庆、马新常等。

1997年配合禹州第二电厂建设发掘汉唐宋清代古墓，领队先后为魏兴涛、王龙正、贾连敏。我因为是二室主任，参加并主持了宋墓的发掘。

1997年，我负责郑州紫荆山路的配合发掘，贾连敏、马萧林、韩朝会等参加了发掘工作，解剖了郑州商城的南城墙。

　　从上述从事田野考古的项目看，我是长期在河南从事田野考古工作的，涉及范围很广，有碑碣调查、古塔维修、遗址、墓葬发掘，我都认真去做，因为这是一个文物考古工作者的分内之事，文物保护、考古发掘、考古研究就是我的工作，考古就是以古代的遗迹、遗物为研究对象的一项科学而严谨的工作，也是最基础的工作，只有做好考古工作，才会有许多新的考古发现，这些考古发现才能起到证史、补史、纠史的目的。学术课题也就在平凡的考古发现中出现。我认为考古发现是可遇而不可求的，只有对考古工作非常认真的人，才能抓住考古的新课题。在我五十多年的考古生涯中，多学科参与发掘了淅川下王岗遗址，发现了两座龙山文化城址，发掘了陈城和许多楚墓，所以，我的学术研究也随着我的考古内容而展开。我的学术研究可归纳为一个基点、两个方面。考古研究中要扬长避短，必须以自己拥有的考古资料为基点，既解决了自己发掘中的实际问题，又发挥自身之长，放眼全国的考古发现，得出的结论是比较客观的。我的考古研究主要在两个方面：一是史前考古文化研究，在史前考古文化的研究中从对一个遗址中的某个考古文化的考古发现，到这个考古文化在全国范围内的发现，探索其文化特征和社会性质，尤其是发现的史前古城，必须与文献结合，才能在社会性质上作出判断，所以在裴李岗文化、仰韶文化、龙山文化的研究中有所收获，其中史前古城的研究和我国古代文明研究是我的研究课题；二是在楚文化研究方面，由于我在楚墓、楚城方面的考古，使我在楚文化研究中也有了研究内容，从楚国都城、埋葬制度、楚国玉器、货币等方面进行探讨。

　　在学术研究方面也是由点及面、由浅至深的。如在淮阳平粮台遗址开始发现了楚墓，因此便深入到楚文化的研究中，根据对淮阳城墙的解剖，证明淮阳城的城墙是在周代陈国城的基础上维修的，战国晚期成为楚国的都城"陈郢"。写出了《楚都陈城考》，解决了公元前278—前241年楚都陈城的地望问题。又根据平粮台和马鞍冢楚墓，写出了《论战国晚期楚国的埋葬习俗》、《河南淮阳平粮台十六号楚墓发掘简报》（《文物》，1984年第10期）、《河南淮阳马鞍冢楚墓发掘简报》（《文物》，1984年第10期），为探讨战国晚期楚国的埋葬情况提供了新的资料。后来经过淅川和尚岭、徐家岭楚墓的发掘，编出了《淅川和尚岭与徐家岭楚墓》（大象出版社，2004年）。

　　1979年河南省文物考古训练班在平粮台实习中，发现了龙山文化的高台建筑，认为这一发现很重要，三排建于夯土高台上的土坯建筑，绝非一般人所居，应是贵族和氏族头人的住房，既采用夯土筑高台，就有可能运用夯土技术筑城，立即提出在平粮台遗址四周寻找城墙的计划。当时正在探索夏文化，主要在寻找古城，当1980年在平粮台的试掘中找到龙山文化的南门卫房、陶排水管道和四周的城墙时，确定了平粮台是一座龙山文化古城，从而在考古领域引起重视，1983年在《文物》第3期上发表了《河南淮阳平粮台龙山文化古城址试掘简报》，平粮台是座龙山文化古城在学术界得到承认。那么，平粮台古城叫什么名字，所反映的社会性质是什么呢？根据文献记载的分析研究，写出了《淮阳平粮台龙山文化古城城名考》（《中原文物》，1983年特刊），提出平粮台龙山文化古城的城名应为古之"宛丘"，并于1983年在河南郑州召开的中国考古学会第四次年会提出论文。平粮台古城所反映的社会性质是什么呢？经过对全国范围内考古发现的龙山文化资料进行综合研究，1985

年在中国考古学会第五次年会上提出《论龙山文化古城的社会性质》(《中国考古学会第五次年会论文集》，文物出版社，1988年)的文章，从考古发现的六座龙山文化古城，与"黄帝始主城邑以居"、黄帝"国于有熊"、"太昊都宛丘"、颛顼都"帝丘"、帝喾"都于亳"、尧都"平阳"、舜都"蒲坂"的文献记载吻合。恩格斯说："只要村一旦变作城市，也就是说，只要它用壕沟和墙壁防守起来，村制度也就变成了城市制度。"此外，龙山文化遗址中还发现了青铜、文字，社会也发生了变化，出现了用人做奠基的牺牲和被杀戮的灰坑墓，以及随葬品丰富的龙山文化大墓。认为龙山文化的社会性质已经进入文明时期了。"龙山文化的兴建年代与黄帝、炎帝、蚩尤大战的时间基本一致，使考古发现与文献记载结合了起来。根据两河流域的'城邦'国家及尼罗河流域的'城市'和州的出现为早期奴隶制国家开始的史实，我国古代也应该先有割据一方的奴隶制小国的存在。从龙山文化遗址中发现的青铜、人牲和埋葬方面的两极分化，到几座龙山文化古城的出现，使我们找到了我国早期奴隶制国家形成时间应该提前的依据。我国奴隶社会的历史应该从炎黄开始，即从考古上发现的最早兴建龙山文化城堡的年代——距今4500年前开始。黄帝、炎帝、蚩尤相互争斗的时代应该是我国进入文明时代的第一章。"

我曾主持淅川下王岗、淮阳平粮台、郾城郝家台、丹江水库楚墓等大型遗址和墓葬的发掘工作，在考古发掘的同时，编写考古报告和研究也顺利展开。出版《淅川下王岗》、《河南考古四十年》、《淅川和尚岭与徐家岭楚墓》、《中原文化大典·文物典·聚落卷》等书。此外还参加了《古代典章制度大辞典》、《楚文物图典》等书的编写。撰写考古报告和论文80余篇。还编辑出版了《楚文化研究论集》(第4集)，《河南文物考古论集》一、二集，《中原文物考古研究》(大象出版社，2000年)。撰写的《河南淮阳平粮台龙山文化古城址试掘简报》(《文物》1983年3期)获河南省哲学社会科学1984年度优秀成果二等奖，《淅川下王岗》获河南省哲学社会科学1991年度优秀成果一等奖和中国社会科学院考古研究所夏鼐考古学鼓励奖，《河南考古四十年》(合著)获河南省哲学社会科学1996年度优秀成果二等奖。《淅川和尚岭与徐家岭楚墓》(大象出版社，2004年)获河南省哲学社会科学2005年度优秀成果二等奖。丹江楚国贵族墓的发掘被评为1992年全国十大考古新发现。目前正承担中国古代文明探源前期工程的考古报告《郾城郝家台》考古报告编写，已送出版社，即将出版。承担的《淮阳平粮台》考古报告，是全国社科基金项目，正在编写中，在夏以前社会性质的研究中，运用考古资料，结合文献提出了新见。

曾赴挪威、香港、台湾参加学术交流。研究领域主要为中国新石器时代考古、中国古代文明起源和楚文化。

我在河南省文物考古研究所工作期间从考古队员、文物的保护者，逐渐成为考古学者，职称上从馆员、副研究员到研究员，行政职务上从1989年开始任本所研究室主任，学术委员会委员。在学术活动方面是中国考古学会会员，曾任湘鄂豫皖楚文化研究会副秘书长、河南省文物考古学会副秘书长、河南省文物局考古专家组成员、河南省文物鉴定委员会委员、河南省炎黄文化研究会副会长、第八届河南省政协委员、河南省管优秀专家。回忆我个人五十年的考古生涯与成长历程，非常感谢河南省文物考古研究所，这是文物考古工作者成长的摇篮，仅以此文献给河南省文物考古研究所建所六十周年。

1992年，在所内库房研究东周青铜器（左起为作者、赵青云、赵世纲、李京华）

2001年9月，在台湾大学参加海峡两岸古玉学会议（左一秦曙光、左五姜涛、左六杨育彬、左七贾峨、左八李秀萍、左九作者）

新世纪初，美国哈佛大学罗凤鸣博士（左三）来省文物考古研究所（右一作者、左二郝本性）

新世纪初在河南博物院宣传保护文物（前左一作者、左二刘建洲、左三孙新民）

2005年4月，作者（前左二）陪同省文物局陈爱兰局长（前左一）参观方城平高台出土文物

三年特别困难时期文物考古生活纪实

杨焕成

我国于上世纪 50 年代末 60 年代初，由于人为和自然的原因，经历了一个非常困难的时期。河南是重灾区，全省人民的工作、生产、生活等诸方面均受到严重影响。

我于 1959 年 7 月从学校毕业后，分配到河南省文化局文物工作队（省文物考古研究所前身）工作，1981 年 9 月调入省文物局，从事文物考古工作四十余年。除行政管理工作外，还参加过古文化遗址、古墓葬的调查发掘，全省文物普查，古建筑石刻研究保护等专业工作。现将 60 年代初，极为艰辛的文物考古生活的片段回忆写出来，以便了解当时我省文物考古田野生活的一个小小侧面。

三年特别困难时期，省文物队的领导和大多数同志仍然在单位食宿，吃窝窝头，喝青菜汤。因为当时粮食供应标准太少，郑州蔬菜奇缺。为了让大家能吃饱一些，单位还从外地农村买来一部分干红薯叶和南瓜片等。即使这样，每顿饭除凭粮票外，菜也限量供应。记得有一次，食堂搞到一批烂菜，公告不限量，可以随便买，我为了节省一顿饭的粮票，没吃主食，一下买了两大碗菜，虽然这些烂菜有些牙碜，但仍是三下五去二地吃光了。吃完饭不久，肚子剧烈疼痛被送进医院，因医疗事故（打错针），还闹出一场虚惊。当时绝大多数同志坚持田野工作，生活更加艰苦。不少同志患上浮肿、肝炎等营养不良引起的疾病，仍带病坚持考古调查和发掘工作。记得当时全队发病率高达 68%。在这样的情况下，同志们省吃俭用，硬是从每月三四十元的工资中挤出一部分钱购买书籍，刻苦学习。白天工作在考古工地，晚上在煤油灯下整理田野资料和学习。外野回单位的同志，五六个人一起住大通铺，围着一张大方桌办公。不少同志工作和学习到深夜十二点以后，实在坚持不住了，就用开水冲点豆腐乳或豆酱充饥（每人每月凭票购得几块豆腐乳或少量豆酱）。就在这样的艰苦条件下，没有人叫苦叫累。凭着对新中国文物考古事业的忠诚，咬紧牙关，勒紧腰带，克服种种困难，努力拼搏，完成和超额完成工作任务，默默奉献着自己的一切。

1959 年 7 月，我到文物队报到后，领导让我到淅川县参加下集新石器时代遗址发掘工作。记得当时乘代客车（卡车加篷作载人的公共汽车用）到内乡转车，因雨后刚通车，车站滞留乘客较多，车票难买，需要等 2—3 天才能买上票，为了赶时间，我背着自备的被褥等行李，从傍晚和一位不相识的木匠同路徒步前往淅川。走了一夜山路，黎明时木匠已到家，我一人继续赶路，上午 9 时许到下集发掘工地，受到汤文兴、吕品、郭建邦、贺官保、靳世信等一群当时均是年轻人的热情欢迎。我加入到这个考古发掘工作集体中，感到非常高兴。因为他们都是省文物工作队"黄继光小队"的成员，虽然生活艰苦，但个个意气风发，朝气蓬勃，不怕困难，勇于攀登，乐于奉献。每个人不仅看（探）方，绘图照相，处理地层关系，记录遗迹现象，大家还亲自挖土参加体力劳动。回到住处，一起动手洗陶片，修复器物。晚上，除工作学习外，还组织一些文体活动。至今回忆起那段历史，还非常留恋那个团结紧张、严肃活泼的大家庭。

1960年春节刚过，寒气未消，各发掘组的同志们又打点行装，开始出发了。我和黄士斌、马志祥同志到信阳出山店水库工地，配合水利工程发掘孙砦西周遗址。年初去，年终回，整整一年，经历了春夏秋冬。当时已经取消了每天3毛8分钱的田野补助和劳保用品。只靠三四十元工资生活，除伙食费外，所剩无几。信阳雨水较多，雨后泥大路滑，考古工地距住地又较远，且没有雨鞋和手套，泥水渗透布鞋，冻得手脚红肿疼痛。住在临水塘的民房草屋内，地面潮湿，又没有床，就在湿潮的地面上铺一层稻草睡觉，生虱子，夜难眠，就在被子上撒些"六六六粉"，杀虱解痒，谁知"六六六粉"刺激皮肤，疼痛难忍（后半年，工地上增加了几位同志，想办法让一部分年岁较大的同志睡了简易床）。是年夏，信阳出山店洪水成灾，一片汪洋，水库指挥部临时建起的夯土墙简易房成座成座地塌在水中。我们住的草房墙体裂缝非常危险。政府派飞机投放熟食制品，情况异常危急。考古工地全体人员置个人安危于度外，奋不顾身将出土文物（包括不易搬动、附着在泥土上的竹器）用门板竹杆绑制的竹筏运送到丘陵高地的安全地方。在运送过程中，水势越来越大，坑塘稻田连成一片，白茫茫水汪汪，路在何方，汗水雨水把每个人浸泡，考古队员们顽强拼搏，当把最后一件文物运走后，才收拾各自的行装，准备撤离孙砦（此村为水库淹没区，群众早已搬迁）。大家手拉手，凭记忆用竹杆在水中探路摸索前进，几次有人不慎没于塘中，大伙奋力将其拉出来继续艰难地向前行进，终于撤到后山安全地方。水退后，清除室内积水和淤泥，运回文物，又投入到紧张的考古发掘工作中。根据队领导统一安排，是年初秋，我被临时从孙砦发掘工地抽出来，就近到信阳专区上蔡、新蔡等县调查拟报请省人民委员会公布为第一批省级文物保护单位的蔡国故城等。当时不但连降大雨，更由于宿鸭湖水库因库容超标而放水，使之沟满河平，桥梁没于水下。我不会游泳，为了赶时间，只好脱下衣服，头顶行包，请一个放牛孩子在高坡上指点桥位，涉水过河（桥面水齐腰深），由于河水太大，险些落入河中。还好，由于放牛孩子不停地指挥，总算平安过河。光脚冒雨在泥泞中赶路，快到县城时又遇到麻烦，因县城被洪水包围，进城的路已被切断，由于天色已晚，滞留的人们都急着进城，无奈从村中找来井绳，大家结伴拉绳涉水入城。当时正值"信阳事件"被揭露的前夕，生活当然也是艰苦的了。经过月余的工作，完成了调查任务后仍回孙砦工地，继续搞考古发掘。因工作需要，同志们陆续返回郑州。我留守工地，一个人坚持工作到年底，完成田野考古任务，回队参加年终工作总结会。这一年的风风雨雨，使我经受了锻炼，提高了独立工作和生活的能力，对以后的工作、学习、生活颇有裨益。

1961年，国家更加困难，全国人民勒紧腰带，同心同德，共渡难关。省文物队除继续开展审查文物保护单位外，开始在全省进行古代书画登记和田野碑刻调查工作。我分别和杨宝顺、曹桂岑等同志到开封专区（现在的商丘市全部、郑州市和开封市除市区以外所辖的全部县市及周口地区大部分县市为当时的开封专区管辖）工作。所到之处，不但凭粮票就餐，而且还要限制菜量，凭菜票就餐。偶尔到一个地方菜不限量，就少吃或不吃主食，光吃菜，为的是节约三四两粮票。有时住旅社（无食堂），到社会营业食堂就餐，还需带上旅社发的餐证，才能买到有菜有主食的餐饭。一月供应的 27 斤粮票，往往二十来天就吃完了。无奈就从冒着"割资本主义尾巴"危险的提罐提篮的小贩那里买点高价菜汤或高价红薯充饥，处于半饥不饱的状态。虽然生活很艰苦，但同志们的情绪高昂，硬是凭着年轻、有一个比较耐摔打的身体，努力拼搏，完成了工作任务。

1962 年 5 月，孙传贤、刘建洲同志和我被派往南阳专区的山区县西峡、淅川进行碑刻文物调查。在西峡工作期间，为了加快工作进度，提高工作效率，我们兵分两路，传贤、建洲和县里一位同志登青龙山调查。我和县里一位年轻同志登老君山调查。因当时此路线上公社间不通汽车，所以只能全程步行。加上深山区住户稀少，山路难走，故平均每天步行五六十里就得寻找住宿点，否则行至深夜也难找到住的地方。老君山，海拔 2192 米，为伏牛山第二高峰。据说山顶有座铁瓦老君庙，庙内有不少碑刻，但多年无人攀登，道路艰险，人迹罕至。我们行进在崇山峻岭之中。因当时仍处在困难时期，一月的粮票，若放开量食用，仅能维持半月。所以不争气的肚子直咕噜噜地叫。故自此以后，不管粗粮、细粮吃起来都很香甜，只要填饱肚子就行，当然这是后话了。五十多年后的今天，我仍清楚地记得由县城出发，第一天夜宿蛇尾（地名）。翌晨早早登程，调查了两处文物点，中午吃些山菜，晚上赶到二郎坪公社，晚饭后和公社党委书记（名字记不起来了）拉家常时，得知他是从省直文化系统来到这里锻炼的，所以倍感亲切。他深情地说："你们不要去老君山，那里不安全。最近民兵搜山时发现山脚下有一片地被垦种，疑是敌特所为。"我们坚持登山调查，故他给纸坊生产队写封信让我们带着，请他们派民兵协助工作。第三天山道更险，不时地爬陡坡，但奇怪的是在这深山老林里，怎么堆放那么多木材，有的已经糟朽，实在可惜。我们好奇地询问山民，得知是"大跃进"初期某劳改队砍伐的，因运不出去，故烂在这里。傍晚赶到太平镇（实为深山村）调查了晚清石刻后，就住在太平镇。早晨起床，腰、腿酸疼，浑身乏力。在老乡的帮助下用树枝砍制成四个拐杖，我俩各拄双拐，开始了由县城出发的第四天的山道之行。行进的速度明显地慢了，脚上磨出了血泡，体力消耗很大，不时喘着粗气，坐下来稍为休息，夜幕降临时总算赶到了纸坊。生产队同志介绍，纸坊距老君山近 50 华里，一上一下来回近 100 华里，这中间无住户，多少年来很少有人登山，所以到山顶工作后必须当天返回纸坊。他们看了公社书记的信后，决定派两名持枪民兵陪同我们一起登山。第五天的 5 时起床，很快吃了早饭，6 时出发，我们按照其中一位带路民兵数年前登山的路线，踏着地上厚厚的树叶，行进在几乎是无人走过的丛林"山道"，摸索着向前攀登。几次由于峭壁阻路，折回另寻新"道"。还惊动起长虫（蛇）从我们面前爬过。特别是在俗称南天门的一个山口处，一条蟒蛇迅速爬过，使大家着实吓了一跳，由于急于赶路，也顾不了这些。大家心里直想着，登上山顶工作后还要赶紧回纸坊，否则晚上走山路就麻烦了，因此憋足一股劲，于中午 12 时许登上了山顶。这里确实有一座铁片（板瓦）小殿，殿内原有一铜牛已不存（据说是被山背面栾川县一农民将其砸成数块盗走了，还听说这个农民为此被判了徒刑）。我们抓紧时间抄录碑文，填写碑刻文物登记表等。两位民兵帮助量尺寸和清理碑刻四周的碎石、杂草，调查结束已是下午两点多了。急急忙忙下山，早上每人带的四个玉米糁窝窝头在上山时已经吃完了。饥困交加，实在难忍，只好采摘些不成熟的山果和嫩树叶胡乱充饥。由于体力不支，所以回来的山道显得更难走。回到纸坊已是晚上 8 点多钟了。由于从县城至老君山顺路上的零散石刻已调查登记录文，所以回程专走通过原始森林的新"道"，以便调查此道上的碑刻，虽收获不丰，但也是异常艰辛。来回十天山野生活，确实够苦够累了。但圆满完成了工作任务，感到无比欣慰。我与传贤、建洲同志在县城会合后，整理好调查资料。由于种种原因，为了赶时间，决定步行翻山去淅川县。因距月底尚早，粮票已经不多了。故买些高价红薯片，煮熟后作为干粮带着上路了。两县相距较远，而且山路难走，加之身体虚弱等，带的红薯片不够吃，就捡些雨后山石上生长的地衣，请山村的小饭店高价加工后充饥。在饥饿的山路上，建洲同志走在前面，非常幸运地拾到一把碎红薯片，他没舍得自己一个人吃，而是分成三份，给传贤和我各一份。在那种情况下，吃起来特别有味。

我们住进淅川县招待所，招待所一日三餐不变的食谱是玉米面窝窝头、咸菜、白开水。在当时肚里没油水，又都是二十多岁的年轻人，饭量特别大，还要田野徒步调查的情况下，每天9两粮票，面对"三不变"的食谱，根本不够吃。无奈晚饭后早早睡觉，以保存热量。体力明显下降，传贤同志肝炎病发作，他用拳头顶住肝部，坚持步行山路进行工作。建洲同志的脚扭伤了，拄着拐仗，一拐一瘸地走着，说啥也不肯休息。他两个在那样的环境中，带病拼搏，使人非常心疼，更非常感动。经过月余辛劳奔波，较圆满地完成了工作任务。

以上仅是我参加工作后，在三年特别困难时期文物考古生活的片段纪实，比起老一代文物考古工作者的创业史，的确不值得一提。但它对我以后的工作、学习、生活等都起到很大的作用。所以，在河南省文物考古研究所建所60周年之际，我把这些生活琐事写出来，以便激励自己，在有生之年，发挥余热，为党的文物考古事业继续贡献一份力量。同时，也让今天从事文物考古工作的年轻人了解过去，能在远优于过去的生活和工作条件下，做出更大成绩。

1961年2月8日，"黄继光小队"部分队员合影（前左作者，前右崔庆明，后左汤文兴，后右吕品）

1961年春，作者（左一）在商丘县调查燧人氏陵（该碑"文革"时被毁）

1976年8月，作者（右）在云南调查地震文物

1993年7月，作者（前排左四）陪同河南省省长马忠臣（前排中）来省文物考古研究所视察（前排左二安金槐）

2004年，参观安阳殷墟（左起张放涛、杨育彬、黄景略、作者、常俭传）

2007年3月，河南博物院"西天诸神——古代印度瑰宝展"招待会上（左起丁福利、作者、张玉石、杨育彬、周桂祥、刘玉珍）

年华似水　岁月如歌

——我的文物考古生涯

郭建邦

  1936年，我出生在九朝古都洛阳的一个文物考古世家。祖父郭玉堂是一位著名的金石学者和拓片收藏家，致力于河洛碑刻志石的调查、收集、传拓、保护与研究工作。1929年，被国立北平图书馆馆长蔡元培聘为该馆名誉调查员；同年，北平故宫博物院马衡院长又聘其为该院考古采访员。曾出版有《千唐志斋藏石目录》、《千唐志斋文集》、《墨、朱、粉砖志》、《洛阳访古记》、《洛阳伪造墓志》、《洛阳出土石刻时地记》等学术专著。家父郭文彬也在北平故宫博物院从事业务工作。1956年在全国社会主义大建设的高潮中，国家又提出了"向科学进军"的口号，鼓舞了全国人民。在这种大背景下，凭借家学渊源，那年10月，我到单位在洛阳的河南省文化局文物工作队第二队参加工作，开始了近半个世纪的文物考古生涯。

  刚开始工作时，定岗为技工，参加了洛阳铁站线、劳改厂工地一些汉墓和宋代土洞墓的考古发掘，并参与文物库房的器物资料整理。1957年上半年，与王淑兰同志传拓洛阳出土铜镜纹饰拓片，又和张长森同志传拓洛阳郊区及孟津县出土散存的北魏、唐、宋时期的墓志拓片。1957年下半年，参与发掘名震一时的洛阳西汉壁画墓。这是一座用空心砖和小砖混合建筑的砖室墓。有长方竖井形墓道，墓道东南角壁上，挖有供人上下的脚窝。墓室分为主室和南北丁字形耳室，墓内出土一批陶器、铜镜、车马饰、五铢钱和刀、剑等残铁器。最引人注目的是在主室中部的支柱、梁额、隔墙和后壁上，以及主室顶脊砖上均绘有色彩鲜艳的壁画。据郭沫若等专家考证，壁画中有"苛政猛于虎""二桃杀三士""鸿门宴"等历史故事。而主室顶脊砖上绘的是12幅日、月、星辰和云朵的天汉图像。这不但反映了西汉绘画艺术的成就，对探讨西汉天文学的发展也增添了新的资料。为了让广大人民群众一瞻两千年前古壁画墓的风采，初将此墓移至洛阳王城公园内复原保存，后又移至洛阳古墓博物馆内展出。考古发掘资料由李京华同志写成《洛阳西汉壁画墓发掘报告》，发表在《考古学报》1964年第2期上，同期还刊登有郭沫若撰写的《洛阳汉墓壁画试探》一文。1958年2月，我到孟津官庄村东南的大小冢进行考古调查。这里地处瀍河以西、邙山之阳，其东南一冢较大，高约14米，周长350米；西北一冢较小，高约10米，周长170米。由于两冢相近，群众称之为"大小冢"。《魏书·后妃传》云："孝文迁洛，自表瀍西为陵园之所。"表明北魏孝文帝长陵当在瀍河以西，与官庄村方位相合。1946年2月，小冢内神龟二年的北魏文昭皇太后山陵志石被盗掘出土，志文记有"高祖长陵之右"。而小冢恰又位于大冢之右，与之相符。再与《洛阳出土石刻时地记》所载一批祔葬于长陵兆域附近墓葬所出的北魏墓志相对照，其志文和出土地点可以作为寻找长陵所在地的旁证材料。经过详细调查和考证，可以断定孟津官庄村之大冢就是北魏孝文帝的长陵，小冢则是文昭皇太后陵。长陵位置的确定是一个重要的考古收获，这对寻找北魏宣武帝的景陵、孝明帝的定陵和孝庄帝的静陵提供了可靠的依据。为此，我写了一篇《洛阳北魏长陵遗址调查》，在1966年第3期《考古》上发表。北京大学的宿白先生曾给予较高评价。近年洛阳市第二文物工作队在长陵钻探调查获知，大小冢范围东西长443米，南北宽390米，面积约17.3万平方米。发现有陵墙、西门和南门、壕沟、排水设施、建筑基址、路土、水井和大冢墓道，出土有瓦当、板瓦等建筑材料。1958年3月，在洛阳的河南省文化局文物工作队第二队与单位在郑州的河南省文化局文物工作队第一队合并为河南省文化局文物工作队，而在洛阳则成立了河南省文化局文物工作队洛阳工作组，于是我就由洛阳调到郑州工作，并由技工转岗为见习员。与张长森同志到郑州上街铝业公司工地进行考古钻探并发掘了一批唐墓，还发掘了洛达庙期文化遗址，这属于二里头文化遗址范畴，后者为探索夏文化增加了新资料。1958年11月，单位成立了由年轻姑娘组成的"刘胡兰小队"和由年轻小伙子组成的"黄继光小队"，均曾在河南文物考古工作中名噪一时。这虽然是"大跃进"的产物，也着实让年轻人火了一把。我作为"黄继光小队"的一员，曾活跃在许多考古工地上，至今回忆起来还颇有自豪感。1959年初，我参加了一段南阳瓦房庄汉代冶铁遗址的考古发掘，不久又调我去参加南阳十里庙商代遗址的发掘。瓦房庄遗址面积约18万平方米，发掘出熔炉、煅炉、炒钢炉近20座，烘范窑4座，水井9眼，并有水池和道路等。熔炉边有大量的陶鼓风管，熔铁时可能已使用换热式热风装置。熔炉所用铁料有不少是残铁器，燃料是用栗木烧成的木炭。出土遗物中有大量的耐火砖、坩埚片、砺石和铁块，还发现不少泥范、模及铁范，包括有鼎、罐、盆、锤、镢、犁铧、锸、耧铧、锛、六角圈等容器范和农具范。也出土许多刀、镰、锄、矛、齿轮、镢、锛、锤等铁农具、工具和生活用品。在一件铧模上有"阳一"二字，表明这里是汉代南阳郡铁官所管辖的第一冶铁作坊。冶铁遗址规模很大，产品种类繁多，包括铸造铁器、炒钢和锻造铁器，展示了汉代先进的生产工艺。考古发掘资料由李京华同志执笔写成《南阳北关瓦房庄汉代冶铁遗址发掘报告》，发表在《华夏考古》1991年第1期。十里庙遗址面积约25万平方米，发掘出商代房基、灰坑和墓葬，还见有周代、汉代遗存。出土陶器有鬲、簋、罐、大口尊、豆、坩埚残片和陶范残块，铜器有镞、觚、弓形器，石器有斧、凿、刀、镞、铲，骨器有针、簪、镞。20世纪80年代，北京大学的邹衡先生到十里庙遗址进行实地考察，认为该遗址文化内涵至少可分为先商、商、西周、春秋四个时期，有重要学术价值。考古发掘资料由游清汉同志执笔写成《河南南阳市十里庙发现商代遗址》，发表在《考古》1959年第7期上。

1960年对我个人来讲是个重要的年份，我由见习员正式定岗为业务干部。那一年，我和汤文兴、吕品、贺官保、靳世信、游清汉一起参加了淅川下集新石器时代遗址的考古发掘。这里地处老灌河东岸台地上，遗址面积约2.1万平方米。发现有房基、窖穴、灰坑、陶窑、墓葬等遗迹，出土大量的陶器，包括鼎、罐、壶、瓮、小口尖底瓶、器盖、杯、钵、豆、甑、刻槽盆、尊、碗、盘、纺轮等，另有一些石斧、石凿、石铲、石锛、骨镞、骨簪等，属于仰韶文化、屈家岭文化、龙山文化遗址。考古发掘资料由汤文兴同志执笔写成《淅川下集新石器时代遗址发掘报告》，发表在《中原文物》1989年第1期上。1961年，我和靳世信、王学法同志参加了内乡马山口新石器时代遗址的考古发掘，出土了丰富的仰韶文化、屈家岭文化、龙山文化遗迹和遗物。这里和淅川下集等一批新石器时代遗址一样，是南北文化的交汇融合之地，连接了长江和黄河两大流域的古代文化。1962年全年参加了全省碑刻调查，这是河南省文化局文物工作队当年的中心任务，整个单位齐动员，能下去的都下去，真可谓是重中之重，有的同志刚出差回来，就被领导问到何时再出发。那年我和黄士斌、武志远、刘东亚等同志一道或我单独一人到漯河、鄢陵、孟津、渑池、临汝等地调查。当时"大跃进"造成的后果还在继续，饿肚子还是常有的事，但工作上确实还是不讲条件全力以赴。那时我和武志远、刘东亚都剃了头发，在鄢陵被称为"三个光头"！这项工作一直继续到1963年。全省共调查登记了7439通历代碑刻，其中有不少珍贵的历史资料。在调查碑刻的同时，还要进行古书登记，其中对鄢陵县的印象尤为深刻。鄢陵夏商时为古妘姓之国，乃祝融氏后裔聚居之地。西周属鄢国地，春秋时鄢国为郑所灭，地又属郑，《左传》开篇隐公元年载："郑伯克段于鄢"即指此地。周简王十一年晋楚争霸，战于鄢陵，也发生在这里。秦汉以降，这里一直为县治所在，隶属不同的郡、州、府，文化底蕴十分丰厚。1937年，鄢陵三民学校还建有陈德馨藏书楼（陈德馨曾任国民革命军55军29师86旅旅长，抗日名将，1938年9月在武汉保卫战中负重伤在医院逝世，蒋介石、冯玉祥、郭沫若等人参加追悼会。1988年被国家民政部批准为烈士），并购大批图书。该楼面阔七间，进深三间，单檐歇山灰瓦顶，围廊明柱，木雕檐板，建筑独特，为河南省省级文物保护单位。我在鄢陵文化馆登记了大量线装古书，这在其他县是不多见的。1963年，我又和张长森同志一直在洛阳铜加工厂发掘汉墓。1964年1月天寒地冻之时，我在扶沟县城南6公里马村西土岗上，发掘了一座盛唐初期的圆角方形砖室墓，出土了一批彩绘陶俑（武士俑、侍女俑、镇墓俑、骆驼俑）和其他一批陶器、铁器。墓志砖上有赵洪达三字，当为墓主人的名字，还出有类似买地券的志石，上有"天地告土……世世富贵，与天地无穷，一如土下九天律令"。四侧还有线刻四神图案等。我把考古发掘资料编写成一篇考古发掘简报《河南扶沟县唐赵洪达墓》，发表在《考古》1965年第8期上。1964年8月，我在孟津送庄发掘了一座东汉时期黄肠石墓，墓葬多次被盗，仅出土少量残陶器和一些铜铺首，还有一面铜镜及一些铜缕玉衣残片。墓壁用黄肠石筑砌。黄肠石上刻有尺寸和纪年，其中有元嘉二年（152年），还有一石上朱书永兴二年（154年）。表明是东汉晚期大贵人或长公主的墓葬。我把考古资料撰写成《河南孟津送庄黄肠石墓》的考古发掘报告，发表在1981年的《文物资料丛刊（4）》上。1964年冬，在单位整理拓片，登记造册。1965年7月—11月，与张长森、杨育彬、杨肇清等同志参加三门峡中原量仪厂、河南纺织器材厂、河南省第二印染厂等工地的考古发掘，发掘有一批战国、汉、唐墓葬。出土了一批典型秦人风格的陶器和铜器，有些陶器肩部或底部印有"陕亭"、"陕市"等陶文。三门峡原为陕县的一部分。据《史记·秦本纪》记载："秦孝公元年（公元前361年）……乃出兵东围陕城。""惠文君十三年（公元前325年）四月戊午……使张仪取陕，出其人与魏。""秦庄襄公元年（公元前249年）……使蒙骜伐韩，韩献城皋、巩。秦界至大梁，初置三川郡。"从上述记载可以看出，秦在公元前

361年即出兵围陕，公元前325年伐取陕，到公元前249年置三川郡时，陕早已成为秦的腹地。直到公元前207年秦灭亡，这里归秦已有百余年。三门峡发掘的战国秦人墓就反映了这一段的历史。而东汉墓内出土有制作精美的绿釉陶器和建筑模型，唐墓内则出土有纹饰繁缛的青铜镜和三彩器，都是重要的考古收获，再现了位于长安和洛阳之间古道上的汉唐社会风貌。1965年冬到1966年初，在"与天斗其乐无穷，与地斗其乐无穷，与人斗其乐无穷"的理念指导下，早已是"阶级斗争天天讲，月月讲，年年讲"的日子，强调思想革命化，要求在业务工作中突出政治，克服名利思想。没过几个月，一场轰动全世界的"文化大革命"开始了，文物也成了"四旧"，业务工作停止了，天天是开会、批判甚至上街游行……到了1966年8月，"文化大革命"进入高潮，要"斗私批修"触及每个人的灵魂，当时我被迫捐献家中几代人保存的12.8万份文物拓片，包括洛阳地区的历代碑刻和北魏、唐、宋等时代的墓志，有些碑志已被破坏，有些碑志已流失海外，拓片资料非常珍贵，文物价值很高，有不少已是绝版。1969年配合战备修建焦枝铁路，又开始在铁路施工沿线进行考古调查、发掘，除了李京华等同志在豫北济源境内发掘一批很有价值的汉墓外，其余在洛阳、许昌、南阳段多半是跟着工程捡文物，但这与"文革"前期破"四旧"毁坏文物相比，已经好多了。我参与许昌段的工作，虽然很辛苦，但心情却愉快很多。河南配合焦枝铁路的文物考古调查与发掘，曾经受到王冶秋同志的表扬。

进入20世纪70年代，我先是在1971年到北京故宫慈宁宫参加全国无产阶级"文化大革命"出土文物展览，后又同时在武英殿参加出国文物展览。国内不少专家参与此事，我从中学到了不少知识。其间还有一段插话不能忘记，那是1972年10月索马里总统齐亚德访华时，周总理在人民大会堂举行欢迎宴会，王冶秋同志让我参加了这次国宴，着实风光了一回。1973年，省里在商丘、焦作举办文物干部培训班，我也多次登上讲台。1978年和1979年，我参与了固始侯古堆一号春秋大墓和陪葬坑的发掘，这是一次重大的考古发现。为甲字形竖穴大墓，积砂、积石并掺有青膏泥，单棺重椁，四周还有17个带棺木的殉人，墓内和旁边陪葬坑内出土了大量的青铜礼器、杂器、乐器和车马饰，还有漆木竹器、玉器、骨器、陶器、硬陶器、原始青瓷器和玻璃珠，具有重要的历史、科学和艺术价值，尤其是3乘带有各种铜构件的漆木竹肩舆更是罕见，而青铜器上铸镶红铜花纹工艺的发现也是最新的研究成果。依据青铜器上的铭文，墓主人很可能是宋景公之妹季子，结合文献记载，亦即吴国太子夫差的夫人。在盛暑季节伐楚途中突然病故，记录了春秋时期吴王阖闾十一年"吴王使太子夫差伐楚，取潘。楚恐而去郢徙鄀"的一段史实，考古资料被编写为《固始侯古堆一号墓》考古专著，笔者执笔撰写了青铜器乐器和漆木器等章节和不少考古绘图。该书2004年由大象出版社出版。

到了20世纪80年代，一切逐渐正规。1982年，我被评为考古文博系列的馆员职称。1983年作为主要撰稿人之一，编纂了大部头的《千唐志斋藏志》，并由文物出版社出版。该书获得河南省社会科学优秀成果最高荣誉奖。1986年被评为副研究馆员，这表明我的业务工作和科研成果得到了国家的认可。那一年，我由河南省文物考古研究所调到河南省古代建筑保护研究所工作，但对于情有独钟的考古发掘工作仍念念不忘。1988年在整修邓州宋代福胜寺塔时，我主持发掘塔基地宫，地宫位于塔心室之下，距地表深约4.6米，坐南向北，由宫道、大门、甬道和宫室组成。宫室为平面六角形仿木构建筑，和当时的宋墓很相似。宫室南中部砖砌一方台，上置白色石质须弥座，座的束腰部分刻有《地宫记》。座上置一方形石函，石函盖上东西两侧各放铁塔1座，西侧塔体内还有2件玻璃葫芦，其间放铜线编织手炉1件。石函内有制作精美的金棺、银椁、玻璃舍利瓶和鎏金双龙银壶。《地宫记》有落款纪年"大宋天圣十年二月二十五日记"。这些发现表明宋代手工业的高超水平，对古代科技史、艺术史和宗教史的研究提供了重要的实物资料。对此考古成果，我写了一篇《河南邓州福胜寺塔地宫》考古报告，发表在《文物》1991年第6期上。1989年—1990年，我在郑州大学历史系文博专业就读，取得了大专学历，使得几十年的文物考古实践，又在理论上得以升华。

1996年，我退休了，回首往事，我曾任河南省文物考古研究所办公室副主任、第二研究室副主任；调入河南省古代建筑保护研究所后，担任过研究室主任、工程技术部主任，还是河南省文物考古学会理事、河南省石刻艺术研究会常务理事、河南省文物局专家组成员。除了参加过前述诸多考古发掘之外，还参加了全省历次文物普查和专题文物调查，寒来暑往，走遍了河南的山山水水。在科学研究方面，除了前述的学术专著和考古发掘报告、简报之外，还出版了《北魏宁懋石室线刻画》（北京美术出版社，1987年）和《中国名胜辞典·河南卷》（上海辞书出版社，1981年）两部专著，又发表了《论汉代黄肠石》、《论墓志的起源和发展》、《唐代著名书法家李邕墓志跋》、《大燕圣武观女道士马凌虚墓志跋》、《登封嵩岳寺塔天宫》等数十篇学术论文。值此河南省文物考古研究所建所六十周年大庆之际，我思绪万千，很眷念往昔文物考古的岁月，也很感谢领导和同志们的温暖和帮助，作为文物考古队伍中的普通一兵，尝遍了酸甜苦辣，但无怨无悔，我尽力了。

1961年10月至1962年2月，在洛阳整理墓葬文物和资料时合影（后为作者、中左曹立轩、中右李宗道、前左杨育彬、前中裴明相、前右张长森）

1962年，作者在新安千唐志斋院内

20世纪80年代，作者（左一）研究考古资料（右一杨育彬）

龙藏第一都

——新郑考古纪事

马世之

新郑位于中原腹地，地处北纬 34°16′—34°39′，东经 113°30′—113°54′之间，北依郑州，西连新密，东与中牟、尉氏为邻，南与长葛、禹州接壤。境域南北长 42 公里，东西宽 36 公里，总面积 873 平方公里。地理趋势为豫东平原向豫西山区过渡地带，属大陆季风性气候，气温适中，四季分明。早在距今 5000 多年以前，中华人文始祖黄帝就曾建都于此。原全国人大副委员长、著名史学家周谷城教授题："轩辕黄帝故都"。著名史学家史念海教授题："中华第一古都"。著名作家、史学家柏杨先生在《中国人史纲》中称新郑是"中国最早、最古老的国都"。五帝时代，新郑处在权力的中心地区，东周时期，新郑再创辉煌，成为春秋十二诸侯之一的郑国和战国七雄之一的韩国的国都。关于建都时间，据有关方面统计，黄帝都新郑约 100 年，郑都新郑 390 年，韩都新郑 146 年。以上黄帝、郑、韩共建都新郑约 630 多年之久，可谓名副其实的第一古都。

1964 年 10 月，我从西安陕西省博物馆调来郑州河南省文化局文物工作队不久，即被分配到新郑工作站参加郑韩故城的考古工作。离开文物队的时间，据《河南省文物研究所职工通讯录》载，为 1981 年。约在新郑工作 17 年之久，新郑成了我的第二故乡。现将我在古都新郑参加考古工作期间的几桩小事略述于后，谨供曾在新郑一道工作过的同仁们批评指正，并以此献给河南省文物考古研究所建所 60 年。

逮住"金马驹"

我刚到新郑的时候，新郑还是个破烂不堪的小县城。尽管新郑号称"中华第一古都"，但这里确实没有一点"王气"，觅不到历史上那种京师特有的繁华景象。新郑县城虽有东、西、南、北四条大街，仅东街有几家店铺，其他几条街都冷冷清清，显得非常沉寂。当时我们工作站设在西街大会院内，房子虽然破旧，倒也十分宽敞，后来又搬到东关毛园。一开始，仅有李德保、欧正文、杨育彬、王与刚、王治国、马志祥、李敬昌等人，而且我去后不久，杨育彬就调走了，他所兼任的"会计"工作，便交给我来管。以后陆陆续续有李京华、任常中、赵全嘏、郝本性、刘东亚、许顺湛等先后到来。安金槐作为考古领队，停个月儿四十，也来指导工作，不过他在这里待不了几天就走了。记得有一天晚上，有个农民跑到大会院找我们说："我们村里有个金马驹，夜里经常跑出来啃麦苗，请你们考古队帮我们逮住它！"大家听了，感到愕然，不知如何回答。后来仔细想想，世上哪有活蹦乱跳的金马驹，从某种意义上讲，千年古都郑韩故城不就是一匹金马驹吗？受到这位农民一席话的启迪，我们认为，把新郑的考古工作搞好了，也就是逮住金马驹了。

当时新郑工作站的站长是李德保，考古工地一年四季没有节假日，星期天从来不休息。冬天大雪纷飞，还得到田野进行钻探；夏季赤日炎炎，仍然要参加考古发掘。本人虽然是西北大学考古专业毕业，又在陕西省博物馆干了四年文博工作，参加过长武下孟村及郑（国）白（公）渠的考古工作，但刚到新郑时，只安排我去填探孔，大约半年以后，才让我去做钻探记录。好在新郑工作站的专家甚多，过了一段时间，我也学会了钻探、发掘和资料整理。经过大家十多年的艰苦奋斗，终于弄清了郑韩故城的布局，算是逮住了"金马驹"。

上个世纪60年代之前，关于郑韩故城在何处，学术界并没有统一的认识。自从清代学者张龙甲《古郑城考》将郑韩故都定位于新密曲梁乡交流寨以来，不少学者便主张古郑城在新密。经过我们的艰苦努力，终于破解了这一史谜，彻底否定了郑韩故城"新密说"，并使"新郑说"广为人知，成了学术界的统一认识。郑韩故城的考古工作进展得比较顺利，我们在此先后发现并发掘了多处城门遗址、郑韩宫殿建筑基址、韩国地下冷藏遗址、李家楼郑国墓地、仓城西郑国墓地、大吴楼铸铜作坊遗址、仓城铸铁作坊遗址、张龙庄制玉作坊遗址、张龙庄制骨作坊遗址、白庙范铜兵器窖藏坑等。此外，还调查了裴李岗遗址、望京楼遗址、韩王陵，并发掘了唐户遗址。当前，在有的人为争某些遗址的发现、命名权而弄得面红耳赤时，请不要忘记新郑工作站的同仁们，是他们做出了卓绝的贡献，却又默默无闻，其筚路蓝缕之功应该彰显于世。

呵，政治点

中国古都学会会长、陕西师范大学教授朱士光先生在《论新郑古都文化研究与古都文化资源之开发》中说："春秋战国时期，郑韩两国一直处于政治斗争与军事征战之激流旋涡的中心，郑韩都城更是首当其冲……成为关乎时局动向与历史进程最为敏感的地区。"设在郑韩故城城内的新郑工作站，时隔2000多年后，仍然继承了当年郑、韩的传统，成了一个政治激流旋涡的中心。

新郑工作站是个从事考古钻探发掘的业务点。自从某位领导说过"新郑点么，政治点"以后，新郑工作站便被戴上了"政治点"这顶桂冠。不知道谁给新郑工作站立下这个规矩：除了钻探发掘外，不准看书、写文章，我因为利用业余时间写了几篇短文，被领导发现了，多次遭到批评，因而在上个世纪70年代以前，我本人几乎没有写过任何东西。

不过，也有一些不服管教的年轻人，却敢于冒犯领导的权威。他们就是从水利厅调来的十几位工人：时天玉、邓永昌、武振昌、周遂、冯忠义、马献学、刘巨荣、崔苏生、李玉良、张希久、郭德慰、崔玉林等。1965年，国家文物局局长王冶秋来新郑视察工作，想不到这些工人联名告"御状"，写了一封举报信，具体内容不得而知。王冶秋把这封信转给了队领导，这一下子可忙坏了文物队领导班子，派丁伯泉副队长来新郑解决问题，老丁批评这些工人不顾大局，给新郑工作站捅娄子。这些年轻人不服气，最后此事不了了之。这是新郑工作站掀起的第一个政治风波，为"文化大革命"时期批斗丁伯泉埋下了伏笔。

"文化大革命"中，在新郑工作站工作过的人没少挨批斗，而那些打人的人也主要是告"御状"的工人。在那些受害者中间，有欧正文、许顺湛、丁清贤和我本人。以我本人为例，由于在"文化大革命"前说过"革命旗手"江青的坏话，"文化大革命"中又站错队，属于保守派，便被打成现行反革命，批斗了20多次，下放到温县、修武劳动改造长达两年之久，直到1972年才被调回郑州。回来以后，又被分配到新郑工作站。我本人实在不愿意去新郑这个是非之地，就找领导说了我的想法，谁知文物队党支部书记李庆生竟然对我大加训斥："谁都可以离开新郑，就你马世之不能离开。因为你为人老实，管账不会贪污。去新郑是组织上对你的信任！"我听了无话可说，只好到新郑去上班，重新回到政治激流旋涡之中。

由于新郑工作站只注重钻探、发掘，不重视整理工作，加上资料的丢失，致使新郑郑韩故城考古报告至今没有写成。现在看来，"政治点"确实存在许多弊端。

新郑所藏之龙

清顺治十六年《新郑县志》称："新郑史称东里，古轩辕有熊氏之国也。东马陵，北豹山，溱洧襟带于前，梅泰环拱于后，风藏气聚，世多君子。""世多君子"是新郑历史上的传统，比较著名的有黄帝、子产、邓析、申不害、韩非、白居易、许衡、高拱等，真是数不胜数。由于新郑工作站建在"古轩辕有熊氏之国"，风藏气聚，自然也出了不少"君子"。许多文物考古界的同仁都曾对我说过："你们新郑工作站真是藏龙卧虎之地啊，出了不少'大官'，都是河南文物考古界的领军人物！"乍听起来，有点茫然，但是仔细思忖一下，此话不假，这里确实出了一批君子，如赵全嘏、安金槐、许顺湛、郝本性、杨育彬、任常中等，都是从新郑工作站走出来的，后来成了河南文物考古战线的领导和学界精英，说他们是中华第一古都所藏之"龙"，也没有什么不妥之处吧！

赵金嘏，河南唐河人，河南省文化局文物科科长兼文物工作队队长，相当于后来的文物局局长兼文物考古研究所所长。因为被错划为右派，1965年到新郑工作站做一名普通职工，和大家一道从事郑韩故城的考古钻探发掘工作。我和他一起清理过新郑东关郑（州）许（昌）公路上的东周墓葬。

安金槐，河南登封人，夏商考古学家、研究员，享受国务院政府特殊津贴。曾任河南省文化局文物工作队副队长、河南省文物考古研究所所长，还是河南省政协委员和全国政协委员，被誉为"新中国河南考古第一人"。主编有《郑州二里岗》、《登封王城岗与阳城》、《郑州商城》、《中国考古》、《中国陶瓷》、《密县打虎亭汉墓》、《中国美术分类全集·新石器时代陶瓷》、《中国美术分类全集·夏商周陶瓷》等10多部著作。我和他一起参加过阁老坟地下冷藏遗址和仓城铸铁作坊遗址的发掘工作。

许顺湛，山西芮城人，史前考古学家、研究员。曾任河南省文化局文物工作队队长、河南省博物馆馆长，还是河南省人大代表。著有《灿烂的郑州商代文化》、《商代社会经济基础初探》、《中原远古文化》、《黄河文明的曙光》、《五帝时代研究》、《史海荡舟》等多部著作，我和他一起参加过梳妆台郑国宫殿遗址的发掘工作。

郝本性，辽宁海城人，商周考古学家、古文字学家、研究员，国家文物鉴定委员会委员，享受国务院政府特殊津贴。曾任河南省文物考古研究所所长。著或主编有《中国青铜器参考图例》、《新中国出土墓志（河南卷）》、《中国青铜器全集·东周（1）》等著作。我和他一起参加过梳妆台郑国宫殿遗址、大吴楼铸铜作坊遗址、后端湾郑国墓地的发掘工作。

杨育彬，吉林长春人，夏商考古学家、研究员、文化部优秀专家，享受国务院政府特殊津贴。曾任河南省文物局副局长、河南省文物考古研究所所长。著有《郑州商城初探》、《河南考古》、《河南考古探索》、《河南考古研究》、《中国文物地图集·河南分册》、《20世纪河南考古发现与研究》、《中国青铜器全集·夏商（1）》、《河南文物》、《郑州商城》、《河南省文物志》、《杨育彬考古文集》等著作。我和他一起参加过郑韩故城文物钻探工作。

任常中，河南获嘉人，博物馆学家、研究员。曾任河南省博物馆馆长。主编或参编有《河南省博物馆》、《河南省博物馆藏青铜器选》、《河南博物院80年》、《中国文物精华大辞典》等著作。我和他一起参加过郑韩故城文物钻探工作。

此外，还有河南大学历史系教授欧正文，河南省文物考古研究所副研究员、著名冶金考古学家李京华等，在学术上均有较深的造诣，也是潜藏在"中华第一古都"的"龙"。

关于龙，《庄子·天运篇》说："龙，合而成体，散而成章，乘云气而养乎阴阳。"《说文》认为："龙，鳞虫之长，能幽能明，能巨能细，能短能长，春分而登天，秋分而潜渊。"这可以看成是对新郑工作站"龙"们学识人品之写照。正是这些"龙"与非龙们的艰苦创业，在"政治点"的激流旋涡中拼搏，终于逮住了"金马驹"，揭开了郑韩故城神秘的面纱，为"中华第一古都"谱写了光辉灿烂的篇章。

2002年，省文物考古研究所建所五十周年离退休老同志在办公楼前合影（二排右一为作者）

2005年4月，参观延安杨家岭朱德旧居（右起作者、石兴邦、曹桂岑、郝本性）

2009年，参观新郑岩画陈列（左起作者、杨育彬、杨焕成、郑杰祥、杨肇清）

五十年我走过的路

汤文兴

今年是河南省文物考古研究所建所 60 周年大庆，按照所领导的通知，我写了这篇回忆录。

1957 年 7 月，我走进了河南省文物工作队的大门，至今，在文博战线上已工作了 50 多年。在这半个多世纪漫长的岁月中，我走遍了全省 115 个县市，参加过文物普查，举办过文物学习班，主持过田野发掘和古建筑修葺。1970 年，在"五七干校"里还喂过猪，放过羊。1977 年 7 月到《河南文博通讯》（后改为《中原文物》）当编辑。1990 年，到新加坡参与汉代文明展。几十年眨眼过去了，当翻开我珍藏的一张张发黄了的老照片时，像过电影一样，一幕幕呈现在眼前，使我又回忆起往日在调查发掘时所走过的山山水水和居住过的农家小院，觉得人生犹如一幅壮丽的画卷，一首富有旋律的乐曲，在喜怒哀乐的交响乐中走了过来。

一、田野调查与发掘

（一）丹江水库的文物调查与发掘

1952 年 10 月，毛泽东同志在听取原黄河水利委员会主任王化云同志关于引江济黄的设想汇报时说："南方水多，北方水少，如有可能，借点水来也是可以的。" 1958 年到 1960 年 3 年内，中央先后召开了 4 次全国性的南水北调会议，制定了南水北调工作计划，提出在三年内完成南水北调初步规划报告的目标。从此，拉开了南水北调工程的序幕。

丹江水库是亚洲第一大人工水库，库区面积达 116 万亩，其中南阳境内就有 60 万亩，工程的源头就在淅川县境内。在淅川县数百平方公里境内的丹江两岸，分布着从新石器时代到各个历史时期的重要文物古迹，而淅川又是楚文化的发祥地，楚始都丹阳所在地。在这里发现有数十处春秋战国时期的贵族墓群和近百处原始社会村落遗址，还有分布在群山峻岭中雄伟壮观的古建筑群，这些重要的文物古迹，在水库建成后将被淹没在水下。为配合丹江水库建设，抢救库底文物，文化部、中国科学院考古研究所、长江流域规划办公室，于 1959 年在湖北省武汉市联合组建了"长江流域规划办公室考古总队"，我被任命为"长江流域规划办公室河南考古分队"副队长，同时兼任河南省文物工作队"黄继光小队"副队长。那时我年仅 21 岁，还是一个毛头小伙儿，血气方刚，生龙活虎，虽然吃了不少苦头，但对工作仍充满着信心和理想。

为配合丹江水库建设和农田深翻土地，保护好出土文物，做好对丹江库区文物的普查工作，1958 年底至 1959 年初，我受命在南阳卧龙岗举办了第一次文物普查学习班，来自南阳地区11个县市的文物干部，经过一个多月的短期培训，1959年春节过后，便奔赴丹江两岸，开始了长达三年的调查发掘工作。

1959年，刚刚进入三年特别困难时期，农民在饥饿中挣扎，农田里已看不到往日那种轰轰烈烈"大跃进"的场景，普查队员们在饥饿难忍的情况下，仍顶着烈日，翻山越岭，坚持工作，饿了就吸根烟，喝两口青梅酒充饥。自此我学会了吸烟、喝酒。

通过这次文物普查，在丹江两岸发现了近百处古文化遗址，数十处古代建筑群和楚国墓葬的分布范围，基本上摸清了库区文物分布的情况，为南阳地区文物工作打下了良好的基础。

1959—1961年，在"重点发掘，重点保护"方针指导下，我先后在淅川县主持了淅川下集、埠口、马蹬、李官桥以及唐河茅草寺等新石器时代遗址的发掘工作。

（二）古代建筑调查与修缮

1962年至1966年5月，文物队田野工作干部重新调整，成立了地上组，我由地下组转入地上组，进行古建、石刻、石窟等古迹的调查与保护。先后参与了登封少林寺、塔林、初祖庵、中岳庙、临汝风穴寺，滑县明福寺塔，社旗县山陕会馆，南阳卧龙岗，洛阳龙门石窟、白马寺，安阳小南海石窟、文峰塔，新郑风台寺塔等文物保护单位的调查勘测与维修工作。并发表了《滑县明福寺塔》、《社旗县山陕会馆》、《临汝风穴寺》及与杨焕成合写《新郑风台寺塔地宫发掘报告》、《少林寺塔林》等文章。

1966年6月，"文化大革命"开始了，因我和周到、吕品合编的《河南画像砖艺术》一书还没有出版，就被一张《这是一个甚么样的组合？》的大字报，打成了反党反社会主义的"三家村"。一夜之间，我们变成了"帝王将相的孝子贤孙"，被扫进了历史的垃圾堆。我们的"村长"周到先生，头上戴着高帽，胸前挂着"河南的小吴晗"，背后挂着"漏网大右派"的牌子，游街示众。我俩虽没有戴高帽游街，但天天都在"打倒三家村"怒吼声讨中提心吊胆地等待着批斗。直到"文化大革命"结束之后的1980年，吕品先生到北京费了很长时间，幸运地在文物出版社仓库的乱书堆中，扒出了这本书的底稿。1985年，历经20年劫难曲折的《河南画像砖艺术》一书，终于由上海美术出版社出版了。

1970年，"斗批改"结束后，我进了"五七干校"。所谓"五七干校"，原是河南省的一个劳改农场，地处荒凉的黄河滩里。我们被当地农民誉为"带着手表的高级劳改犯"。我住在一间被黄沙包围不到4平方米的茅草屋里。夜里狂风呼啸，雪花从屋顶飘落到床上，寒气逼人。在这艰苦的环境里，我度过了长达三年放羊、喂猪的劳动生活。

在"五七干校"的那些日子里，不知何年才是尽头，心烦郁闷。为了发泄心中的苦闷，我开着拖拉机去大田里犁地，赶着马车进城给猪拉饲料。有时，在静静的夜晚，到田野里拉起手风琴，唱着《莫斯科郊外的晚上》，歌声在空旷的原野里回荡，心中的烦恼顿时烟消云散，唤起了我对未来生活的希望。在空余时间我又学会了木匠活和阉猪、阉羊的技术，成了黄河滩一带出了名的阉猪、阉羊高手。尽管干着这些又脏又累的活儿，却给我生活中增添了很多的乐趣。在政治理论学习上，我还当上了活学活用红宝书的标兵，每次评比都是先进模范。1973年底，希望终于到来了，"五七干校"为我毕业开了一次隆重的欢送会。1974年，我终于又回到了久别的省博物馆（此时省文物工作队与省博物馆合并）。一上班我就到温县招贤发掘了一座汉代烘范窑址。通过对烘范窑出土陶范的研究，使我对冶金考古产生了兴趣，这也成为我后来研究的主要课题。

（三）1975年第二次全省文物普查

1975年，"文化大革命"已接近尾声，文博工作逐步走向正轨，为了澄清"文革"之后地上、地下现存文物的情况，省文化局动员全省文博战线上的同志，进行第二次文物大普查。1975年上半年，我再次回到南阳主持文物普查工作，在此期间，我与南阳地区文化局刘莹科长筹建起了南阳地区文物队（现为南阳文物考古研究所）。南阳地区文物普查结束后，1976—1977年，我又参加了安阳地区的文物普查。1981年，全省第二次文物普查全面结束后，我和博物馆（文物队）的十三位同志被评为"全省文博战线上的先进工作者"。

二、二十年的编辑工作

1977年，为适应河南文博事业的发展，河南省博物馆（省文物工作队）创办了《河南文博通讯》内部期刊（由郭沫若先生题写刊名，后改名《中原文物》）。因工作需要，领导安排我到《中原文物》编辑部工作。其间，我曾担任过编辑部的副主任、主任、副主编职务。

《河南文博通讯》创刊之初，只有我和张家泰两人，当时既缺乏经费又没有编辑人员，是否能办成，不少人在观望，有人支持也有人风言风雨泼冷水，我们心中也没底，但考虑到河南是文物大省，要为河南文博界提供一个发表文章的园地，我们下决心，克服困难，想法办好《河南文博通讯》。

期刊的生命力来自它所发表文章的内容。创刊初期，我们抓住当时探索夏文化研究这个热点，积极参加登封全国著名专家学者对王城岗城址性质问题的夏文化座谈会。登封王城岗遗址是新中国成立以来首次发现的河南龙山文化晚期城址，其年代在公元前21世纪，已进入夏代的纪年范围以内。1977—1980年，《河南文博通讯》连续发表了考古专家夏鼐、胡厚宣、佟柱臣、苏秉琦、邹衡、俞伟超、许顺湛、安金槐、史树青、严文明等重要论文，为全国夏文化研究开了个好头儿，从此，将沉睡了几千年夏文化研究的课题列入到日程。"九五"期间，夏文化研究被国家正式列为"夏商周断代工程"重点科技攻关项目。《河南文博通讯》出版14期后，在全国有了较大的影响。1981年，经河南省委宣传部正式批准，更名为《中原文物》（由赵朴初先生题写刊名），在国内外公开发行，成为全国省级文博系统最早创办的国内外发行的期刊。二十年来（截至我退休），《中原文物》如果平均每期发表15篇文章，每年60篇，总共发表了1200多篇文章，同时我还担任主编、副主编，为洛阳文物二队、洛阳古墓博物馆、郑州市博物馆、郑州市商城遗址管理处、南阳市博物馆、汤阴岳飞庙、鹤壁市博物馆、扶沟县文化馆等单位和个人，编辑出版了30余部专著，为繁荣我省学术研究，培养专业人才，起到了重要作用。

《中原文物》正式公开发行后，为了进一步提高发表论文的质量，扩大学术研究的范围，我们意识到不能关着门办刊物，应该立足河南面向全国，走出去与全国有关学术团体加强联系。1984—1997年，《中原文物》曾多次作为发起单位，先后与中国殷商文化研究会、全国楚文化研究会、汉画学术研究会、先秦史学术研究会、河洛文化研究会等，联合举办全国性的学术研讨会，编辑部从参会的文章中筛选优秀论文，并及时在《中原文物》上发表或出专题论文特刊。如 1992 年，在淅川召开的全国楚文化研讨会，我们提前一个月就已将参会的重要论文在《中原文物》上发表了，开会期间作者就能及时看到自己发表的论文，这是从来没有过的事，受到参会同志们及专家学者的好评。《中原文物》是实实在在为河南和全国文博系统同志们服务的。因此，在同类期刊中有了一定的影响。1993 年被评为全国中文"考古文物"核心期刊。1997 年《中原文物》在国外已发行到 24 个国家和地区，在当时全国 40 多个同类刊物中名列前茅。《中原文物》从创刊到今天，所取得的成绩与编辑部同志所付出的心血是分不开的。

在这块园地里，同我一起工作过的同志有：许顺湛、张家泰、黄崇岳、郑杰祥、马世之、秦文生等，可是他们先后调离编辑部去当馆长、所长了，连接我班的张得水也到古建所当头了。有人开玩笑地说，《中原文物》不仅是培养人才的园地，也是培养领导干部的园地。我这个老园丁在这块园地里，默默无闻、辛辛苦苦地耕耘了 20 年。当我看到从这块园地中走出一个个获得高级职称的专家，内心感到无比欣慰。

三、学术研究成果

50 年来，我不仅做好自己的本职工作，在学术研究上也取得了丰硕成果。发表了 50 多篇文章，与他人合作和个人出版专著 7 本。研究成果主要体现在以下几方面：

（一）对古代冶金铸造工艺的研究

河南地处中原，不仅是中华文明的发祥地，也是中国古代冶金技术发展的中心。上个世纪 50—80 年代，文物考古工作者在全省各地先后进行过多次普查，发现了冶铜、冶铁遗址 30 多处。我对这些遗址中出土的炉壁残块、烘范窑和大量的陶范，利用现代金属理论和检测手段，进行了深入细致的研究，大致摸清了自商周至汉代有关冶金技术发展的脉络，复原了汉代叠铸的工艺流程，再现了 2000 年前这一先进的传统铸造工艺。同时，通过对淅川楚墓出土青铜器的研究，把我国出现失蜡法铸造工艺的年代提早到春秋中期。

1. 对汉代层叠铸造工艺流程的复原

所谓叠铸或层叠铸造，是用多个泥范逐层叠合起来组装成套，从一个共用的浇口杯和直浇道中灌入金属液，一次可得到数十或上百个铸件。这种多快好省的层叠铸造技术，早在春秋战国时期就已经出现。层叠铸造技术不仅能大幅度地提高生产效率，还能节省大量的造型材料和金属液，降低成本。从铸造技术总的历史发展来看，应当说它就是现代层叠铸造和壳型精密铸造的前身，它的许多工艺措施和工艺参数的选取是符合科学原理的，这种传统工艺至今对我们仍有启发，可以借鉴。

叠铸技术在我国古代冶金铸造史上是一个重要的研究课题，因过去缺乏实物资料，很少有人进行系统深入的研究。1974 年，我在温县发掘了一座完整的汉代烘范窑址，出土完整陶范 500 多套，其规模之大全国罕见。

《文物》杂志于 1976 年第 9 期发表了我的研究报告，引起了国内外的重视。为了进一步搞清古代叠铸技术的起源、发展及工艺流程，我从冶金铸造的角度，先后发表了《从温县烘范窑的发现看汉代的叠铸技术》、《一种先进的叠铸技术》、《从古代铸钱看我国叠铸技术的起源和发展》等研究论文，并在发掘报告的基础上与北京钢铁学院冶金史组编写出版了《汉代叠铸——温县烘范窑的发掘与研究》一书。1983 年，应中国大百科全书出版社的邀请，为《中国大百科全书·矿冶卷》撰写了《叠铸》、《铸钱》等条目。我这个无名小卒能为《中国大百科全书》撰写条目，感到非常荣幸。

2. 关于失蜡法铸造技术起源的探究

失蜡法是我国古老的传统铸造工艺。此种工艺是采用易熔化的动物油、黄蜡，制成蜡模后，在蜡模表面用细泥浆多次浇淋，涂上耐火材料，使其硬化，做成壳形，再经烘烤使蜡油流出形成铸模空腔，浇铸铜液，铸造行业把这种铸造方法称作失蜡法，一般用来铸造立体透雕的青铜器，如淅川下寺楚墓出土的铜禁和王子午鼎的附件。

1981 年，我在《考古》第 2 期发表的关于《淅川下寺一号墓青铜器的铸造技术》一文中，阐明了两个学术争论中的观点，一是春秋战国之际，由于冶金技术的发展，铁器的出现和广泛使用，青铜器的地位虽被铁器所代替，但在新的历史条件下，为适应当时社会更广泛的需要，青铜冶炼技术不仅没有衰退，反而突破了自商周以来传统的青铜冶炼和铸造模式，创造出前所未有的新工艺、新产品，特别是失蜡法的出现，是衡量这一时期青铜铸造工艺水平的标尺；二是过去认为湖北曾侯乙战国墓出土的尊盘，是我国最早的失蜡铸件，通过对淅川下寺楚墓出土青铜铸件铸造技术的分析研究，我认为铜禁及王子午鼎、铜盏上互相攀绕的兽头，均为捏蜡造型，是我国目前最早的失蜡铸件，把我国失蜡法出现的年代提早到春秋中期。该论文被翻译成英文，刊登在第二届国际冶金史学术研讨会论文集中。

3. 对古代金属货币铸造技术的研究

根据出土的各种钱范，结合文献记载，我对不同类型的卧式、立式叠铸钱范进行分析研究，先后发表了《我国古代几种货币的铸造技术》、《从古代铸钱看我国叠铸技术的起源和发展》等论文，解决了钱币铸造方面的一些问题。正如《中国钱币》1984 年第 1 期中钱币专家赵宁夫先生对该文评价中所说："我们还应该提到的是汤文兴先生钱币铸造一文，是这次参会专谈钱币铸造技术唯一论文，过去研究钱范的不乏其人，而从金属史角度系统讨论钱币铸造技术的则为数不多，因此，汤文兴这篇论文对开阔钱币铸造研究领域有新的启示。"《我国古代几种货币的铸造技术》论文获 1983 年省考古学会优秀论文奖。

（二）画像砖艺术及陶画的研究

1. 对画像砖艺术分期研究

上个世纪 50 年代至 60 年代初期，在配合工农业建设工程中，河南各地发掘了大批汉代墓葬，出土了大量画像砖，这些画像砖题材丰富，有建筑、庭院、官吏、车骑出行、狩猎、音乐、舞蹈、百戏、神话传说等，不仅内容多彩，而且有较高的艺术和历史研究价值。我和周到、吕品经过多年收集整理，系统地把河南出土的各种不同类型的画像砖进行分类研究，并对不同地区出土的画像砖艺术的风格进行了分期定位，编著了《河南汉代画像砖艺术》一书，出版后受到考古界和美术界读者的欢迎。1987 年，该书被评为省社联优秀论著。

2. 《鹳鱼石斧图》的发现与探源

绘画艺术是我国古代灿烂文化的重要组成部分，在人类的童年，即史前时期，就放射出奇光异彩。迄今为止，考古工作者发现的史前绘画艺术遗存有彩陶画、岩画、壁画和地画，其中最主要的是彩陶画。《鹳鱼石斧图》彩陶画是中国史前绘画艺术的杰出代表。

《鹳鱼石斧图》彩陶画的发现，已经有三十多年了。1978年10月，我去临汝县约稿，文化馆内堆放着的几个彩陶缸引起了我的注意，为弄清这批彩陶缸出土情况，我和张久一馆长前往出土地点阎村调查，发现这里是一处上万平方米的仰韶文化村落遗址，到处散布着盆、罐、钵、缸等残片，文化层堆积2—3米。据当地农民说他们在不到30平方米的地里，挖出了11座瓮棺葬，出土时均已残破。经县文化馆粘补复原后，发现其中一件陶缸，器形为敞口、圆唇、深腹，器高47厘米、口径32.7厘米、底径19.5厘米。器沿下有四个对称的鼻钮，腹部画面分为两个部分，左边画了一只水鸟，圆眸、长喙、昂头、直立，体态椭圆，身躯稍微向后倾，嘴上叼着一条似乎在摆动着尾巴的大鱼，显得非常健美；右边画的是一把竖立的装有木柄的石斧。石斧上的孔眼、符号和紧缠的绳子，用黑色线条勾勒出来，显得雄浑古朴，真实动感。整个画面高37厘米、宽44厘米，约占陶缸面积的二分之一。其画面之大，在中原仰韶文化彩陶画中，可以说是凤毛麟角。我将此幅彩陶画定名为《鹳鱼石斧图》。1981年，由我执笔，署名临汝县文化馆的调查报告，在《中原文物》第1期发表，引起了学术界特别是美术界的极大关注，凡是谈到中国绘画史时，莫不把《鹳鱼石斧图》列为首位。这件彩陶缸上画的石斧、鹳和鱼，含义深刻，就好像画家落款的年号一样，使我们跨越时空又看到了5000多年前原始社会人们渔猎、农耕生活的情景。

《鹳鱼石斧图》的发现，标志着中国史前绘画艺术由纹饰图案向物像绘画发展的萌芽阶段。这件绝无仅有的彩陶画，呈现着华夏文明的曙光，展示出中华民族的高度智慧，反映了人类绘画早期的艺术风格，而且以其宏伟的气势，体现了中国史前陶画艺术创作的最高成就，是迄今我国发现最早、最大的一件彩陶画，十分珍贵。2003年被国务院列为国家级珍宝，现存中国国家博物馆。

我的人生道路就是这样走过来了。岁月流逝虽然使我逐渐衰老，而沉淀下来的是我对文博事业所做的贡献。而今退而不休，老牛夕阳仍奋蹄，要继续为文物事业做贡献。

1959年，"黄继光小队"部分队员在淅川下集发掘工地（前排左起作者、郭建邦、王新云、靳世信，后排左一贺官保、左二白相聚、右一游清汉）

1959年，作者在淅川下集遗址考古发掘工地上

1959年，南阳地区第一次文物普查结束后，全体学员在专署文教局门前合影，背后简陋的瓦房是原地委办公室（二排中坐者左一王儒林、左二作者、左三专署文教局局长常明轩）

1959年8月，作者（左一）和吕品（左二）进行文物普查时，翻越淅川县愁思岭，爬到光秃秃的山顶上，热得透不过气，将雨伞架在小山神石庙上遮阳，光着脊梁，坐在下面津津有味地吃李子充饥。这张老照片，给我们留下了在那艰苦的条件下，进行文物普查的真实写照

1960年春节刚过，作者和吕品乘小船前往淅川县埠口李家庄发掘工地。那时丹江水深还不到2米，清澈见底。现在的丹江已是一眼望不到边，水深达150多米。李家庄遗址已被淹没在100多米的水下

1964年底，滑县明福寺塔竣工，作者（二排右三）和县委领导及参与修建的工人在塔前合影留念

1965年5月，在长达三个多月对少林寺建筑群调查、摄影工作结束后回到中岳庙，与北京古建专家合影留念（前排左一井庆生、左二杜仙洲，后排右起吕鸿年、作者、杨焕成、游清汉）

1975年，南阳地区第二次文物普查结束，全体同志在卧龙岗大门前的合影（前排左三作者、右三安金槐，二排左二魏仁华、左三王儒林）

1976年8月，安阳地区文物普查结束后，回到郑州，在省博物馆门前合影（左起郑杰祥、李敬昌、杨焕成、李绍连、尤汉青、张长森、作者）

1981年，全省第二次文物普查全面结束后一批同志被评为全省文博战线上的先进集体和先进工作者（前排右一作者、右二张家泰、左一王健民、左二方燕明、左三张英群，后排右一武志远、右四裴明相、左一张建中）

1985年4月，在洛阳龙门参加魏晋南北朝佛教史和佛教艺术研讨会时作者（左一）与著名艺术家于是之（中）及省文物局副局长杨育彬（右一）合影

1986年参观偃师商城博物馆（左起赵芝荃、蒋若是、安金槐、许顺湛、作者、巩永祥）

1989年9月，参加安阳殷墟甲骨文发现九十周年国际学术研讨会（左起陈旭、李绍连、蔡运章、杨育彬、郑杰祥、作者、王晓）

1987年，《中原文物》编辑部合影（左起孙广清、张锴生、张得水、赵立军、汤淑君、秦文生、王晓、作者）

往事乐回首　抚今宜追昔

郑杰祥

1961年9月，当我得知毕业后分配到河南的消息后，兴奋不已，立即打好背包，告别母校恩师，回到故乡，至河南省文物工作队，从此开始了我一生所献身的文物考古工作。河南文物考古事业，内容丰富，门类繁多，就其时代而论，从石器时代考古到革命文物工作，纵贯古今；就其空间而论，地上古建、石刻，地下遗物、遗迹，遍布全省。对于这些，我可说是"干一行，爱一行"，总是愉快地接受领导交给我的任何一项任务。同年10月，刚刚办完报到手续，我就奉命出差到南阳地区，参与南水北调工程沿线的文物调查工作，对调查所见的各类文化遗物、遗迹进行详细登记造册，首次把书本上所学的知识与工作实践紧密结合起来。1962年，全省进行石刻文物大普查，我因身体不适，不宜南奔北走，遂被安排在室内整理登记库藏石刻拓片，我于是边工作边学习，很快掌握了金石学的基本知识。1963年，我为全省文物工作人员培训班讲授石刻学，颇受学员们欢迎，自己也深受教益。同年发表了《南阳新出土的东汉张景造土牛碑》论文，此碑是我国解放以来出土的第一块汉代碑刻，因此引起当时金石学界的极大兴趣；同时也是我学习写作的第一篇论文，锻炼了我的写作技能。以后由于"四清"和"文化大革命"的开展，我的业务工作和学习被迫中断下来。1969年以后，上级号召"抓革命，促生产"，为配合焦枝铁路建设，我奉命负责从焦作至黄河北岸的考古发掘工作。1970年，根据上级指示，文物队与省博物馆合并之后，称为博物馆文物队，我仍在本队从事文物工作。同年参加了淅川下王岗大型遗址的发掘；以后在新野县清理了我省首次发现的一座曾国贵族墓葬；在潢川县清理了我省第一座番国贵族墓葬；又参与和主办了安阳、新乡、周口、商丘等四个地区的文物工作人员培训班（当时全省共10个地区），为培养地方文物干部做出了贡献。1974年，我接受了从事革命文物工作的任务，在这项工作中，首先根据文献记载，经过认真查访，与永城县魏志亮馆长一起终于找到了我国历史上第一位农民起义领袖陈胜的墓地，并且在省文物局的大力支持之下，为其修墓建园，广植松柏，以表示对这位古代人民英雄的崇敬和纪念。此事为我国著名史学家郭沫若先生得知后，他立即题写"秦末农民起义领袖陈胜之墓"碑文，刻石立碑，竖于墓前。现在此墓经过多次修葺，已是高坟大冢，松柏成林，屹立于芒砀山麓，供后人瞻仰和怀念。

1977年，我奉命转而参加了登封王城岗遗址的发掘，发掘的主要任务就是探索夏文化，最好能找到文献记载的"禹居阳城"旧址，而在这里随着参与一个重大发现，我从此与夏商考古和夏商史学的研究结下了不解之缘。那是当年6月底的一天，我们在T16、T17两个探方中发现一边是生土、另一边是熟土形成南北走向的直线遗迹，大家被这条遗迹深深吸引，但是弄不清它是一种什么现象。恰在此时，上级要求停止现场发掘，回馆参加运动。而当时正值盛夏雨季，遇上大雨冲刷，整个遗迹就会面貌全非，毁坏殆尽了。为尽量避免这个损失，我向领导请求能晚回去几天，继续发掘，以期搞清这条遗迹的性质。主持这项工作的安金槐先生当场同意，经请示上级同意之后，我就立即留下与中国历史博物馆（现为中国国家博物馆）的董琦先生一起，继续发掘工作。记得那是7月上旬，虽然赤日炎炎，却是大地充满生机的季节，我与董琦在T16、T17以南分别新开了T22、T23两条探沟，事属偶然，或又联系着必然，我们经过一个礼拜的努力，果然在这里发现了一段呈南北向的城墙基槽，原来那条直线遗迹，正是这条基槽的西部边缘。以我所发掘的T23为例，这段基槽大致呈倒梯形，口宽4.4米、底宽2.54米、深约2.3米，槽内填以红褐色黏土，层层夯打而成，为防止粘连，每层之间铺有细沙。夯层厚薄不一，夯窝大小不等，显示着一定程度的原始性。安金槐先生闻此大为振奋，立即带领全体发掘人员回到工地，通过大规模地钻探和发掘，得知这些基槽连成一座大致呈方形的面积约1万平方米的城圈，时代属河南龙山文化时期，T22、T23探沟内所揭露的基槽，乃是属于这座城墙西墙基槽的一段。虽然由于年深日久，城墙已经毁坏殆尽，但是其规模和现象表明，毫无疑问它应是一座河南龙山文化时期的城墙基槽。其后不久，我又陪同贾峨先生和安金槐先生调查了文献记载的阳城旧址，城址尚存，规模宏伟，从春秋，经战国，到汉代的城墙层层夯土，清晰可见。城址位于告成镇东北隅阳城山的南麓，与文献所记古代阳城的位置正相符合。特别是当时在这里参加实习的辽宁大学的同学们，还在阳城旧址以内发现印有"阳城仓器"文字的战国陶片，进一步确凿地证明这里就是战国和汉代的阳城旧址，这是我国迄今难得发现的一座证据确凿的春秋到汉代的城址。新发现的王城岗城堡基址位于这座阳城旧址的西南隅，其相对年代与文献所记夏禹的存在年代基本符合，而"禹居阳城"最早见于战国文献记载，就是说夏禹所居之地不论在夏代是否称作"阳城"，但是战国时期人们已明确认为禹的居地就在战国时期的阳城附近。因此，王城岗城堡基址的发现，就为寻找"禹居阳城"之所在提供了重要线索。这个发现立即轰动了当时的学术界，我也为参与此城的发现所付出的辛劳而感到快慰！

王城岗城堡基址发现之后，为便于开展学术讨论，国家文物局在发掘现场召开了我国第一个研讨夏文化的学术盛会。到会学者百家争鸣，畅所欲言，充分阐述了自己对这座遗址性质的看法，最后由夏鼐所长进行了总结。也就是在这次讨论会上，邹衡先生首次提出了郑州商城为汤都亳邑、二里头遗址为夏代王都和二里头文化为夏文化的新说，此说是邹氏根据新出土的考古资料，经过数十年的潜心研究所建立的夏商周考古学体系的核心内容，因而引起到会学者的强烈反响。我当时参与筹备并参加了会议的全过程，聆听了各位专家的高见，虚心学习，收获甚丰，因此也成为我日后学习和研讨夏商考古以及夏商史学的良好开端。

会议之后由于工作需要，我调往《河南文博通讯》（现称《中原文物》）编辑部工作。

光阴似箭，岁月如流，我现已年过七十，垂垂老矣！回忆往昔，无怨无悔！更愿后生，奋发向上，努力进取，为中原文物考古事业开辟出新的天地。

20世纪60年代，北京大学考古专业4位实习学生在河南省文物工作队院内合影（左起彭金章、张新生、作者、杨宝成、杨育彬、梁志成）

20世纪90年代，在偃师参加学术会6位北大同班同学合影（右起作者、李家和、朱非素、齐心、何介钧、杨育彬）

2006年，作者在山东出席中国先秦史学会"莒文化专题研讨会"

2007年9月，作者（左一）等考察新郑唐户遗址

2010年，作者（左一）参加纪念郑州商代遗址发现60周年座谈会

河南省文化局文物工作队

——培育我成长的美好家园

张家泰

在河南省文物考古研究所（原河南省文化局文物工作队）即将迎来建所 60 周年大庆之际，所领导班子决定出版《河南省文物考古研究所六十年回忆录》，"为 60 年所庆锦上添花，为下一个 60 年增砖添瓦，使河南文物考古工作为之不朽"。这一创意非常好，其本身就是一件富有重要意义的纪念活动，也是队友、所友们为建所 60 周年献上的一份从内心发出的贺词！

我怀着激动的心情翻阅着久久沉睡在书架上的老日记，一边看，一边追忆着半个世纪以来，那一幕幕已经远去的往事，更思念着所内外许许多多和蔼可亲的良师益友，回味着他们一桩桩真诚的教诲和无私的帮助，还有同志们在工作或生活中诸多有趣的故事。总之，通过一段段往事的回忆，我深深地认识到文物工作队是我从事文物工作扎根的沃土、起步的基点和求知的学校。领导的关怀、队友的照顾，更令我体验到这里是我锻炼成长的美好家园。从内心讲，没有文物工作队近 20 年（含合并在博物馆的时间）的培养，便没有我的今天。怀着感恩的心，首先要向省文物工作队历任的党政领导许顺湛先生、安金槐先生、丁伯泉先生等，致以诚挚的敬意！在上世纪 60 年代初，文物队的领导们，对像我这样刚从学校毕业不久步入工作岗位的一批青年人，在政治思想和生活上是严格要求和关心爱护的；在工作上是放手、鼓励和大胆使用的；在专业上是积极培养、大力扶持的。这些做法，有力地推动了文物工作的开展和人才的培养。同志们之间，也保持着相互关心、乐于助人、齐心协力的精神。我常常感受到别人对我无私帮助的温暖，所以回忆起那一段的工作与生活，虽然工作很紧张，生活较困难，但文物队同志间，确实有一个温馨大家庭的感觉，这些都有许多具体的事例，一件一件记入我的日记和脑海中……

一、走进文物队后的第一次田野调查

1962 年 10 月 22 日上午，我带着河南省文化局人事处的介绍信来到河南省文化局文物工作队报了到，下午回前单位（中国科学院河南分院文学艺术研究所）收拾整理自己的行装，在省委党校（文研所住地）告别了前来相送的所领导和同志们，乘一辆三轮车把简单的行李运到了文物队。队里已为我安排好住房，在前院北侧（今办公楼处）一列平房东端的一间房子里。当时这平房是一座文物库房，东头有一个单间没放文物，其余相连的各间都堆放着一包包的文物袋子。老同学孙传贤和王瀛三等同志热情地帮我搬东西，整理住室，很快我有了一个新的家。多日来一颗忐忑不安的心，至此一下子稳定下来，我的文物工作生涯在这里扎下了根。由于前两年在文学艺术研究所（先设在省文联，后迁到省委党校）主要是在机关坐班、看书、看稿件、听报告、参加讨论以及参加单位的半日劳动，很少到基层与农村进行调查，所以到文物队之后，为了尽快熟悉业务，接近实际工作，经领导同意，我于到队后的第二天便和孙传贤同志一起赴洛阳地区进行碑碣调查和古书古字画登记工作，自此开启了我人生工作的新天地，心情也一下子宽敞了许多！

碑碣调查和古书古字画登记工作，是省文化局布置的一项重要工作，是摸清河南古碑碣及馆藏图书字画等文物家底的文物普查，要求全力以赴，领导带头，全队出动。它将为全省石刻文物和古籍书画的保护与学术研究奠定下良好的基础。我初来乍到一切生疏，好在跟着老同学一道工作，边干边学。我们这次主要调查登记了洛阳周边的伊川县和汝阳县的碑刻。从10月23日出发到11月24日回队，共计33天时间。其中于10月23日出发到11月12日，在伊川县的西草店、彭婆、鸣皋、酒后、马回、平等、罗村等乡镇进行了约20天的调查登录工作；接着于11月13日至11月24日，在汝阳县的汝阳一中、城北区、圣王台（城东南的黄屯小学）、红里庙、观山寺、县完中等处进行了调查登录。一路走来，冒风雨，蹚河流，长途跋涉，困难颇多，但也用汗水换得了可喜的成果，如在伊川县登录的西草店繁殖场之《王冕碑》、彭婆乡小学登录的《范文正公碑》及许营范家坟墓地的古碑等都有一定的文物价值。这里的居民多称为范仲淹之后代，有一种自豪感，我们就住在范支书家中，他们对我们到此进行调查工作十分支持，主动拿出范氏家谱让我们登录，并允许摹绘了家谱上范氏先人的画像等珍贵资料。另外，在城西程夫子坟（二程墓）也登录了古碑三通；在鸣皋一中校院内登录古碑两通。尤其是在鸣皋西北岭上登录的《元宣武将军克烈公墓碑》更为重要。诚然，在调查过程中也遇到不少难题，跑了许多无功而返的路程。如从县城到高山乡的大觉佛寺，无车可通，步行五个多小时，到寺院方知这里的古碑多被废毁了，虽无碑登录，也可澄清各调查点的实情。还有一些地方有河无船无桥，如去酒后乡调查途中要蹚过三条小溪和两条约20米宽的河流，特别是11月18日自红里庙出发，往山北去，半路遇雨，又要蹚河，水凉得真可谓彻骨冰寒，而且又不知道河道水之深浅，确实带有几分冒险性。有些调查的目的地不能安排吃住，虽然天已黑了仍要冒雨返回原住所。有一次长途步行于田野，我的痔疮发作，出血不止。回郑州后不久，便住进市第三人民医院动了手术。这就是我到文物队工作以后的第一次田野工作实践考验。

二、开展"四有"工作　赴京学习测绘

1962年12月27日，根据工作需要，领导确定让我到古建组工作。1963年3月2日至22日，我和杨宝顺等同志先后到古建筑集中的洛阳和登封，进行了有关文物"四有"工作的初步调查，如：划保护范围，建立保护组织等，并和当地文物干部进行研究讨论。3月26日，文物队开会认真研究文物保护单位的"四有"工作，并分了工。我们古建组的主要任务是测绘各古建筑单位的平面图（总平面与单体建筑平面图）。第一个项目就是白马寺，我和杨焕成同志从4月10日到4月22日完成了白马寺的测绘工作。从4月28日到5月6日我们两人又转到登封搞古建筑的"四有"工作，先后去启母阙，划定了保护范围，建立了保

护组织，并校对出前人测绘此阙图纸中的一些差错。继之，又去嵩岳寺塔测绘总平面图和塔本体的平面图。5月3日，杨焕成、宫熙和我三人一起开始测绘中岳庙的总平面图。到5月7日，队部通知停止"四有"工作，参加当地的"小四清"运动，因而中岳庙总图测到大殿之前中止了。至5月17日"小四清"结束后又接着在登封搞古建筑的"四有"工作。又从中岳庙转到少林寺、初祖庵、塔林；5月29日以后又转回中岳庙接着完成那里的测绘工作，除总平面图之外，还搞了单体建筑各殿宇的平面图。绘图完成后，又和当地文物部门共同研究了保护范围的划定，设计了建立保护组织的"合同"、保护员用的"保护证"等。此间，杨宝顺同志陪同中央古代建筑修整所李竹君、井庆升两位同志到登封工作之后，也同我们一起研究"四有"工作。特别是在送别北京古建专家的谈话中，了解到中央古建所的一些信息，他们讲了两件事：（1）外地去他们那里参观学习，他们表示欢迎；（2）他们所保存有河南初祖庵、少林寺的详图。据此信息，回队之后，向许、安队长汇报，提出去京参观学习并复制有关河南古建筑图纸、照片等资料问题。此事队里经请示省文化局文物处同意后，7月15日许队长告诉我，处里已同意我和杨焕成一起去北京绘图和学习了。我把这消息告诉杨焕成，他也高兴得很。我们准备动身前，丁队长指示很多注意的问题，补充了我们原作的计划，其补充后的计划内容主要是：

1. 晒图或描图问题（指北京所保存河南古建筑图纸），要尽可能晒图；如初祖庵、少林寺、塔林、白马寺、观星台、三阙及其他河南古建筑实测图。
2. 搜集有关河南古建筑的档案资料（文字、照片、模型等）。
3. 测绘知识和测绘技术的书籍和内部印的材料的购买。
4. 学习测绘平面、立面、剖面、绘图等有关知识的技术。
5. 了解古建筑的保养方法和技术。
6. 学习临摹壁画的方法步骤、工具、材料。
7. 拍照（翻拍）初祖庵的照片。
8. 结合业务参观古建筑，通过参观进行学习。

时间：要求8月5日前回来。

当天乘下午6点的火车去北京。此事这么快地决定，说明省文化局、省文物队领导对于搞好"四有"工作，征集"四有"档案材料以及提高青年文物工作者的专业素质是非常重视的。7月17日上午到达北京沙滩（今五四大街）的北大红楼（为"古代建筑修整所"所在地）。在这里向杜仙洲、李竹君、朱希元等先生谈了这次来学习、工作的目的，听了我们的汇报，他们很热情，乐于帮助我们复制资料，对有些问题当即就答应可给予解决，如帮助我们晒有关的古建筑图纸、查找有关河南的资料，准备到古迹多的地方边看边讲，并提出了应购置的古建筑书籍的名单。如：《中国建筑史》、（宋）《营造法式》、《清式营造则例》、《营造法源》、《中国营造学社汇刊》及《古建筑施工定额》、《古建训练班教材》等十多种专业必备书籍。学习与工作在时间上分成三个阶段：第一阶段搞资料室资料；第二阶段看修葺工程，学习测绘方法；第三阶段看古建筑讲解。并分别由朱老师、李老师等负责此项工作。在老师们的谈话中，不断讲出许多他们在古建筑资料工作中的宝贵经验和工作方法。如对规整的与不规则的建筑物平面图的定位与测量方法。建立古建筑档案要分两部分：内野和外野。古建测稿成图要两份：一是铅笔图，一是墨线图。调查报告，要成书入档……保护单位的资料要自成体系等等，对此，我们都感到十分实用。关于测绘使用的设备，老师们认为："仪器主要是水准仪最可靠，测高用。其他如经纬仪、测斜仪可大致测个数。"7月19日，朱老师、李老师开始帮助我们查找资料，选出有关河南的部分图纸和122张照片。下午又查找有关古建筑的书籍目录，为我们在北京购买专业书籍做好准备。7月21日，我队古建组组长杨宝顺同志为温县慈胜寺修葺和壁画临摹的事来京。22日下午，我们三人到杜工程师房内研究学习与资料工作计划，杜老师听后表示同意按原计划搞。会后，杜老师又为我讲了临摹壁画的事，认为可与学测绘同时进行。7月23日，抄写了三份与河南有关的图纸目录，并把梁思成、刘敦桢合著的《塔概说》和《中国建筑史图录》两书中有关河南的古建筑图描完，共计7幅。7月24日，李竹君老师带着杨宝顺、杨焕成和我一同去故宫实地学习古建筑测绘技术，由故宫提供现场并发给了故宫大门的出入证，非常支持我们的工作与学习。当天故宫博物院单士元副院长等还接见了我们。具体测绘学习，由李老师为我们讲授。他从画草图讲起，讲到测量个体建筑、群体建筑平面的测绘顺序（先柱子，再墙壁，再柱础，再门坎等）及做法。内容上窗子要在平面上切住，门上有窗也要加高把切线画上去。一般切断线在1米左右，为了把墙与窗子切上去，窗子要画上几条线。还有黑粗线的用法。底层要画到踏道的土墩石，铺砖要从中线开始。又以门为例讲了断面图的画法。凡此等等，我们过去闻所未闻，听讲后耳目一新，这些实测技术、工作经验我们学了回去就可应用，所以学得特别带劲，学起来如饥似渴，深深感到此次来北京学习的必要性，更增强了搞好"四有"工作的信心。

我们在北京学习古建筑测绘和建筑历史知识，首先感谢本单位领导决策的及时、正确，抓住了有利时机，同时更感谢古代建筑修整所专家提供的学习与资料信息，特别是在京期间的真诚帮助，无私教导。1963年7月份，他们全日在搞运动，白天抽不出时间为我们上课，我们便去中国历史博物馆系统参观中国古代史陈列，并把展室中的有关建筑的文物、模型绘下图样，写生一些出土文物的草图，有时去书市买些专业书籍。

古代建筑修整所的老师们白天搞运动，累了一天，晚上还要挤出休息时间来为我们讲古建筑知识。如7月29日晚上，李竹君老师给我们讲了斗拱的断面画法，先在建筑模型讲了之后，又用大的斗拱模型讲，听了感到很解决问题。他讲了斗拱断（侧）面、仰面、正面三种画法。老师的这种耐心教导，实在令人感动。我们不但学了老师讲的知识，而且也学了老师对文物工作的敬业精神。7月30日，李老师照例在晚饭后来为我们上课，讲古建筑测绘方法，主要讲梁架（模型）纵剖测绘法，还讲了有关梁、檩的知识，斗拱的知识和老角梁的测绘方法等。7月31日，去文物出版社（当时设在故宫博物院内的西侧一座院子中）询问我队有关出书问题，经编辑组接待我的一同志介绍，我有幸拜见了久闻大名的古建筑大家陈明达先生，他当时正在画一幅山西应县木塔的剖面图，告一段落后，我们攀谈起来。谈话中，他希望河南把安阳和渑池二石窟搞出来（出版）。谈到古建筑，他希望搞些塔的测绘工作。我向他询问了一些有关问题，如有关中岳庙的铁人问题，他把五岳中有关情况讲给我听。关于三阙问题，他认为不宜拓拓片，亦可以画，不过不好画，只有照相为好……河南古建方面，他认为塔可以搞一些测绘的工作。他说秋天有机会去河南……聆听大师一席话使我很受感动，他对河南的古建筑是那么熟悉，又是那么关心，且有那么大的期望，作为河南的文物专业人员，怎能不自感愧疚呢！8月2日，上午我和杨焕成拍照斗拱模型和三个殿式梁架模型……下午去参观天坛。晚上听李竹君老师继续讲古建筑测绘知识。讲的是带有总结性的测绘方法问题。梁架的切法，线条的用法，瓦顶、瓦垄、墙壁砌砖、屋顶装饰品（吻兽、嫔伽、脊兽），怎样测绘，应画多细，怎样作大样图等等，非常深入、全面。讲完后，在红楼大门口李老师又告诉我们说："要多观察建筑物，看见一个建筑多想想要怎么画它，怎么画可以表现得完整，不管古建筑或现代建筑，多琢磨就行了。"这当是李老师长期从事古建筑测绘与研究工作的实际体会，也是我们要学习的宝贵经验。接着他对着红楼前的大门又讲起来，应当画哪些面（断面、正面、背面和局部）。我为了加强记忆，说了一下画此门平面图可从墙根去断，请李老师指正，李老师指出，不应从墙根断，而应从门上部断，可以看出比门宽的框和墙。8月3日下午4点多，为学习壁画临摹的事，杜仙洲老师带我一起去著名国画、壁画专家陆鸿年先生家。杜老师也不知道陆先生回来没有，说是去撞的，因为他原在西山休假，估计周末要回来的。真巧，正碰着陆先生在家，杜老师说明来意，彼此交谈起来。陆先生非常和蔼可亲，很热情地对我讲起临摹壁画的步骤方法，如何用色，作画时的注意事项等等。并开列出绘画时用的国画原料、笔墨纸张等。这对于我来说，过去虽喜欢画画，但对于壁画临摹，还是一无所知的门外汉，所以老师的每一句话，对我都是特别重要的。尤其是领导让我回河南后就去温县慈胜寺临摹元代壁画，所以对专家老师的每一句话，都觉得十分珍贵，尽量用心听，详细记，及时问。按照先生所讲，我回去加以整理，把临摹壁画的工艺程序、做法归纳十余条，又把应学习参考的文章名称、期刊等内容列出六项。另外，还讲到了用色、用笔的种类、名称及规格，而且都一一开列出清单。总之，这次登门求教收获很大。在京26天，完成学习任务之后，于8月10日回到郑州。因为是带着工作任务来学习和收集河南古建筑资料的，所以感到时间紧张，不够用。而且这里白天搞运动，老师夜间为我们上课，所以，更感谢日夜为我们上课与查找资料的杜仙洲、朱希元、李竹君、井庆生、陆鸿年等老师们。回郑后，用了几天时间，把在京学习和复制的古建筑资料交资料室或图书室。然后于8月下旬赶往温县大吴村慈胜寺，和已经在那里主持维修工作的杨宝顺同志一起搞寺院的维修工作，我主要是搞天王殿的元代天王像壁画的临摹和"大雄之殿"匾牌（元至元五年，1339年造）的修复工作。真可谓边学边干，学、用紧密结合。因室内光线暗，壁画线条不很清晰，不便使用投影或描稿的办法过壁画稿，便采取了九宫格画框原大勾图的方法，速度虽慢一些，但也可保图像精确。当基本做完两尊天王像临摹时（原大），队里电报通知立即回队，我便抓紧赶图，急急结束这里的工作而返回郑州。在这短短20天（9月2日至9月21日）完成了两幅天王殿中天王像的临摹（墨稿）和元代"大雄之殿"字迹的修补以及四边残缺图案的复原修补。至此告一段落，也是在京学习临摹工作的一次具体实践的检验。作为我个人体会，能从郑州走出去，请教壁画专家陆鸿年先生，这已是难得的机会，回河南后，立即付之实践体验，这也是极难得的机会，为后来参加密县汉墓的壁画临摹工作提供了借鉴。

三、河南古建维修　催人锻炼成长

　　这次队部来电催回郑州，主要是让我参加登封中岳庙峻极门等维修工程的工作，一干就是几年，慈胜寺临摹壁画的事就搁置下去了。为了维修中岳庙峻极门，许顺湛队长、刘东亚先生和我一行三人，于1963年9月28日早上5点去长途汽车站乘车来到登封县。第二天，在县招待所同登封文化馆的白馆长、宫熙同志等研究了中岳庙峻极门的修缮问题。在当时看来，这座面阔五间、单檐歇山式、琉璃瓦顶的高台大门，已属很大的工程项目了。因为它是一座大型、高规格的木结构建筑，所以讨论的中心问题主要是如何解决木材供应困难的问题。其次是配备工程技术与管理人员问题，最少应有五人，组成一个工作班子。10月2日，同登封县文化馆领导及文物专干宫熙等同志研究了工作，县领导已定人去省里和专区争取木材。之后又开始联系施工队（郑州中原合作社）。专署也将工程款拨下来并开始研究工程合同。正在抓紧筹备峻极门工程之时，北京古代建筑修整所的古建专家祁英涛和井庆升同志来河南指导工作，10月27日到达登封，28日我陪同他们去会善寺，重点看了大殿和净藏禅师塔（也是准备维修的项目）。祁工程师对大殿的看法是"这殿保留了一些元代的特点，尤其是斗拱和梁架。但后代重修时改动是很大的。"具体地说：①斗拱是原来的特点；②梁架也多是，尤其通天柱的制作；③缺之斗拱是后来改掉的；④前檐柱子是后来改的；⑤飞子是后来去掉的；⑥石柱接的大胆。对于净藏禅师塔，祁英涛老师指出：①塔尖上是火焰珠宝；②塔基四联砖下直断砖的启示——出檐；③下边二层砖，非定是下边沿；④塔室缺土、砖几十厘米；⑤及时抢修，先修其基；⑥八壁凑合之简陋，说明其早，其单也；⑦穿条法的修葺（加固塔身）；⑧先测全图研究之（以上为所记大意）。祁老师的意见和后来的支持，成为后来修葺工作的指导思想。接下来几天，又看了告成观星台、太室阙、中岳庙。

　　11月1日，陪祁英涛、井庆升两先生去少林寺。因为祁老师带有重包，路又远，便在当地雇了一辆用毛驴拉的架子车运送行李。走到少林寺水库时，小路沿水库边绕过，路很狭窄，车过不去，便卸下行李，牵着毛驴，抬着架子车，方能过去。下午4点到少林寺。到寺院后稍停便开始工作。2日去初祖庵，井先生看大殿梁架时，发现一些构件有抽换问题，需要实地测量，下午便找几个人抬梯子上初祖庵，祁、井两先生测量校对大殿梁架，我等协助。3日阴雨，井老师继续在初祖庵核对梁架，我绘"净藏禅师塔塔基复原图"。祁老师下午一直在塔林。晚上，和祁、井两位老师一同研究"净藏禅师塔塔基复原设计图"至深夜。4日，仍用毛驴车运着行李回县城招待所。中途我和两位老师又去会善寺，至晚上7点多由寺回县城。6日回到郑州。仅登封一地即有多处要抢修的工程，事多人少，所以经常是临时变更，工作穿插进行，居无定处。有许多项目如唐代的净藏禅师塔、初祖庵大殿等，都是全国早已闻名的古建筑精华，对它们的维修必须请国家著名的古建专家现场指导，而我有幸陪同他们一同工作，便是最难得的学习机会。诚然，这当是队领导"送出去，请进来"培训专业人员的有效方式之一。我想杨宝顺、杨焕成和我在学习古建筑的道路上都是这一培训方式的实践者和受益者。

　　11月6日，我陪祁英涛先生回到郑州，7日下午开座谈会，请祁先生讲了对登封古建筑的观感，并提出许多宝贵的保护维修意见。祁老师接下来还要到豫北几个古建筑维修工地指导工作，许队长让我陪同前往。我自然满心高兴。8日早上5点半乘车来济源，下午到济渎庙，正在外边看时，杨宝顺同志也从外地赶了过来，一起把庙院看了一遍，接着去看奉仙观。次日上午再去济渎庙，下午去奉仙观粗测一些图。10日上午去阳台宫。杨焕成同志正在这里主持对阳台宫玉皇阁的维修工程，看过工地，午饭后开了座谈会，祁老师在会上解答了工地同志们提出的有关工程问题。会后，又看了大殿等，便回县城。11日上午早饭前在济源开了座谈会，李县长与李局长都参加了。祁老师谈了他看济渎庙、奉仙观之后的鉴定、修葺与保护的意见，也谈了一下阳台宫的一些问题。

早饭后乘昨天沁阳赵局长来接的车一同来沁阳。下午看三圣塔（金大定年间建）。12日上午看北大寺。原计划下午看范村的经幢，因温县黄局长来接，经协商先去温县，然后再去范村。13日上午去温县慈胜寺，一直看到下午1点钟结束。我趁机补充了大雄殿内残留壁画的内容和尺寸。在番田公社吃过午饭后，稍息便去"王薛祠堂"，看这座做工精巧的清代建筑。之后看杨门村的福智寺，祁老师看后认为寺之二佛殿为明代建筑而清代重修过。14日上午到苏王村看了《三教神祠》碑（明崇祯十六年），之后到徐堡看了五神阁（关公、孙真人、文昌、财神、观音）和小学里的一座三清殿（原庙为遇仙观，明建，清乾隆时修过），又到武德镇，无可看古建筑。最后到赵堡看了关帝庙和孙真人庙，均不甚重要，尚可保护利用。回县城开了座谈会。16日从温县返回沁阳，决定只谈谈文物保护工作，不再去看经幢了。下午乘长途汽车，由沁阳到焦作，因晚上没有往郑州的火车，只好住在服务大楼旅社里。15日上午11点55分乘火车回郑州，下午5点多到郑，祁老师怕到机关天晚无饭，费事，便在街上随便吃些饭再回去。经打电话联系后，队里连住房也没有，便在旅社住下。对于旅途中这诸多的不顺利状况，祁老师竟毫无不快之意，他一切为着工作，让人从内心钦佩。11月18日在省文化局开座谈会。队里决定19日仍由我陪同祁老师去洛阳。主要是了解检查白马寺的修葺问题。我们住在洛阳国际旅社，晚上请祁老师给我讲鉴定古建筑的原则与方法。老师非常耐心地给我讲了三个钟头，我边听边问边记，感到非常解决问题。11月20日上午10点多，洛阳蒋若是局长陪同我们去白马寺，上午先后看了大雄宝殿塑像和清凉台上的毗卢阁。为了检查损毁、病害，祁老师等都上到阁之顶层检查梁架的支撑情况。他仔细看后，对已采取的加固措施很满意。从高阁下来，又去看了齐云塔。晚上，又请祁老师给我讲了古建筑的举折问题。11月21日上午参观了龙门石窟，下午参观王城公园中的汉墓。晚饭前后，趁空画了祁老师、井老师我们一起测的一些草图和补记了一些祁老师的古建调查记录等学习材料。当天乘火车回郑州。

自10月26日许队长通知我陪同祁老师、井老师出差登封，接着11月7日陪老师出差豫北济源等地，最后又于11月20日同去洛阳，21日回郑，前后共计26天。在这段日子中，两位老师强烈的事业心、丰厚的专业知识、朴实无华的工作作风都给我留下了深深的印象，是我应当好好学习的榜样，特别是他们对后学者的热心帮助、无私教诲更使我受益匪浅，在紧随老师、又结合古建筑实际的条件下学习古建知识，恐怕在青年人学习生涯中是难能可贵的。我每回忆起这一段学习机遇时，都有说不出的喜悦。同时，我也由此而想到这可能是文物队领导大胆使用年轻人与注重对年轻人的培养之有效措施。对此，我很感激队领导，也很知足和庆幸。

11月23日，回到中岳庙工地。许队长和刘东亚同志正在峻极门前。根据工地安排，第二天我便开始测绘峻极门工程图。同时还要做工程现场各种照相资料记录，动工前的损坏状况、各部位的关系等。12月14日，测绘完有关工程图。次日，北京古代建筑修整所专家井庆升先生在我队游清汉同志陪同下来中岳庙工地。当晚研究工程问题。工地的不少工程技术问题，在井庆升先生指导下，逐步得到解决。这次井庆升先生从1963年12月14日来工地至1964年1月14日，一连在现场指导工作一个月。他的工作精神与丰富的施工经验，通过解决许多具体技术难题，使郑州来的工程队口服心服。同时，对我队同志更是现场进行工程培训，对工程的进展起到了很好的促进作用。所以中岳庙峻极门工程项目的顺利完成、质量得到保证，是和祁英涛、井庆升两位先生的关心指导分不开的。

在中岳庙峻极门工程进行中，不断穿插进行着一些其他工程项目，如会善寺净藏禅师塔及永泰寺塔等等。但从1963年开始勘测调查，一直持续到1965年10月开始维修塔基的重要项目，则是会善寺净藏禅师塔塔基修复工程。该塔建于唐天宝五载（746年），是我国最古的八角形亭阁式塔。由于年久失修，塔基崩塌损毁十分严重，但该塔又是仿木构亭阁式塔的典型建筑，塔基四周均无完整之处，修复设计困难较大。几年来多次现场勘察，也探测了各面塔基下层，而且得到了祁英涛、杜仙洲、井庆升等专家的全力支持，帮助分析塔基结构和复原的依据。方案报到北京之后，杜仙洲老师当时负责审查各地上报的古建筑维修方案，为慎重审批，杜老师又带着方案征求了清华大学梁思成教授的意见，梁先生看后提了四五条意见，在文化部批复时，这些意见均吸收在批复的文件中。根据文化部文件精神，该项目在施工过程中，从订砖的尺寸规格、质量要求到现场塔顶拔草、固砖，我均坚守现场。施工期间，为工作方便，我和一名工人同志就住在大殿内的东墙下。那时大殿尚未整修，门窗破烂不堪，窗子框内没有格心，夜间不仅有风、寒冷，而且大殿北边紧邻山坡，更恐野兽威胁。所以就让施工队上山割些有刺的荆棘条子，把它填满门窗的空洞处，捆绑牢固，既挡风雨又可防狼。修缮的工地上，正处在风口处，寒风凛冽，工人操作困难，就买来席子，环塔一周搭起挡风墙，并在其内生起炉火驱寒，还让伙上为工人们做些菜汤送到工地，喝之抗寒。克服许多困难，终于按照文化部批文要求，按计划完成了塔基复原加固任务。此塔竣工后，不少领导专家来看过，这种修缮效果得到了专家的认可与好评。祁英涛先生1988年所著《中国砖石古塔维修概况》一文中，曾指出："补砌塔基的保养工作，情况颇不一致。有的处理得较好，如河南省登封县会善寺唐天宝五载（746年）建造的净藏禅师塔，由于多年失修残毁，于1963年经过对残存基座的仔细研究，找出原来的基座形制后进行了补修，效果较好……"（见中国文物研究所编《祁英涛古建论文集》，华夏出版社1992年11月出版发行）诚然，净藏禅师塔塔基维修及塔顶稳固工程得到专家的肯定，其主要原因是有多种因素，首先，此塔是中国最古的八角砖塔，从上世纪二三十年代已经受到国内外古建筑专家的特别关注，文物队接受修缮任务时，领导也特别慎重，多次请我国古建界著名专家现场指导，直到方案报到文化部时，负责此项审阅工作的杜仙洲、罗哲文先生都极重视，杜老还亲自请教梁思成先生，文化部下文件时，还特意提出："施工时希望你局派人监工，保证质量。"迄今修复后已48年过去，塔基尚无出现问题，说明塔基结构复原设计是合理的，外形也是合理的，烧制的仿唐大砖质量是较好的。

四、参加全国古建筑培训　回队继续完成"四有"任务

1964年在北京举办"全国第三届古建筑测绘训练班"。省文物队推荐杨宝顺、杨焕成和我三人参加学习。学习地点在北京沙滩（今五四大街）北大红楼（是当年古代建筑修整所之所在地）。学习班自4月1日开学，7月20日结业。加上学习考察已到8月。训练班的教师来自文化部文物局、古代建筑修整所、清华大学、北京大学、天津大学等单位的专家教授十余人。学员来自全国16个省、市、自治区，共28人。学习内容有三个方面：（1）文物政策法令基本知识；（2）中国古代建筑的基本理论与相关专业知识；（3）古建筑测绘技术，是本次训练班的主要学习内容。授课教师依讲课次序有王书庄、陈滋德、梁思成、杜仙洲、罗哲文、陈明达、阎文儒、祁英涛、单士元、井庆升、余鸣谦、于倬云、李竹君、卢绳等。学习班先在北京红楼讲课，在故宫实习。后在山东曲阜实习制图。办好这次学习班，将为全国文物"四有"建档工作做好人力与技术方面的准备。关于这次学习班的详细授课内容、活动情况，已以我队参加学习班的三人名义写了一篇回忆文章《从北大红楼到曲阜孔庙——1964年第三届古代建筑测绘训练班记忆》发表在2010年第2期的《中国文化遗产》上，此不赘述。

学习结业之后，回单位上班的工作任务和学习班的培训目的完全一致，即进一步做好"四有"工作。领导要求做好文物保护单位的"四有"档案、标志等全面、细致的工作。首先，8月份在单位研究设计全省统一的"文物保护单位档案"资料袋、资料纸、照片纸、各种登记表、硬皮夹子、标志碑等统一的式样。做好各类资料准备之后待审批。并于9月21日来登封接着搞"四有"工作。除前边已做过的中岳庙、少林寺之外，便从汉三阙开始做。这天由丁伯泉队长带队，吕品、马志祥和我四人过来，登封文物保管所仍为我们的登封工作基地。下午和登封文物保管所的同志一起研究了工作计划。第二天上午开始去太室阙刷洗阙身，下午开始测绘太室阙的平面、立面、仰视、俯视等实测成套图纸。这是到文物队后的第一次全套的正规制图，也是学习班回来后的第一次古建筑立体测绘实践。马志祥同志也开始全面进行石阙的整体拓印。我和吕品同志一起测过环境图之后，吕品以文字记录为主，我以实测图为主，三个汉阙均是这一模式进行。国庆节后，冯天成同志也加入了登封"四有"工作的队伍。10月8日，丁伯泉、安金槐队长来登封研究工作时，表示同意已设计好的标志说明牌的形式，可以试制。在三阙的测绘、记录、拓印工作中，太室阙最方便，启母阙也不太远，只有少室阙困难最大，当地没有房子可住，好不容易找了一座小牲口屋，可腾出一半（外边）让年岁较大的马志祥、冯天成两位同志住，因为他们还带有拓片工具、纸张等，需要有一个存放之处。我和吕品同志年纪小些，坚持每天跑20多里回县城招待所住。由于任务紧，我们每天仍按时上下班，下午6点下班时，天早已黑下来了。在少室阙保护房内光线更暗，每天有很长时间要靠煤油灯工作，在天黑以后回城的路上也要点着灯照明走路，我和吕品一人提灯，一人提棍，防止有狼袭击。三阙资料搞定，接着是划保护范围，建保护组织，利用晚上开会向当地群众宣传保护文物的重要意义。12月1日，少室阙工作结束，离开十里铺，在回城的路上，风雪交加，行走吃力。三阙工作完成之后，12月11日我们搬进了嵩岳寺塔旁边一座准备拆除的房子里，此房紧靠塔身，做了我们的"四有"工作室。这

里的自然环境极好,但保护现状很差,塔院很少,塔被民房包围,连塔后的三座殿宇,也被占用,院中还挖了许多红薯窖,整理的任务较大。我和吕品同志在这里工作,当是最开心的一处。在调查中发现塔周边和塔西高岗上,有不少建筑遗址,从中还拣出了不少早期的古建筑瓦件,瓦当面上饰有飞天纹、兽面纹等图案。从建筑遗迹表明,千百年前,这里曾是一座殿堂密集、雄伟壮丽的佛国重地,而且又是景色秀丽的避暑山庄。寺前的叠石溪流,长年不断。据当地的群众说在小溪中,常有娃娃鱼出现,螃蟹也很多。我们住在小屋中,每天靠群众送饭。在这里工作了8天(12月11日至18日)完成任务。结束了此塔的"四有"工作,也结束了全年的田野工作。

过了1965年春节,3月28日至4月30日,开始了观星台的"四有"工作。我和吕品同志,校对了过去(民国年间调查时)的测绘图纸、资料,并重新进行了环境与文物本体的调查与测绘工作。测量绘制了观星台的地理位置图、观星台(院落)总平面图;周公测景台(石表)平面图、正立面图、东侧面图、西侧面图(现状实例图)和观星台平面图、各侧立面图和大样图等。为70年代的观星台全面维修提供了良好的资料基础。现场测绘、调查等"四有"工作完成后,回郑州进行整理制图、装订成册等工作。我队已先后完成登封县的七处文物保护单位的"四有"工作,即当时的省文物保护单位中岳庙、少林寺,全国重点文物保护单位太室阙、启母阙、少室阙、嵩岳寺塔和观星台。至此,登封的"四有"工作告一段落。自5月19日至6月28日,又转到开封开展"四有"工作,开封"四有"工作的重点是佑国寺塔。其环境优美,建筑单体数量不多,但属高层建筑,在档案资料的获取方面困难较大,如该塔全是用相互扣合的几十种特型砖砌造的,许多特型砖又多砌在外檐,所以在文字记录与砖型绘图方面难度均比较大。除一部分可以用陈展室的旧砖代替外,不少地方的结构与砖型还要经常从各层塔门中出来沿着不宽的塔檐平座寻找。另外,琉璃砖有宋和宋以后增补的多种砖材,后补砖以明代最多。为了找到原有不同形制的琉璃构件或题字砖,也要在塔内较窄狭的通道、窗壁和外檐大面积的琉璃砖壁、斗拱或檐子上去找寻。为此,有些天每天要上塔好多次。而且,在中层以上外檐工作时,风也比较大,总会有一定的危险性。在登封搞"四有"建档时,较低矮的太室阙、少室阙、启母阙和观星台都做了完整的实测图,而嵩岳寺塔因为没有架子,又不是每层都有可出入的窗口,所以无法实测其立面图,成为一个遗憾。如今佑国寺塔有门窗可出入,是否可以腰系绳子来测量全图呢?带着这个问题,我和公园的李主任商量,李主任对建立佑国寺塔的"四有"档案工作非常支持,也很有参与的兴趣,他又是转业军人出身,一身是胆,当然希望搞出一套全图来,对今后的保护工作自然是大有用处的。当我们研究到塔顶时,又难住了,因为各层有门可以出来,但塔顶有一层斗拱和深深的塔檐,如何上去是一大难题。后来李主任想到做云梯,他可能想到了中国古代战争中的攻城云梯吧。公园有木工,做个云梯不难。他想有了一架云梯,放在十三层门外塔檐上,再用麻绳在铁门上拴牢,不就可以上去了吗?我一听说觉得可以一试。不久一架木梯做好了,好不容易运到了塔的顶层,可是梯子在琉璃瓦塔檐的斜坡上根本立不住,放上去就顺着斜坡往下滑。无奈之下,只有放弃立面图的实测,等待以后搭架子时,再作测绘图了。

1966年5月初,我和杨宝顺、杨焕成又到洛阳白马寺,搞这里的"四有"工作。洛阳市文物部门的贺官保、李献奇同志和我们一同来搞。首先，我们校对、修改了过去的寺院总平面图，研究标志牌及白马寺说明问题，并到焚经台等建筑或遗迹地方了解近年保护的情况，还听取游客的意见。在审阅了碑刻内容之后，确定拓印入档的资料。有些虽不拓印，也要一一登记。对于寺内的单体建筑，殿内塑像，也要在平面图上绘出。除了专业资料工作之外，还组织了工厂、部队的集体参观座谈活动，听取他们对开放形式、内容、保护等方面的意见。6月5日，队里通知我们回郑州，整理好材料准备回队。回郑州后看报纸才知道，"文化大革命"运动开始了。19日下午省委派工作组来文物队。不久，大字报在院内贴了出来。所有的工作都搁置起来。

1970年2月，文物队与博物馆合署办公。1972年10月以后，因少林寺千佛殿壁画揭取保护问题，又展开了较大规模的文物保护活动。10月13日，领导决定派苏思义、刘建洲、陈进良、王今栋和我，另邀请登封县的冯增欣、庚丙伦两位同志，一同去吉林省学习揭取古建筑墙壁上壁画的经验与技术。16日出发，到达后受到吉林省博物馆的热情接待。严主任主持座谈会，专业人员介绍了他们揭取壁画的宝贵经验，并到库伦旗参观了墓室壁画。26日至29日，又去山西省文物工作委员会，陶健主任主持了座谈会。柴泽俊同志介绍了永乐宫壁画揭取的经验。后又到永乐宫参观了壁画和揭取工具。10月31日，向傅月华等领导汇报了学习情况。11月2日，国务院图博口祁英涛工程师应邀请到郑州，傅月华、石文生等领导去东站迎接。次日，傅月华等领导陪祁英涛工程师去开封考察。4日，谭金升、宿体元、刘建洲和我陪祁先生去登封，陈进良、苏思义、王今栋、张建中、王兆文等五位同志先行到达。次日先去少林寺看千佛殿壁画损坏情况，下午去观星台、中岳庙、太室阙等处。6日下午又去初祖庵对图纸。接着又看嵩岳寺塔等古建筑。后又去洛阳。回郑后，11日在省博物馆开座谈会，傅月华同志主持。祁英涛先生对少林寺等地壁画、文物保护提出了重要的指导意见。

1973年5月15日至11月9日，组织了临摹密县打虎亭汉墓壁画的重要活动，1974年8月26日至10月2日，去北京故宫参加复制密县汉墓百戏图壁画工作。为征求对登封观星台维修方案的意见，到南京工学院访杨廷宝教授。

1975年初，又到北京听取了祁英涛、谢辰生、夏鼐诸位专家、学者对观星台维修方案的指导意见，为下一步的整修做好准备。方案经国家文物局批准之后，开始全面整修。于1975年6月14日，工程竣工。17日，省文化局周局长、傅月华、孙传贤、林治泰、李庆生等领导到工地检查，对工程表示满意。此次观星台修缮工程，保持了原有风格，补修了被日军侵华时炮击的弹洞、崩裂缝隙，修配了台周边的护栏和地面，复原了台顶东侧被打塌的小室。更重要的是，通过认真寻查，找到了埋在建筑物房基下的一方原量天尺（石圭）上丢失几十年的圭石。将其复原到量天尺上之后，其长度恰符合《元史·天文志》记载的128尺（元尺）。又在井台和屋基下发现多通明、清碑刻。尤其一通记载有明代嘉靖七年（1528年）知县侯泰刻记修建"周公测景台"与"观星台"具体记事的石碑，被后人从正中一劈为二，砌于房下，这次也从地下起出，并粘合在一起现立于戟门北面东端，又得重见天日。在观星台修缮竣工之后，还测绘了修整后的图纸，长春电影制片厂在此拍了《昼夜与四季》，北科影拍了《宇宙》等科教片。北京天文台天文科学家还专程多次来此观测天象，起到很好的宣传教育作用。

10月8日上午，我们去八方村调查古文化遗址，收集了散存在当地群众家中的陶罐等文物20多件，半路上，又发现了一件北魏石柱，当即把这些文物运回到观星台。对送陶器的人，每人奖励些毛巾与肥皂。但这些文物价值如何，我说不清楚，回到郑州，将此事向安金槐先生汇报，安先生过来看后，当即认为这批文物重要，比出土的商代陶器要早。10月23—24日，队领导李庆生、安金槐以及李敬昌同志来看观星台的维修和八方遗址，并筹备考古发掘问题。至1977年4—8月在此进行的重点调查和发掘工作，取得了一定的成绩；接着在下半年进行的发掘工作中，又取得了新的收获；这在探索夏文化的路程中又向前跨出了一大步。1977年11月18—22日，国家文物事业管理局在我省成功地召开了"河南登封告成遗址发掘现场会"。国家文物局陈滋德处长、省文化局杜希唐局长以及当地领导出席了会议，全国著名专家学者云集中岳，参加会议的有中国社会科学院考古研究所、中国历史博物馆、大专院校及相关省、市文物、考古等部门的30多个单位，110位专家。我国著名考古学家、中国社会科学院考古研究所所长夏鼐先生以及佟柱臣、史树青、黄石林、邹衡、殷玮璋、商志馦、赵芝荃、安金槐、许顺湛、贾峨、徐殿魁、孙作云、郑光等作了学术报告。之后又邀请诸位专家在《河南文博通讯》"探索夏文化"专栏中发表了有关夏文化的考古发掘报告、论文等20余篇。夏文化的学术研究气氛高涨起来。在我国文物考古工作历程中向前迈进了重要的一步，历史将会记住这个盛会。

五、真诚的感谢

我自1962年10月调到省文化局文物工作队，到1981年博物馆"一分为三"，我被分配到河南省古代建筑保护研究所之后，我对文物队的老领导、老同志、老朋友、老邻居，还有惠工街的老院子，仍是感到那样的亲切，那样的思念。不管是领导还是朋友，人是那样的亲，故事是那样的多，以致常常在老朋友会面时，总还是那么容易无休止地回忆起有趣的往事。有困难大家同当，有快乐大家共享。我初到队里时，由于家庭包袱较大，每月收不抵出，五口之家，又要帮助弟弟上大学，所以生活上常闹饥荒。这就让我成了大家关照的对象，领导和同志们经常想办法照顾我，尤其在住院治病时，单位多次补助我、关心我，使我能够安心工作，安心出差。长久以来，我常常思念着他们，回忆着这值得记忆与感恩的往事。

我从省委党校来文物队报到之前，曾先打过一个电话，这第一个电话，正是杨焕成同志接的，我在询问到单位的行走路线以及有关过来的事。杨焕成同志用非常热情的言语对我的问题一一作了详细的回答，对我的调来他还表示了非常欢迎，几句短短的通话，说得我心中十分温暖，对这里的工作更充满信心。我本来根本不知道省里有个文物工作队，是一次从开封回郑州的火车上，碰见了孙传贤学兄，他热情地向我介绍了文物队的情况，说这里的工作多么坚实，多么有意义，又说队里的许多同志多么有学问、有才华……建议我来队工作。后来按照他的介绍，我比较顺利地调到文物队来。从党校搬过来的第一天下午，就是在孙传贤、王瀛三等同志的帮助下，所里为我安排了住处。第二天就和孙传贤同志一同出差洛阳地区，参加了碑刻调查工作。使我第一次感受到文物工作的价值与重要意义。

由于我和爱人胡书良及孩子两地分居，生活上不好彼此照顾。到队后的第二年，我申请把爱人和孩子从开封迁来郑州。队里领导对此事很关心支持，较快地帮助我解决了这个实际问题。当年6月13日，我和杨焕成在登封出差，杨焕成同志回郑州办事回来，见面便向我报了喜讯：胡书良迁郑的事批准了。我喜出望外，没有想到会办得这么快。过了两周，登封工作办完后，6月26日我回郑州为书良和孩子迁居一事奔忙起来，办了一些手续，找住房等。7月2日，请假回开封接书良和孩子。但在开封办理户口迁移手续时，因没有郑州的"准迁证"和其他证明，没有办成。我急忙给本队办公室王桂枝同志打电话，说明情况，请她帮助办理证明寄到开封。第二天上午竟然收到了王桂枝同志寄来的挂号信，里面装的就是申请迁户口的申请书和批准表。这么一天不隔地办好这件事，是我想不到的速度，从时间上看，肯定当王桂枝同志接到电话后，便立即去有关部门办理了各项手续，而且又是当天一刻没停地把挂号信寄到开封的，否则，绝不可能让我第二天上午就接到了挂号信中的准迁证与申请表。从这件事上，可以看出王桂枝同志在帮助别人做事时是多么尽心尽力，急人所急，助人为乐。几十年过去了，我一直记着王桂枝同志这种优良的好作风。由于及时收到了挂号信，我们顺利办完了各种迁郑手续，使我仅用一星期的时间，就于7月7日顺利地将家人迁居郑州，心情安定多了。过了3天，我持队介绍信、证明材料、户口本等证件，又在管城区劳动介绍所为书良安排到我队做临时工作，逐步又在惠工街安排了住房，有了一个小家。初步改善了分居的困境，有了一块属于自己的天地，生活开支也节省许多。想到这些，我常常有一种对领导和王桂枝同志的感激之情。我们是惠工街小院的拓荒者，是最早住进小院的家庭。但时隔不久，这院内的文物逐渐迁出，变成了文物队的第一个独立的家属院，王明瑞一家、杨焕成一家、李京华一家、张学兴一家、曹桂岑一家都逐渐搬到院里，过去的荒苑，如今变成了谈笑风生的快乐家园。王明瑞同志的老伴王嫂，成了小院人人尊敬的老人，谁家有事她都关心帮助，对孩子们就像对待自己的亲人一样，该亲就亲，该管就管。大家有事她都亲切关照。院中间生长着一棵枝叶繁茂的大椿树，成了我们院活动的中心地段。夏天在树下聊天、乘凉，更是孩子们玩耍的地方。上世纪70年代我们的生活虽不富裕，但精神上却十分快乐。我家的孩子经常得到王嫂他们的关照。外地来了家人也相互照应，解决住房难题。特别是我爱人那时身体较差，经常有病住院，我又经常出差在外，三个孩子和住院的爱人也常靠同志们的悉心照顾。我几次出差回来，看到同志们在医院照顾胡书良，心中都有说不出的感激之情……这样的事情已经过去了几十年，但每当我有事查询日记看到这些记事时，心中都有说不出的愧疚和感动。在那样一段困难的岁月里，有这么多文物队的好朋友、好同志在帮助我，甚至在岳母病逝的丧事中，孙传贤、吕品等同志都忙着帮助料理，其行其情，不是一家，胜似一家。这将是我永远不会忘却的记忆。我将永远地思念他们，真诚地感激他们！

六、心中的纪念

关于我省古建队伍的发展、成长以及古建所与文物队的密切关系，在1998年11月24日的河南省古代建筑保护研究所"庆祝建所二十周年暨学术报告会"上，安金槐先生有一段精彩而深情的讲话。他说："今天听了家泰同志讲咱们古建所的发展过程。我听了他说今天是纪念二十年，实际上我想你还是可以多说点，说它个四十多年不要紧。因为原来古建所跟考古所是在一块儿的。在一块儿那时候一方面做地下，一方面做地上，古建所就是做地上的。"安先生的话讲得是那么真切、那样感人，他是用深深地关爱之情来说这段话的，我们心中何尝不明白呢！事实上，确如其言，当时在座的许多同志都是从文物队过来的，他们也都会有同感，而且他们也都是由文物队培养出来的业务骨干。无论从工作性质、工作内容和专业人员组成等方面说，古建所的前身，就是文物工作队的古建组（地上组）。河南古建所的发展、成长也一直得到文物队老领导许顺湛先生、安金槐先生、丁伯泉先生的关怀与支持，因为这是他们用心血培养出来的一株树苗，这棵树苗不管长多大，其根系都和大树连在一起。安老说得好，古建所的纪念，应当从文物队古建组记起。除了形式上的纪念之外，这才是我们发自内心的纪念，而心中的纪念则是永恒的！

1963 年初，地上组同志在省文物队办公室花坛前合影（左起刘东亚、作者、贺官保、杨焕成、吕品、汤文兴）

1964 年 4 月至 7 月，在北京北大红楼学习时的合影（左起杨焕成、杨宝顺、井庆升、作者）

1964 年 7 月 24 日，在北京北大红楼前，举行全国第三届古建筑测绘训练班毕业典礼。国家文物局王冶秋局长、姜佩文所长等领导在前排就座（后排右二杨焕成、右五杨宝顺、右九作者）

1991 年，在日本考察（左一安金槐、左二作者）

20世纪90年代，参加中国建筑学会建筑史学分会学术研讨会（前杜仙洲，后左起作者、杨肇清、孟繁兴、杨育彬、杜启明）

20世纪90年代，考察永城陈胜墓（左起陈进良、作者、黄景略、杨育彬）

20世纪90年代，参加三门峡学术会（左起杨育彬、安金槐、李学勤、作者）

2007年9月，作者（左一）参观新郑唐户遗址（右一张松林、右二杨育彬、右三李友谋）

2009年，河南省文物志编辑室全体编辑人员合影（左起王治品、作者、杨育彬、杨焕成、任常中、陈进良）

河南省文化局文物工作队

——我学习、锻炼和成长的地方

任常中

河南省文物考古研究所的前身——河南省文化局文物工作队,是我学习、锻炼和成长的地方,那里有很多传授我知识和业务技能的老师,不管是健在的或仙逝的,他们的音容笑貌时常萦回在我的脑海里。

1964年8月,我从北京大学历史系考古专业毕业后,被分配到河南省文化局,我去报到的时候,人事处的张素琴女士对我说:"博物馆(指河南省博物馆)、文物队(指河南省文化局文物工作队)都适合你工作,你看你想去哪里?"还未等我回答,她又接着说:"你的师兄杨育彬、郑杰祥、陈旭都在文物队,我看你到文物队合适,你就去文物队吧?!"我高高兴兴地到文物队报了到,安金槐副队长安排我为地下组的一名组员,做地面下文物遗址、遗迹的调查、钻探和发掘工作。

1965年,开始了我的第一项业务工作——到新郑城关做郑韩故城的钻探,把探出的城墙走向、厚度、城门、道路、壕沟、冶铜遗址、铸铁遗址、制陶遗址、房屋基址、墓葬、灰坑等,都标在平面图上,以了解郑韩故城的整个布局。李德保组长是负责人,但他事多,少在工地。欧正文在招待所整理过去的钻探发掘资料,真正在现场负责几十个民工钻探的,就我一个"干部",还有一个作记录的老先生叫赵全暇,据说是省文化局文物科科长,1957年被划成"右派",现在是在这里劳动改造的。王治国、马志祥、李敬昌三个年纪大的人也在现场,但他们是"工人",听我指挥。您别小瞧了这几个"工人",哪里钻探出了路土、淤土、哪里钻探出了铜渣、陶范,哪里钻探出了房基、墓葬、哪里钻探多深到了生土,全是他们根据钻探出来的土质、土色报给我的。虽然我在学校学了五年历史、考古知识,也曾在北京怀柔县发掘过汉代遗址和墓葬,在安阳殷墟发掘过商代遗址和墓葬,在山西翼城县发掘过西周遗址和陶窑,但钻探地下遗迹的知识我不懂,是这三个老师傅手把手地教会了我。我对他们十分尊重,和他们的关系相处得非常好,下雨天不能出工钻探的时候,我常请他们到酒馆去喝酒,以表达我作学生的感谢之情。

1966年春,郑州市博物馆在古荥镇发现了汉代冶铁遗址,准备进行钻探和试掘,但他们大都是初、高中毕业的年轻人,没有学过考古这门专业知识,带队人于晓兴特地到文物队请求技术支援。安金槐副队长派我去协助(实际是指导)工作,我一听就傻眼了,我想:虽说我阅读过巩县铁生沟、南阳瓦房庄、河北兴隆汉代冶铁和铸造遗址的考古报告,但我没实际搞过汉代冶铁遗址的发掘,参加可以,指导别人,何敢?安副队长看我有畏难情绪,就说:"别怕,碰到困难,回来找李京华(当时是地下组副组长,熟悉冶铁遗址考古)去。"我们在那里钻探出了南北长400余米、东西宽300余米、总面积达12万余平方米的汉代冶铁遗址,发掘出了炼铁炉和有"河一"铭文的陶范残块,是李京华副组长告诉我这是汉代的炼铁炉,并根据陶范的"河一"铭文,推测这里是河南郡第一铁官作坊,因为汉代实行盐铁官卖政策。我当时就想:李组长懂得可真多呀,我以后真得跟着他好好学。

1967年,中央发出了"抓革命,促生产"的指示,我和吕品、裴明相、张静安、郭德慰等同志到淅川县埠口镇桐柏庙村发掘去了。这是丹江水库淹没区,居民早就搬走了,房子也扒了,白天很难见到人影。时近深秋,入夜秋风萧索,野狼号叫,着实叫人心惊。幸运的是,我负责发掘的探方里,发现了龙山文化、屈家岭文化、仰韶文化的三叠层,真是高兴万分,因为此前仅知湖北京山县首次发现屈家岭文化,尚未见到河南有屈家岭文化的报道,应是一次重大的发现。这一天收工回来,日落西山,黄昏初现,在一个水塘边,有一小堆牛屎挡在面前,我刚跷腿跨过去,不经意间,却突然发现这堆牛屎在动弹,我感到十分奇怪,蹲下去仔细一瞧,哪里是什么牛屎,原来是一只老鳖在俯伏前进。我们把它捉了回去,吃了一顿别致而饶有野味的晚餐,也算是对我新发现的庆贺吧!

1970年,根据国家"精简机构,干部下放"政策,很多有工作成就和工作经验的同志被下放到工厂、农村去了,剩下的人和河南省博物馆合在了一起,文物队成了河南省博物馆文物队。1971年9月起,我被推荐到北京故宫出国文物展览工作组(今中国文物交流中心前身),筹备《中华人民共和国出土文物展览》。一天,文物队的安金槐队长进京出差,找我面谈,想让我和他一起搞郑州商代城址考古。他说:"我一个人搞郑州商城也忙不过来,需要一个帮手。再说,我也年纪大了,总得有人接班呀,咱俩一起搞商城怎么样?"我当时心里热乎乎的,这是安队长对我的信任,如果能跟河南田野考古一把手一起搞考古,能学到多少东西呀!高兴之后,我又丧气了,我如实地告诉他说:"安队长你不知道,我近年有一种病,犯前毫无征兆,犯时突然晕倒在地,面色苍白,冷汗满头,昏迷不醒,意识丧失,2—3分钟醒来后,唯感全身无力,别无异状,休息两三天就好了,在郑州、兰州、甘肃合水县已犯过四次了,医生也查不出什么原因,有说是低血糖引起的,有说可能是一过性脑缺血所致。我如果在探方边犯病,一头栽下去,轻者受伤,重者要命。您的好意我心领了,我看我不能再搞田野考古了。"安队长一听,遗憾地说:"要是这样,你确实不适合再搞考古了,我回去跟老傅(中共河南省博物馆书记傅月华)讲一下,给你调调工作吧!你也跟老傅讲讲。"我说:"好,我非常感谢您对我的信任和关心。虽然我不能和你一块儿搞郑州商城,但我给你推荐一个人怎样?"他说:"谁?"我说:"杨育彬。他各方面都比我强,他比我更合适。"后来,确实是杨育彬师兄和安队长一块儿搞郑州商城了,我也离开了考古工作,步入到博物馆行列。而且,我在河南省博物馆任馆长工作期间,得到了后改为河南省文物考古研究所领导和同志们的大力支持和帮助,我是十分地感谢!

时光荏苒,日月如梭,尽管多年过去了,但这些人、这些事,却深深地印在我的脑海里。值此文物队60年华诞之际,我祝愿今天的河南省文物考古研究所锦上添花,再铸辉煌,祝福所里健在的人健康长寿,逝去的永登极乐。

1967年11月，淅川桐柏庙遗址发掘结束后在埠口区粮管所前合影（前排左一裴明相、右一马志祥，后排左二作者、左四李京华）

1986年5月，作者（左四）出访日本爱知县人间博物馆与日本友人合影

1996年2月，作者出访美国参观旧金山亚洲艺术博物馆

1996年9月，作者（左二）在西安参加秦晋豫三省文物工作协作会议（左一赵会军、左三张家泰）

回首话当年

——跨进河南省文物考古研究所大门之后

杨育彬

  1961年9月下旬，笔者结束了大学五年考古专业的学习，带着对未来美好的理想和憧憬，和同班的郑杰祥同学都被分配到河南。9月29日，我兴冲冲喜滋滋持学校派遣证去郑州石平街（火车站附近，老城改造之后，这条街道消失了）河南省人事局招待所报到。一找到石平街，心情就凉了半截，街道坑坑洼洼堆满了垃圾，这哪里是石平街，分明是一条不平街。招待所被全国各地分来的大学毕业生住满了。在招待所意外见到坐上三轮车的郑杰祥，他17日从学校回家（新蔡）途中遇小偷丢了钱包，只好在郑州下车提前来到石平街，已被分配到河南省文化局文物工作队，正准备去单位报到。9月30日上午8点，省人事局管学生分配的老胡同志来了，一屋子人围着他。总算分配了，一纸介绍信让我去省文化局。省文化局人事处的马（融）秘书接待，我要求去文物队，马秘书说："你的材料未到，还不能分配，文博单位好几个，不一定去文物队。"真是不顺，直到10月7日材料才到，人事处张素琴同志说："让你去河南省博物馆。"我连忙解释，考古专业要到田野考古发掘，与博物馆文物陈列不一样，希望能去文物队。反复说了半个多小时，张素琴同志很同情，让我后天8点再来找李（应龙）处长。10月9日我按时赶到人事处，等到9点李处长来了，张素琴说这个学生是学田野考古的，很想去文物队。李处长似乎还有急事，一挥手说："去就去！"真是领导三字定乾坤。随即我就坐三轮车风风火火赶到南关工人第二新村（即今陇海北三街）的省文物队去报到。进了文物队大门之后，王（润杰）秘书热情接待，还见到了许（顺湛）队长、安（金槐）副队长、丁（伯泉）秘书等领导。从此开始了在河南长达半个多世纪可圈可点的文物考古生涯。

  省文物队位于郑州南关外，后来曾被戏称为"第四世界"，经常停电，还没有自来水，交通很不方便，去火车站，去省文化局的行政区，没有公交车可通，更没有出租车了，甚至人工三轮车也不多见。1965年北大考古班的李友谋分配到文物队，以及70年代末日本早稻田大学的稻田耕一郎先生参观城东路的郑州商城工地，都是我骑自行车带人从行政区省文化局过来的。

  10月10日正式上班，定岗为见习员。当时是寝办合一，与郑杰祥同住一间小屋，我先到罗（桃香）会计那里报销火车票之类，又领到了第一个月的工资43.5元。郑杰祥已整理行装准备去南阳搞文物调查。分给我的任务是摘抄河南历代古墓葬的资料。其间又多次参加全队到省图书馆大院前（今郑州市优胜路）收红薯、种麦子的劳动，这是三年困难缺粮时期单位自留地、小片荒的一种补充。每次从南关外文物队出发到省图书馆步行就要1个多小时。刚走上社会工作岗位很不适应，人生地不熟感到孤单。这时在铁道部工作的大哥从北京几次来信，给予鼓励和安慰，其中还写有几句诗，充满手足之情，一直铭记至今：

时光何其速，步华留不住，
五载如隔日，尚记初来时。

吾弟初入京，英俊少年郎，
弟喜依长兄，我喜弟成长。

颐和秋色佳，未名青又青，
指点谈笑间，多恨日苦短。

依依手足情，同胞意更浓，
如今毕业去，路远通灵犀。

该是喜庆日，更惜团聚时，
遥祝诸弟妹，发奋更努力。

10月中旬，随王润杰西行，去洛阳文物库房整理墓葬发掘资料，地点在洛阳周公庙，大门口挂的是河南省文化局文物工作队洛阳工作组的大牌子，与洛阳曲剧团同院，又和中国科学院考古研究所洛阳工作站隔壁。参加库房墓葬器物整理的有裴明相、郭建邦、贺官保、李宗道、张长森、曹立轩等同志，摆陶罐、器物排队，看资料，一直到1962年初才告一段落。我回到郑州前大家还拍了一张全家福，定格了那一段刚刚迈入社会的生活。其间，还参加了几次诸如大院内翻地种麦子的劳动。

1962年全年参加了全省碑刻调查，这是河南省文化局文物工作队当年的中心任务，也是全国第一次文物大普查的延续。先后与丁伯泉、武志远、刘东亚、贺官保等同志做伴，或两人同行，或一人前往，笔者足迹走过南阳、邓县、许昌、禹县、平顶山、叶县、宝丰、襄县、郏县、鲁山、扶沟、长葛等十多个县市。那时候还是生活十分困难的岁月，饿肚子也是常有的事，但这并没有影响对工作的全身心投入。

当时交通条件还不是很方便，比如去南阳，先是头一天坐火车到许昌，再买第二天早上去南阳的汽车票，晚上住许昌（多半是住在车站旁以臭虫多著称的"七一"旅社），次日凌晨坐长途汽车，下午两三点钟到南阳，汽车往往途中还出毛病。若在许昌买不到第二天的汽车票，那就更麻烦了。出差多了坐车也就多，有时还要坐闷罐火车，见过许多形形色色人等，南来北往，东去西行，社会就是大舞台，匆匆过客都是演员，放眼望去，会有不少问号，也有一些答案，真比在学校长见识。

7月里在禹县去浅井，走无梁，过火龙，这三个乡旱情严重，许多庄稼没有种上。不少地方还有一堆堆炉渣、一座座烟囱，断垣残壁，阴阴森森，这是当年劳民伤财的大炼钢铁现场，这里甚至还发生过"是岁江南旱"那样的惨剧。到了白沙和花石乡又是一重天，砖瓦房舍错落有致，水渠纵横，水稻葱绿，还见到了甘蔗田，疑是到了江南水乡！深入山区数公里，踏察著名的道教道遥观。上观屋宇筑于悬崖，仰脸而视，宛如到了天宫。下观空无一人，只有几通明清碑刻矗立，记述昔日的辉煌。烈日下测量碑刻的尺寸，抄录碑文，匆匆出山，内心一阵满足。

8月在宝丰的日子，大石桥、高皇庙、丁岭、李官营、闹店、翟集、闪店、白雀寺……一个村子一个村子走，最后到了香山寺。这里位于大张村南小山顶，北临汝河，南依沙河，细雨里，烟雾中，阳光下，欣赏周围诱人的自然风光。白天半山坡上羊群滚动，好像朵朵白云；夜晚，平顶山五矿的灯光，恰似一串珍珠，闪耀着迷人的光彩。多少个世纪过去了，宋代大悲菩萨塔依旧，几十通宋金元明石碑作了历史的见证。在那里工作任务甚大，晚上就住在大殿内，也是横卧的石碑当床，别有一番情趣。还看了香山寺主持普明大师两小时的拜佛颂经，殊为难得。

9月在叶县，东周时期"叶公好龙"的故事就源于此地，新莽时期著名的"昆阳大战"也发生在这里。在叶县调查登记了一批清代碑刻，其中在县城第一小学院内的《张公平寇略》碑，记载捻军在叶县的活动情况，讲述平顶山、落凫山采煤工参加捻军活动和县令张延令镇压捻军的经过。据此，写了一篇《有关清末一次农民起义的记载》，发表在《史学月刊》1965年第5期。

10月在扶沟，我那时还不会骑自行车，害得县里陪同下去调查的同志也一路步行。到了汴岗，介绍我是"省里来的文物调查组"，到了刁陵升级为"省里来的古物考察团"，弄得我真有点无所措手足。这里曾是黄泛区，可没有一点点荒凉的感觉，既没有空空四壁，也不见茫茫淤沙，到处是村子、树木，虽至深秋，却还是浓荫迎人，恰值秋收时节，倒有些欣欣向荣的景象。除了见到多通石碑之外，还清理了平整土地时发现的一座明墓，出土了一套完整的陶院落，这也算是一个额外的小收获！

11月在许昌县收到郑杰祥的来信，说是由于领导关怀和同志们的帮助，他与我和曹桂岑同志都同时转正了，要更好地工作，不辜负领导的信任。每月工资由43.50元涨到53元，而粮食定量却由每月31斤降为27斤，民以食为天，真令人感触多多！

1962年调查碑刻任务很重，确实是非常忙碌，从初春到盛夏，从仲秋到严冬，这一年几乎有11个月都在外面调查，奔走于山岭之间去摩挲石刻，徘徊在古庙之中而望碑兴叹。当年的敬业精神连我自己都很感动，往往刚回到单位，领导就会问何时出发。全文物队共调查登记了7439通各类碑刻，全面掌握了当时河南碑刻的遗存资料，如果考虑到许多碑刻后来遭到十年动乱及其他的破坏而不复存在，这次调查的资料就更显得弥足珍贵了。

1963年3月，配合豫西农田水利工程建设，笔者第一次参加偃师的古文化遗址调查。先后走过了二龙沟水库、九龙角水库、马涧河水库、桃花店水库、中州大渠和伊东大渠沿线，新发现了宫家瑶遗址、南蔡庄遗址和夏后寺遗址。其中宫家瑶遗址位于县城西南20公里的沙河东岸台地上，面积约10万平方米，文化层厚0.2—1.4米，发现有灰坑、墓葬，采集了一批泥质红陶或夹砂红陶的小口尖底瓶、钵、罐、釜等陶片，还有彩陶钵片和磨光石斧等，为仰韶文化遗存。夏后寺遗址距县城南20公里，西距著名的灰嘴遗址5公里，面积约2万平方米。灰坑甚多，并列或叠压相当密集。采集有一批二里头文化的罐、缸、盆、大口尊、瓮、器盖等陶片，还有少量周代遗存。南蔡庄遗址位于偃师县西近9公里，与二里头遗址隔河相望，面积约3万平方米。采集有罐、豆、三足皿、器盖、扁鼎足和一些饰绳纹、篮纹或方格纹的陶片，其文化内涵与二里头遗址相同。这是笔者首次调查单纯且丰富的二里头文化遗址，尽管当时还被认为是商代早期。带着采集的文物标本，喜气洋洋返回郑州，很像是农民丰收的喜悦心情。其后，认真整理了调查记录，并对采集的陶片进行观察研究，写出了一篇《河南偃师仰韶及商代遗址》的考古调查简报，配以线图发表在1964年第3期《考古》上。这也是第一次把考古调查所获变成了铅字，虽然篇幅不长，也着实让笔者高兴了好几天。这篇小文还曾被中国社会科学院考古研究所录入夏文化考古资料编目之中。

4月，又到荥阳进行水利工程文物调查，去了唐岗水库、河王水库、丁店水库、马蹄坡水库，还在李村电灌站附近清理了一座东汉墓，出土的釉陶仓很精致。

5月上旬到开封化肥厂清理了一座明墓，墓内空空如也，墓前1尊石翁仲，用吊车浩浩荡荡运往开封博物馆，可谓是招摇过市，沿途观看的市民很多。5月下旬，去豫北朝歌清理了两座小汉墓。

6月随赵青云同志参观河北易县燕下都遗址，这里曾是战国时期燕国的都城，东西长8公里，南北宽4公里。分为东城（主城）和西城（郭城），宫殿区、墓葬区及制铁、兵器、铸钱、烧陶、制骨等手工作坊历历在目，出土了很多大型建筑构件。河北省文物工作队的同志对燕下都做了大量文物保护工作，这对河南进行大遗址保护及开展"四有"工作很有借鉴意义。易水河的波涛，狼牙山的高峰，伴随着燕下都过去了2400多个春秋，埋藏在地下和流落在荒烟野蔓之间的遗迹遗物，向人们诉说过去的繁荣，震撼着每一个人的心灵。为此，我写了一篇散文《燕下都访古》，刊登在1964年8月16日的《郑州晚报》上。

7月里，到长垣县学堂岗调查古建破坏情况。其后单位让绘制了一幅南阳地区南水北调工程沿线文物分布的地图，准备以后在工程进行中用于文物保护。这个准备过程一直等待了四十多年。

8月，笔者新婚第三天就奉命要急切赶到山西侯马参加文化部文物局组织的全国性考古发掘大会战，这真是谱写了一曲60年代的《新婚别》，至今还刻骨铭心地留在记忆之中！当时由于河北发洪水，京广线正在抢修，为了赶时间只好西走陇海线，夜宿潼关，再步行到黄河边，坐船渡河，颇有一番惊险，最后在风陵渡小停，再坐南同蒲线火车到侯马，直线225公里的距离，走了两天多。侯马考古工地除山西本省人员之外，还有来自北京、上海、天津、陕西、山东、河南、甘肃、广东、福建等地数十位考古专业人员，集中发掘晋国都城新田的铸铜遗迹。这里文化层堆积丰富，发掘出房基、水井、灰坑、窖穴、作坊活动面、窑址等遗迹，文化层与各种遗迹之间有许多组叠压打破关系。出土大量的陶器，一些器物的早晚变化及特点十分明显。根据地层关系和陶器演变，并结合其他遗迹遗物的变化，遗址的时代可分为三期六段，涵盖了春秋中期到战国早期，即公元前6世纪初到公元前4世纪初的200余年间。遗址发现铸铜陶范5万多块，其中完整或能配套的近千件，还有熔炉和鼓风管残片2万多块，以及大量炼渣等。除了可以看出其规模巨大之外，还可以了解当时从选料、制范到合范、浇铸等工艺流程和技术水平。在数千块陶范上刻有各类精美的纹饰达25种之多。几何纹饰类似剪纸，风格雅朴，甚有特色；动植物纹饰，雕刻精细，形态逼真，堪称艺术珍品。上述考古发现为研究遗址的年代、地望、晋国文化的特点、青铜铸造工艺以及当时手工业生产的分工和产品的商品化等问题提供了重要资料。这是笔者大学毕业后首次参加大型遗址的考古发掘，由于地层叠压打破关系非常复杂，一个探方保留隔梁之后仅有16平方米的面积，竟会有20多个遗迹单位叠压打破在一起，揭开探方一片灰黑，在分析遗迹现象时遇到不少困难，但这也是极好的锻炼机会，在黄景略、叶学明和李京华等同志的指导下，逐渐克服困难，努力进入角色，大大提高了笔者田野发掘技术水平和分析遗迹现象的能力，为日后的考古工作奠定了良好的基础。在那些繁忙紧张的日子里，偶尔也有难得的一天假日，与两三知己沿着汾河河谷进行考古踏察，时而采集到一些龙山文化或类似二里头文化的陶片，漫步在这被《左传》称为"夏墟"或"大夏"的故地，真令人心旷神怡，忘记了一切的疲劳，用当时的话来讲，"快乐得像自由的鸟儿一样"！后来的日子就不那么美妙了，由于时间紧张，在12月下旬，发掘还在进行，考古工作的艰苦就显现出来，晋南刺骨的寒风，覆盖大地的白雪，使我至今难以忘怀。

1964年全年笔者先后与安金槐、李德保、武志远、王与刚、欧正文等同志参加了新郑郑韩故城的调查、钻探及试掘，大致了解了这座面积22.5平方千米东周郑国和韩国都城的平面布局，找出了宫殿、手工作坊、墓葬区的方位和范围，为以后划分文物保护区，制订城市发展规划，加强文物保护奠定了基础。

1965年上半年春节刚过，还是"彤云密布，朔风渐起"的寒天时，就到豫北地区进行古建和古遗址的文物调查。印象最深的是和杨焕成同志调查1932年尹达发掘过的浚县大赉店遗址。晚上住在冰冷的大赉店车站小旅店里，后半夜到院里方便时竟然见到了东方夜空的彗星！进屋叫杨焕成起来看，他就是赖着不动，我掀了被子后他才出来，他也是惊喜异常，这真是一生中难见的奇观。

7—9月与郭建邦、张长森同志参加三门峡一些工厂基建工程的考古发掘，多是一些战国、汉、唐墓葬，有的墓葬四周还有围墓沟，有的墓葬是大墓道小墓室，出土一批典型秦人风格的陶器和铜器，有些陶器肩部或底部印有"陕亭"、"陕市"等陶文，这不仅是器物产地的标志，也是研究当时社会手工业生产和商品经营管理的重要实物资料。还有一批东汉墓内的绿釉陶器和建筑模型，唐墓内制作精美的铜镜和三彩器，都是重要的考古收获。三门峡墓葬的发掘，由于赶工期和文物安全，每一座墓葬必须在当天发掘结束，时值盛夏，骄阳似火直射竖穴土坑墓内，40多度的高温，让人明白什么叫挥汗如雨，不知怎地又想起侯马严冬的寒风，要是能平均一下该多好！

11月中旬，笔者在上蔡县城西南1公里处的农田里，发掘了一座北宋晚期八角形仿木构建筑的砖室墓，墓内出土45枚直径4.1厘米的大型大观通宝铜钱和刻有"李伴叔"三字的一方澄泥砚，这反映了墓葬的年代和墓主人的名字。该墓七个壁面均有雕砖壁画，为当时民间的艺术创作，也展现了一些宋代社会生活和服饰状况，尤其是后左壁那件浮雕的镜台，采用一对可以活动的十字腿支撑，这种形制与禹县白沙宋墓壁画中的镜台以及郑州南关外宋墓的砖砌镜台不同，有一定的研究价值。其后，写了一篇考古发掘简报《上蔡宋墓》，发表在《河南文博通讯》1987年第4期上。

1966年4月初，与赵世纲等同志一起参加了渑池县仰韶村遗址考古钻探调查和文物分布图的测绘，仰韶村遗址是仰韶文化的命名地，远在 1921 年就首次进行考古发掘，现为全国重点文物保护单位，被誉为中国"考古圣地"。当 4 月下旬从仰韶村遗址回来后不久，一场令人始料不及的"文化大革命"开始了，它站在了中国古老文化和现代文明的对立面，一切都在横扫破坏，兄弟阋墙，同室操戈，全国陷入十年动乱之中，文字资料成了废纸，古物陶片成了四旧，让人们感到茫然、可怕和不解。

社会毕竟还是要前进的，恶梦醒来是早晨。60 年代末，配合焦枝铁路的修建，笔者和一些同事终于又开始参加河南境内的焦作、济源、洛阳、宝丰、鲁山、南阳、邓县的考古调查和发掘。由于为了抢工期，除李京华、王润杰在济源境内发掘一批很有价值的汉墓外，其余多半是跟着工程捡文物，但这比起"文革"前期破"四旧"毁坏文物来说，已经好多了。我是负责南阳段，在铁路工地沿线不时见到一些醒目的大标语，其中印象最深的现在看来又是最为荒谬酸楚的一条是"出大力，流大汗，把刘邓耽误的时间夺回来！"好在历史是最公正的。既然考古发掘工作又开始进行，那么考古学的春天也就不远了。

1972—1983 年，笔者先参加后主持了郑州商城的考古发掘，可以说年年都有考古新发现，东城墙、西城墙、南城墙的解剖，搞清了城墙的形制和建筑结构，确立了始建于二里岗下层一期晚段的年代；东里路、城北路、顺河路十多座大型房址和几十处夯土基址的发现，表明了宫殿区之所在和布局；黄河医院和北二七路的铜器墓，杜岭街和东南城角外侧的青铜器窖藏坑等的发掘，出土了大批青铜器和其他珍贵文物，把一座商代前期王都的面貌，逐步清晰地勾画出来。

1983—1987 年，笔者调到河南省文物局任副局长。适逢全国开展第二次文物大普查，我具体组织和领导了河南的这项工作，全省共新发现和复查登记包括古遗址、古墓葬、古建筑、古石刻及近现代重要史迹等不可移动的文物点 28168 处，征集登记社会上流散文物 7544 件。这次文物普查的成果为 1986 年及其后河南省人民政府公布的省级文物保护单位和国务院公布的全国重点文物保护单位（河南部分）提供了资料。并于 1991 年率先在全国出版了《中国文物地图集·河南分册》，还获得 1992 年全国地图出版系统优秀奖和 1993 年河南省社会科学优秀成果三等奖。该书是河南当代文化建设的成果和传统文化的积淀，是爱国主义教育和乡土教育的生动教材，是全省文物保护工作的一项基础工程。对配合京九铁路河南段、连霍高速公路河南段、黄河小浪底水库、南水北调丹江库区（河南部分）和中线干渠（河南段）等大型建筑工程中的文物保护起到了很大作用，社会效益十分明显。

1984—1995 年，笔者还担任国家文物局田野考古领队培训班考核委员。全国各地选派"文化大革命"以后从事考古工作的高校考古专业本科生、硕士研究生，参加国家文物局在山东兖州和河南郑州先后举办的九届全国田野考古领队培训班，对他们进行为期半年封闭式的田野考古发掘和资料整理的强化训练，在专家指导和学员的努力下，通过严格考核、答辩、筛选和淘汰，全国有 200 多位青年人取得了国家田野考古个人领队资格，包括我所的姜涛、张玉石、张居中、孙新民、宋国定、袁广阔、贾连敏、樊温泉等同志在内，河南也有 20 多位幸运儿跃过龙门。这些被戏称为"新黄埔"的佼佼者，较大幅度地提高了考古发掘和科学研究水平，很多都走上了省地市文物考古部门的业务领导岗位。在田野考古现场考核和业务答辩中，笔者自己也受益匪浅。此外，我到省内外各地出差时，时不时碰见过去的学员，还叫一声："杨老师！"这就足够了！

1992—1998年，笔者担任河南省文物考古研究所所长，还是黄河小浪底水库联合考古队队长，并担任平顶山应国墓地和焦作府城村商代城址田野发掘的考古领队，对上述三项大型考古发掘项目进行协调和业务指导，其中平顶山应国墓地被评为1996年全国十大考古新发现，焦作府城村商代城址后被评为1999年度全国十大考古新发现。其间，为加强学术交流，曾出访朝鲜、丹麦、美国、日本、韩国等一些国家和台湾、香港地区的大学和文博单位，留下了深刻的印象。

1996—2001年，笔者参加了国家夏商周断代工程的科研项目，协助安金槐并与宋国定、袁广阔、曾晓敏等同志一起进行研究工作。由于成果较为突出，河南省文物考古研究所获得国家科技部等四部委颁发的九五重大科技攻关优秀成果奖，这是很高的荣誉。2004—2008年，笔者担任河南省重点科研项目《中原文化大典·文物典》的副主编，负责《文物典》中《聚落卷》、《城址卷》、《古人类与旧石器卷》、《陶器卷》、《陶塑卷》的组织、协调、编目、审稿和校稿工作。这是一项功在当代惠及子孙的大型文化工程，其重要学术价值是不言而喻的。2004—2011年，作为副主编又参与《河南省文物志》的撰稿、编辑、修订工作，这是全省文物考古工作者智慧的结晶，彰显了盛世修志的真理，再现了河南丰富的文物资源和学术地位。

1952—2012年，从河南省文化局文物工作队到河南省文物考古研究所，已经走过了一个甲子的历史岁月。几代文物考古工作者薪火相传，为国家文物考古事业做出了积极贡献，为文物大省河南增添光彩。其中我个人也进行过一系列的考古发掘、文物调查和文物保护工作，出版了一批学术专著，发表了一批考古发掘报告、简报和研究论文。忆往昔1961年临近大学毕业的时候，同学们提出了"为祖国健康地工作五十年"的豪迈誓言，这对学子们是一种责任和鞭策，也是儿女们对母亲的深情和承诺。再回首，半个世纪过去，酸甜苦辣，无怨无悔，可以自豪地说，我做到了！在本篇回忆录结束的时候，对培养教育我的北京大学历史系考古专业的老师们，对培养教育我的河南省文化局文物工作队和河南省文物考古研究所的领导和同事们，说一声谢谢！

20世纪80年代初，作者（右二）陪同日本学者松丸道雄（右三）参观郑州商城工地

20世纪80年代，在登封王城岗考古工地（右二王仲殊、右三吕遵谔、左一作者、左三高炜）

20世纪90年代，作者（右六）陪同日本学者参观河南省文物研究所

1993年9月，中国驻丹麦大使馆为河南文物展举行招待会（左起丹麦科灵博物馆艾丽丝馆长、大使夫人薄熙莹女士、作者、河南省委宣传部部长张文彬）

1994年2月，作者（右）在北京紫竹院公园与苏秉琦师（中）促膝谈心（左为苏师母）

1997年1月，作者出访美国在丹佛博物馆前

1997年3月，作者在香港大学美术博物馆举办的河南出土陶瓷展开幕式上致辞

2001年9月，作者（左）在台湾历史语言研究所拜会年逾百岁的中国考古学前辈石璋如先生（右）

2001年9月，作者在台湾大学参加海峡两岸古玉学会议

2003年5月，参加全国社科规划考古学科组评审会（左起陈振裕、张柏、严文明、徐苹芳、张忠培、作者、邹厚本、李伯谦、韩伟、林沄）

2006年10月，参观山西横北周代墓地（右谢辰生、左作者）

2012年3月，考察郑州商城（右起王文华、阎铁城、作者、李伯谦、杜金鹏、甘洪更、任晓红、陈建军）

我从河南省文化局文物工作队一路走来

陈进良

一

今年是河南省文物考古研究所成立60周年，所里发函让写回忆录，过去那些激情燃烧的岁月，一下子涌上心头。

1964年，对于我来说，是极度不平凡的一年，因为这一年我就要结束16年之久的学生生涯，从而走上工作岗位，成为一个劳动者。到了这年7月，我的心情更是不能平静，我上的是新乡师范学院（今河南师范大学），学的是化学专业，按照一般情况，我毕业后就会很自然地成为一位化学教师。然而当时国内的形势是较为复杂的，究竟要从事何种职业，自己还是很难预料的。可以说个人的前途完全掌握在上级组织的手上，当时学校对我们的要求就是要绝对服从组织分配，同学们中喊得最响的口号就是：国家的需要，就是我们的志愿。但无论如何，我都不会想到会被分配到文物战线上，成为一个文物工作者。

1964年7月，学校的分配方案公布，我和同班的王国藩一起分配到河南省文化局。我是从郑州九中毕业到新乡去上学的，对郑州市不算十分生疏，然而对省文化局却知之甚少，以为就是主管戏剧和电影的，我和王国藩私下交流，难道让学化学的学生去搞戏剧吗？带着种种疑问，在7月底我们二人带着行李卷和一个木制药品包装箱装着的曾经学过的书籍来到了郑州。一下火车，我们到处询问河南省文化局在什么地方，可就是无人知道。终于我们找到一个蹬三轮车的，我们坐着三轮车来到文化局，文化局人事处的一位同志接待了我们，现在已经记不得了。他只简单地交代我们去河南省文化局文物工作队报到，我们两个又是一个懵懂，什么是文物？文物工作队是干什么的？一连串的疑问在脑海中挥之不去。我们又租了一辆人力三轮车，来到位于郑州市工人第二新村的河南省文化局文物工作队。许（顺湛）队长、丁（伯泉）队长、安（金槐）队长、赵（青云）秘书和保管组张（建中）组长及孙煌等同志热情地接待了我们。他们对我们的到来表示了热烈地欢迎，给我们讲了有关文物和文物工作队的情况，这时我们才算对文物有了一个浮浅的了解。对于我们来这里的工作任务，他们也作了初步交底：在1963—1972年的国家十年科学技术发展规划，把"漆器变形、脱漆变色的防止"和"出土竹、木器干裂、变形的防止与加固"列为文物保护重点研究项目。1963年3月文化部与国家科委联合给河南省文化局文物工作队下达了研究任务通知书。我们河南的考古人才在国内属于一流，然而从事文物保护技术的力量却十分不足，在研究方面还是空白。你们的到来就是要担负起这一任务。我们听了各级领导的谈话，在心里又产生了不小的压力，反复自问，我们能够担当起如此重的任务吗？

在我们来到队里之前，孙煌同志和张建中同志已经配合文化部文物局文物博物馆研究所（几经调整更名现在已成为中国文化遗产研究院）的胡继高同志，在队里建立了简单的实验室，基本具备了开展研究的工作条件。原来，在1958年，队里在信阳县长台关发掘了两座大型楚墓，出土了大批青铜器、竹简、漆木器、陶器等重要文物，在国内外引起巨大轰动。只是竹简、漆木器等文物，在出土前已在水中浸泡了两千年，竹木质都极端腐朽，强度极低，若让其自然脱水干燥，则器物就急剧收缩变形，失去文物价值，所以只能把它们浸泡在水中保存，这给保管和研究都带来了极大的困难，很难发挥文物作用。从较大范围来讲，全国各地出土的金属、陶瓷、丝绸、纸张等各类文物，也都存在着由于环境的变化，使不少文物遭到损坏。所以文化部文物局的领导，决定在国内几个重点文物大省建立一些实验室，吸收一些自然科学技术力量，研究解决出土文物的损坏问题，我们文物队就是国内第一批建立文物保护研究室的单位。胡继高同志是文化部文物局在上世纪50年代末派往波兰，学习文物保护技术的两个留学生之一，1962年学成回国后，1963年就来到河南帮助我队建立文物保护实验室。孙煌同志是解放前河南大学化学系的毕业生，虽早就在文物工作队工作，但从来没有从事过文物科技保护的工作。这次我队成立文物保护实验室，就把她也调整过来。

就在我们两个来到文物队不久，国家文化部文物局组织文化部文物博物馆研究所、中国历史博物馆、湖北省博物馆和我队的科研人员胡继高、王菊芬、林运仁、孙煌、陈进良、王国藩等六位同志，在我队联合攻关，以求解决出土饱水漆木器的脱水定型问题。从此我也就正式走上了文物工作的道路，而这一走，就走了整整一辈子，并且没有虚度，还为文物保护工作做出了一定贡献。

大约到了1964年9月下旬或10月初，我们的联合研究还正在有条不紊地进行时，也是我们刚刚进入文物保护研究的角色时，接到队里的通知，上级决定凡是今年（1964年）毕业参加工作的大学毕业生，一律参加农村社会主义教育运动（简称"四清"运动）工作队。我和王国藩二人也就只有服从组织安排，跟着我队抽调的多名同志一道参加"四清"工作队，与我们先后一块儿分配来队的任常中和杨肇清二位同志也一同前往。我们在农村一直待到1965年5月，才算结束第一期的"四清"，回到了文物队。这时联合研究也早已结束，各单位人员都已返回原单位。对于我们来说，这次联合研究，只是让我们了解了国内开展文物保护技术研究的现状和如何进行文物保护技术研究，而具体的研究成果却不十分明显。接下来，我们和孙煌三个人就继续摸索着进行一些研究。

到了1966年4月以后，由毛泽东亲自发动并领导的无产阶级文化大革命运动就在全国轰轰烈烈地展开了。我们单位属于文化单位，正是这次革命的重点，只有全身心地投入到运动中。后来，上级给我们派来了工作组，队里成立了"文化革命小组"，我也被全队群众选举为7名小组成员之一，其他6位成员是李德保（任组长）、王桂枝、杨育彬、杨肇清、李宗道、王兆文，没过多久，说工作组和文革小组执行的是资产阶级反动路线，工作组走了，文革小组也不再存在了。后来，上级又给文物队派来了"工宣队"，原来的领导有的靠边站了，有的被打成了"黑帮"。在工宣队领导的后期，队里进行了机构调整，孙煌同志被调到开封博物馆，王国藩同志被调到新乡市工业局，脱离了文物系统。其他组的人员，也都有了很大的变化，有的调整到别的单位，有的还下放到农场、农村。到 1970 年（记不清具体时间），上级决定把河南省文物工作队合并到河南省博物馆，队里的同志基本都到博物馆上班了，只留下我和韦文义同志二人在文物队看仓库。不知过了多长时间，我也到了博物馆，由于我在文物队曾经干过一段时间的食堂管理员，每天到菜场买菜，帮助炊事员做饭等活也干得不错，所以到博物馆还让我管食堂，仍负责买菜和帮助炊事员做饭、卖饭。这一阶段，我所管的食堂还被馆里评为"五好食堂"。

1971 年，国家决定在北京举办"文化大革命出土文物展览"，国务院图博口文博组从多个省份抽调了一批文物考古人员在北京参与其中，当时省博物馆负责人傅月华被抽调至北京，参加展览筹办的领导工作。另有任常中、郭建邦、于晓兴（郑州）、杨金玉、丁永革等同志参加筹办。我受博物馆委派也去北京和图博口文博组的科技保护人员陈中行、陆寿麟、奚三彩等同志一起，对参展文物中需进行科学保护的文物进行技术处理。其间，傅月华同志让我把信阳长台关出土的部分饱水漆木器碎片带到北京，和以上诸位同志又进行了脱水定型研究。这次共同研究虽然只进行了三个月左右，但却取得了突破性的进展，我首先采用醇—醚联浸法，使一些试块得到较好地脱水，从而看到了解决出土饱水漆木器脱水定型的曙光。此次实验研究结束后不久，陈中行同志调到了湖北省博物馆，奚三彩同志调到了南京博物馆，我仍然回到河南博物馆。但这几位同志回到各自的单位后，又分别进行了不少研究，终于使醇—醚联浸法得到了完善。这一科研成果，在 1978 年召开的全国科学大会上获得"科研成果"奖和河南省科学大会颁发的"重大科研成果"奖。

1971 年下半年，国务院图博口文博组文物博物馆研究所、河南省博物馆和洛阳龙门文物保管所的科研人员陈中行、陆寿麟、姜怀英、蔡润、陈进良、刘景龙、冯吾现等，对龙门石窟围岩的严重险情，进行抢救性加固实验，我们选择最具危险性和损坏最严重的奉先寺雕刻群 9 尊大像，采用弹性好、强度高、耐候性能优良的"环氧树脂 + 糠醛 + 丙酮 + 多乙烯多胺"体系作灌浆材料，结合用无震动的电动凿岩机钻孔打钢筋、锚杆机械加固的方法，达到了预期的目的，获得了成功。在 1971—1985 年，使用这一方法抢救了龙门石窟中岌岌可危的围岩和雕刻品。1973 年以后，在国内其他石窟、石刻保护维修中普遍推广应用，取得了较为满意的效果。这一实验研究成果，同时在 1978 年全国科学大会和河南省科学大会上获得了"重大科研成果"奖。在洛阳龙门工作的间隙，我们几个又到登封对在破"四旧"中损坏的全国重点文物保护单位少室阙和太室阙进行了修复，至今安然无恙。就是凭着我所获得的两项全国科学大会奖，在 1980 年初，根据国家的优惠政策，把我的家属及四个孩子的户口，由荥阳农村迁到了郑州，使我结束了长达 16 年的分居生活。我是省文化系统第一个享受此项优惠政策的科技人员。

1978 年，省政府决定对登封少林寺进行大规模地整修，并成立了河南省整修少林寺领导小组及办公室，办公室下设几个业务组，我参加的是壁画组。壁画组的主要任务是对千佛殿的大型明代壁画，进行临摹和揭取复原保护。而揭取复原保护的工作由我来主持，参加的人员有苏思义、蔡全法和刘建洲等。千佛殿后墙及东西两山墙共绘有彩色壁画 280 余平方米，这是河南省现存面积最大、保存最好的一处大型明代壁画。由于殿宇年久失修，多处漏雨，梁架倾斜，尤其是东山墙外倾斜达 40 厘米以上。在对千佛殿进行落架大修中，东山墙必须拆除重砌，因而依附于山墙上的60平方米壁画就需要先揭取下来，待山墙重建并稳定后再复原上去。河南从未开启过壁画的揭取复原保护工作。国内其他地方虽进行过一些这方面的工作，但其工艺无法照搬。我们根据此处壁画的实际情况，对别处的操作工艺和所用材料进行了较大的改进。此处壁画经修复复原后，至今已三十余年，仍未发现有明显变化。这一技术成果通过了河南省文化厅组织的近20名国内知名专家的现场鉴定验收，获得了河南省文化厅1988年科技进步三等奖及国家文化部科技进步四等奖。

从1979年5月起，我主持了全国重点文物保护单位郾城彼岸寺碑的整体加固复原工程，该碑建于北宋景德年间（1004—1007年）。碑高12余米，由数十块石构件组装而成。由于近千年的风雨剥蚀和人为的损坏，龙柱及好多附件丢失，花纹剥落，石构件风化崩落，碑身失去平衡，通体向西南倾斜三度，有随时倒塌之势。在加固整修复原工程中，拆除了不合理的现代保护建筑，对整碑实施解体，对断裂构件进行黏结加固，补配丢失构件，对残损严重，又有复原依据的构件进行复制更换，最后重新组装于12月竣工。这是我对石质文物建筑进行保护维修的第一次实践，效果还是相当不错的。

1980年上级决定河南省博物馆与河南省文化局文物工作队分家。文物工作队改名为河南省文物研究所，我又回到了单位的老家。到了1984年，我调到了河南省古代建筑保护研究所，而所从事的仍然是文物的科技保护工作。我虽然在古建研究所工作，但我被分配到文物工作队的初衷，还时常在脑海中徘徊，总觉得没有完成好国家交给我的任务。所以在1989年初，我就与文物所所长郝本性等同志联系，想继续进行长台关出土饱水漆木器的脱水定型研究工作，希望他们能够提供试块。我的这一要求，得到郝所长和其他领导及有关同志热情而积极地支持，我需要什么试块，都可随时去提取。这也坚定了我要把此项研究进行到底的决心。也就从1989年起，在没有任何资金支持的情况下，我向郑州工学院的同志和自己的亲戚转借，我夫人孙美荣辞去工作给我当助手，就这样，在不影响我在古建所的日常工作的情况下，硬着头皮开始了研究工作。经过两年多的努力，我终于看到了希望，研究取得了突破性的进展。于是，在1991年我向国家文物局申报了"河南信阳长台关出土饱水漆木器脱水定型研究"的科研项目，被批准后，国家文物局列为1991年度科研计划，项目编号为911609。承担单位为河南省古代建筑保护研究所，参加单位为河南省文物考古研究所和郑州工学院（现为郑州大学工学院），主持人陈进良，参加人员为崔战华（郑州工学院）、孙美荣。又经过一年多的努力，研究终于取得了成功。项目于1992年7月通过了专家会议鉴定，鉴定组织单位是国家文物局，主持单位为河南省文物局。鉴定技术负责人是国家文物局科技专家组组长王丹华研究员和河南省文物考古研究所老所长安金槐研究员。专家们的鉴定意见是：（1）本项目立项目的明确，针对性强，研究报告内容翔实、科学，思路新颖清晰，技术路线合理，数据比较齐全，结论可靠。（2）采用蔗糖作为饱水漆木器脱水定型的主要填充固定剂，该方法在国内外尚未见公开报道，属国内首创。（3）该方法对漆皮无损伤，脱水定型后的器物基本保持了文物的原象，对环境的适应能力强，且具有可逆性，效果良好。（4）应用该方法成功地使长期没有能够脱水的河南信阳长台关出土的部分战国漆木器得到脱水定型，为保护珍贵文物做出了贡献，具有明显的社会效益。（5）使用该方法设备、工艺简单，费用较低，易于推广应用。该项研究成果获1994年河南省文物局科技进步一等奖，国家文物局1992年度科技进步二等奖，1994年联合国技术信息促进系统（TIPS）中国国家分部"发明创新科技之星"奖。1995年3月，我接到国家科学技术奖励工作办公室《关于参加国家科技奖励轻工及纺织专业评审委员会答辩的通知》，定于1996年5月6日至9日在山东曲阜召开国家科技奖励轻工及纺织专业评委会评审会议（国家文物局、国家体委、文化部等几个局委的科研项目划入该大组评委会）。为保证评审工作的效果和质量，每个项目可根据自愿原则派1位至2位主要完成人到会进行答辩。每个项目介绍、答辩时间为15分钟。我接到通知后，立即向省文物局和古建所领导汇报，杨焕成局长和张家泰所长都给予了极大的支持，并派出专车把我们送到山东曲阜。会后，据参加评审的评委介绍，他们对参评项目审核极严，态度极为认真谨慎，因为这代表的是国家的技术发展水平。对每一个参评项目采用多轮淘汰制，国家文物局的两个参评项目（另一个是敦煌研究院的"应用PS–C加固风化沙岩石雕的研究"），都在第一轮就被确定为获奖项。我们的项目被评为国家科技进步三等奖。据国家科学技术奖励工作办公室公报得知，该年度共受理了来自全国各省、自治区、直辖市，国务院各部（委）、局，中国人民解放军总后勤部及各军兵种的推荐项目1921项，共有811项通过了初评，获奖率仅为推荐数的42.2%。后来，经过复审和国务院批准，这些项目基本得到了奖励。被推荐的项目都是获得省、部级一、二等奖的项目。由此可见，要获得国家科技进步奖是何等的不易。到目前为止，我所获得的这一奖项，仍是我省文物保护领域获得的最高奖。

从1984年我调入河南省古代建筑保护研究所，到1999年退休，在这里我又工作了15年，这15年中我所做的工作，除上面已作了较为详尽介绍的研究信阳长台关出土的饱水漆木器脱水定型外，还有一些比较重要的工作也想借此机会向各位新老同志，以及文物界的同行们作一次汇报。

1984年调入省古建所不久，大约在1984年9月，我接受了搬迁登封嵩阳书院大唐碑的任务。该碑名为《大唐嵩阳观纪圣德感应之颂碑》，建于唐天宝三载（744年）二月五日，通高9.02米（搬迁复原后），由六块巨石构件组装而成，总重达82吨余，是中原地区第一大碑。由于云盘北部石料崩落近达6吨，碑身失去平衡，加之所面临的断崖下，3孔深达大碑底部的窑洞的影响，使其基础不牢固，造成大碑向前（南）倾斜，仅3.83米高的碑身即前倾0.2米，大有随时倾毁之势。经河南省文化厅批准，文化部文物局同意，决定对其进行抢救性搬迁保护。面对饱经沧桑、风化严重、内部结构不明、现代化起重设备无法到达现场和无同类施工技术经验可供借鉴等一系列难题，而又要求搬迁绝对安全，必须成功，这给我们带来了极大的困难。经反复勘察、研究、论证，确定使用半机械化起重设备进行施工，用"铁骨木笼"对碑身实施科学保护，从而保证了拆卸、搬运和重新组装的绝对安全。对两块残缺的云盘，各以重达3吨的索石进行补配，新老石件用环氧树脂黏结，并以6根直径36毫米的不锈钢暗穿加固。大碑向东北方向迁移直线距离34.5米，实际搬运距离在50米以上，立于嵩阳书院山门西侧，在原址立碑以作标志。1988年5月，河南省文化厅组织了国内及我省著名的文物保护及工程等方面的专家和领导，进行了会议鉴定，得到了好评，该项目获得了河南省文化厅1988年科技进步三等奖。

1985年应国家文物局的邀请，与中国文物研究所的姜怀英、四川省文管会的马家郁、洛阳龙门文物保管所的刘景龙三位同志一起赴西藏拉萨，配合对全国重点文物保护单位大昭寺的修缮，对大昭寺内的唐代壁画进行揭取修复保护。经过3个多月的艰苦工作，圆满地完成了任务。1990年，又与四川省文管会的马家郁，中国文物研究所的郑军、曹勇三位同志第二次赴藏，对世界著名的布达拉宫壁画进行揭取保护和油烟壁画的清洗工作。这两次工作的顺利完成，得到了国家文物局、西藏自治区的领导以及广大的僧众的高度赞扬。在2000年和2003年，我又两次进藏，参加西藏三大文物保护工程（布达拉宫、萨迦寺和罗布林卡的保护工程）中壁画保护方案的论证、评估和验收工作。尤其是在2003年的那次进藏，我已将近65岁，从拉萨坐了整整一天汽车，去到距拉萨1000余公里外的萨迦寺，中途还要翻越5400余米高的大山，这对我的身体是个巨大的考验。记得那天正是六一儿童节，山顶上下着鹅毛大雪，这在咱们内地是根本不可能的事，而在那5400余米的高山上不管一年四季的什么时候都可以随时下大雪。

1992年我承担了永城芒砀山柿园西汉梁王墓壁画的揭取保护项目。该墓为"凿山为室"的大型石室墓，在墓主室顶部、南壁及西壁墓门两侧，绘有以青龙、白虎、朱雀及云气纹图案为主要内容的巨幅彩色壁画。线条流畅、色彩鲜艳、栩栩如生，是中国目前发现的时代较早、规格最高、保存较好的壁画，总计25.45平方米。由于墓室内湿度常年都保持在98%以上，霉菌大量繁殖，墓门开启后，使墓内湿度产生一定的变化，壁画地仗开裂和脱落的程度也在不断加剧。为保护好这幅珍贵的壁画，经国家文物局批准，决定对其进行揭取保护。为了很好地完成这一重要项目，成立了由我和杜龄艳（商丘地区文化局局长）、代亚平（永城县文化局副局长）、阎根齐（商丘地区文物工作队队长）组成的领导组。经现场小规模模拟揭取试验后，制订编写了《河南永城芒砀山柿园西汉墓壁画保护方案》。国家文物局以（92）文物文字第（02）号文通知并主持在商丘市召开了论证会。参加会议的有：国家文物局党组成员、办公室主任刘小和，国家文物局文物一处副处长王军、主任科员李向平，国家文物局文物考古专家组组长、研究员黄景略，中国社会科学院考古研究所研究员刘观民，以及中国文物研究所、南京博物院、河南省文物局、河南省文物研究所、河南省古建所、商丘行署、永城县的领导和专家。会议原则通过了对壁画进行揭取易地保护的方案。正式揭取工作从1993年4月开始，后被复原组装在商丘地区馆的文物库房中。参加验收的领导和专家有：国家文物局文物考古专家组组长黄景略、故宫博物院研究员张忠培、省文物考古研究所研究员安金槐、曹桂岑，省博物馆研究员许顺湛、任常中，国家文物局副处长王军、工程师乔梁，省文物局局长杨焕成、副局长张文军，省古建研究所研究员杨宝顺。验收会认为：柿园西汉墓壁画揭取保护项目，在科学研究和实验的基础上，揭取质量较好，操作认真，方法得当，较好地保持了揭取前的面貌。经过一年多时间的考验，已达到预期的效果，同意验收。1998年5月，该壁画又迁移至新落成的河南博物院展厅公开展出。该幅壁画在2009年被院内外专家评为九大镇院之宝之一。

1994年我承担了省级文物保护单位新安西沃石窟的整体搬迁复原保护工程。该处石窟处于黄河小浪底水利枢纽工程的淹没区。经国家文物局同意，河南省人民政府批准，决定对其进行整体搬迁复原保护。从1994年4月开始，我们在现场进行了调查、勘测，请解放军测绘学院航测系影像信息工程实验室进行了立体摄影测绘，请中国社科院考古研究所进行测量绘图，请中国地质大学环境科学系工程地质教研室进行环境地质勘察研究，于1995年5月初步制订了《搬迁保护方案》，经广泛征求各方专家意见，又于1996年11月制订了《西沃石窟搬迁保护实施方案》，11月底，在省文物局的主持下，邀请国内知名的文物保护技术、文物考古和地质等学科的专家，在新安县召开了论证会。1997年1月，河南省人民政府办公厅副主任董豪受副省长张世英委托，主持召开了由洛阳市政府、河南省文物局、河南省古建所、新安县政府等单位的领导和专家参加的省长办公会，专题研究了西沃石窟的搬迁和复原问题。会后下发了省长办公会议纪要，原则同意《西沃石窟搬迁保护实施方案》，并要求在1997年6月底前将石窟搬出库区。要精心组织施工，加强安全措施，严格工程管理，确保工程按期完成。因为此项工程为全国首例，且时间紧、难度大、要求高，要求有关部门、地方和单位必须团结一致，通力协作，确保搬迁和复原工程顺利进行，万无一失。按照省政府的要求，会后我们立即进驻工地开始施工。我们克服重重困难，攻克了一道道难关，终于按时安全地将石窟搬出了库区，并于1998年3月29日完整无损复原组装在新安千唐志斋博物馆内。从1994年4月开始调查，到1998年3月底复原竣工，前后经过整整4年时间。1999年6月8日，由河南省文物局组织省、市有关领导和省文物局专家组部分成员对工程进行了验收。一致认为该项工程为国内首例，质量优良，搬迁成功，同意验收。

由于我在文物保护工作上做出了一些成绩，1993年被国家文物局文博专业高评委评为研究馆员，1994年国家文化部批准我为文化部优秀专家，1995年国务院又批准我享受政府特殊津贴。这是国家对我工作的充分肯定，也是对我的勉励。1999年，就在我即将退休的前夕，迎来了中华人民共和国成立50周年的大喜日子，国家文物局为了庆祝建国50周年，由中国历史博物馆和中国革命博物馆承办了《中国文物事业五十年（1949—1999）》特别展览，我所主持完成的"西沃石窟整体搬迁复原保护工程"和"河南信阳长台关出土饱水漆木器脱水定型研究"两个项目有幸入选，我真的感到了这是莫大的荣幸。

二

写到这里，我的回忆录应该告一段落了，但在记忆的深思中，还有些事情挥之不去，像过去的历史一样鲜活，其中刻骨铭心的是一件涉及"文化大革命"初期破"四旧"时保护文物的往事。

在那1966年初夏，全国破"四旧"运动正在疯狂般地进行着。什么是"四旧"？谁也说不清楚，但从城市到农村，当时的红卫兵们对新中国成立以前所留下的诸如建筑、书画、旧衣物等等，或者砸毁，或者拆除，或者付之一炬。登封县城关镇的领导就带领了不少红卫兵，携带着绳索、炸药等工具，要去拉倒嵩阳书院前的大唐碑，因遭到住在碑旁的村民的坚决反对，声称若砸坏我们的窑洞，损坏了我们的东西，你们要负责赔偿。因无人愿承担直接责任，大唐碑才得以保留。当要炸嵩岳寺塔时，也是因遭到住在塔院和周边的居民的反对，才未炸毁。此后这班人又赶到少室阙，砸坏门锁，把少室阙掀了个乱七八糟。到了1973年前后，还是经我和其他几位同志的手，才把少室阙又修复如初。而洛阳白马寺里的几尊元代塑像，被周围的红卫兵毁坏后，再也无法修复。幸亏以前对文物的宣传力度很小，大多数群众不懂什么叫文物，就连我们文物工作队周围居住的市民，也大多不知我们院里放的是什么东西，不知我们这些人是干什么的，只知道这里的人会挖墓。不然的话，社会上的红卫兵来到我们文物队，就要大显神威了，仓库里存放的文物，甚至我们这些从旧社会过来的人，也要遭到灭顶之灾！

有一天晚饭后，当时队里的党支部书记李庆生和队长丁伯泉二人找到我，说郭建邦同志的家人打来电话，他们那里破"四旧"声势很大，红卫兵知道他们家藏有大量旧拓片（这是郭建邦同志的爷爷、著名金石学者和拓片收藏家郭玉堂一生的收藏），很可能被烧掉，问你们文物队是否还要这些拓片，可以捐献给国家。队里考虑到这是一批珍贵的文物，不能把它们毁掉，决定派人去接收这批文物。经队里研究，认为我去比较合适，因为我也是一个红卫兵。我和郭建邦一起连夜回去，要把这批东西安全地保护下来。

听到领导交代的任务后，我当即就答应下来。但离开他们之后，我就想这不是什么美差，这是逆革命潮流而动的行为，弄不好是会吃大亏的。但这也容不得我有过多的顾虑，就连夜和郭建邦一起去洛阳了。在洛阳下了火车，天色尚早，我们在候车室坐了一会儿，感觉身上还有些冷。郭建邦说，我家离这里不远，只有二十几里路，我们在这里坐着受冻，还不如走路直接去我们家，这样可以赶时间，同时还可以暖和些。于是我们二人就顺着往白马寺方向的公路上路了。当走出洛阳市刚一下大公路不远，就从路两边蹿出好几个端着长枪的人，同时把枪口对准了我们二人，并喝令我们举起手来！我们突遭此袭击，乖乖地把双手举了起来，四条腿却直打哆嗦。来人问我们是否看到一个没穿上衣、赤着双脚的人从这里过去了？我们回答说不多一会儿看到一个没穿上衣，好像也没有穿鞋的人，小跑似的过去了。这时端枪的人说，我们正追赶一个村里逃跑的人，不巧碰到你们，让你们受惊了，你们可以走了。我们两个惊魂未定，也不敢多问什么，就又急忙上路了。当走到郭建邦家时，天尚未大亮。郭建邦的妈妈和爱人赶忙给我们做饭。吃了饭后，我们就拿着队里的介绍信，与刘坡村大队的干部联系。由于当时时局较乱，在业务上各级关系也不十分认真，我们也没有通过洛阳地区和孟津县，而是直接找到了刘坡村大队。大队干部了解了我们的来意后，很热情地接待了我们，并立即派了几个人帮我们一块儿到郭建邦家清理拓片了。

我记得他们家的拓片主要是放在一座坐北面南的二层楼上，楼房好像是两大间，并与东邻居的房连在一起。整个二楼基本上放的都是拓片，有整麻袋的，也有整齐的堆放在一起的。除了墓志碑刻拓片以外，还有数量不多的字画、书信等。另外数量较多的是《洛阳出土石刻时地记》一书的纸浆版型。从楼上搬下来的有十四个装满拓片的麻袋，还有大量的散放拓片。我们从附近商店购买了一些蒲包（这是当时比较常用的临时装一些物品的袋子，用河滩或水边生长的蒲草编成，其高和宽为60—70厘米。我们发掘工地盛装出土的陶片，就是用这种袋子，现在已淘汰）。一共装了60个，每个包大约可装拓片五六百份左右。

另外，还需要说明的一点是，当时刘坡大队的院内，已堆放了数量不少的散存拓片，不知是当地红卫兵从其他居民家中收交来的，还是居民自己交来的，大队干部也派人把这些拓片运来一块儿装在蒲包中。

经我们与大队干部商量，为了表达我们对红卫兵革命行动的支持，就挑选了一些当时我们认为文物价值不高的东西，如有几幅画、书信等，还有全部《洛阳出土石刻时地记》的纸浆版型，当众进行了焚烧，以实际行动破了"四旧"。

当天下午，大队干部给我们派了10辆架子车（人力车），载着14麻袋和60个蒲包的拓片，运到了位于洛阳市周公庙内的河南省文化局文物工作二队的仓库内。记得是一座面向北的仓库，该库房中好像也没有存放很多别的东西。为了防潮，我们还在下边衬垫了木板等物。在印象中，当时看管库房的人是我队职工张长森和他的爱人。因为文物二队与一队合并后这里变成了河南省文化局文物工作队洛阳工作组，多数职工都到了郑州，张长森和他的爱人及孩子仍在洛阳周公庙居住，而二队的库房就成为洛阳工作组的库房，队里安排张长森和他的爱人看管库房。

这批拓片一直存放在洛阳，直到上世纪70年代中后期，库房要交给洛阳市，才把它们运回郑州。负责运回的人，我就不知道了。这时文物工作队已与河南省博物馆合并了多年，拓片又存放于博物馆库房中，但始终没有进行过整理，只是到了70年代末要出版千唐志斋藏石拓片，提出对一套千唐志拓片进行拓裱、照像，由武志远和郭建邦同志主持编辑《千唐志斋藏志（上、下册）》一书出版。到了1981年，省里决定文物工作队与省博物馆分家，并将文物工作队改名为河南省文物研究所。博物馆的图书资料也要进行分割。我被当时博物馆的领导指派为分割图书资料的三个人员之一，另外两个人是博物馆的傅玉芳和文物研究所的李淑珍。从洛阳运回的这一批拓片，又是经我的手进行分割的，由我主分，她们二人分别代两个单位接收。分配的原则是：博物馆留三分之一，文物研究所分三分之二。直到这时，我才对这批拓片的内容和数量有了个大致的了解。14个麻袋装的全部是"千唐志斋"拓片，一共是29套，每套是1400份左右，每一份墓志都用一个浅橘黄色的袋子装着，袋子的左上方印有该志的时代、姓名等信息。也有一些不成套的，但数量不多。凡是墓志都是用这种袋子装着。另外数量最大的是"龙门二十品"，共81套，其他都是零散的墓志、碑刻、刻石等的拓片。这已分不出都是谁家的东西了，但可以肯定绝大部分是属于郭建邦家的。总数约在数万份。从时代上来看，上至两汉，下至明清，以及近现代，各代皆有，不曾有缺，真是一笔巨大的历史财富和文化遗产。它们现在被完整地、安全地存放在河南博物院和河南省文物考古研究所。

到目前为止，这件事已过去40余年了，但每每想起此事，心头总有一种莫明的感觉，有骄傲，也有愧疚。骄傲的是我们为国家抢救下了巨大的历史文化财富；愧疚的是，这批珍宝没有全部保护下来。在我们所烧毁的部分物品中，最具历史艺术价值的要数书信了。虽说当时在烧毁时来不及看都是和什么人的通信，但我记得最清楚的是看到国民党元老于右任先生给郭玉堂先生的亲笔来信，这是多么有价值的文物啊！可惜已不存在了。所烧的几幅画，也不记得是什么人的作品，但可以肯定不是很早的画品。至于《洛阳出土石刻时地记》一书的纸浆版型，因1941年已有成书存世，其损失也不应算很大。2005年郭建邦同志又和他在河南省文物考古研究所工作的两个儿子郭培育、郭培智联手把他爷爷已出版的《洛阳出土石刻时地记》上册，重新校订、整理，连同下册一并结集出版，这完全可以弥补我们以前的缺憾。

其实"文化大革命"留给我们的并不仅仅是这些，且不说各个单位内无休无止的批斗，以及社会上血雨腥风的武斗，而另一些镜头也给人们留下难以忘怀的记忆。1967年7月，郑州的三大派群众组织在北京谈判，中央文革钦定河南二七公社为造反派，河南造总为犯错误的造反派，人数最多的十大总部为保守派。当时河南省文物工作队也是分为三派，迫于社会压力和对"毛主席指示我照办"的信念，大家纷纷向造反派靠拢。后来各单位大力修建毛主席像坛，以示忠心。文物队的像坛是由刘建洲同志绘制毛主席像，这在当时真是一景。1967年底，河南省直机关都集中在河南省委党校进行所谓的"斗、批、改"，我们省文物工作队被编为"省直机关毛泽东思想宣传队"一团二营四连一排，在工宣队（"毛泽东思想工人宣传队"）领导和监督下，进行学习、揭发、批判、斗争，那真是突出落实"与天斗其乐无穷，与地斗其乐无穷，与人斗其乐无穷"和"七亿人不斗行吗"的箴言！每日要早请示，晚汇报，三餐饭前，还要排队在毛主席塑像前高举红宝书（人手一册的红塑料皮《毛主席语录》）背一段他老人家的语录之后方可进餐。记得有一次文物队的一位老同志忘记带红宝书了，就把口袋里的红皮工作证拿出来滥竽充数，被人发现检举之后挨了一顿批斗饿饭一次了事。在党校还采摘野菜配糠吃过忆苦饭，省文化局易戈副局长把一些草也当作野菜采回，免不了又在院内遭一次批斗。1968年初，又把各个单位统统赶到农村继续进行斗、批、改。我们文物队去的是西华县红花集公社高庄大队张庄村，一直到春暖花开进行过重建党组织后，才回到郑州。

恶梦醒来是早晨，毕竟这一切都过去了，迎来了改革开放的春天！

1964年，参加出土饱水漆木器脱水定型研究的科研人员在河南省文化局文物工作队合影（左起作者、王国藩、林运仁、孙煌、胡继高）

1992年，作者进行信阳长台关出土饱水漆木器脱水定型研究

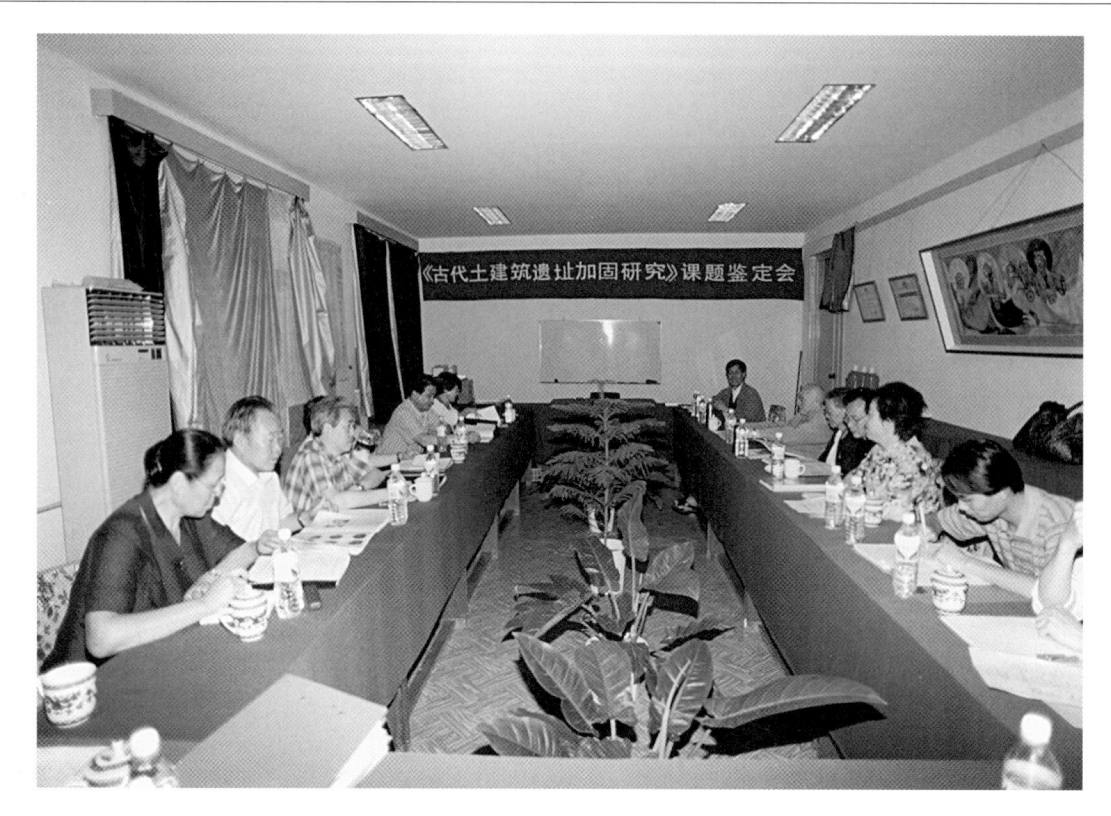

1995年夏，作者（左二）在敦煌参加《古代土建筑遗址加固研究》课题鉴定会

1998年，作者（左）参加秦晋豫三省文物协作会议并发言

1998年4月，登封大唐碑搬迁保护竣工留念（前排右三作者）

2002年8月，作者（前排左二）参加两项科研项目鉴定会

2003年，作者参加布达拉宫壁画保护留影

1967年7月底，作为老文革小组成员（左起作者、杨育彬、李宗道）在文物队院内留影

我从河南省文化局文物工作队一路走来

1967年10月,省文物队前院毛主席像坛落成后的照片(前排蹲者左起王淑兰、贾淑德、李淑珍、李德保,后排立者左起赵青云、杨焕成、黄士斌、李宗道、郭德慰、杨育彬、杨肇清)

1967年11月,省文物队职工在河南省委党校毛主席塑像前合影,从右边大旗上可以看出省文物队被编为"省直机关毛泽东思想宣传队一团二营四连一排"(二排坐者为工宣队、军宣队成员)

1967年底，到西华县红花集公社进行斗、批、改

1967年底，到西华县红花集公社进行斗、批、改

1968年初，省文物队部分同志与工宣队在西华红花集公社张庄合影（前排蹲者左起马志祥、贾淑德、孙煌、罗桃香、张静安，中排坐者右一张学兴，余5人为工宣队师傅，后排立者左起马世之、李绍连、黄士斌、冯忠义、游清汉、张建中、刘式今、邓永昌、赵鸿勋）

1968年初，省文物队全体同志与工宣队师傅在西华红花集张庄合影

1968年3月，省文物队全体同志与军宣队、工宣队在西华红花集张庄"隆重庆祝一排重建党组织大会"合影

文物考古是我们所爱

——对刘胡兰小队深切的回忆

王绍英　李淑珍　陈焕玉　罗桃香

时光荏苒，日月如梭，转眼间河南省文物考古研究所从始建至今已有六十个春秋了。在这短短的六十年里，全所的同志们为河南省文物考古事业做出了不同程度的贡献，取得了丰硕成果，这是值得我们庆贺的。

河南省文物考古研究所从无到有，从小到大，至今已发展成为全国名列前茅的省级文物考古单位，又是培养文物考古工作者的大学校。我们就是这所学校培养出来的文物考古工作者。曾记得，在1958年9月我们初到省文物工作队上班时，两眼一抹黑，也不了解文物考古工作是干啥的，只觉得这是一门高深莫测的学问和不敢问津的工作。通过领导的鼓励和大家的帮助，在工作实践中刻苦学习钻研业务理论知识，使我们对文物考古工作有了进一步的认识和提高。文物考古工作能为研究历史提供实物证据，并为祖国文化遗产保护做贡献，这是党和国家的需要。于是文物考古成了我们所爱，决心在这个岗位上干一辈子。在六十年所庆的大喜日子里，我们怀着喜悦和感恩的心情，回忆当年刘胡兰小队那些难忘的日子。

一、刘胡兰小队的成立

1958年9月，我们踏进了河南省文物工作队的大门。领导为了便于我们学习业务知识，把我们分别分到豫东组、豫西组、豫北组和编辑组，跟着富有经验的老同志学习。

1958年10月文化部在郑州召开全国文化工作会议。文化部文物局副局长王冶秋同志光临郑州。他听说省文物队分配来一批高中毕业女学生，提议组成一支女子考古发掘队。于是省文物队领导许顺湛、安金槐同志就把我们调到一起，成立了"穆桂英"发掘队，后改名为"刘胡兰小队"。队长为王绍英，副队长为梁荣和陈焕玉，队员有李淑珍、罗桃香、要宝彦、张秀英、张淑麟、苗凤莲和蒋英芬同志。辅导老师为赵青云同志，田野发掘技术由王治国同志指导。对于小队的成立，王冶秋副局长及其他老同志曾给我们题词以资鼓励：

> 穆桂英发掘队，
> 样样技术都学会，
> 政治、业务双跃进，
> "卫星"放出人人佩。

王冶秋于郑州
1958年10月28日

绍英同志：

个人计划造得好，
红专志气真不小，
敢想、敢说又能干，
再难的事情也能办，
祝你作个共产主义好战士，
祝你作文物工作好队员。

王冶秋于郑州
1958 年 10 月 28 日

当时任浙江省文化厅厅长钱丹辉同志题词：

祖国宝藏数河南，
古为今用文化更灿烂，
文物战线又建轻骑队，
披星戴月走遍全省境。
万水千山只等闲，
争看珍宝人人笑开颜。

钱丹辉
10 月 28 日

当时任浙江省文联主席方今孺同志题词：

年纪小，工作好，
向你学，不管老，
希望你再努力学习，
争取到北京见毛主席。

方今孺
1958 年 10 月 28 日

著名画家钟灵先生也挥笔题词：

依靠党，依靠群众，
任何困难都会被战胜，
意志要坚强，
学习要经常，
工作不知倦，

进步永无疆。

钟 灵

1958年10月

当时我们作为以革命英雄刘胡兰命名小队的一名队员感到无比光荣和骄傲，要我们以英雄为榜样把自己的青春年华献给文物考古事业。小队全体同志个个表决心，立誓言，制订出红专规划，要在较短的时间内学完中国通史、考古学基础知识及有关文物考古专业理论书籍，提高业务水平，更好地应用于田野实际发掘工作。

二、刘胡兰小队的工作收获

1958年11月初，为配合修建南阳鸭河口水库，我们被派到水库淹没区的南召县发掘二郎岗新石器时代文化遗址。这是我们第一次远离郑州、离开父母去野外工作，一去就是两个多月。

11月16日出发，路经许昌，适逢下雨，公路泥泞，汽车停驶，我们被阻在许昌等车，白天蹲候车室，晚上住茶社，一星期后才到达南阳。而南阳至南召县二郎岗50多公里的公路也不通车，我们就只好自己背着行李，扛着发掘工具，一步一步地向着二郎岗工地进发，同志们脚上长泡了，肩上磨肿了，但大家精神抖擞互相鼓励，终于顺利到达目的地，对我们这群城里长大的姑娘来说，真是一次精神和意志上的考验。

二郎岗位于水库淹没区，群众早已搬走，在那里吃、住、饮水都非常困难。我们八人挤在一间破草房里，睡的是麦秸铺的大地铺，晚上能透过房顶看到天上的星星。这样艰苦的环境更增加了我们奋发图强的意志。

二郎岗遗址坐落在一小山顶上。冬天12月的北风，吹打得刺骨难忍。辅导员老师带领我们在遗址上开挖三个探方，面积达200平方米。清理出房基8座，灰坑2个，墓葬22座。出土文物200余件。发掘过程中辅导员老师教我们识别器形、纹饰、颜色等以及仰韶文化陶器的特征，并学会了区别土质、土色及清理房基、灰坑、墓葬等发掘技术。在工作中，我们是一面学习，一面实践，在实践中加深专业知识的理解。

在两个多月的时间里，我们共同工作、劳动、互相帮助，克服了种种困难，圆满完成了学习与发掘任务。后来，我们又进行了发掘资料整理，写出了《河南南召二郎岗新石器时代遗址》发掘简报，发表在《文物参考资料》1959年7期。

1959年春节刚过，队领导派我们小队到郑州上街铝业公司。我们独立发掘了商代古文化遗址，由于赶任务，每天在工地十几个小时，中午在工地啃干馍，吃咸菜，挤时间，多干活，在短短的三个月内发掘了400多平方米，出土文物700余件。另外还在当地举办了多次文物展览，宣传文物知识和文物法令，获得当地政府和群众的好评。后来写出了《郑州上街商代遗址的发掘》，刊登在《考古》1960年4期。又写了《河南郑州上街商代遗址发掘报告》，发表在《考古》1966年1期。

1959年初夏，我们小队为配合偃师县灰嘴村的水利建设，发掘了灰嘴遗址，发掘面积共350平方米，出土文物450余件。通过学习发掘，证实了这处遗址包含有新石器时代的仰韶文化、龙山文化和商代三个不同时代的文化堆积。这继安阳后岗发现三叠层文化后，首次在黄河南岸发现三叠层堆积,更加证实了这三层相叠压有着普遍性。经过整理资料,我们写了《河南偃师灰嘴遗址发掘简报》,刊登在《文物参考资料》1959年12期。又写了《河南偃师灰嘴遗址发掘报告》,发表在《华夏考古》1990年1期。另外,在发掘灰嘴遗址的同时,我们还在偃师发现了汤泉沟、孙家湾及寺沟等遗址。

三、探索夏文化

夏代,过去一直认为是神话传说,历史学家对夏王朝的存在持怀疑态度。历史教学对夏代讲不清楚,历史博物馆对夏代文物无法陈列。许顺湛队长要我们参与夏文化探索课题,要求通过考古调查、试掘,找到夏文化的遗址和遗物,连接中国历史。这是一个光荣艰巨的任务。于是为了寻找夏王朝先民活动的地点及夏文化的实物资料。我们在50年代末和60年代初开始夏文化资料的搜集工作。

(一) 查找文献资料

首先,查阅了有关夏代的文献资料,如《史记》、《竹书纪年》、《汉书·地理志》、《山海经》、《水经注》等都有夏王朝及夏禹王的记载,了解到夏王朝的世系、建都年代、地望、建制等及夏王朝先民们活动的范围,并进行整理、分类,制定出探索夏文化的计划。

其次,根据文献资料提供的线索,制定了调查夏文化遗址的方案。于1959年6月初,先调查了偃师二里头遗址,后来我们又分成四个小组,从1959年7月至12月,分赴豫东、豫西、豫南、豫北许多市、县、乡、村。为完成调查任务,每天要步行七八十里,翻山越岭,历尽艰辛,我们的足迹踏遍了陈留、夏邑、永城、巩县、偃师、渑池、登封、济源等36个县的山山水水,找到了偃师的二里头、孙家湾,登封的八方、峒上、大燕村,巩县的稍柴、小訾殿,济源的庙街,渑池的鹿寺,淮阳的太昊陵,永城的造律台等108处古文化遗址。每处遗址都采集了标本陶片,为文献资料的记载找到可靠的依据。

在田野考古调查中,我们刘胡兰小队的同志抱着不怕苦、不怕累、不怕困难的精神去工作。在夏天头顶烈日,在冬季冒着严寒,遇到天黑,曾夜宿老窑破庙,遇到饭店还能饱餐一顿,错过饭店只能靠干粮和冷水支应。就是这样的工作条件和环境,我们这些年轻的姑娘们,也没有人说过一句怨言,更没有人叫过一声苦。为了寻找夏代文化遗址,我们的工作干劲真是很大,我们的工作精神真是太感动人啦。事到如今,我们几个老太婆每逢见面提起当年干劲还是津津乐道,回味无穷。

根据文献资料和在偃师县西找到的线索,我们试掘重点就放在二里头遗址。1959年7月由李淑珍、要宝彦、王治国三位同志前往发掘,当时在遗址中部稍偏北处,西距喂羊庄约半里,北距二里村1.5里处开四条探沟共80平方米,于8月中旬结束,出土文物60余件。

当年10月又在二里头进行第二次试掘,开探方3个,面积220平方米。两次共清理灰坑8个、墓葬13座、房基2座、窑1座,共出土文物538件。陶器器形有大口器、罐、鼎、鬲、三足器、器盖等。其中以大口器与罐的数量最多,器内有麻点,器表饰有绳纹的约90%,应属于早商文化。此后整理编写出《偃师二里头遗址发掘报告》初稿,一直未发表。

1960年春,又去巩县试掘小訾殿和稍柴遗址。

小訾殿遗址的耕土层下叠压的就是龙山期灰坑。共开探方5个,面积为290平方米。清理灰坑 28 个、墓葬 3 座、房基 1 座、井 3 眼、窑 1 座。出土文物 458 件。器形有罐、瓮、盆、碗、钵、鬶、器盖等。器表多饰条纹和方格纹，绳纹较少。从遗物看，应属于龙山文化晚期遗物。后来编写出《河南巩县小訾殿遗址发掘报告》初稿，未发表。

稍柴遗址位于小訾殿遗址的东面。遗址在伊洛河的南岸，面积约 100 万平方米。1960 年 4 月至 9 月间试掘了稍柴遗址。共开探方 5 个，面积为 720 平方米。其遗迹有灰坑 45 个、房基 5 座、墓葬 15 座。出土遗物 500 余件。器形有鼎、罐、大口尊、盆、瓮、澄滤器、三足皿等。遗物属早商文化。后来编写出《河南巩县稍柴发掘报告》，发表于《华夏考古》1993 年 2 期。

同年 4 月至 6 月还试掘了济源庙街的原城遗址和渑池的鹿寺遗址。

在济源庙街的原城遗址开挖 3 条探沟，面积 200 平方米。清理出灰坑 26 个，房基 1 座，出土文物 317 件。多为方格纹罐，应属于龙山文化晚期遗物。后来整理写出《济源庙街遗址试掘简报》初稿，未发表。

在豫西渑池县鹿寺遗址上开了 3 个探方，面积为 360 平方米。清理灰坑 19 个，墓葬 5 座。出土遗物 256 件。从出土遗物看应属早商时期的遗物。后来编写出《河南渑池鹿寺商代遗址试掘简报》，发表在《考古》1964 年 9 期。

1961 年底，我们将上述出土实物，结合文献资料在文物队内建立了夏文化陈列室，从龙山晚期到早商依次排列，共展出实物 600 余件。

四、全省文物普查和碑碣调查工作

1962 年，按照机关全年工作计划，暂停了探索夏文化的工作，转入了全省流散文物登记和古字画、古书、碑碣、石刻登记调查工作。小队的同志也分赴南阳、洛阳、开封等地调查登记流散文物、古书、字画、造像、碑碣等工作。

五、激情述怀

回忆我们刘胡兰小队前后存在的 6 年期间，工作收获很大，正如前述我们调查过五六十个县市。发现文化遗址 100 余处，发掘新石器时代、早商遗址 10 余处，发掘面积 3000 平方米左右，共清理灰坑 214 个，墓葬 42 座，房基 17 座。整理一批考古简报和报告，已发表近 10 篇。

回顾小队走过的历程，我们小队和个人曾多次受到上级的嘉奖表扬。小队成员中先后有 5 人被评为省文化厅的先进工作者，2 人被评为省文化厅的先进团员和省直团委的先进团干部。特别是 1960 年 5 月，刘胡兰小队获得河南省文化系统"五四"青年先进集体光荣称号；1961 年 3 月我们刘胡兰小队又被省妇联命名为省"三八"红旗手先进集体荣誉称号，王绍英同志两次代表刘胡兰小队在大会上作了先进事迹介绍。

这些成绩与荣誉的取得，是在党的领导下和同志们帮助分不开的，也是我们终生难忘的。

1964 年后，由于工作的需要，刘胡兰小队成员分别调任图书、资料、文物保管等工作，甚至有的同志调至其他单位工作了，刘胡兰小队就这样完成了历史使命。小队建立的 6 年时间，在历史的长河中仅仅是一瞬间。当年朝气蓬勃的姑娘，如今都是年过六十的老太婆了。她们各自在平凡的工作岗位上，默默无闻的辛勤耕耘，为河南的文物事业奉献出自己的青春年华。时至今日，每当我们看到河南博物院历史文物陈列中标出一些夏代文物是巩县小訾殿遗址出土，是巩县稍柴出土，是偃师灰嘴遗址出土，是偃师二里头遗址出土时，我们由衷地感到喜悦和自豪。这不但是对夏代实物空白的填补，其实还有我们这些当年的劳动者——刘胡兰小队全体队员的艰辛和付出。看到这些文物能为广大人民服务，我们知足了！与此同时，我们也怀着感恩的心情向培养我们在文物考古战线上工作一辈子的原河南省文化局文物工作队和现在的河南省文物考古研究所说一声："谢谢"！

1959年2月，省文物队领导与刘胡兰小队合影（前排左起丁伯泉、许顺湛、安金槐、王治国，中排左起赵青云、陈焕玉、要宝彦、蒋英芬、李淑珍，后排左起王绍英、罗桃香、苗凤莲、梁荣）

1961年，刘胡兰小队在偃师灰嘴遗址合影

1961年，在郑州合影（前蹲者右起裴明相、李德保、张秀英、许顺湛，后立者右起王绍英、赵蕊仙、陈焕玉、赵青云）

我的田野考古工作点滴回忆

杨肇清

我于 1964 年 7 月毕业于四川大学历史系考古专业，同年 8 月统一分配到河南工作，先分配到洛阳博物馆，10 月又重新分配到河南省文化局文物工作队工作（今更名为河南省文物考古研究所）。至今已 48 年了，当年是风华正茂的青年，目前已成为白发苍苍的古稀老人。来河南以后，从 1965 年到 1982 年间一直在田野考古工作中摸爬滚打。1982 年底到 1986 年 5 月在省博物馆工作，之后回所工作主管业务，也经常到各个工地去检查了解情况，基本未脱离田野考古和研究工作。虽然清贫，又非常辛苦，一旦有了新发现或出现新型器物时非常高兴，觉得也有乐趣。今将我的田野考古工作作一点滴回忆。

一、在三门峡市河南省第二印染厂等基建工地

1965 年在三门峡市市区内，进行大规模的建设工程，国家要建河南省第二印染厂、中原量仪厂、河南省纺织器械厂。经钻探得知在厂区内发现大量的从战国到汉代的古墓。我队已派郭建邦等 3 人进行配合发掘。当时我从农村劳动锻炼归来（开始我是劳动队员，很快成为四清队员），第二天我们工作队成员作总结，后又宣布回单位休息 12 天。下午上班丁队长对我说："我们已得通知，你们休息 12 天，可队里目前田野考古工作很紧，和你商量，将假留到你回家探亲时一起休，可以回去多住些天，你看如何？"我认为是领导对我的关心，立即说："可以。"他又说："到三门峡配合建设发掘古墓，任务重，时间紧，人力不足，增派你去，你刚毕业，先发掘墓葬，积些发掘经验，以后有利于发掘遗址。你看什么时候去？"我接着说："我无事，明日可去。""那我派人去买火车票，能买到票，明日就去。你去作些准备。"下班时赵鸿勋同志将票送到我的手中。

次日早上，我从郑州乘火车赴三门峡市，大约下午 3 点多到三门峡市东站，下车见有人举着一张纸，上面写着："接杨肇清同志。"因我来到所第二天就下去劳动锻炼去了，没有与他们见过面，故纸上写着我的名字。我立即迎上去，对他们说："我是杨肇清。老郭你们好。谢谢你们来接我。"他们说："你一路辛苦了，我们回驻地。"我们边走边说，从谈话中得知我队还有一位同志原来也在这里配合发掘，另有任务，今晨回队了。在途中我对他们说："在大学实习时，只挖出了一座古墓，没有发掘经验，今后在工作中请你们多加指导和帮助。"郭建邦说："你别客气，考古只要实干就行。今后大家互相学习，共同提高，搞好发掘工作就行了。"不知不觉地到了驻地，这里是市教育局职工宿舍，给了我们几间房作住室并存放文物。

第二天我们就到正在兴建的印染厂厂房工地工作，厂房占地面积很大，工地上机器轰

鸣，打桩的、运土的、运器材的汽车来回穿梭，工地尘土飞扬，可工地的人们有条不紊地进行各自的工作，真是一片繁忙的景象。我们负责配合清理这个区域内的古墓，凡是探出有墓的地方都未动土，当我们清好之后，才叫施工方施工。无墓区已动土的地方有时也有墓的发现，施工方立即停下来，通知我们，就去清理。为了不误工期，我们积极清理古墓，每天都忙个不停。由于我第一次到河南发掘古墓，想借此机会提高发掘古墓的能力，就主动去清理。首先是亲自找古墓的墓口，认识墓内土与墓外土的区别，墓外的土非常纯净，墓内的土有花点，称之为五花土。凡是有五花土的地点，如果边界清楚有一定的形状就是墓内填土。先清墓内的土，一直清到墓底。快到墓底时我们就清得比较细致，用竹签慢慢清理，将随葬品、人骨架和葬具清出来，如腐朽了，还要清出葬具和骨架的腐朽痕迹来。接着照相、绘图、器物编号、起取、运回驻地保管。每天的工作都是如此，经常日出而作，日落而息。在工作中我遇见什么难题，就请教郭、张二位同志，他们也不保守，如实地讲。直到探出的墓葬清完之后，每天还在工地上转，看是否有新的墓发现。到这时稍为轻松一点。晚上还要整理墓葬的资料。有时还得翻阅有关资料（主要是参阅从市图书馆借来的《文物》、《考古》、《陕州志》等书），以提高自己的知识。就在这期间，我在工地上向洛阳钻探师傅学习钻探技术，由于在一个工地上，都较熟，我给他们说，我在大学学习时才知道洛阳铲，还未见铲的实物，这次到工地才见到它。我要向你们学钻探。我向他们请教如何握铲，如何钻探，怎样钻出的孔才直，一有空时，就在工地钻探实习。我又向他们请教如何认识是哪个朝代的墓，有什么奥妙。他们见我是真心学，也愿教我。他们说主要是认土色，如商代大中型墓内有较厚的一层朱砂，周代墓朱砂较薄，战国以后墓底为青灰土等。就这样我学到一点钻探的基本知识。可见一旦你虚心向人学，别人也一定会教你的。印染厂工地的墓清完之后，又到纺织器械厂和量仪厂工地清理古墓，直到11月初才完成了墓葬的清理任务。

我们共清理从战国至汉代各个时代的古墓葬360余座，出土文物50余箱。箱子都是买的市百货公司商品包装箱，经我们加工，改做成文物箱。这些文物都是我们三人亲自装箱，并利用架子车一车一车运到火车站，从市区到火车站要上一个大坡，我们三人同心协力拉到车站，放到指定的货位，装车托运到郑州。

这次工作，我与郭、张二人配合得很好，并从他们那里学到不少东西。我熟练地掌握了如何找古墓墓口和墓葬的清理发掘技术以及整理资料的全过程，也熟悉了市区内从战国到秦汉墓葬的形制、葬式、葬品组合和器物特征；同时也在工地上向洛阳的老钻探师傅学习掌握钻探的基本技术。到三门峡的几个月是艰苦的，也是愉快的，增长了知识，学到了本领。从此我体会到，只要虚心向有经验的人学习、请教，他们一般都会教你的。关键是要放下架子，甘当学生，虚心学习，自然会将别人多年在实践中总结出的经验学到手，为我所用。

二、淅川黄楝树

淅川位于河南的西南部，其西北部邻陕西，西南接湖北，东部与西峡、内乡、邓州接壤，是我省最西南的县。西北为深山区，东南为浅山区与丘陵地带，中部和南部为丹江中游和老灌河冲积成的河谷平地，是古人类居住地区，沿岸的遗址非常多，同时也是到关中的交通要道，是淅川的粮仓，目前是一望无际的水域。黄楝树遗址位于淅川新县城西南45公里的丹江和黄岭河交汇的二级台地上,东接黄楝树村不过400米。遗址原调查为东西长400米,南北宽350米,面积14万平方米,而实际比这面积大。为配合丹江水库建设,省文物队于1965~1966年7月对遗址进行发掘。我参加了1966年4—7月的发掘工作。

1966年4月4日上午裴明相先生召集我与张静安、王明瑞等人开了一个小会。他说:队部决定今年黄楝树遗址继续发掘,原发掘的孙传贤同志另有任务不去,增加了杨肇清同志,他除发掘外还要管财务,还增加了小李(玉良)、小郭(德慰)两位青年人。我们6日出发。队部已安排买6张6日头班车到南阳的汽车票,下午发给每个人。老王和老张去领发掘所需的资料和用品,明天各自作准备,6日早晨5点半到站,切勿错过时间。会后各自作准备。

4月6日5点半各位都到了汽车站,天还未大亮,微微有点薄雾,还有一点凉意。当时床上用品都是自己带,每个人分带一些所需的发掘用具和相关资料。接着进站,6点就准时发车了。那时公路路面不宽,石子路面,凹凸不平,虽然开得也较慢,仍然有些颠簸,好容易下午6点多才到了南阳。在南阳的技工辛瑞林等三人,已在南阳买了7日7点发往内乡的汽车票,并登记了招待所。经过一天的颠簸,虽然住宿条件一般,可睡得特别地香。7日晨,吃完早餐后就出发了,近10点到达内乡,从内乡到淅川路不通了,裴先生说:今日我们只得步行到淅川县城了。大家休息后,提前吃中餐,接着就出发了,当时三个技工和我比较年轻,体质好,自然要多带些发掘所需之物,我们青年人将用具、资料已基本带完了。裴先生风趣地说:"你们也给我们留点东西,给我们锻炼的机会。现在的目的地是淅川新城,如累了就休息,大家作好思想准备,明天、后天还要走路,大家就继续上路了。"由于是初春,柳树已发新芽,那天风和日丽,空气新鲜,大家特别高兴,年轻人还唱着歌,老王、老张爱说笑话,大家忘记劳累。裴先生在大家每走大约一个小时的时候,就找稍宽敞的地方,指挥大家休息,大家在路途中休息了两次之后,经过约3个小时就到了淅川,住淅川县城招待所。县文化馆的张西显同志在招待所等我们,他说:"房子已安排好,已给县文化局说好,明日上午到文化局,今下午时间不多,大家步行而来,好好休息。"招待所内有食堂,各自买票进餐。8日8点,张静安同志陪裴先生到县文化局向局长汇报工作,我们在招待所等候。大约9点半裴先生回来了,他说:"非常顺利,立即结账。准备走!"当天10点多又从淅川县城向黄楝树进发了,由于我们带有行李和物品,在路途中走得较慢,下午1点多到了马蹬,就在国营食堂进餐。裴先生说:今天赶不到黄楝树,就住到这休息一下午,明日再走。这里地方较小,也无什么可看,在旅店休息。9日,8点多从马蹬出发,向黄楝树前进,大约11点到了老城,在老城吃中餐,之后买些日常用品和所需之物,在老城找的炊事员老宋和我们一起下午2点就出发了,走1小时就到了黄楝树村。黄楝树村的村民见我们去,非常热忱,大家七嘴八舌地说,裴老师、老张、老王你们回来了!大家争着从我们肩上拿物品送到我们的住的院子中。一会儿,院子里来了不少人,大家问这问那说个不停。可见我们与村民的关系很不错。等大家散后裴先生对老张说:你拿着介绍信到公社去接洽一下,我们要的民工的数量、条件和要求给公社领导汇报一下,请他们通知到队,各队按条件派人,明日上午8点参加的民工自带铁锹到工地报到。老张说:是。就办事去了。其他同志也分别打扫卫生,将物品归位,老宋着手生火为煮晚饭作准备。大家有条不紊地各干各的事情。

那时干工作，与各单位打交道，到办公室，介绍信一交，就热忱接待，倒杯清茶，只要说明来意，有什么要求说出来，凡是能办到的，马上办理，暂时办不到的想办法办。根据情况立即安排与相关领导见面，领导见面先是客气一番，无外乎一是欢迎，二是支持，还问有何困难等。没什么接风洗尘等俗套。那时没有在墙上贴什么文明用语，而对人却是那样热忱，办事是那样认真、细致，想得周到，真是办实事的。这种作风现在已经找不到了。

晚饭后，大家休息一会儿，裴先生召集我们开了一个短会。他说："经过四天的长途行程，总算到了，大家也非常辛苦，由于任务紧，也不休息，明日就要开始发掘了。"接着他将分工、发掘的要求、作记录的要求、民工的管理都一一简略地说了一遍，还要求每个人每天分配的工作都要按时完成等。大家若无意见，就散会。大家早点休息。

4月9日早餐时，裴先生说，今天到工地时，我给民工开会，老张与老王领导他们布方。主要是找清楚去年发现屈家岭文化那组房子布局情况，先布四个方。我们吃完后，将所有发掘需要的用具带好就去工地，我们到工地就帮助老张和老王布方。上午8点，遗址上就来了30余位民工，男女基本各占一半，老中青均有，中青年较多，大家精神好，身体也健康，不少是去年在这里干过活的。裴先生给他们开会，等他们会开完了，这边方也布好了。我去把所有的人进行登记，共34人。共开4个方（T9—T12）。除T12为10米×5米外，其他3个方都是10米×10米。小的方分配5个人，大的方分配9个民工，有2个机动的。我被分配发掘T12，在西南部。

这是一个山区，很少有什么工程，劳动力也多。当时农村干部也无什么私心，只要是上级说的一定按条件办，真是不走样。向工地派的民工是较好的。能派到这里参加发掘也是一种荣耀，他们干活认真、听话，一切听从指挥。我看的方小，当天就把耕土揭完了，除东南角土质较杂，应是扰土，这一带再揭一层后，颜色变得一致了，浅灰色，看来是进入文化层了，不知不觉就到了下班的时间。第二天上班时用平头铁锨将全方普遍铲平，我站在方的周围观察，还有疑问的我用小铲刮平，找现象，土色还是不一样的地方就反复刮，全方均进入浅灰土，可有的地方土色深，土质软，而且界线清楚，确定是灰坑、瓮棺葬等现象。当我认为无误时，去请裴先生来看。他到方后，我将情况向他汇报一下，他反复看了看，说，你的看法是对的。之后，派专人清理，文物单独保存，从出土的文物看是属龙山文化的。经一天的时间清完发现的遗迹后，全方普遍作文化层，一层一层向下揭，每层厚约10厘米，其内遗物较多，主要是陶片和一些石器等，现场对出的器物均绘草图。对特殊的陶片口沿和纹饰还得现场绘图，一到工地就没有什么闲时间。还挤时间作记录，看陶片。好在我毕业实习时是在四川广汉挖遗址，去年又在三门峡市区发掘了墓葬，还有一点发掘基础。可到新地方发掘也非常小心，手铲不离手，每做完一层后反复刮地平，生怕把现象遗漏了。这里的土质不太粘，土的颜色也较四川广汉好分辨。这样每天的工作基本如此。当全方浅灰土清完之后，由民工先用平头铁锨铲平，我再用小铲反复刮平，全方基本变为灰绿锈土，其质较软，这意味着又进入新的文化层了。可在中部和北部有几处颜色异样，经继续刮找发现圆形和椭圆形几个圈，确认是灰坑，其他地方土色一致，先作灰坑，其内仍是龙山文化之物，应是龙山文化的坑。当灰坑做完之后，继续做文化层，做法、厚度与前面一样。出土物有素面磨光灰陶和磨光黑陶，有纹饰者很少，还出土有彩陶纺轮等，看来应是屈家岭文化。当进入到

0.80—1.10 米，这种土色已做完，可能是进入新的文化层次。在方的东北角、东南和南部发现土色纯净，其色灰黄，可能是遗迹，经过三次刮找，界线还是不十分清楚。我真是有点无能为力，正在左右为难时，想到裴先生说过王明瑞师傅找遗迹有经验。我跑去请明瑞师傅到我方内看一下。他乐意地放下手中的活，到方内看后说："肇清，这是现象，可能是房址，可现在还没完全到位，再继续刮找，自然就清楚了。"这样我在方内经反复刮找后，纯净土范围清楚，手感较硬，可有的地方更硬，呈长条形，其中一段东南西北走向，还有一段与它十字交叉，宽约 25 厘米，显然是房子的墙，大部分在 T8 和北隔梁内；东南角的是一长方形，其结构与东北的一样，大部分也在 T8 内，看来是房子也无什么问题。南边、西南角也出现一点类似的现象，全部伸向南壁和西南以外，也可能是房子。看来还得向南、向西扩方。这时我去请裴先生来看，他来到方中开门见山地说："肇清，你先将这里的发现和下步想法说一下。"我按他的要求向他汇报一下，也将下步的初步想法向他陈述。他肯定地说："是房子，下步的想法也对。这样有望将这组房子做出来，如能找到向西南拐那就更好了。你对找遗迹做得不错。"我立即说："在关键的时刻，请王师傅来指点下才做出来的。"他还说："东南的房可能是去年 T8 内被 F12 压着的 F17。你将东北和东南的房址做清后拍照绘图，再向南和向西扩方。"我先向南扩 4 米，找到了长方形房址，在此房址的西南墙还有房址伸向南壁和西壁内。于是向裴先生要房址号，同时也汇报发现的情况和想法，向南向西扩方。他先给一房号为 F27，与我一道到方内看，他说："太好了。一定按你的想法向南向西扩方，房址到哪里就扩到哪里，一定把这院落的东南角找到，如果长再向西南拐那就更好了。"我又一次地扩方找到一座房子，在向南扩方的西部又向南扩 2 米，在扩方的西壁向外扩 3 米，指导民工在扩方的地域内取耕土，我借机绘 F27 的平剖面图。之后又去清理扩方的文化层，当清到与 F27 同一层位时，经过细致的清理，明显看出在 F27 的西南壁相接的是一座长方形的房址，这房址，向西南伸去，于是在西部扩方的北部再扩 3 米。当时确实很累，一看房址的迹象，一切都忘记了，继续扩方，经过几天的清理，最后终于找清楚了院落的东南角，又从东南角向西南拐去，还清出有 2 座房址，分别编号为 F31 和 F33，再西已破坏了。可看得出向西南拐的一排房，正好与东北排的房平行。看来这一院落东南角找全了，同时也找到向西南拐的一排房子，不由说出太好了，高兴得跳起来！立即向裴先生汇报，他放下手中的活，马上来看，同时也请其他同志来看，他兴奋地说："太好了！"这一屈家岭文化的房址院落找清楚了，是一件高兴的事。

工地的工作天天都是如此，有时探方与探方之间还互相参照，保持进度一致，有难题之时大家互相讨论确定。在工地可以说是眼脑手足忙个不停，眼在专心地观察现象、看陶片，脑子在想问题，手要作记录、绘图、刮地平，足要走到探方上左右观察找迹象。一进入工地就进入了角色，忙个不停，一天下来真是劳累，两肩酸疼。当时我还年轻，睡一晚又无事了。虽然劳累，可看到找到遗迹，出现器物和有特色的陶片，非常高兴，忘记了一切，真是乐在其中。我是第一次到河南发掘遗址，大家都非常关心我，常有老同志来我的方边看，我有问题也虚心向他们请教，他们都是有问必答。他们在观察中，也看到我是按田野考古操作规程办的，对遗迹现象处理也恰当，时间长了来得也少了。开始裴先生还抽查我的发掘日记和记录，认为记得清楚，得到认可。后来抽查发掘日记、记录也较少了。

这里的生活条件也较艰苦，住房是四面不严，常有风入室。幸好我们用的煤油灯有灯罩，晚上还能写记录。当地农民不爱种蔬菜，吃菜很困难，要吃还须到老城去买，可城内卖菜的也较少。但村内老公鸡较多，当地人不吃老公鸡，说吃了要发病，也很便宜，活公鸡每斤 0.12 元，每周吃一两次鸡肉给大家改善生活。煮饭不是用煤，而是用买来的树枝或木柴，由于缺柴，故价也高。食堂实行 AA 制，平均计算，每月每人平均伙食费在 15 元以上。因来人来客，给工地烧开水所用的柴钱，都平均到每个人的头上，幸好那时客人不多，可烧开水也在伙上烧，每天两大锅，天气热时下午还多烧一锅，这些柴钱也平均算到每个人的头上。那时同志们公私分明，宁愿自己吃亏，也不愿占公家的半点便宜。回单位算账时贾淑德会计问你们的伙食费怎么这样高？我说："主要是高在柴钱上，民工喝茶是在伙上烧的，用的伙上的柴，这些钱是由我们支付了。"她说："今后可以每天每个民工报 1 分钱的茶水费。"我们在工地无星期天也无休息日，遇雨天、大风天休息，如这些天气都没有，每隔半月休息一天，洗澡洗衣服等。可每天除补助 0.38 元的鞋袜费外，无其他任何补助费。每天夜间用收音机听点新闻外，别无其他文化活动。这样倒有时间做资料，真正做到了当天的事当天做完。有时老王和老张下象棋，大家围在周围看热闹，也是一种乐趣。小郭和小李爱听收音机。虽然每天都很累，可没有任何人叫苦，大家团结一致，工作认真，从不马虎，有事大家帮，有活大家争着干。真是一个友好的大家庭。

到了 6 月中旬，"文化大革命"的气氛较浓了，在收音机中常常听到打倒某某反革命分子，把某某走资本主义道路当权派拉出来示众，把某某黑帮分子挖出来等。真是声势浩大，劲头十足，看来这次运动比反右时形势大多了，当时我们议论，看来这次运动比反右的时间长。为了赶进度，我们专心在工地工作。七月上旬的一天队部发来电报，暂停发掘，回队参加"文化大革命"。当时裴先生想再干几天等工地告一段落时，停工回郑。四五天后第二封电报上午送到，裴先生看后立即在工地召集我们四人开会，先念电报的内容："立即停止发掘，回郑参加'文化大革命'，不得延误。"裴说："必须立即停工回郑。这里留杨肇清和老王及南阳的三技工，肇清在这里负责填方、发工资、登记清点财物，租房东的房封存；王明瑞负责将发掘的出土物运送回郑，其他人今天下午出发，回队参加'文化大革命'。各探方先校对民工工作天数，将考勤表交给杨肇清同志。"我和老王各办各的事，老王先到老城租车，技工集中陶片袋，第三天老王也随车回去了。黄楝树是龙山文化、屈家岭文化、仰韶文化三叠层非常清楚，遗迹也多，是一个很好的遗址，可发掘还未完全结束，在"文化大革命"中就草草停工了。

我在工地一切办妥之后，多住了 4 天；又向公社、县、地区文化局汇报工作情况后，回到队里比第一批走的晚了约 8 天。回到队里看到院内墙上到处都是大字报，贴了一层又一层，涉及的人有队长、一些主任和个别群众，约 30 人次，可我队当时仅 70 余人，可见"文化大革命"的火药味在我们队是相当浓的，那真是"轰轰烈烈"！

这是我来河南第一次发掘遗址，是忙忙碌碌的，是虚心学习的，也是收获丰硕的近四个月。在这里我提高和较熟练地掌握了发掘遗址的技术，分析判断遗迹的能力，作田野记录的全过程，至今记忆犹新。从此我对原始社会考古产生了兴趣，在后来的工作中发掘了不少的原始社会的遗址，为整理研究打下了基础，我也从出校门的学生，逐步学习，认真工作，走向研究的殿堂，成为一个小小的考古学者。我应当感谢在黄楝树和我共同工作的裴明相等先生们。

三、淅川下王岗

淅川下王岗遗址位于该县新城西南35公里的宋湾乡下王岗村北的红石岗上，东、北、西三面被丹江环绕，岗顶现存面积6000余平方米。1971—1974年为配合丹江水库建设进行抢救的发掘。发掘面积2309平方米，清理出房基47座，陶窑5座，灰坑348个，墓葬689座，出土各类文物7254件。该遗址是1971年5月由安金槐先生与王明瑞同志进行试掘，开探沟三条，揭露面积60平方米，初步了解该遗址的内涵有仰韶文化、屈家岭文化、龙山文化，认为很重要，必须进一步地发掘，于是从1971年下半年到1974年连续进行发掘，我参加了其中的发掘工作，有很多值得回忆的东西。

1. 交通不便

这里属于边远地区，与湖北交界，交通不便，乘长途车要走两天，可到县城之后，无公路，只是乡村小道，还要步行两天才到发掘地。步行时又要带自己的行李、发掘所需的工具和发掘的物资，每人所带之物的重量轻则30—40斤，重则达50斤以上。有时河南的路不通，还得绕道湖北，乘车到丹江口，再转乘机动船到遗址下，如遇枯水季节，转乘木船，往往我们下水帮助推，才能到地点，少则四天，多则五天以上。

2. 住宿条件差

1971—1972年，下王岗的村民尚未搬迁，还可租三四间房子，根本不够住，负责的曹桂岑先生主动住在打麦场临时搭的小矮房内，漏雨透风，就是村内的房子也是四处透风，房顶漏雨。可后来的村民搬迁走后，根本无房住，我们只得住在我们带去的帐篷内。那时的帐篷，是一层帆布，太阳一晒，内部比外面热；冬天内部比外面冷，但可挡风，可里面人多有热气，外面是寒气，帐篷顶热气遇冷积成水珠向下滴哒滴哒的滴在被子上。睡的帆布床，可质量差，一睡下去中间向下凹，可好的地方不会掉床。如一遇大风就是晚上也得跑出来齐心协力拉帐篷，另再加打木桩，增加绳子固定，以免被吹跑。

3. 生活艰苦

当地的人不爱种菜，无菜可买，到宋湾公社去买，也不一定有卖的。我们去时带些能放的菜，可吃的时间有限。有时只得去采些野菜吃，肉是少见。这里的人家家户户养鸡，鸡蛋也很便宜，4—5分钱一个，而且是真正绿色食品；而鱼较便宜，2—3角一斤。一段时间基本上以鱼当菜吃，可时间一长，不少人嘴上长泡，也不愿吃了。有人说，吃鱼不如吃萝卜，萝卜也难买。县文化馆的张西显同志很善解人意，到工地来看我们时，还从城内代我们买些菜和肉来，以改善生活。后来人迁移走后，鸡蛋也少吃了。可一到夏天，野菜稍多一点，可解吃菜燃眉之急。这里是一个光秃秃的岗，太阳出来就晒，一直到太阳下山，而且是河谷地带，风也大，夏天风刮日晒，冬天寒风刺骨，每个人皮肤粗糙，脸上黑红，回家孩子都不认识。夏、秋时节，我们下班后在丹江内洗澡，春、冬之际，只得烧点水洗一下澡，当时公社无浴室，只有每年两次回郑时在县城澡堂彻底地洗一洗。尽管这样，我们心情舒畅，工作干劲十足。

4. 工作繁重

这儿是边远的山区，为加快进度，我们都看100平方米的大方，而这里的遗址内涵丰富，遗迹很多，遗迹的打破关系复杂，一进入文化层后就刮地平，找清楚各个遗迹现象也是要下功夫的，因都是灰土，只是颜色深浅、松软程度稍有区别，有时只凭手的感觉来判定。那时虽有技工，但还得由我们亲自找，画好界线，确定无误时，再交给他们清理。发现墓葬时由技工清理上部，快到底部时往往自己清理。同时也对反应灵敏、善于用脑的技工进行培养，给他们讲清理人骨架的要领，先看着我们清，慢慢学，认为技术过关了才让技工清理墓葬，开始时我们仍在现场指点，关键时刻还亲自作示范。当他们掌握了这门技术，我们才稍为轻松点。当时下边是丹江，故清出的陶片立即洗，只要陶片一洗出来，现场就拼对，要是对成一件器物（口、腹、底相接就算一件）就另外保存起来。对一些对成的器物、特殊的陶片和好的花纹还得绘草图，作记录，每天真是忙个不停。正因为我们不离探方，故没有遗漏现象。当时整个工地只有一部照相机，充分利用它，清好的遗迹，遇见好的天气拍照，当一卷照完，晚上还要室内冲胶卷，如果不满意还得重照，直到我们满意时才将遗迹作去。对于清出的大的遗迹，需要拍全照，还要用木梯接起来，加大高度，用人支撑，登上梯子去拍摄。下王岗保存在资料室内的田野照片是比较多的。我们每人承担的工地其他的工作也是利用业余时间完成，每天晚上加班加点是正常现象。由于路途较远，交通不便，每年来工地干工作9个月左右，只有最热和最冷的时候才回单位。大家都愿早日发掘完成，结束工作。可看到遗迹多，都想多发掘点，一直坚持到1974年，基本搞清遗址的内涵时，发掘才结束。

5. 食堂实行AA制

我们在下王岗工作的人多，最多达12人，自立伙食。除炊事员扣一定的费用，伙上的其他开支均平均分配到每个人头上，就是后来说的AA制。伙上来人来客也都平均到每个人身上。可大家没有提出疑问。要比黄楝树发掘时进步了，每天每个民工只报一分钱的茶水费，到热天，每天多时烧四大锅开水，显然不够，就得由我们平摊了。那时工作人员真是公私分明，从不敢沾公家的光，认为那是一种贪污行为，谁也不敢越这个界线。那时没有什么文件三令五申，公私分明是那样自觉。这种优良传统并没有保存下来，不知是谁之过？

6. 一些重要发现

当安先生试掘时是在边缘，只发现有龙山文化、屈家岭文化中期、仰韶文化中期。经我们大面积地发掘，发现了仰韶文化早期和晚期，也发现了屈家岭文化最晚期（即石家河文化），二里头文化一期和三期及西周文化。这样将豫西南地区的古文化基本连接起来了。这些发现也有一些趣闻。

我当时发掘T8，位于遗址的西部，文化层最深近3米，浅的2米多一点，当揭开耕土层后，就进入文化层，首先用平头铁锹将整个深方铲平，并用小手铲刮找，在东南角发现一个灰坑，经确认编号为H8，就派专人清理。坑中出土的灰陶片，多附加堆纹，其间还有绳纹，后经洗陶片后看有大口尊、大口瓮等，我认为可能比龙山文化晚。又请王明瑞师傅一看，说这与洛达庙器物相似，证明这是洛达庙期的遗存（即二里头文化遗存）。

我发掘的探方T8文化层揭完之后，又向下作一层，未发掘任何遗物。为了不遗漏现象，我又反复刮找，经细致地辨别，发现在生土中有的土色稍有点杂乱，与原生土略有别，左右观察，这一杂土有一定的边界，还呈长方形，而且是西北东南向，成排地排列，共五排，北边还伸向北壁外，我认为是墓葬，原葬在生土中。当我确定之后请曹桂岑、王明瑞、李绍连、刘式今等同志看后都认为可能是墓，先挖一个看一下就可证明。这墓的土色十分难辨认。因这些墓是葬在生土中，填墓时又将这些生土填进去，只结构稍为打乱一下，如果稍不注意看还以为是生土，如果有一点的疏忽就容易漏掉了。后经发掘证明这是墓葬，几乎每个墓都有随葬品，一般一件，多为罐、鼎或细颈瓶或壶等，个别有石铲。有的如 M112 还葬一狗、一龟等。出土的这些器物如罐、蒜头壶、钵与半坡早期相同，不同的是这里的罐形鼎在下王岗仰韶文化早期的墓葬就发现了。我发掘的 T8 探方的东南部只有一小点薄薄仰韶文化早期的文化层，出土的陶片不多，可能是仰韶文化早期的边缘地带，最厚是仰韶文化中期，这里则是早期的墓葬区。全方南部墓葬较稀，北部较多，为此推测南部可能是墓的边缘，北部还是属于墓葬区。后来又在北开一探方 T12 中又发现仰韶文化早期墓葬 15 座，除随葬上述的陶器外，其中有两座墓殉葬狗，最多是两条，还有一座墓还随葬龟。本探方北部就没有墓了，这个墓区共发掘 34 座，是本遗址的西部墓地。后来曹桂岑等同志还在中部发现 43 座墓，刘式今等同志又在东部发掘出 46 座仰韶文化早期墓葬。可见在下王岗有三个仰韶文化早期墓区。这些墓都是排列有序，长方形竖穴土坑墓，头向西北，一般都有随葬品，数量不多。

后来李绍连同志在东北部的 T7 和 T7 的扩方、T9 和 T9 的扩方、T1 和 T21 内清理出 335 座仰韶文化二期（中期）的墓葬，再加上居住区、西部、北部全遗址共清理出同时期的墓 472 座，其中土坑葬 451 座，瓮棺葬 21 座。东北部的墓葬层层叠压，可分为早、中、晚三段。这批墓葬的葬式可分一次葬 162 座，其中有 45 座无随葬品，有随葬品的墓有的只有 1 件，有的多达 45 件；二次葬 289 座，其中有 83 座无随葬品，有随葬品的有的只有 1 件，有的有 10 余件。在二次葬中，占主导地位的是男性，如 M198 是一男女合葬的二次墓，人架排列如三角形，中男性居首，并拥有较多的葬品，而其他 15 人屈居其下，葬品只有 1—2 件；又如 M200，是 20 个男女合葬的二次葬，11 个男性均排在女性的前列。就是在一次葬中，也能反映出男性有较多的葬品，处于受尊重的地位。如 M663，为成年男性，随葬品有鼎、罐、彩陶钵、碗、石铲、石镞、骨镞等 45 件。这是此期葬品最多的墓，也是全遗址出土最大最好的彩陶钵；又如 M239，是两个男性合葬的一次葬墓，拥有玉铲、松绿石坠饰、彩陶钵和成束的石和骨镞等共 19 件葬品。可见仰韶文化中期已显出氏族社会已出现不平等现象。男子已在生产领域里占据优势，确是比较重要的发现。

T8 发掘完后，又在南部开一探方 T10，目的是确认南部是否是仰韶文化早期墓区。发掘结果是墓葬区未到 T10 内，可发现仰韶文化的一组半地穴式的房基 3 座，编号为 F4、F5、F6。其中 F6 较大，面积 13.85 平方米；F4 较小，面积 4.52 平方米。F4 面向 F6，两者相距约 1 米。F4 内部有石料不少，有加工石器的磨石和石垫，还有半成品，和一些打制下的石片等，应是加工石器的场所。F5 约 6 平方米，则打破上述二者。建得稍晚一些，仍是仰韶文化早期的房基。有的房基还压一点，南部还有房基，当时未继续发掘。这组房基南距墓区最近约 4 米，看来这时墓区距居住区是比较近的。曹桂岑同志在下王岗中部发现了一座平地起建的圆形房基 F28，直径 7.5 米，面积约 50 平方米，是下王岗最大的一座仰韶文化房基，周围有两座半地穴式的房基F52、F53的房基向着它。可见这时期的房基成组分布，往往在大房址的周围有一些小的房址。这种布局在半坡和姜寨都是这样分布，在姜寨更为明显，而且规模也大，不但有大房址，其周围有中型房址也有小房址。中、小房基主要朝向大房。

仰韶文化三期大型排房的发现，是曹桂岑和刘式今同志在遗址中部的T5、T6和T6的扩方、T17和T17的扩方、T20和T20的扩方、T14—T16、T18和T18的扩方、T19和T19的扩方中发掘出来的。该房为83米的长条形房址，共分29间，可分17个单元，其中双间房12套，单间房5套，每套房前有过厅，后有住室。是一座从东北略向西南的排房，坐北向南。每座房的墙下挖有墙基槽，室内垫有纯净的垫土，其上铺一层料礓粉末，砂和细泥，洒一些水后混合铺垫在室内，经压磨平整，有的后室随即铺上用竹加工成较细的竹板，并在上踏压，使竹板下部入土内，上部光平。因竹已腐朽，而竹板的印痕尚存。每座房内都有灶，保存好的房内有一套完整的生产工具和生活用具，可见当时统一修好房分各家居住，各自为炊的家庭，从这里反映出家族所有制已萌芽。清理这座房基先是各探方内一间一间清理，每间编一个房址号，经多次开方、扩方，经近一年的时间才完全清理出来。在这座房的东头南边还建三座房相连，每房独立开门向外。

为了拍这座房址一张完整的照片，我们从农家中借来最长的木梯，又将三四个木梯用绳绑连接起来，又用长竹竿支撑起来，等天气好时拍照。有一天晴空万里，阳光灿烂，多人将梯子立起来，有的用绳拉着，有的在下面扶住，拍摄成员上去拍照，真是有点摇晃，那时年轻，胆也大，爬到梯顶上拍照，现在回想起来有一点后怕。为保证质量，有三人上去拍摄，每次都多拍几张，还是拍了几张好的照片。

在遗址中南部的耕土层下就是西周文化层，文化层厚薄不等，0.10—0.90米。发现有房基2座，灰坑16个，墓葬3座和一些西周时期的文物672件。T4探方发现M24是一座五人合葬，其中四人一次葬，一人二次葬，随葬品共14件，其中鬲5件、瓮1件和陶杯等。从器物形制判断是属西周偏早的。这是第一次在淅川境内经正式发掘西周遗址和墓葬。

下王岗经过四年发掘，每个发掘季度大约4个半月，一到工地一直坚持到结束时才回郑。回去时都要租船，将出土物运出宋湾或马蹬，再租车运回郑州。每次运出土物时都要忙几天，先将发掘出土物小件装木箱或纸箱，并在箱上写出土单位；陶片装入麻袋，封口，也要写上出土单位。无箱时，将重要的装入我们带的箱内，一般的小件，装入麻袋内，在袋内多放点纸屑，放在一边。用人力先将陶片袋运到船上放在下面，再将小件的麻袋放在上面。我们也随船到码头，先将陶片袋搬到车上，上面再放有小件的麻袋。每次运物都要多次搬运，每次都要小心谨慎，轻装轻放，而且装出土物的次序不乱。我们是检查人员，又是搬运工，一直运回郑州才放心。看到我们几个月的劳动所获之文物起运回郑，也非常高兴，忘记一切疲劳。

发掘后，立即进行整理，经两年拿出初稿，后由组织安排李绍连同志合成，送文物出版社，一直未有出版。1985年底曹桂岑同志到省博物馆找我商量（当时我已调省博物馆工作），将稿从文物出版社拿回，按出版社的意见修改，我非常同意。我与曹桂岑同志于1995和1996年（此时我已回所工作）先后在平粮台和郝家台工地进行修改定稿，送文物出版社。1988年夏曹桂岑与李绍连同志在北京进行校稿，1989年正式出版。此书的出版得到学术界的好评。著名的严文明教授在书评中说："就像是一部相当翔实的地方编年史，记载丹江流域仰韶早期到西周大约 4000 年左右的历史。这部历史不但反映当地文化的前进性与阶段性，也反映了相邻地区文化交往的具体进程。"我们多年的心血都融入这本书中，我们也从不同角度利用这本书的资料写一些论文，提高了研究水平。

总之下王岗的四年中，参加工作的有我国各校毕业的考古专业的学生（当时办考古专业的只有三所高校），也有老同志和刚参加工作的小青年，有事大家争着干，有困难跑在前，大家共同解决，发掘中遇问题开"诸葛亮会"共同研究解决，小青年愿学习，我们在实践中虚心教，大家心情舒畅，工作愉快，我们是团结的战斗的小集体。虽然艰苦，但很快乐，至今还不忘在下王岗的工作情景。在这里我们学的专业得到提高和升华，提高了分析和研究能力；小青年也得到了学习的机会，爱上考古事业；还有跟我们发掘的一批技工，也走向考古之路，成了地方文物考古事业的骨干或领导。这里造就了一批文物考古专家。从这个角度说下王岗是一所考古培训学校。

四、永城酂城汉墓

酂城汉墓位于永城市西 25 公里的酂城镇酂城村东 1 公里处。1973 年 12 月，该村进行农田基本建设时将此墓挖开。当时的县文化馆得知后，立即到现场调查，要求停工，请村里派人日夜轮流看守，同时汇报到省文化局文物处。该处电告省文物工作队派人去调查。当时队部派李京华、郑杰祥和我前去。我从下王岗才回单位，正进行资料整理，那时室内服从室外工作需要，只得放下手中的活，与他们同去。到现场看墓的规模较大，墓也挖开，十里八乡的人前来参观，真是人山人海，而且传得越来越神，要封存保护已不可能。向省文物处汇报这种情况，经研究后回电说："进行抢救性的发掘，在发掘中确保文物安全。"于是进行简单的准备后，于 12 月 18 日进行正式发掘，翌年 1 月 15 日结束，历时 29 天。此墓是一座包括 4 墓合葬的砖石结构墓，4 墓共 29 室，画像 57 块，尽管多次被盗，仍出土一批文物。在工地进行简单的清点、装箱，对已发掘的墓进行封填，又用 3 天时间，1 月 19 日才回队，这时已是腊月 27 日了。

这里距公路较近，经我们商量，为保护好文物，24 小时派人轮流值班。当墓外清完之后，大家分别在各墓内采用逐室清理的方法。我们三人，每人带两三个人为一组，分别在各墓内清理，每组负责清一个墓，一个墓室一个墓室地清理，每清完一个墓室，就绘一个室内平面图，墓内出的器物，先在原位不动，经绘图拍照后，按序编号、提取、装箱运到驻地保存。每座墓出土的器物仍按顺序号编到底。发掘这大墓时是在大寒节气，开始还是晴天，一早一晚较冷，也是滴水成冰。可是一进入 1 月突然寒潮来，北风大作，大雪横飞，一连数天，我们仍然坚持发掘。雪停雪化，天气更寒，真是天寒地冻。我们住的地点距墓 1 公里，每天都步行到工地，每当下雪，踏着雪去，可化雪时，路不好走，真是一步一滑，特别是早晨寒风刺骨，路上冰冻，脚也不听使唤，真不是滋味。不过下雪前已将墓外都清好，下雪时在墓内清理，里面还能挡寒风。这里距电源的地点太远，墓内清理用蜡烛照明，数十支蜡烛在墓内燃，烟雾弥漫，一天下来每个人口中吐出的吐沫都带黑色，也不知我们吸了多少油烟。我们坚持到将此墓清完。由于大年将近，我们利用一切可能的时间进行清理，上班时我们是走在前，收工时走在后面。忘记了寒冷和劳累，只想一定要在年前清完此墓。清完之后我们分工合作绘总平面图和剖面图，画图时先活动手，能拿起笔就抓紧时间绘，一旦手麻木又活动手，然后再进行工作。我们每个人脚、手几乎都生了冻疮。快要清完时电告队部，请派人来拓片，队部也支持此项工作，立即派王与刚、蔡全法、杨国庆同志来工地拓画像石拓片，他们拓片也很为难，将纸贴在画像石上很快冻上，他们想办法，冒着严寒，积极工作，拓了约五天才全部拓完。我们回到队部已是距过年只有三天。

春节后，我们三人分工，由李京华写墓室结构，郑杰祥写画像石，我写器物。可到三月又新分配工作，此墓的整理工作就无人问津了。李京华退休时，将此墓的拓片、照片底片交给我时说："参加此墓发掘的人只有你未有退休了，这些给你，挤时间将此墓整理出来。"我说："我不是搞这一段的，还是你整理为好。"他说："我的事太多，也顾不上了，你先收下，等有时间再整理。"这样此墓的拓片、照片底片放在我这里，2007年底我在完成郾城郝家台报告之后，才回头来开始整理郸城汉墓。首先将拓片进行登记，将拓片送去衬表，把由李京华先生交来的原拍的田野照的底片进行洗印。其次对已调回地区博物馆和永城文管所的文物均借回来。又得到蔡全法同志的大力支持，将这些文物运到新郑，他派人修复、绘图，他又亲自摄影，完成了这些技术工作。还将原绘的墓门的正视图、墓室平面图、仰视图、南北、东西剖面图送绘图室描绘，还请杨玉华等同志绘制整个墓室的立体透视图、立体结构图等。在这些工作上花了不少时间，我又借相关资料进行阅读，2008年7月才动笔，2009年初才写完初稿，又进行多次修改，直至2009年7月初才算正式完成。并与永城黄土山汉墓合成一书，送编辑部审定。2010年8月才正式出版。

五、新密莪沟北岗

莪沟北岗遗址位于新密城南约7.5公里的超化镇莪沟北的岗上，正处于绥水和洧水交汇处三角形的岗顶上。岗顶平缓，黄土丰厚，且很肥沃，高出南面洧水的河床约70米。1975年发现该遗址。1977年冬当地进行农田基本建设时，发现了裴李岗文化时期的墓葬，当时的县文化馆得知后，经做工作，暂时停工。并将发现的情况向省文化局报告，省文物队立即派郭天锁、丁清贤等人就发现的墓葬进行清理，本队下放在密县的赵世纲同志也参加了其中的工作。次年又增派李绍连和我参加其中的发掘。在现存的约8000平方米的遗址上统一布方，分头发掘，经两次的发掘揭露面积2747平方米。清理出房基6座，露天窑1座，灰坑44个，墓葬68座，出土器物370余件，还有一些人骨、兽骨、植物果核标本等。房基分布于遗址中部，露天窑在F6的东北，灰坑主要在房基的周围，墓葬在房基的西北和西部，这时一个较小而完整的村落遗址显现出来了。也是至今裴李岗文化经发掘发现难得的布局完整的村落遗址。

这里的地层较简单，耕土层下是扰土，再下是文化层。文化层内无什么出土陶片，主要的遗物多是在灰坑和墓葬内，在房内和露天窑内也有一点遗物。第一座房基的发现，在我发掘的探方内发现一个被挖毁的方坑，经清出之后，长约2米，残宽1米余，壁高约0.40米。壁直，底面平坦，经过铺垫处理，还有用火烧的红烧土面的痕迹，是一残存的半地穴式的方形房基。可南部破坏，未发现门道，可能在南部。接着又在李绍连同志发掘的探方内发现

F2，也为半穴式的近圆形房基，前有斜坡门道，与门相对的后部发现有灶。相邻又发现 F3，结构与 F2 差不多；我又在其南部的探方中发现 F4，是一座近椭圆形的半地穴的房基，门向南偏西，在室内的东北发现用草拌泥筑的灶，前有火门，周围用草拌泥筑的灶圈，后有两个烟道；在其东南发现 F5，结构与 F4 差不多；后来又在北部发现较大的 F6，门向南，直径 3.80 米，是这里最大的房基，其他圆形房基的直径都在 2 米多一点。发现有房基在房的内边缘和坑的外边有柱洞，有的中部有柱洞，有的周围的柱洞向内斜，可见房基是周围立柱，并向中部集中，为一尖形草顶；有的房基中间有柱洞，周围有立柱，上架有梁、檩和树枝，其上再覆盖有草顶。这 6 座房基是在遗址的中部从北向南排列，除 F1 和 F6 单独之外，其他 4 座两者相近。灰坑主要分布在房基的周围。

在 F6 的东北边约 2 米余，有一座露天窑。为圆形，直径约 2 米。在这一范围内有一层较厚的草木灰，中间厚，周围薄，当中还有一近长方形的凹处，其灰最厚，地面也烧成青红色，即上面青灰，下渐变为红色，且有一些陶片，这是一座露天窑址。在云南等地有的少数民族现在还用这种窑烧陶器。

这里的墓葬很难找到墓口，因墓挖在生土中，埋人之后又将挖出的土回填在墓坑内，不详细观察很难分辨出来。由于我们有下王岗的发掘墓的经验，都能分辨出来了。这里的墓排列有序，分布均匀，墓向西南，均为长方竖穴土坑墓。我们发掘的 M34 是较大的墓葬，其墓口经过反复刮找才基本确定。我们将画出的线抹掉，一些在登封开会的专家到遗址参观时请他们帮我们看这里是否有墓葬，左看右看，有的还用铲刮一刮，有的说有，有的说无。后来经发掘到 50 厘米还不见器物和骨架，技工说可能不是墓吧。我说继续往下发掘，不是墓葬为何四壁较直，一直往下，小铲清一层，见侧立的墓壁的石磨盘的上边了，清的人也有劲了。最后清出来是一个长 2 米多，宽 0.90 米余，深 0.85 米的墓。随葬品达 14 件，是本遗址出的最深和随葬品最多的一座，大家异常高兴。这 68 座墓葬，有 20 座左右是配合农田建设已发现器物时找到的，其余 40 余座是正式发掘经过细致工作发掘出来的。

一件陶塑老人头的发现：有一天在丁清贤同志探方内一个灰坑里发现一件陶塑老人头，他十分高兴，跑到我和李绍连同志的探方边，眉飞色舞地对我们说："老杨、老李，我发现一件陶塑老人头，请看，请看！"我小心翼翼地拿到手中看了看，确是一件好的陶塑艺术品！又传给老李看，说："不错！"我问是在哪里发现的？他说："我在清灰坑时突然一块较大的土掉下来，我将它拿在手中用竹签慢慢清理，才显示出老人头来！"我和绍连异口同声地说，立刻放回原处，补拍一点现场照片。我还说："今后遇到这种现象先拍照，就在现场清理，在清的过程中还要拍照，清理好之后再拍照。"于是将这件陶塑老人头像放回原处，补拍了几张照片。

1978 年 6 月底，结束了发掘，在工地把出土物简单清点归位，我和绍连同志留在工地等候，其他人回队部，派车运文物。估计两天就能来到。可第二天下了一场大雨，这里是坡陡路滑，要等两天之后车才能进来，我俩只得等。雨后第二天是大好晴天，空气新鲜，晴空万里。我们来这里一直在工地工作，对面的具茨山也没去过，趁机去游一游。由于我们余的食品只能吃两天，菜也不多，顺便也采些山野菜。当时我俩边走边说，很快走到山下，立刻往上爬，一直到山顶，也不觉得累。我俩站到山顶向下四周一看，近是清山，不时传来鸟叫声，悠扬动听；再远是层层梯田尽收眼底，而弯弯曲曲的绥水、洧水青绿，镶嵌其中向东流去；向西望，嵩山挺拔，雄伟壮观；向东看由丘陵渐变为广阔的平原，沃野万里，真是一幅美丽的画卷！这次上山不仅体会到大好河山之美，还采集到山野菜和活捉一只鹌鹑。这只鸟见我们去时在洞中一动也不动，想蒙混过关，可我们立刻把洞口堵住，活捉了它。我俩一边玩，一边采些山野菜，兴尽之后，就打道回府。把我俩所获之物一同带回。回到住地后，就立即煮饭，炖野味，炒野菜，做好之后，已是较晚了。这餐吃得特别香，真是美味无穷。也许是肚子有些饥，与我们自己动手做也有一定的关系。又两天之后车才来到，将我俩和发掘之物一同运回队部。如果再不来我俩真是弹尽粮绝了。

运回后经过短时间的休息，组织分配我整理莪沟北岗发掘报告。先将一个个单位的陶片进行粘对、清点、统计，由于遗址内出土的陶片较碎，质地差，这个工作较费时间，之后分期排队，请绘图员绘图，摄影师拍照。1978年12月先写出了简报，送《文物》，1979年5期刊用。接着写出报告，送到《考古学报》，很快编辑部回信要用此稿。由于1979年是建国三十周年大庆，领导决定，要将此稿先在《河南文博通讯》（当时是内部刊物）刊登一下。当时我说，此稿已寄给《考古学报》，已来信要刊用，不可。他们回答说，是内部刊物不影响，这也是对我们自己办的刊物的支持。还请安先生来做我的工作，他说："这是领导决定，还是交出吧。"当时我是小兵，只得服从。可刚一登出来，学报编辑部就退稿，原因是已见此稿刊用。后来组织去协商，说明此稿两投不是作者之错。最后在《考古学集刊》1980年第1集上刊用。

六、上蔡十里铺

上蔡十里铺遗址位于县城南5公里的小高庄村东的椭圆形的台地上，南北长130余米，东西宽110余米，总面积14000平方米。1975年4月驻马店地区文管会办考古学习班，选在上蔡十里铺未招生的小学里办。队部派我去给他们讲课和主持考古实习，讲考古基础的理论后，就在十里铺遗址进行钻探和发掘实习。在遗址中开了5×5的探方3个，发掘75平方米。发现灰坑5个，墓葬6座，出土一些文物。

这里文化层最厚达3米，文化内涵也很丰富，浅也是1米多。经发掘得知最下是屈家岭文化，中是龙山文化中期偏早，当中有不少的山东龙山文化因素，上是河南龙山文化晚期。这时发现龙山文化中期偏早的两座墓，M3和M5。其中M5较大较好，为长方竖穴土坑墓，墓口长2.30米，宽0.90米，底长2.10米，宽0.55米，两边有二层台，葬具是以圆木挖空为棺，二层台放的实用器共9件。这些器物有较浓的山东龙山文化的因素。M3比M5较小，其结构除无二层台外与M3相同。墓口长2.23米，宽0.49米，底长2米，宽0.38米。也是以实木为棺，随葬品置棺外的两侧。这个遗址保存得好，也很重要。

可当地工地负责人认为发掘遗址出不了什么好的东西，不想多挖，想去县城北实习发掘古墓葬。说以前土冢大，后来经过平整已挖平，费不了多少时间就能发掘出来。我跟他说，越是大墓，多已盗空，不一定有多少文物！这个遗址很好很重要，等实习完后再去挖墓也不迟。可这个地点还未实习完，未和我商量他就将大部分人派去到上蔡城北去发掘古墓去，只留下两个学员配合我清理M5。当时我的意见确实很大，也毫无办法。清理完M5号墓，见是有二层台，且有木棺，二层台上放满了实用器，器形也较大，我非常兴奋，龙山文化时期出这样好的墓，在河南还是第一次发现，太好了。这是我省第一次发现龙山文化时代的木棺和二层台墓，出实用器较多的墓，该墓是比较重要的发现，建议整体起取，运回地区文管会保存。这次是依照我的建议做了。之后将发掘之物妥善保存，我们也到上蔡城北去发掘墓葬。在去的途中有学员告诉我说："杨老师，这次你是对的，请不要为此生气，地方上就是这样！他还说你是搞原始社会的，对遗址很有兴趣，他们先去把墓挖开你就走不了。"

我到墓地一看，他们已将墓挖开了。在那里花了一个月时间，费了很大的人力，结果是一座盗窃一空墓。真是盗得一干二净，什么也未有出。负责人也非常灰心丧气，心中很不是滋味，脸色也十分难看。我安慰他说："这次实习主要是学习发掘墓的方法，大家学到了这种方法，以后回去对清理残墓是有好处的。挖空墓是常有的事，不足为奇。"又对他说："下步做什么？"他比较客气地反问我："杨老师！你说呢？"我接着说："十里铺遗址发掘了，尚未整理研究，如果要做的话，就去整理。"他说："要做，要做！"于是将所有学员又搬迁到十里铺，仍住小学校里，进行整理。

到这时已进入夏天，且无蚊帐，蚊子较多，用点蚊香灭蚊稍为好些，但早晨起来，每人身上还有蚊咬的红点。在这样的环境里，大家学得也非常认真。我为他们的学习精神所感动，认真给他们讲整理的方法、要求和注意事项。先整理遗迹单位，先整理早的再整理晚的，然后再整理地层出的陶片，也由最下层到上层。遗迹单位的陶质、陶色、纹饰和器形都要分别进行统计，再分期排队。最后给他们讲如何编写发掘简报，如何介绍地层、遗迹、器物等。我列出提纲，才分头动笔写。经过近二十余天的整理，写出了简报的初稿，我最后进行修改，算是完成了这次办班的任务。后来该地区有人将此稿作了不适当的修改，不少的应当发表的东西也删去了，以个人的名义发表在1983年《考古学集刊》上。从此我就在业务上很少过问这里的事了。

1986年5月我从省博物馆回所工作之后，主管田野考古，经常到各个工地去，了解发掘情况，了解田野考古工作的难题，主持了焦枝复线工程沿线的考古发掘工作，小浪底水库的文物调查，还参与主持1988年濮阳西水坡的发掘；受省文物局的委托1992年在郑州西山主办省考古学习班；国家文物局1993—1996年在郑州西山办第七至九期考古领队培训班。受国家文物局的聘任，负责培训班的工作，兼任辅导老师。当中也有不少体会，由于篇幅有限，在此不一一回忆。

总之在我来河南的48年中，我专心致志地从事田野考古工作和研究工作，虽然艰苦，清贫，也有乐趣。与同事合作写有《淅川下王岗》、《郾城郝家台》、《永城黄土山与鄢城汉墓》，《河南考古四十年》等六部专著，其中得省社科优秀论著一、二等奖均有；我还发表了70余篇论文和简报等。我在工作中，与同事合作共事，共同协作，公私分明，不贪，不占，不谋私利，经得起历史的考验；我秉公办事，不搞浮夸，办些实事；与同事相处中，与人为善，和睦相处；在省文物考古事业中，我尽职尽责，忠于职守，也取得一点成绩，心满意足，问心无愧。

1985年5月于淮阳平粮台工地西汉墓前（右一作者、右二李绍连、右三裴明相）

1992年在河南省文物考古研究所院内（左起杨育彬、作者、司治平、李延斌）

1992年研究所领导在图书阅览室（左起杨育彬、郝本性、作者）

1994年在郑州西山留影（左起作者、张忠培、安金槐、刘建洲）

1998年在安阳参加学术会议时参观文物（左起安金槐、作者、刘忠伏、张文军）

2010年12月作者（右二）在淮阳平粮台考古工地

2010年12月在淮阳大朱庄村北钻探发现龙山文化陶片（左二作者）

不可忘却的岁月

——庆祝河南省文物考古研究所成立60周年

李绍连

俗话说：光阴似箭，日月如梭。当年我走入河南省文化局文物工作队时，还是二十出头的小伙子，现今已是年过古稀的老人了。凡人大都一样，当你双鬓染霜的时候，每每对自己的青春岁月，总是充满激情的怀念。特别是初出校门走向社会，开始为自己锦绣前程跃跃欲试的时候，必定是没齿难忘的。

1965年七月流火的时候，我从北京大学历史系考古专业毕业。大学时光是最美好的，经过一个月的时间留恋湖光塔影，与同窗好友尽情憧憬美好前途，最后才不得不依依不舍地一一惜别，所谓"此地一为别，孤蓬万里征"。我单身只影，背负着极其简单的行李，来到考古人熟悉而陌生的河南郑州。那时人事部门对新毕业的大学生是何等重视和热情啊！我清楚记得一到省人事局接待处报到，他们就告诉我："你分配到省文化局。现在快下班了，我通知人事处等你。"立即代我雇一辆三轮车（当时无公交车）送到省文化局。人事处赵国璧同志推迟下班，专门等我报到。不到一刻钟，就办完全部手续。然后，他就通知省文物工作队，李绍连来报到了，并同样雇三轮车把我送到南关第二工人新村省文物队驻地。当时不曾想到的是，丁伯泉队长在大门口亲自迎接，文物队同志们也是笑脸相迎。赵青云秘书立即叫工人给我安排宿舍，还叫人给我做晚饭。当时我十分感激，有点回家的感觉。令人不敢想的是：人们对一个初出校门的大学生如此重视和热情！从我下午五点左右到郑州火车站，至七点半到文物队，短短三个小时，我就办完了一切手续，完成了从毕业生到考古队员身份的华丽转身，并安顿下来，开始新的生活。联想到今衙门难进，事难办，脸色难看，感慨万千！所以，我将最平常的人事忆记于此，以感谢当时领导的关怀和文物队同志的热情！

我从1965—1981年，在文物队和文物考古研究所的16年，是我宝贵的青春时光，但是不幸遇到了本不该出现的"十年文革"，使我对考古事业跃跃欲试的激情冷却了，甚至怀疑自己走错了路。因为当时流行"读书无用论"和"知识越多越反动"，使人不敢读书，不敢搞业务，英语、俄语荒废了，田野不下了，总之是不情愿地让时光白白流逝。所以，我在这段时间里，没有什么可以炫耀的业绩和故事。不过，细细想来，亦有一些对单位考古和个人颇有意义的事情。

初"跑单帮"，当"消防队员"，意外成就"硕果"

我在学校曾师从苏秉琦先生和严文明先生，专攻新石器时代考古，先后写成《河南龙山文化与山东龙山文化的关系》和《论半坡遗址仰韶文化的分期》两篇论文，对新石器时代考古情有独钟。老师也很希望搞新石器时代考古研究。但是，省一级考古单位，当时只配合地方基本建设和农业水利工程，在出现文物被破坏有关情况下才去"工作"，不能主动进行考古发掘，"只能为专家提供资料"，而不能自搞研究。在此环境中，我只能"入乡随俗"，无条件地执行队领导布置的任务。

刚到文物队，因我身体不太好，队领导免去我下乡搞"四清"和劳动的义务，只布置整理队内丰富的图书资料。为了完成任务，我自学了图书的"珍本"、"善本"、"孤本"划分，以及图书分类分级、上架编号和登记造册等知识。这项工作，虽琐碎和枯燥无味，却有利于队里图书资料的保存管理和索取利用；同时，也为我日后来到省社会科学院搞学术研究积累了有利的经验。

由于当时大搞农田水利基本建设，各地常常出现破坏文物的事件。文物队也就派一个人去处理，被戏称"跑单帮"，其人或被称为"消防队员"（危急时刻抢救文物）。由于人手缺少，我也曾几次被抽去"跑单帮"。我记得第一次出差，是去豫东商丘调查汉代古墓被破坏情况。因为是首次单独执行任务，心里没底。好在当地文化馆和军宣队主管很重视，馆长亲自带领我到现场察看，中止了工程，收集了文物妥善保管。我第一次感到地方县市文物干部工作是认真负责的，没有他们，全省的文物保护将很难做好。

又一次，领导派我去郏县处理"三苏坟"院外破坏宋墓的事件。这是一个省级文物保护单位，所以事情比较严重。我到郏县后，县文化馆馆长也很重视，陪我到现场察看。由于此宋代砖室墓已毁坏上半部近底了，原来曾被盗，盗洞痕仍可见，文物早已被洗劫一空，我决定在当地文物干部配合下，进行考古清理。对此砖墓进行测量绘图，清到墓底，获得一墓主苏适（音 kuò "括"）私人印章和一件白釉圈足瓷碗。从墓底看还应有两方墓志铭，此墓志原来已被文化馆收在院中。两天后，墓葬现场处理完毕并及时回填保护。由于县文化馆领导积极协助，我的工作顺利完成，同时把该墓两方墓志运回郑州。应该特别提及的是，郏县文化馆对上调文物非常支持并主动找车免费把文物运到省博物馆。上调文物，在今天看来几乎是不可能的事，昨天真实地无条件地发生了。这说明当时文化馆领导思想风格是何等高尚！我至今仍表示钦佩！

该墓主苏适是苏辙的儿子，苏东坡（轼）的侄子。墓志铭拓片曾送日本展出，引起积极反响。后来我根据相关古籍并其墓志铭旁证，写论文考证郏县"三苏坟"，实则苏轼、苏辙兄弟葬地即"二苏坟"，其父苏洵（老泉）葬四川眉县家乡，此地只有衣冠冢而已。这篇考证性论文，即名为《宋苏适墓志及其他》发表于 1973 年《文物》第 7 期上。这也是我所发表 100 余篇学术论文中的处女作。观点被学界认可，亦为郏县"三苏坟"所采用。

豪饮丹江水，窝居乡村，发掘下王岗遗址的二三事

1972 年春，丹江水库修堤蓄水，库水很快将下王岗遗址淹没了。虽然"文革"余波未平，但"抓革命促生产"的口号已叫响。在此背景下，我和几个同志在曹桂岑的带领下，去发掘遗址，抢救文物。雇了几十个民工进行了正规考古发掘。当时知识分子要"向工农兵学习"，"同工农兵打成一片"，所以我们也是日出而作，日落而息，整天身在探方里同民

工一样挥铲挖土出土，晴天一身土，雨天浑身泥。甚至在发现遗迹遗物时，我们要认真细致清理、测绘、照相、记录，而民工则可旁观休息。民工傍晚下工回家后，我们吃完晚饭，并无娱乐，还要趴在农家小桌上，利用昏暗的煤油灯光，记《发掘日记》和整理一天的图纸。天天如此，当时并不觉得乏味和辛苦。在此，我们要感谢淅川县领导，特别是县文化馆馆长张西显同志，他们常到发掘现场问寒问暖，尤其在当时困难条件下保证考古物资和米、面、油、猪肉等供应，使我们持续两年的考古工作顺利进行。

考古发掘工作很艰苦。不过，我们同几十个淳朴青年民工一起工作，亲密和谐，协调一致，倒也很愉快。其间还有一些趣事。每当下大雨天，不能进行发掘时，我们窝在屋里打扑克"争上游"，或者出去抓鱼。河鱼和湖鱼有一个特性，发洪水时十分高兴地顺着浑水上游岸边或小沟渠，此时手握木棍可打鱼，用脸盆、竹簸箕可捞鱼，甚至徒手亦可抓大鱼。因无技巧和经验，我们收获不大，但却陡然增添不少乐趣。

当时物资奇缺，猪肉地方定量供应，猪肉虽仅四毛钱一斤，乡里还未有出售。县里照顾我们，每个月叫供销社一次给十斤八斤，所以很少能吃到肉。幸好在库边住，工地三面临水有地利，虽无暇去钓鱼，我们经常可买鱼吃。当时的鱼仅二毛钱一斤。我们当时的田野工作补助费很少，每天只有三毛八分钱，不足二斤鱼。我们每天一人一条鱼，用大白搪瓷盆盛着，香气四溢，味挺馋人。其他青菜很少。不过，鱼的营养丰富，白天吃鱼，晚上喝鱼汤，倒也使人精力充沛。是的，由于长年呼吸野外新鲜的空气，愉快的心情，有节奏的体力活动，再加上丰富蛋白质营养滋润，从此我身体健康，不用经常跑医院了，甚至从那时起已不患感冒之类小疾了。除了业务，这是意外的大收获。迄今，虽年过古稀，仍健步如飞，登山涉水上楼梯毫不费力。田野考古有利身体健康！

考古发掘也是不断学习和进步的过程。当时的考古技术比较单纯，只有布方挖掘，依文化堆积分层次，清理遗迹遗物，以及测绘、记录、照相、整理登记出土文物等，缺乏其他辅助研究手段。例如，对当时环境和动植物研究，地层年代的碳素采样测定等。但是，我们已注意到相关问题。与河南大学人体解剖教研室合作，在杜百廉教授和助手范天生的指导下，对几百座墓葬数千人骨的性别和年龄进行一一鉴定。通过现场鉴定学习，我们初步学会了用人头骨、盆骨和牙齿去鉴定男女与年龄的方法技巧。同时，请来中国科学院古脊椎动物与古人类研究所的专家，对现场人骨进行人类学鉴定，确定人骨属于蒙古人种。还与贵州省地球物理所合作，测定下王岗二期年代为距今6500年。这些考古思路和合作，是河南前所未有的。

考古似乎永远是神秘的。尤其在"动乱的年代"，大规模考古发掘更是稀罕事，不少人远道而来参观。中国是讲人情和礼节的，发掘工地远离城镇乡村，对于同行参观者，中午往往以酒肉午饭招待。客人以为是单位招待的，也不客气。这样司空见惯的事，我为什么要浪费文墨呢？原来当时是清廉的时代，虽有充足发掘经费，请客却不可动用一元一毛，更不可巧立名目开支。在不能收取客人伙食费和无钱可支的情况下，怎么办？好在我们几个同志家庭负担不大，就主动分担"招待费"，每次每人出一元即可。不要小看这几元钱，按当时物价，足可满足十几人的酒肉开支了。此等区区小事，却反映了一个时代的印记。此类事情，今后不会再有了。

发掘下王岗遗址，是我正式参加工作后的考古处女作。尽管在学校学过几年的专业课并实习两次，但是真正独自操作，观察平面遗迹现象，划分地层时，不免有些不自信。地层中的陶器全是碎片，亦难准确判定器形和用途。在老同志的帮助下，逐渐掌握田野发掘技巧。几个月后，居然能独自发掘有300余座墓的仰韶文化部落墓地，并且把上下几层的叠压和打破关系处理正确而清楚，受到老同志的赞许。对此，我十分高兴。实践出真知，有了下王岗的考古实践经验，我自信是一个合格的考古工作者了。

对下王岗遗址发掘文物资料的整理和发掘报告的编写，亦有很大收获。"文革"前，文物队同志都知道规矩，发掘者往往不能编写考古发掘报告，甚至直到下王岗发掘简报仍是这样。我们整理下王岗考古资料时，要求自行编写报告，意外得到领导的批准，这可能是时势变了吧。从此开创了文物队"谁发掘谁写报告"的先例。当时发掘组的曹桂岑、杨肇清、刘式今等同志，又有新的考古发掘任务，他们将其发掘部分资料整理成报告初稿后，交给我按原来制定的编撰提纲，用统一文风通纂成书稿。我们在《淅川下王岗》书中，积极探讨新的考古报告编撰体例，利用这批丰富考古资料探讨相关的社会历史问题，例如文化的地理环境和社会性质等。特别是同周边地区仰韶文化联系起来，将遗址的仰韶文化分为早、中、晚三期，又将墓地仰韶墓葬分为早、中、晚三期以求考察氏族社会的发展进程。同时书后公布了大量的各学科鉴定分析资料，拓展了考古资料的社会价值。日后我利用此下王岗资料撰写了一篇论文，考察中原文明的发生过程。

当时下王岗发掘队内都是年青人（老同志参加时间短暂），似乎都无资格任主编，故此报告无主编，而我只是书稿"合成者"。这个考古报告书名为《淅川下王岗》，署"河南省文物研究所　长江流域规划办公室考古队河南分队"。执笔者完全按书内文稿顺序排列，不分主次。特别是万元稿酬，先是单位拿大头，其余不管你写多少字稿，一律平均分配，甚至参加发掘工作者人人有份。我作为书稿通纂"合成者"，也是十几万字原稿撰写者，仅仅拿到300元左右。今天看来不可思议，但在当时"不为名不为利"和"人人平等"的背景下，却是"正常的现象"。我感到欣慰的是：《淅川下王岗》一书于1989年由文物出版社出版后，成为继文物队的《郑州二里岗》报告之后，又一大部头新作，获得同行好评，并荣获1991年河南省社会科学优秀成果一等奖。

终上正道，寻找"早期文化"

初到文物单位打杂和"跑单帮"，是单位事业性质使然，并非领导故意使人"学非所用"。如按现在行政干部流行"轮岗制"，锻炼相机处置问题的能力来说，倒也有益无害。凭良心而言，前文物队的领导对我是关怀和重视的，同志们对我也是热情和关心的，这些我没齿不忘！但是人的时间和精力有限，从学术角度而言必须高度专业化，即所谓"学有专攻"。回归专业就是"正道"。所以，1972年发掘下王岗；1977年又考虑我学习的专业，首先按排我和几个同志寻找"早期文化"，我十分高兴。所谓"早期文化"是比仰韶文化和龙山文化更早的文化，具体是指在新郑县（今为"市"）裴李岗村遗址发现的"裴李岗文化"新类型。为了进一步认识和了解"裴李岗文化"的内涵和特征，我们先后到密县（今新密市）莪沟北岗遗址和长葛石固遗址发掘。有一些新发现。

例如：在莪沟北岗遗址，发现一聚落房址和墓地。早前在新郑裴李岗是没有发现房址的，这里的发现是个补白。使我们认识到早在7200多年前就有半地穴圆形房屋，后来仰韶文化早期还延续。而这里还有地面方形房址，原来以为它是比半地穴圆形房晚出，其实两者并存。另外，这里墓地是排列有序的氏族墓地。墓穴为长方形浅坑，平面迹象明显。但因这里是酸性土质，人架腐朽为泥，肉眼很难看出来，致使一个新石器时代考古权威专家曾现场质疑，但当他从平面往下清理手感涩阻和见到白粉状骨末时才不得不认可。这不是笑话，地区土质和文化堆积不同，考古对遗迹识别技巧也就不同。教训是：世间万物是复杂的，疑似之迹不可不察！

此外，莪沟北岗遗址发现许多陶器，却没有发现陶窑，令人有些奇怪。但在居住区外发现一处烧土硬面中有一处直径约1.6米，深20厘米的凹坑，里面填有草木灰和陶片，笔者判断为早期烧陶器场所。从无窑的凹地烘烤到有窑烧制是一个发展过程。况且这里出土的钵、碗、罐、鼎等陶器火候很低，水泡或可溶化，这个现象就是因为无陶窑不能聚热温度低所致。但经火烧的陶器，也比古印第安人晾晒硬陶要强些。

笔者在发掘中亦颇有些心得。同当时河北磁山文化比较，我认为同磁山文化有共同因素又有明显差别。后来，我在1980年第5期《文物》上发表题为《关于磁山·裴李岗文化的几个问题》的论文中，认为裴李岗文化与磁山文化应是一个文化，即夏鼐先生命名的"磁山·裴李岗文化"，而又分属"磁山文化"和"裴李岗文化"两个类型。该文从陶器的类型学分析，认为裴李岗文化陶器都是手工捏制，同型器大小不一，扁圆无谱，胎质厚薄不一，火候很低，这些确是较为原始陶器的特征，肯定比仰韶文化要早。不过，两者关系虽密切或是传承发展性质，但它们之间仍有缺环。同时我还预言"裴李岗文化"不是中原最早新石器文化遗存，最早文化还有待发现！迄今我仍坚持己见。密县考古是愉快的，虽仍窝居乡村农舍，但米面不缺，蔬菜常见。只是离开工地最后一餐饭时，已无青菜，以勤俭著称的杨肇清同志，硬是从垃圾堆中捡回前几天丢弃的白菜帮做了一个菜。不知为什么，三十余年后的今天，我仍觉其味美无穷！

在密县莪沟发掘时，考古组得到县文化馆馆长魏殿臣同志的大力支持，帮助找民工并负责工地物资的后勤供应等，我们很是感激！魏馆长已于2010年逝世，他为文物事业辛苦一辈子，我们表示敬意和怀念！

在莪沟发掘之后，我们仍然要继续探索寻找"早期文化"。1979年队领导派我等去长葛石固遗址试掘。不过，正当我踌躇满志，准备大干，才干了几个月时，却因工作需要离开，可谓半途而废，我感到无奈和遗憾！我的田野考古专长还未发挥啊！

矢志考古，岗位不同，殊途同归

1981年，文物队改组为"河南省文物研究所"，机构名称变更也意味着除原有的文物行政业务之外，又带有学术科研性质。这个转变，将大大提高河南考古学术水平，无疑十分有益于河南文物事业的大发展。我十分高兴，准备一显身手。可是，1982年河南省文物管理局刚成立需要人，就把我上调局文物处工作。1984年初，河南省社会科学院又将我调去筹建考古研究所。几年后又转调历史研究所主管科研，专攻河南先秦考古与历史。我离开省文物研究所，原因很多，其中主要是工作需要上级调动，或可说个人原因是无奈的。

我虽在省文物研究所时间不长，却有很大收获。文物队是我的老家，我无论到哪里都不会忘记老家！特别是对文物队老同志和后来研究所的同志们是有深厚感情的。正是由于我学考古，矢志考古，所以即使我岗位不在文物界，也离不开考古，即科研运用考古资料研究考古与历史问题，这同文物考古工作最终目标是一致的。再说我在文物队工作十几年，使我很熟悉河南文物考古资料，对我的学术研究十分有益。我日后出版的几部个人学术专著：1992年出版的《华夏文明之源》、2007年出版的《河洛文明探源》、2005年出版的《河南通史》（先秦史卷）等均由河南人民出版社出版。这三部专著，只要您掀开书一看，均无一例外地利用历史文献和大量的河南考古资料写就。只有我另一部学术专著：《永不失落的文明——中原古代文化研究》（1999年由上海学林出版社出版），是地域传统文化研究，主要是古文献加理论分析，考古资料很少。由此可见，我身离开文物界，学行仍在考古中！这就叫殊途同归啊！

长话短说。谨以此文献给河南省文物考古研究所成立60周年，并祝河南省文物考古研究所为河南和国家的文物考古事业做出更大的贡献！

1974年作者从淅川考古工地返郑途中

1976年7月在浚县浮丘山举办全省文物普查学习班合影（左起作者、吕品、汤文兴、王与刚）

1987年9月在安阳参加学术会（左起作者、邹衡、郑杰祥）

2004年7月作者（左一）在安阳殷墟（左二杨锡璋、左三杨育彬）

茫茫丹江水　悠悠同志情

——淅川下王岗田野发掘实录

刘式今

编者按：这是毕业于北京大学历史系考古专业刘式今同志一篇写于1992年9月建所四十周年的回忆录，充满了对文物考古工作的热爱和同志之间的友情。他已调往河北大学多年，今发表于此，以示对战友的怀念。

回首工作中的往事，经常萦绕在心头的就是河南淅川下王岗的考古发掘工作。二十年过去了，许多难忘的情景和事件依然历历在目。

下王岗遗址发掘工作历时四年（1971—1974年），先后参加工作的所内（前身为省文物队）同志和淅川县的同志大约有26名。其发掘规模之大，参加人数之多（民工最多时达百名左右），可谓文物研究所历史之空前。下王岗发掘的奠基工作是由老队长安金槐先生主持的。不少同志在考古现场出了力，流了汗，兢兢业业地工作。《淅川下王岗》发掘报告的出版并获得1991年河南省社会科学优秀成果一等奖，这是和所有参加下王岗发掘工作的同志的努力分不开的。最后两三年，长期在下王岗坚持工作的有曹桂岑、杨肇清、李绍连、王明瑞、吕振海、李兰亭、段铁安、黄克映、郭民卿和我。当时曹、杨、李和我都是二十岁出头的大学毕业生，年富力强，正是闯荡事业的年华。桂岑负责全面工作，组织能力强，工作热情能干；肇清、绍连工作认真负责，精力勃发；我也是各个方面都不甘落伍的人。明瑞同志年岁虽大些，但天性开朗，身体又好，工作经验丰富，和年轻人很合得来。其余是一帮刚刚参加工作的年轻工人，求知欲很强，十七八岁，精力过人，事事都跑在前面。这是一个团结、紧张、和谐而又欢愉的战斗集体。

偏僻的半岛　古老的文明

下王岗遗址位于河南省淅川县西南35公里的宋湾乡下王岗村东红石岗上。遗址面积约6000平方米，呈半岛形势，东、北、南三面被丹江水环绕。处于豫、鄂、陕三省毗邻地域。从这里沿丹江水向西北上溯可达陕西，顺流东南而下，可与湖北均县外的汉水汇合。地理位置偏僻，交通极为不便，人烟稀少，地老天荒。我们到下王岗工地经常走的路线是，从郑州出发，坐整整一天火车到达湖北省均县，此时已是傍晚时分，在丹江口码头附近的招待所住宿一夜，天不亮就要起床赶往码头，乘坐开往淅川的小客轮，客轮上人员嘈杂，大多是当地走亲访友和做小买卖的人。客轮沿丹江北上，到达下王岗工地要走十多个小时，船上开两顿饭，大多是大白面馒头和一碗粉条杂烩菜。客轮行驶到丹江最阔处，极目四望，烟波浩渺，碧水无垠，宛如进入大海一般。当夕阳西下、落霞满天的时候，也就到达下王岗半岛的岸边了。如果有考古队往来，客轮就特意在这个地方停一下，这里本来是没有码头的，客轮再往前走不远，就是终点站了。

此地交通闭塞，附近的村民只见过客轮，而大多数人没见过火车和汽车，偶而有一辆吉普车驶入这个地区，大人围观，小孩则跟着汽车奔跑。不多的农舍星星点点散布在丘陵之间，显得一片沉寂与荒凉。自从考古队驻扎在这里，翻开了大地历史的篇章，却发现远在6000年到3000年之前，这里早已有了古老的文明，灿烂的文化，曾经存在着一个丰富多彩的物质世界。

下王岗遗址的文化层共分九期，它们是：仰韶文化（一、二、三期）、屈家岭文化（一、二期）、龙山文化、二里头文化（一、三期）和西周文化。文化层堆积最厚处达3.50米，最薄处也在2米以上，所出遗迹、遗物异常丰富，像这样文化内涵如此广博的遗址，目前国内尚属罕见。

紧张而忘我的工作

在那史无前例"文化大革命"的动乱年代，一踏上下王岗，就好像来到了另一个世界，这里没有世间的纷争，内战的烽火；这里只有一片火热的考古工地和一群为发掘祖国历史宝藏而忘我工作的人们。同志们每天日出而作，日没而息，不管烈日炎炎，还是寒风刺骨，天天都坚持在工地上。大家谈论的是发掘的规划内容和工作上的各种想法。在探方里，如遇到什么难题或有什么重要发现，"方长"只要一招呼，各方的人员就自然地围拢在一起，切磋和解决着问题。遗址采取大面积揭露的方法，10米×10米的探方，经常是五六个或七八个同时发掘。由于文化层和遗迹之间叠压关系和打破关系很复杂，稍有闪失就会出现差错，同志们工作都是小心翼翼，一丝不苟。有时候为了正确划分出文化层，还要照顾前后左右探方的关系，蹲在探方里，一琢磨就是几个小时。发掘干部不但负责探方里的一切技术性的事物，如处理遗迹、遗物、测量、绘图、照像等，还常抽空和工人们一起干体力劳动，站在三四米深的探方下面，一锨锨往探方外面撩土，显得那样挥洒自如。

有一个时期，河南医科大学杜百廉教授，曾到下王岗工地帮助我们鉴定人体骨骼的性别和年龄的工作。下王岗遗址出土的各文化期的墓葬共计689座，仰韶文化二期流行二次葬的多人合葬墓，最多一墓达29人。再加上灰坑中的人骨架，整个遗址的人骨个体多达千人左右。有时整个遗址平面上同时出土几十座或上百座墓葬，鉴定人骨的性别和年龄就成为大量的必不可少的工作。必须在短时间内尽快地完成。我们这些人对于人骨鉴定这一行几乎是全然不懂。杜先生的到来真是及时雨。在杜先生的具体指导下，我们在现场对人体骨骼一个个地进行鉴定，这真是一个良好的学习机会，并引起我们极大的兴趣。自此以后，我们这些人基本上掌握了这方面的专业技能。

工地上的工作紧张庞杂，但我严格要求自己和工人们按照科学的发掘规程进行工作，培训工人们的发掘技术，培养他们科学的思想意识和工作方法。那些刚刚参加工作的年轻工人正是在下王岗工地上，边学边干，掌握了一套扎实的田野考古发掘技能和方法。

晚餐之后，我们仍经常进行一些必要性的业务活动，比如整理当天的发掘笔记及资料，阅读有关考古书刊。我们装备了一间简陋的暗室，及时冲洗一些田野工作照片，发现效果不好的，第二天及时补照。为了提高几个工人同志的理论知识，我们几个大学生分别备课，向他们讲解考古及历史方面的基本知识，田野发掘技术及绘图、照像的基本方法。理论与实践的密切结合，使我们每个人的业务能力都在不断地得到提高。

除了坚持每天工地上的发掘工作外，有些同志另外还兼管其他一些工作。如民工的组织，文物及工具的保管，物资和食品的采购，照片的冲洗及会计工作。下王岗工地的钱款流通量很大，由于有长江流域规划办公室经济上的支持，发掘方面的开支还是很富裕的。物资的采买，每月几十名民工的工资开支，需要一名业余会计专门负责，后两年我接任了肇清同志负责的会计工作，肇清另有重任。以前没干过这一行，困难较大，客观条件又有限，一不注意，就要赔在自己的身上，两年之中，没有出现什么差错，小心、谨慎、认真地完成了任务。

愉快而多彩的生活

半岛上的精神和物质生活在客观上受到很多限制，附近没有电影院、电视机和医院。那时候我们都还年轻，有点小病，随身从郑州带点药品，也就顶过去了。我们苦中取乐，晚上如果没有什么业务缠身，几个人围坐在一起，便打起扑克或下起象棋来，欢声笑语，荡漾在荒郊野外的小屋之中，有时打牌打到兴头上，打到十二点，仍余兴未休，但从未影响过第二天的工作。丹江水面围绕着我们，大自然赐给了一个偌大的游泳池，天热之时，我们便下水游泳，"海阔凭鱼跃"，桂岑是我们当中水性最好的，他能从小岛的这端，通过一二百米湍急的江面，游到对岸去，再返回小岛。我是个旱鸭子，拼力只能游十几米，或只在江中洗洗澡。

我们的饮食文化，可谓"鱼文化"。附近没有集市，有时赶集到宋湾乡买点青菜和猪肉，往返要走二三十里路，又是丘陵地带，爬坡越壑很不容易，附近农民没有种菜的习惯，农民吃得很简单，一年四季每日三餐，都是一种玉米面酸菜做成的菜粥。我曾尝过几口，如果偶尔吃上一两顿还行，要是像老乡那样吃法，实在适应不了。副食供应是很贫乏的。天无绝人之路，浩浩的丹江水供给了我们大量鱼类，附近的老乡经常打鱼卖给我们，根据季节鱼量的多少，一般是一毛至三毛一斤。丹江鱼类很杂，但大而肥美。"长铗归来乎食有鱼矣！"于是鱼便成了我们餐桌上的主要佳肴。我记得有一次丹江水下落，岸边水齐脚颈，很多鱼在水面上游来游去，我们用铁锹把打鱼，不少鱼被打昏了过去，漂浮在水面上，用手一抓一条，真是开心极了。

工地上有一个专职大师傅为我们做饭，有时我们几个人兴致来了，也露上几手，绍连时不时地做上几道广东菜，我也偶尔献上几道北方菜。记得有一次南阳地委书记带着地、县几位领导，到我们那里视察工作，中午留他们吃饭，我做的一道焦溜肉片和一道红烧鱼，使几位领导赞不绝口。大约事过一年，我和桂岑等人在南阳市又遇到了这位地委书记，他又提起那次会餐，对焦溜肉片仍是称赞不已。

我们在工地小岛上吃的鱼，恐怕要比我们终生其他时间吃鱼的总量还多，由于光吃鱼而缺少青菜，有的同志吃得满嘴起泡。说实在的，我没有吃腻，至今依然回味着那里的"鱼文化"生活。大兴安岭鄂伦春族有句言语："棒打狍子，瓢捞鱼，野鸡飞到饭锅里。"这是远古人们渔猎生活的写照，每当想起我们用棒子打鱼的情景，下王岗的生活也仿佛回到那个蛮荒时代。

惊险而难忘的事件

淅川下王岗生活之中一些惊险镜头，今天回想起来，似乎有些害怕，但在当时根本没有这种感觉，如今分析起来，大概是当时全身地投入到工作中去的缘故，因此忘乎所以，将生死都置之度外了。

有一年秋末冬初，下王岗的野外发掘工作暂时停工，我们准备返回郑州做一段室内整理工作，第二年春季再开始发掘。文物队的一位领导到工地接我们回家。那次需要运回郑州的发掘文物、资料及其他杂物很多，返回的人员也很多，最好用两只大轮船装运。大概是为了省钱，领导决定用一只小轮机船拉运一只大木船。事先有的同志提出这样运载不安全。领导没有采纳。大部分文物、物资和人员都在后面的木船上面，已经满满超载。当机轮船用缆绳拉着木船离岸启航不久，正巧遇到江面上起了风，风急浪大，后面的大木船时刻有颠覆的危险。机船中的老船工经验丰富，当机立断，用斧头砍断了缆绳，避免了一场翻船的恶性事故，确保了人员和文物的安全。当时我和一些同志正在后面的那只木船上，大家都庆幸没有发生事故就好。回到郑州后，大家谈论起此事，才有点心惊胆战。

1974年6月，考古队完成了预计的发掘任务，就要最后撤离下王岗工地了，又因为按照丹江口水库的蓄水计划，发掘工地及附近住家地区即将成为淹没区，估计在我们撤离后下王岗半岛就要永久地被淹没在水下。附近的农户按照国家的搬迁要求已经搬迁完毕。由于江水不断上涨，下王岗半岛一端也已被水淹没变成了孤岛。我们面临着江水天天逼近，孤岛面积日益缩小的紧急景况。我和明瑞不时望江兴叹，估计何时小岛就要被江水吞没。小岛上只剩一间厨房是我们的最后据点了。当小划船最后接我们几个人和剩余物资时，小船已经划到离小厨房几米远的地方，当我们几个人刚刚上船，划出不远，只听得轰隆一声，小厨房倒塌了，从此，下王岗遗址在地面上永远地消失了。

如果我们晚走十几分钟，我们的下场将和小厨房一样葬身水底。当时流行一句口号，叫做"一不怕苦，二不怕死"。说句老实话，我们当时并没有受到这句口号的感染，只是全部身心都已投入到工作中去，一心想着怎样确保国家文物和财产的安全，在当时的紧张状况中，有关身家性命的思想意识已经相当淡薄。

茫茫丹江水，悠悠同志情，下王岗发掘工作的圆满结束，离不开领导的关怀，同志间的情谊，同志们在生活中相互体贴，相互照顾，在工作中心往一处想，劲往一处使。说也奇怪，"文革"中各种政治观点和想法都不尽相同，但同志们一踏上下王岗工地，这一切就都淡漠了。温暖的集体，事业的凝聚力，将同志们紧紧地团结在一起。下王岗的工作和生活常常引起我美好的回忆，已成为我个人经历中难忘的篇章。

1981年5月，作者在河北大学博物馆辅导学生

1983年全国先秦史学会组织参观河北涿鹿古代遗迹（左作者，右李先登）

20世纪80年代赴四川参加中国先秦史学会组织的史学研讨会（左起晁福林、作者、沈长云）

1993年中国先秦史学会组织考察河北邯郸磁山遗址（右起沈长云、作者、唐嘉弘、李先登、孙敬明）

1995年6月，河北大学接待深圳博物馆馆长黄崇岳，在保定总督府参观（右三作者，右四黄崇岳）

1999年9月参加登封新石器时代学术研讨会，作者（右三）在大会发言（右二许顺湛）

2001年5月，作者（右二）主持河北大学人文学院研究生毕业论文答辩会（左二晁福林）

2005年3月作者（右二）出席《燕下都瓦当研究》出版发行座谈会

2005年6月，河北大学老教授协会组织参观冀中冉庄（二排右二作者）

坚守考古　难以忘怀的记忆

蔡全法

今年是河南省文物考古研究所 60 年大庆，也是我从事文物考古工作 40 年的日子。所领导让写一篇回忆录，使我思绪万千，往昔激情的岁月，一齐涌上心头。自 1972 年进入河南省博物馆文物工作队（"文革"期间省文物工作队与省博物馆合并），到 2012 年正好 40 年的光景，如梭的光阴不觉已把人带入垂暮之年。回想这大半生基本都是做田野考古，虽多有不易，困难重重，但磨练了人的意志；发现与研究虽有颇多辛苦，但都能搭锯落末，大小总有收获，无形中也提高了自己的业务水平和研究能力。圆满地干成几件事，自然艰辛，稍有收获，或不大的进取与发现，也乐在其中。四十年的坚守，虽然平淡，但仍然在脑海中留下了一件件难以忘怀的记忆。

我从事考古步入田野是从 1973 年开始的，记得是阳春 3 月 15 日那一天，与杨国庆一同随王与刚老师去密县打虎亭一号汉墓拓石刻画像拓片。乘郑州至新密的公共汽车，先到县文化馆找到县文物干部魏殿臣先生，由他带领我们出城向西步行约 7.5 公里到牛店公社（今牛店乡）打虎亭生产队，找了距汉墓不远的一家民房居住，并安排在社员群众家轮留管饭。一天之内安排就绪，晚上由王老师教我们在大瓷盆中研墨，叠纸，用开水浸纸的方法，并亲自动手操作示范，讲述注意事项。第二天从拓墓门画像开始，教我们贴纸，用棕刷刷纸，如何处理刷纸出现的折皱、接纸、补纸洞等要领与方法，然后示范砸纸，如何把砸刷持平，砸纸用刷顺序，膏墨润拍子，拓纸上墨等。一边教，一边练，循序渐进，三天以后，由生到熟，我们基本都掌握了整套打拓片技术与方法，并进入独立工作的阶段。第四天因王老师闹肚子回郑州，就把这里的工作托付给我，让另找一民工搭后手。我们按照他的安排，在打虎亭找一年轻小伙张文亮帮忙，便开始了紧张的工作。当打拓墓室内的石刻时，由于潮湿，贴上的纸不干，致使无法上墨，我们就用碘钨灯烘烤，一般上午贴纸，因一次需贴一面墙壁，到中午饭前方能贴完砸实，接着开始烘烤，到晚饭后才能烤干，如果晚饭后不上墨，晚上关灯离去，第二天就又被潮湿，无法打拓，我们只能采用晚上上墨。这样从 3 月半到 6 月半的数月时间里，白天除吃饭时在墓外，从无出来晒过太阳，尽量作好各道工序，到晚饭后加班上墨，由于墓室面积大，我们轮留不停地上墨，经常是夜里十一点方能结束。然后再灭灯回住处休息。如此反复，一直到全部拓完为止。当时在社员家轮饭，群众生活都不富裕，多数农家都是早餐玉米糁和咸菜萝卜丝，有时也端几张红薯面饼和白面饼，中午一般都是捞面条或汤面条，晚上是玉米糁或小米稀饭，蒸些红薯，或端些红薯面和玉米面饼等，炒些萝卜或白菜，吃这样的饭晚上都坚持干到十一点钟。那年代村内没商店，物资馈乏。即使有商店，21 元的工资，还敢买啥？睡前弄点热水洗洗脚，倒头便睡，也就一觉到天明。

这段工作中遇到的难题，也并不仅是潮湿和生活上得困难，在拓墓室门上石刻线画时，由于线刻道细且浅，上一遍墨尚可，上二道墨就有可能个别处线条被墨糊，而影响画像的整体效果。我们所有拓片都是黑明发亮，且效果比较清晰。如果仅上一遍墨，拓片白灰色十分难看，因而我们只好改进方法，采用小拍子上墨。由于墓门面积较大，小拍子上的太慢易起纸，细线条只要上二三道墨仍易糊墨，反复试验都没能达到较理想的效果。后来我们突发奇想，将纸剪成与线条相同的弧形边，与线条重叠，上了这边再倒过来上另一边，使拍子打不到线条，也就不会糊墨，尽管延迟了些工时，但还是拓出了较理想的效果。

转眼三个月过去了，这几个月的打拓片工作，虽然辛苦，忍着严重的潮湿阴冷环境，还有墓中那种极其浓烈的污浊空气（全然不知已无形中积下了腿部关节炎的病根），但还是熟练掌握了拓片的全部技能，练出了打拓片的好功夫。以后的十数年间，无论在什么气候条件下，什么地点，都是按王与刚老师所教的纸无皱、无糊墨、黑白分明、有光泽的标准，打出高质量的拓片。二十世纪七十年代首次赴日本举办的中华人民共和国河南画像石、碑刻拓片展的部分拓本，国家文物局赠送给外国友人、学者的河南名碑拓本，以及河南省博物馆的一些新发现石刻拓本，有不少都是出自我手。印象较深的如1974年，英国牛津大学一教授通过我国外交部，提出要宝丰县香山寺宋代蔡京撰写的《重修香山观音大士塔碑》拓片。当时正值七月酷热天气，派我去完成此项任务。当我登上宝丰香山山顶，为满目疮痍的残破景况所惊呆，整个寺院在"文革"动乱中遭破坏，仅留数堵缺墙断壁，满山遍野都是残砖碎瓦，只有一座北宋砖塔还在翻滚的热浪中耸立不动，目视着寺院的残破荒凉与无耐。在一些残断和倾倒的碑刻中，始终找不到所要拓之碑。只好下山询问社员群众，多数人都不清楚。后来有人介绍说山上偏南部的断崖下住着几个无家可归的尼姑，她们可能知道。我就第二次上山，在所指的地点找到了尼姑们，其实她们都是干瘦如柴的老年妇女。山崖向南，窑洞外又无树木遮阴，她们就在窑洞外用树枝搭起一个仅有数平方米的凉棚，由于气温太高，山顶已成无人踏足之地，所以她们个个都光脊梁，在棚下摇扇纳凉。我只好在远处唤问碑的去向，几个人急忙穿好上衣，领我到塔南位置，说是石碑上部已被砸坏，其余部分都埋在瓦砾砖块之中。位置确定后，我又返身下山，组织民工带着锹和三齿耙等工具，上山将石碑挖出。由于天气太热，又是南向，上纸后干得太快，极难上墨，如果在早上或日落前贴纸，反而会好得多。可是我又不愿意坐等浪费时间。这样只有从贴纸、扫刷、砸纸、上墨各道工序一环扣一环，都以最快的速度来完成。该碑个头较大，又无帮手，一气呵成，实非易事。在烈日当空下，不拼命去干，肯定是完不成的。我还是靠这种精神和娴熟的技艺，把拓片打完。这样的事情后来在嵩县程颐程颢家庙中也遇到过。当时所打拓的石碑也是个头较大，又时值八月天，硬是头顶烈日，冒着酷暑，如数拓完，结果晚上右臂肿胀、发烧，痛得一夜难以入睡。尽管如此，第二天又到伊川二程墓地，继续拓了二块墓碑，好在这二块墓碑相对较小，忍受着右臂的肿痛，完成了作业。

1976年11月，已入初冬，单位派我去三门峡市打拓距黄河没多远的《重修菩萨堂碑》，该碑记述了（嘉庆）乙亥岁九月二十日亥时地震……民房倒塌，民众死亡一百三十余口，以及民众自救的情况。这时的天气虽然已经转冷，在郑州地区还是不会上冻的。但到了黄土高原上，尤其是黄河岸边，顺河风吹来，已是零下几度的气温。将宣纸往碑上一贴，立即泛白，像纸已晾干，用棕刷扫纸，纸稳然不动，方才明白是上冻结冰，宣纸已冻在碑上，当时的客观条件证明，在这里打拓片实是已不可能，只有打道回府，另等时机了。我这个人干起工作来，在大半生中没想过遇困难退缩，脑海里历来想的是前进。所以开始想办法，这里远离城市，用电烤根本是不可能的。最简易的办法是用火烤，远远望去在千米之外有一处玉米地，玉米秆仍东倒西歪地长在地里，放下工具跑去拔了二捆玉米秆，燃起一堆篝火，使纸上结冰慢慢融化，因有些玉米秆不太干，烟熏火燎的，熏炝得又是咳嗽，又是流泪，但仍是坚持一天，按单位要求的张数和优质标准拓完。这样的情况并不仅是一次，1981年冬，已临近春节，新密五虎庙北宋冯京墓的清理工作即将结束，由于主持发掘的技术人员没有绘过多室结构的砖室墓，派我去指导绘图，并顺便拓冯京及其三位夫人的墓志。当时天寒地冻，在露天的旷野上是无法进行的，特别是冯京墓志，块头较大，文字又多，按当时的条件，移动到室内几乎是不可能的，所领导决定就地取完资料后，在原地封存。我们就在发掘工地搭起帆布帐篷，谁知在帐篷内亦然上冻，无法贴纸。又迫近年关，无时间向后拖延，情急之下，只好采用在三门峡所采用的办法，用柴草燃火熏烤。火虽然生着了，但浓烟充满帐篷不散，如果掀开个大口子，温度又上不去，也就只好忍受着浓烟的熏炝，日夜兼程连续工作数日，墓志铭带墓志共8块之多，每块5张，整整拓了40张。每天从早到晚都是被熏得流泪不止。由于是贴完这一块，去拓那一块，轮换工作，中间从不停歇，甚至连口开水都顾不上喝，待到大年二十八收工回所，就发起高烧，一直到正月十五才得以步出房门，现在看着当时完成的那些拓片，张张都是字道清晰，无折皱，无糊墨，黑明铮亮，深感来之不易。如果没有新密打虎亭汉墓的工作实践，自己坚持遇到困难不退缩，保持认真再认真的工作精神，取得不辱使命的成绩是不可能的。

1973年6月，当完成打虎亭1号汉墓石刻画像拓片后，单位又组织人员临摹2号汉墓中的壁画。由于本人在学校教书时，经常办板报，用水粉画巨幅的宣传画，都是采用临摹的方法，单位同意我留下参加临摹工作，另外还到北京中央美院、中央工艺美院、中国历史博物馆借调专业人员参加。这些人员中有中央美院从事壁画临摹教学的王定理先生，中央工艺美院的教师文革旺、石磐石、井庆生和中国历史博物馆的美工余庠，本单位有刘建洲、张家泰老师和毕业于中央美院的青年美工邓邦镇、卢波、毛本华、侯小红等。大家欢聚一堂，开始独立起火做饭，不但生活条件有了大的改观，而且工作中都还在半响出墓外晒晒太阳。大家都齐心协力地工作，每天笑语不断，气氛活跃，一改以前我们只知道干活的沉闷气氛。

初期的工作，是搭建临摹的架子，因中室墓顶太高，且藻井上也都有壁画，我们所搭架子分上下二层，并且是在距壁30厘米之外普遍起架。多是用钢管扣接成主框架，仅个别为木料横担，上铺竹耙，由单位电工邵宝聚指挥，十来个人忙活了两三天，总算全部搭建完毕。大家都急不可耐地上到顶层去看藻井周围的壁画，还记得我是在上面东壁附近，还没看几眼，就觉得架子轰然向西倒塌，大家啊的一声全部蹲坐在塌落于地面的竹耙上，电线被砸断，墓室内顿时昏暗下来，仅在中室西部的祭台上放一个瓦数较低的小灯泡，放射着微弱的光。大家惊魂稍定，就互相问谁有没伤着，结果都安然无恙。中室顶高4.84米，第二层架棚的竹耙距地面至少也有3米余，竟然没有人受伤。这时不知谁说了声不好，余庠在架下边。余老师说，没有啊！我还站在这里呀！原来他站的位置是上架子留下的梯口，在架子向西倒下时梯口套着他，使他穿口而过，才得以避过一劫。当把大灯弄亮后，他才发现有个手指头在棚架倒塌时被竹耙划点轻伤，但并无大碍。这时大家又意识到，在架子倒塌时会不会划伤壁画，查看结果，由于架子与壁画间留有距离，倒的方向较正，竟然毫无损伤。总结这次经验，我们所搭的架子是立柱，缺乏有力的侧面支撑，致使倒塌。虽然没酿成大祸，但也是不小的教训，在后来的工作中一定要有立架、搭棚的支撑措施，更重要的是提高了大家工作中的安全意识。我们又重新搭建后，便开始了工作。从临摹的过稿、勾线、上色、作旧，大家都互相学习，交流经验，尤其是王定理先生，是专门搞壁画教学的。对大家提出的问题，毫不保留地给你指导，而且是言传身教，非常有耐心。尤其是我自己毕竟没在熟宣纸上画过国画，何况是古代的壁画，可以说是从头学起，特别是作旧的方法，王先生有其独有的见解与方法，从配置颜色到润色晕染层次，都一一指导，数月下来，使我全面掌握了临摹从过稿到勾线上色的全部技巧与方法。在那段日子里，参加临摹的年轻美工和部分老美工，平时都非常重视业务的基础训练与提高，每逢晚上他们都叫村里的人来我们驻地当模特，画素描头像。早上一大早起床，在吃早饭前和下午晚饭后再到野外去写生。我也每天不缺，和他们一块起早贪黑地练习，从观察取景、构图、掌握形体特征与颜色关系等，所学画种从素描、水粉、油画到国画等，有些画种似感蜻蜓点水，但仍然有体验，有收获。为奠定理论基础也看一些绘画、中国美术史、思想史、美学理论的书籍。在五个多月的时间里，我们画素描人头像竟然把打虎亭村不论老少挨个画了一遍。在写生过程中中央工艺美院的老师们，还有本单位的邓邦镇、卢波夫妇、毛本华等都给过我较多的关心与指导。半年的业余训练与绘画学习实践，成为我终生不再有过的机遇，这些美术积淀和业务水平的提高，奠定了我在田野考古工作中壁画临摹、田野绘图和器物绘图，以及古代艺术研究等方面的基础，也是一生中开展各项工作取用不竭的知识财富。

1974 年"文革"运动仍在持续"深入"，单位领导提出建立革命文物小组，以调查、征集革命文物为主要任务。工作以吕品老师为负责人，成员由黄崇岳、我和段铁安四人组成。在工作中，印象较深的任务之一是深入桐柏山区调查红二十五军长征经过桐柏山区的情况，并弄清红军馍篓与水桶两件文物的来龙去脉。我先是坐火车到南阳，再换乘汽车到桐柏。到后方知道桐柏较乱，工作办公都不正常，县里主要领导为了避开批判，到桐柏与唐河两县交界处修公路。我要去的地方是桐柏山区中的回龙公社杨集村和榨楼村歇马岭一带，今马冲大队和粟园大队，调查历史上曾发生的红二十五军长征途中老百姓拥军的事迹。我看看地图，从县城到回龙公社距离约 50 余公里，县文物干部介绍说，只有大半路有汽车可乘到毛集，再往前就得步行了。直线距离大约 15 公里，都是乡间土路，不通汽车，偶尔有拖拉机路过，如果能捎一程就算是比较幸运了。第二天一大早我去赶车，每天仅一班车，上午去下午回。车上人很多，因上人下人，走走停停，午后才到了终点站毛集。问清去回龙的方向，也就赶紧上路，一路走来倒也不用翻山越岭，基本是沿着毛集河流出的山沟弯曲前行，总是不断地蹚水过河，所以数十里未见桥。河水较浅，且清澈见底，沙底又无泥，刚开始还挽裤腿，反反复复，后来索性不挽了，因为是七月天，蹚湿后，没多大时候就晾干了。毛集没有饭店，一路又没有带水（动乱年代，没卖吃的，更不会有矿泉水），水米不打牙地整整走了一下午，天黑才赶到回龙公社，正赶上吃晚饭，还记得是汤面条和馒头，饭后还觉得口渴，我又给伙房交了一毛钱，让炊事员给我弄了碗开水，并掺点酱油，一饮而尽，方感觉痛快。当晚住在公社的客房内，第二天公社领导安排公社武装部干事陪我上杨集，第三天去榨楼。他们介绍说，这位年轻人刚毕业于武汉武警学校，会些拳脚，山里经常有野兽出没，曾见到过豹子和狼等，他跟着相对会安全些。到榨楼需翻二架山，一道沟，当走上第一架山，由于天热出汗多，都觉口渴，正好在一家西瓜地旁边，有一老者守着瓜园，旁有山泉，借了老人个葫芦瓢，每人痛饮半瓢泉水，继续前行。这里的村子，被大山阻隔，不通公路，其实连条像样的山道也没有，长期处于封闭状态，沟通山里山外，仅是靠这一条羊肠小道。山沟上下长满了树木，正值正午，热气蒸腾，又热又闷使人喘不过气来，刚才那半瓢泉水的爽凉，早已无影无踪。山间一片寂静，只有细而断续的蝉鸣，或草丛中受惊后的鸟一声尖叫和飞起的拍翅声。回想这段山路，可谓窄小而不平，曲折而漫长。午后到了榨楼，身临其境，感到这里就像是世外桃源。1938年9月，这里曾是中共信（阳）桐（柏）县委的成立地，也是中共豫鄂边省委和豫南桐柏山游击队驻地，具有悠久的革命传统。村子沿小河北岸顺河而建，多灰瓦和砖或土墙，整洁而悠静，房前小河清凌凌的溪流不断，岸上树影倒映在水中，随着水流颤动。向远方望去，一块块稻田，绿油油的长势喜人。向南不远处，凸起一道百米高的陡峭山崖，成为村子南部的天然屏障。顶部是茂密的树林，也不知有多远多广。后半时入户走访，一位叫石运生的老人讲述了担馍篓为红军先送馒头，后送油条的前后经过，以及红军借用农民水桶、案板和脸盆都如数奉还，还有红军撤离村子的情况。从老人的举止言行中，仍能体会到老人对红军一往情深的感动。晚上生产队长给我们在稻田中的一块不大的打麦场中，每人用二条板凳支一大竹罗，每人再配一条布单，宿于村外。这山沟里微风拂过，格外凉爽，与白天在山梁上下的闷热，形成极大的反差。队长告诉我们山崖上经常出没有豹子，大概是见山下农家养的牛吼叫几声，因为山崖太高，它下不来。尽管放心睡，不会有事。当我们躺在竹罗中，仰望星空，深感苍穹之浩瀚，侧望月光下的田野，更为神奇。稻田上空到处是比星星还稠密纷飞的荧火虫，或上下或交叉穿梭飞舞，光点灼灼，无休无止，十分新奇与壮观。可惜这个地方无公路通达，有的话让民众晚游此境，不仅让他们领略这些奇妙的夜景，而且也可受到革命传统教育，给大家带来更多的惊叹和眷恋。

此次调查结束后，即撰写了《鱼水深情——记馍篓、水桶两件革命文物》，发表于1977年《河南文博通讯》创刊号，也是我参加工作以来的处女作。之后又对周恩来总理视察河南洛阳偃师、三门峡水库大坝的事迹与相关文物，从田间地头到厂矿车间，从水库大坝到下塌宾馆，一桩桩一件件，都深入调查详细询问记录。这项工作，特别是征集文物，很不顺利，虽一波三折，往返于洛阳、郑州二三趟，终于征集文物一卡车，在河南省博物馆筹办了周总理视察河南的展览，收到较好的社会效益。

后来又对民族英雄吉鸿昌的事迹与文物进行了专题调查，并在天津征集了吉鸿昌留下的清代青花瓷瓶，编写了吉鸿昌革命事迹资料，还收集了与吉鸿昌革命事迹有关的图片，与吕品、黄崇岳一起到吉鸿昌的家乡扶沟县筹办"吉鸿昌烈士英雄事迹"展览。我还到长春电影制片厂，为正在拍摄的电影《吉鸿昌》提供和交流资料信息。后又调查了豫北火龙岗战役和洛阳八路军办事处、确山竹沟中共中央中原局、商丘淮海战役前敌总指挥部等，调查情况多有文章发表。前后约4年的时间，跑遍了全省各地，编写各种调查资料数十万字，也从各个不同历史时期各种革命史迹和英雄人物身上，认识到革命成功来之不易，并深受其革命精神之感染，成为我一生工作中的动力。

1976年为加强夏文化的探索与研究，河南省博物馆文物工作队开始调查发掘传说中的禹都阳城——登封王城岗遗址。初期发掘是在五渡河以西的二级阶地上。发掘以安金槐为领队，与曹桂岑老师先行试掘，因面积较小，无什么突破。到第二年，基本上把队里的大部分青年人都拉去锻炼。发掘安排三个人，一个探方，由一个老同志带领，两个年轻人配合。布方时老安让年轻人自己定，刘明安就拿着罗盘去问安先生罗盘怎么看，安先生大为吃惊，问他：这些年你们是怎么布方的，就没看过罗盘，刘明安说：老X给我们说，米格纸上一格就是一度。大家都哄然大笑。差点让老安背过气去。大概也正是由此暴露了青年人在田野发掘中存在的不足，成为1977年给年轻人办培训班的原因之一。1976年的初期发掘，多是二里头文化遗存，但距2004年发现的王城岗大城墙已近在咫尺。可惜没有向北开方，漏掉了被发现的机会。所以，本次发掘并无大的发现。1977年的发掘是与中国历史博物馆合作下进行的。为了弥补青年人的考古知识、田野经验和操作技能的不足，单位在登封工作站组织了一次短期集中培训，然后安排发掘。为了锻炼大家，此次发掘要求独立开方，从布方、清理、记录、绘图、清洗陶片、对接陶片、器物绘图（草图）等，都要求独立完成。因为当时有几个职工家属都在农村，还有的青年正在谈对象，所以要求无生老病死，一年内不准请假，也不放假回家。发掘结束，所有资料限时整理完成，并需二级把关验收。即先由郑杰祥或李京华两先生初验，过关后再由安先生审核，不合格者重新整理。记得当时发掘结束，都是各拉各的陶片到颍河边去清洗，回来整理、粘对、绘图，最后完成发掘小结。我的资料率先提前一周完成，而且从郑杰祥初验到安金槐终审，都是顺利通过的。交完资料，看到安先生趴在地上用黑笔在米格纸上描绘阳城平面图（没有大桌子），我说安先生你别受这罪了，给我，我给你画张彩色的。后来才知道此图是用于即将在登封召开的夏文化学术讨论会。阳城城址地面原保存有断续的部分城墙，在城南有战国时期韩国的铸铁遗址。这些遗址的确定对于解释王城岗发现的小城堡，以及禹都阳城的确定无疑是非常重要的旁证，故除了在王城岗继续发掘之外，又对阳城城址进行了全面的调查与发掘。在告成镇东的铸铁遗址发掘出了熔铁炉炉底，保存较好的烘范窑等遗存。阳城的夯土城墙，城内各种东周遗迹，包括大规模的排水设施等都有较多的发现，特别是"阳城仓器"陶文的发现，成为此地为东周阳城的铁证。阳城城址图所绘的内容主要是城墙和大范围的遗迹，如铸铁遗址，所以并不复杂，我先勾勒遗迹轮廓线，然后用水粉平涂上色，注意不同颜色的协调和染色的均匀，用大半天时间也就完成，别人都还在忙于整理，绘图或写小结。单位又不允许别人帮忙，我实在没事，就向老安请假，说我实在没事想回家一趟，老安也就爽快地答应了。他强调要准时回来，他还说：整理完要安排大家去颍河两岸调查，把你和丁清贤分为一组，是我观察他跟别人搭帮，容易抬杠，跟你在一起不抬杠。所以安排你们俩一组。我笑着说，我是他哥哩，他敢跟我抬吗？放心，我们一定注意团结。其实清贤这个人，比较能吃苦，在业务上也是个好动脑筋、肯钻研的人。我从家里回来，大部分人已经下来，我与丁清贤就立即收拾行装出发，在大金店东西两方向还真发现了不少新石器时代遗址，特别是历史上较著名的负黍城址，我们也作较细致的踏察，对其规模与现状都作了较详细的纪录。外出清贤主动地背陶片，我拿工具。有时路远些，我提出换换，清贤总是说：不用，没问题。陶片有时太多，我们就分开背。遇事共同商量，工作比较愉快，完成得也比较顺利。我们都是同时参加工作的，还是洛阳老乡，在单位也是住在一套房中，回想后来他到濮阳西水坡发掘，我抽到新郑发掘，他遇到什么工作问题，曾数次从濮阳来到新郑找我商量，这大概跟登封这段时间一起工作结下的友谊分不开吧。

在登封发掘期间，告成铸铁遗址清理出的烘范和熔铁炉炉底，发掘者都没绘过这类遗迹图，安先生让我停下王城岗的探方，去绘这些图，我欣然答应了。其实我也没绘过，不知道该怎么画。我回到工作站赶紧找本《考古》杂志，寻找发表过的陶窑用图，基本都是一张平面图和一张剖面图。我想田野取资料还需要搞一些局部的结构特写，方能够全面反映窑各部位的特征，达到利用图纸可复原窑的形制也就行了。心中有数后第二天上工地，用罗盘定了一条纵向基线，测量横坐标时就犯难了，因为老安没给我安排帮助拉尺子测量的人。该工地的发掘已结束，没有一个工人，我只好用叠砖块压住一头，自己拉住另一头，调着垂球去测量，测出点后，落在图纸上，以点连线画出形体结构，虽然慢了些，但还是绘完了平面和各种剖面。需绘的熔炉底规模较小，相对好绘，让李京华老师到现场给我指了一下范围，说明其形制特点，一个小时便结束。图纸交给安先生，他看后连声说可以，就算是完成任务。后来所绘的这些图在《登封王城岗与阳城》发掘报告中都得到了采用。我想这应该是我参加田野工作以来第一次绘较复杂的遗迹图。从此可举一反三，以后复杂的大型汉墓、宋墓也都不用谁去指导，都可一一完成，而且在绘汉墓和宋墓墓顶仰视图时，我搞了一套在地下定基线，不用人爬梯上顶部测量的方法，不仅准确，而且省工省时，后来我向李京华老师介绍这方法，他也说这方法好，以前测仰视图，测量的人经常仰头仰得脖子痛，以后用此方法就不用再作难了。登封的发掘工作告一段落，单位正积极地筹备夏文化学术会议。1977年正好又招收一批新工人，人员增加，吕品就通过省局向老安要人，让我和段铁安回去继续搞革命文物，就在夏文化会召开前我们回到了郑州。

回想登封告成这段不长的时间，成为我和其他青年人田野考古发掘的起步点。由于王城岗龙山文化小城堡和东周阳城的发现，广为学术界与世人所瞩目，但其另一重要收获却很少为人所注意，即告成的田野发掘培训考古实践使许多年轻人成为本所的业务骨干，还有一批人后来走上了厅、局单位中的领导岗位，缓解了"文革"以来业务人员青黄不接、技术力量薄弱的局面，这对后来本所的发展以及河南文物考古事业的进步，都起到了一定的促进作用。

1979年，抽我去参加少林寺千佛殿整修工程，主要工作是对殿内壁画的临摹和东壁壁画的揭取与复原。这一工作分三步走，第一阶段是对千佛殿内东、北、西壁300平方米的壁画进行临摹，第二个阶段，因为要对大殿进行落架整修，需对北、西两壁壁画现场保护，先是除尘，然后进行化学保护，贴纸，纸上再贴布。东壁的壁画因需要拆掉墙体，需要全部揭取。

第三阶段是待东墙砌起后，对壁画进行复原。临摹工作是单位的苏思义负责，我和刘建洲老师参加，另外抽调了开封、登封、巩县等地文化馆的美术创作人员近10人参加。工作开展约月余，苏思义脚腿浮肿回郑州，还有的老师是爱人生病，回家照料。抽调的美工都没搞过古代壁画的临摹，对临摹的基本要求以及壁画摹本的作旧方法较为生疏，一时地组织工作和临摹的指导就都落在了我的肩上。每天异常忙碌，千佛殿壁画从上到下近10米高，架子上下分三层，每天上下不知多少次。当时本人精神状况非常好，但后来感到体力不支，主要是吃饭越来越少，在临摹和修复壁画的前三个月中，我仅吃了25斤粮票，瘦了10公斤。我知道是消化系统出了问题，吃东西不消化，甚至喝水都胃胀。因为其他人都不在，我实在抽不开身，所以一直咬牙坚持。待到苏思义等人回来，大家提出休息一天，去参观洛阳博物馆。在洛阳吃午饭时，我吃不了炒菜，就自己找个小饭店去喝汤面条，出奇的是，一碗汤面下肚后，胃里没过去那种像吃了石头一样的感觉，竟然透气了，就连喝两碗。方才明白，在少林寺原来是不服水土。此后回老家休息数天，再回到少林寺就没事了。一生中仅此一次不服水土，由于没有这方面的经验，仍坚持工作，即使后来组织这帮美工都跟着素喜和尚练拳，有所恢复，但仍然感到身体降了一个等级，因为刚到少林寺时我试着用手砸击红机砖，一次可砸断三块，灰瓦一次可砸烂七块，后来一掌下去，就只能砸断二块砖或五块瓦。看来工作中注意个人身体健康，保护自己也是十分必要的，但往往为了工作需要是很难做到的。

由于自己在少林寺的努力与坚持，到临摹工作结束，数我临摹的面积最多，达40平方米，年终受到河南省少林寺整修办公室的嘉奖。如果没有1973年在打虎亭汉墓临摹壁画的学习与锻炼，干好这一大规模的临摹工作是不可能的。

复原壁画的工作是由陈进良老师负责，在他的指导下对揭取下来的壁画，进行化学保护，背部加固，修补上架，拼装扣合上墙等我都一一参加，最后还由我完成了接缝，连线上色，为了减弱或消除壁画间接缝的痕迹，我根据殿内受光的不同角度，在接缝时，把所有不平层的两块壁画接缝，都尽量补成微斜的界面，使其迎着光线，不产生或少产生阴影，从而避免造成明显的接缝。由于大家的共同努力，我们在国内首次使用新材料，改变了传统用胶用料工艺，较好地完成了壁画的复原工作，并取得较好的复原效果。该项成果并先后获得了河南省文化厅文化科技进步三等奖和国家文化部文化科技进步四等奖。至今已三十年过去了，这些壁画仍安然无恙，再一次证明我们的工作质量经得了历史的考验。

在少林寺饭后散步，行至初祖庵东北五乳峰南麓的乱砖瓦堆中，发现了一件北宋面壁塔石函，从石函上的文字内容，可确定原面壁塔位置，后来还根据少林寺常住方丈室对面厢房西壁现存蔡京书写的《面壁之塔》塔铭，与丢弃在初祖庵的面壁塔舍利石函，写了《少林寺北宋舍利石函艺术试析》一文。调查考证了北宋面壁塔的位置、年代，研究了石函线刻佛教绘画题材与艺术风格等内容。填补了少林寺史志中的缺失。此后不久，又帮助沁阳文管会对沁阳西向粮店发掘出的一座北朝墓及其石棺床线刻画进行研究，写了《沁阳西向粮店北朝墓及画像石棺床艺术》一文，并在《中原文物》发表，如果没有在少林寺的业余时间的学习"修炼"，搞佛教艺术研究肯定是不易完成的。在少林寺长达三年的坚持工作与学习实践，成为我考古研究的新起点，并涉入又一新的学术领域，扩宽了学术视野，从不知到有所知，无疑是机遇也是挑战。

1982年由于工作需要，抽调我到本所新郑工作站配合当地基本建设考古发掘。到1984年，为及早整理、编写出版《郑韩故城》发掘报告，单位调李德保回所整理编写报告。此后新郑工作站的工作由我负责，一直到2000年3月止，连续在新郑配合基建发掘达18年之久。20世纪80年代，正是改革开放之初，搞开发区，招商引资，新修道路，兴办工厂，扩大住宅区等，使配合性发掘与日剧增。虽然日常发掘比较忙，仍时刻不忘文物的管理保护工作。我们认为新郑处于中原的腹心地带，人文荟萃，文化遗迹众多，考古发掘是以文化遗迹、遗物的存在为基础，否则，就无从谈起，就无古可考，考古单位就失去了其存在意义，基层的文物管理保护机构也会失去存在的意义。故在新郑期间，我们始终以文物保护为己任，在文物保护方面，给地方政府及文化、文物管理部门提建议、献计、献策，理顺关系，同力协作，扩大宣传，使文物法家喻户晓，强化管理，使仅有数平方米的动土，都自觉申报，在新郑市区内对文物工作形成了"村村知管理，人人懂保护"的良好风尚，这一良好风尚波及并影响到了新郑市的其他乡镇。随着文物保护管理工作的规范化、系统化，郑韩故城考古发掘工作环境也得到了改善，文物保护受到了地方政府的重视，地方机关单位基本建设与考古发掘的矛盾逐年减少，考古工作中重大发现接连不断，诸多学术课题都取得了突破性的进展。这些成绩不仅引起了国内外学界的重视，省内外的一些文物保护管理单位也纷纷来新郑取经与交流。新郑市文物保管所曾连续多年被评为省、市和国家的文物保护先进单位。回顾多年来做文物保护工作走过的历程，一些工作仍让人记忆犹新。

1981年，由于新郑扩建人民路，不经申报和考古发掘，就擅自施工，结果被机械推出的东周灰坑、水井、陶窑、墓葬等文化遗迹、遗物随处可见。考古单位将此情况向上级汇报，并引起新闻媒体的重视，迅速将这一情况在中央电视台作了报道。地方政府认为此举有损地方形象，与考古单位矛盾极大，几乎到了水火不容的地步。这样的形势要想搞好文物保护，顺利进行考古发掘，我们没有地方政府的支持，确是极为困难的。另一方面，当时的新郑县还没有设立文物管理机构，文物保护工作仅是由县文化馆抽一名干部负责。尽管该同志责任心强，工作认真，由于没有专门机构，管理缺乏规范化，制度化，再加之当时一些地方干部与群众对文物保护认识不足，使文物保护处于孤掌难鸣的境地。1984年我接任新郑工作站工作以后，根据当时基建项目不断增加，管理保护人手不足，违章施工时有发生的情况，由我们工作站出资，雇四个精干青年进行培训，协助县文物干部搞文物保护。每年的11月19日——《中华人民共和国文物保护法》颁布纪念日，制作图片版面、张贴标语、宣传文物保护法，还积极建议设立文物保护机构，促使文物管理专业化、规范化、制度化。在新郑文物保管所成立之前，工作站进行钻探、发掘，都是直接安排。基建单位无申请，都是口头要求，发掘工作结束，也是口头通知施工。遇见县文物干部，一般都是口头打个招呼，说明某单位的发掘已经结束，已让某某单位施工。这种管理上的不规范，极大地制约和影响着文物保护工作的开展。在新郑县文化局以及工作站的努力下，县委、县政府终于同意拨给编制，成立新郑县文物保管所。

文物保管所的编制有了，所长有了（由文物干部薛文灿担任），牌子也挂起来了，只所长光棍一条，又怎么开展工作？薛所长找我要求帮忙，我明确表示，省新郑工作站和县文物保管所虽是两个单位，实是一个整体，缺一不可，需要互相支持，通力协作，才能够把新郑的文物保护和考古发掘工作推向一个新阶段。想要我们的人员，除了我单位在编职工，我们没权利动以外，其他技术人员你可以随便挑。薛所长说："我担心你难以割爱，没想到你如此看待我们的工作，那我就挑了。"就这样他把技术人员中表现较为突出，年龄适当，又有一定阅历的寇玉海要到县文管所。该同志去后不久，就担任副所长，薛所长退休以后，又接任所长，博物馆馆长，文化局副局长，兼文管所所长。2003年新郑市成立文物管理局，又担任党委书记兼局长，在新郑文物保护与管理方面都做了大量的工作。后来，新郑县文物保管所根据业务开展的需要，将我站技术工作能力较强的技术人员唐付梅、刘小民、冯春豪等相继转入，以后多成为文物保管所的技术骨干力量或中层领导，都对新郑文物保护工作做出了应有的贡献。

新郑文物保管所建立后，我们共同协商的第一件事，就是怎样做好新郑的文物保护工作，而考古钻探发掘又是这项工作的重中之重，要结束以前管理的混乱局面，就必须将基建项目申报、钻探、发掘程序化、规范化和制度化。我们召集县相关的职能部门，城建局、公安局共同协商管理方案与措施，凡是在新郑需要动土施工基建的单位，先到县文物保管所领取考古钻探申请书，然后送交省新郑工作站进行考古钻探发掘，发掘完毕，由工作站写出发掘结果和处理建议，一式三份，转交县文物保管所审批是否可以施工，如有重要发现，需要就地保护，基建单位另选新址的由文物保管所和工作站共同确定范围，由文管所通知基建单位另选新址，如同意施工的，由文管所发出施工通知书，由施工单位到城建局办理施工手续，方能施工。

在新郑如有违章施工，如工作站人员发现或群众告知，一般由县文物所和新郑工作站相关人员现场处理。如有严重违章或盗掘破坏文物者，则由文管所和工作站协同县公安局现场处理或调查破案。

随着文物法的贯彻执行，以及增加管理强度，根据省文物和国家文物主管部门要求，加强大遗址保护，县所和省站在郑韩故城划出25个重点保护区，在配合基建考古工作中，凡一般保护区由县文管所审批，重点保护区则由基建单位写出申请，文管所转省工作站签出意见，然后逐级上报到国家文物局审批，审批后根据国家文物局或省局意见，开展工作。

郑韩故城内外重点保护区和一般保护区范围广大，遗址众多，要搞好管理和文物保护，确非易事，仅靠县文物保管所和省工作站的力量是不够的，只有在新郑县提高全民管理意识，让他们了解文物保护的重要性，才能够减少违章，自觉申报。我们首先对每一任的县委、政府领导做文物法的宣传，使他们一来到新郑，就对文物的重要性有所认识。县改市后，我还经常在市委、市政府、市政协三大领导班子会议及扩大会议上，讲新郑文物现状以及在全国考古工作中的重要地位，并以县或市文物管理委员会的名义，印发文物保护通告。还在村、组、社队建立群众保护组织，形成严密的文物保护网。20世纪八九十年代还与新郑市博物馆联合举办郑韩故城以及新郑市文物陈列，新郑市博物馆从我们工作站借调大量的青铜礼乐器、陶器和铸造钱币、生产工具等的陶范。为办好展览，我们帮助新郑博物馆编写展览大纲、讲解词，修复已残破的铜器，以及大量的陶器等。这些展览展示了数十年来新郑的考古成果，提高了民众对文物重要性的认识和爱国热情，也增强了广大民众对文物的保护意识。所以现在新郑任何一地有违章现象，就会有群众登门报告或打电话告知，在新郑形成了村村管保护，人人爱文物的良好风尚。

省文物工作站在新郑设立以来，至今已有40余年的历史，数十年来的发掘，给郑韩故城的考古研究工作，积累了大量的实物资料，出土文物数量约达十余万件之多，这些文物是国家的一大批宝贵财富，也是中华文明发展中阶段性灿烂文化的载体。这些文物的获得又是经一代又一代考古工作者在新郑辛勤劳动所收获，保护好这批文物我们责无旁贷。

为搞好这批文物的保护工作，以备进一步研究，我们在新郑工作站除培养了一批考古发掘技术人员之外，又特意培养了一批青铜器修复和陶器修复技术队伍，至今已对有害青铜器进行化学保护数十件，修复青铜器一千余件，修复陶器数以万计，为新郑青铜礼乐器参加国内外的展出提供了重要的展品并在国内外取得了重要的反响，获得良好的社会效益。修复的陶器不仅为国内其他博物馆调拨与展出作出了贡献，也为郑韩故城考古发掘与研究提供了重要的实物参考资料。

此外，新郑工作站的文物保护技术人员，也为我所其他方面的考古发掘研究与文物保护工作做出了一定贡献。平顶山应国墓地青铜器的化学保护与修复工作，也是由我站技术人员承担，为完成该项目连续工作了五年之久，修复青铜器已有数百件之多，成为《平顶山应国墓地》发掘报告中的重要实物资料。郑州市博物馆新馆展览部分铜器的修复，叶县许灵公墓葬青铜器的修复，郑州市文物考古研究所发掘的刘洼西周青铜器的去锈、修复、绘图等工作也都是由我站帮助完成的。陶器修复技术人员除完成本站的考古发掘简报、报告编写所用陶器之外，也为新郑市博物馆修复展品数百件。现今除为《新密古城寨及周围古遗址调查》、《新郑郑韩故城》两报告修复所用陶器及绘图外，又为商丘市《永城酂城汉墓》发掘报告需用陶器进行修复绘图。这些工作虽看似平淡，但都十分重要，它关系到考古研究所专项研究工作能否顺利进展，也关系到数千年来祖先留给我们的重要文化遗产能否继承和利用、优秀文化传统能否发扬光大，成为发展新文化的源泉。

在新郑工作的三十年来，在文物保护方面所做的工作，仅是文物长河中的一小段溪流，微不足道。但保护工作的开展，对一个考古研究人员来说，教育是深刻的，它存在着是与非，曲与直，荣与辱，也使我们深深地意识到考古发掘研究工作的首要任务，是搞好文物保护，否则考古发掘研究将成为无源之水，无本之木。所以，搞好文物保护将是一个文物工作者的毕生任务和重要职责，也是时代赋予我们的光荣使命。

河南省文化局文物工作队（河南省文物考古研究所的前身）于1963年3月，在郑韩故城正式设立文物工作站，长期对郑韩故城进行勘探调查、考古发掘与研究工作。数十年来，重要发现接连不断，但最使人难以忘怀的是郑国祭祀遗址的发掘。

遗址位于郑韩故城东城西南部。1993年春，为安排郑州考古干部专科学校学员实习，对该遗址曾进行试掘。直到1996年9月24日，为配合中国银行新郑支行（以下简称中行）的基建工程，文物考古发掘工作在等待2年多之后，才再度开始。我们根据已掌握的调查、试掘情况，以及郑韩故城其他工地殉马坑往往伴随青铜礼乐器坑出土的经验，在遗址上规划10米×10米探方100个。

发掘工作是由西部的北端开始的。至10月底，发掘面积已达600平方米。出乎预料的是，除清理出大量的战国灰坑、水井及小型古墓葬之外，仅发现殉马坑6座，没见一座青铜器坑。鉴于这种情况，我们不得不改变预定方案，决定再向南开2个探方之后，然后转向东，并增加发掘力量，从一次揭露200平方米，扩大到一次揭露400平方米。并暂时停止向南发掘，而是转向东，期盼有所突破。到11月底，西部探方都相继结束，仅东部两探方尚在清理中，这时已揭露1600平方米，发现殉马坑20余座，但仍然无任何礼乐器坑出现。唯独殉马坑在不断地增加。虽然阶段性发现结果不尽如人意，但随着相关迹象的不断出现，我们仍是信心不减，越发认为这处遗址不同寻常。

12月8日，探方T595东北角内填黑花土的长方形坑内，露出一青铜钟钮。这一钟钮的出现无疑给我们冰冷凝固的发掘，送来了一缕春风。负责该方的牛花敏将这一期待已久的发现，悄悄地告诉了我们。由于整个情况并不明了，我们抑制内心的喜悦，并为保证文物安全，要求大家不可声张，工作仍在平静的气氛中进行，只是将晚上值班看护工地人员从原来的2人增加到5人，要求不停巡逻，通夜守护。五天以后编钟全部清出，仅西部钟架被灰坑破坏。坑内北面2排钮钟共20件，南面一排是4件镈钟，都安然立放在坑底。每排钟的上面都有木质横梁的灰痕，相当一部分灰痕陷落在钟与钟之间，在坑的东面紧贴探方东壁下东端的钟架灰痕仍清晰可见，为长方形，顶部和一些横撑都有压变形的现象。在中间一排钮钟的东西两端还残存两段横梁上的装饰板，板宽10厘米，其上依稀可见浮雕状云纹，残留有朱砂痕迹。最后，在中间1排（由东向西）第2枚钮钟旁边出土一件高仅4厘米的小陶埙，给人们又增添了一份惊喜。在清理1号坑期间，T595南北和以东，都相继出现了一些长方形坑与近方形坑。至此，我们期待已久高悬在半空的心，才算稳实地落到了"地上"，也拉开了大量青铜礼乐器出土的序幕。

12月14日，1号坑的资料提取工作全部结束。时入严寒季节，气温一天比一天低，冻层一天比一天厚，而青铜礼乐器坑的发现一天比一天多，工作人员备受鼓舞，工作热情也一天比一天高涨。1997年1月6日，在对T605南侧的1座方形坑清理中，西北角发现两个长方形青铜器，到近旁一看，不是别物，原来是两件铜方壶盖露出。该坑虽被编为2号，但它是中行工地第1座礼器坑。整套编钟以前在金城路和城市信用社曾发现过两套，礼器坑虽也有发现，但还没有出土铜方壶。方壶对我们来说，也算是梦寐以求的了，兴奋之情，真是难以言表。两天之后，2号坑清理完毕，出土9鼎、9鬲、8簋、2方壶、1圆壶、1鉴、1豆，共31件。1、2号坑的清理，无疑给我们的继续清理积累了经验，具有重要的指导意义。

2号坑清理完毕以后，又相继发现8座礼乐器坑，并基本认定：2、3、6、10是礼器坑；1、4、5、7、8、9是编钟坑。在对礼乐器坑的清理中，为确保质量，要求大家要尽量注意弄清各种迹象，搜罗各种历史信息。

郑韩故城是历史上被盗掘较严重的地区之一，说十墓九空一点也不算过分。近20年来，经我主持发掘的墓葬已有数千座之多，而没有被盗者实属寥寥。这些坑能否幸免这种历史灾难实难估计，但我们认为10座坑全部被盗的可能性不大。1月7日在对3号坑以东的近代土坑竖穴墓清理时（M765），发现该墓已被盗一空。由于3号坑距M765太近，有被殃及的可能性，因此，9日开始清理3号坑时，先从盗洞入手进行，当盗洞被清理完毕后，在坑东南部距盗洞2厘米处露出了一硕大的鼎耳。说明该坑没有被盗，并出土31件礼器，鼎、簋、鬲、壶、鉴、豆一件不少。因器物都集中在坑的北半部，才免遭厄运。在3号坑清理的同时，4、5、7号编钟坑，6、10号礼器坑都在清理中。以上3座编钟坑的配置与1号坑一样，都是一架钟24件，还配一件小陶埙，编钟坑中多发现有钟架痕迹。4号坑钟架大部分被战国层破坏，仅留底撑与横梁；5号坑西端钟架顶部被一战国坑打穿1洞，但不影响复原；7

号坑钟架因土的重压而部分变形，结构尚可追寻清楚，还出土了唯一一件击钟的钟锤。在悬钟的横梁上发现有悬钟的骨销，都是穿插在横梁和钟钮内，骨销的最先发现是在 4 号坑内，钟钮除有骨销固定之外，都似用皮绳拴系。钮钟都是 10 件一套，大小依次悬挂。镈钟 4 件一套，悬挂方式与钮钟相同。6 号坑是礼器坑中较偏东的一座，器物仍是集中在坑西北部，东南角留有空地，出土礼器也是 31 件。不同的是，该坑的东部还出土一串骨制管形佩饰物，共 15 个，为礼器坑中所仅有。另外，其他坑中两件方壶都是放在坑的西北部，6 号坑方壶却放在坑的东北部，有何寓意，值得思考。10 号坑是发现礼乐器坑中最大的一座，南北残长 2.60 米，宽 2.50 米，近似方形。由于其北部放礼器的部位被汉墓打破，我们起初怀疑此坑会被盗一空。然而在清理填土时并没有扰乱的现象，亦无盗洞痕迹。为保证铜器不受损伤，我们规定有可能是礼乐器坑的只能进行逐层清理，不能用洛阳铲试探。为了不出现意外，我们安排了技术人员中资历较深、工作一贯认真的尚金山负责此坑。该坑出土铜鼎 9 件，放置方法与其他坑不同，其他坑的鼎都是一个紧挨一个，10 号坑是等距离分散摆放，横、竖都是三排，每排 3 鼎，排列整齐。鬲的放置也不像其他坑，都放在鼎内，该坑中的九鬲分南北两排，放于坑的西北部。但该坑中没有方壶、圆壶、簋、鉴、豆等器物。

清理中担心被盗的情况一波未平一波又起。在 8 号坑的西端有一座小型土坑竖穴墓 M776 打破 8 号坑的西南角，M776 的东部有一近代扰沟打破 8 号坑的南壁。无独有偶，在 9 号坑中部也发现一座竖穴土坑墓 M767，把 9 号坑拦腰切断，东面还有一座竖穴土坑墓 M772，打破 9 号坑的东壁。9 号坑中部的 M767 深仅 60 厘米，只是对 9 号坑上部结构有所损坏，距编钟坑底甚远，其东部的 M772，深 1.9 米，距编钟坑中的东端钟架也有一定距离，所以没有造成严重的损失。8 号坑西南部的 M776 上部虽然打破了 8 号坑，由于坑与墓葬的壁面向下都有收分，被墓葬打破的缺口上宽下窄，到接近墓底时墓壁内收，离开了 8 号坑，使 8 号坑安然地保存下来。8、9 两坑出土编钟 24 件，陶埙 1 件。重要的是 8 号坑的清理，在编钟上发现了用丝绸包裹的痕迹，并综合其他坑的情况，编钟在埋入之前先用丝绸包裹，并在坑底铺一层竹席，放入后再掩盖一层竹席。8 号坑的钟架如蝶形，内撑有的像长蛇探水，有的似花朵怒放。在 9 号坑的悬钟横梁痕上，还发现有龙的浮雕图案，这些蛇、龙的装饰题材，不仅与《考工记》中"赢类、羽类、鳞类"（见《考工记》郑玄注）则用作为笋或虡（悬钟横梁和钟架）的记载相符。把钟上的龙纹与横梁上的龙、钟架上的蛇等等装饰物相联系，从"敲击悬钟"到"声音来似"的音乐与造型艺术的角度考虑，以鳞类作钟架和钟体装饰，配合声音洪大的钟，即可使装饰所体现的形象美与乐器演奏所体现的声音美相对应，造成"击其所悬而由其虡鸣"的联想。既使装饰更富有生气，又可使钟声更加形象化。这一巧妙的构思，形成异曲同工之妙，能使视觉欣赏和听觉欣赏互为补充，增加了整个造型的艺术感染力。用龙、蛇形象装饰钟和钟架，就是这种美学思想的具体体现。

中行遗址的发掘已达 2400 平方米。清理青铜礼乐器坑 10 座，其中礼器坑 4 座，乐器坑 6 座。出土各种礼器 111 件，出土编钟 6 架 18 套共 144 件，并有数套木质钟架和屏风（已腐朽成灰）出土。发现的殉马坑已达 30 余座，因气候原因，仅清理了 21 号坑。该坑殉马 2 匹，南北排列，头西尾东。我们及时将这一重要发现向省文物局和国家文物局作了汇报，国家文物局旋即委派国家考古专家组组长黄景略先生来工地视察。黄先生看后兴致勃勃地肯定了发掘意义，并对今后的工作讲了几点意见：1. 遗址发掘要继续进行，要搞"地毯式"发掘，一寸都不能放过；2. 经费有困难，国家文物局帮助解决；3. 从目前情况看遗址性质尚无法确定，要边发掘边研究，尽早解决性质问题。这几点意见言简意赅，不但解决了我们的后顾之忧，发掘的目的和要求也更加明确，使我们很受鼓舞，成为我们下阶段发掘工作遵循的基本原则。发掘面积不断扩大，3000平方米、4000平方米，但后来发现的11、12、13号坑全部被盗。14号坑虽然也部分盗扰，钟架遭到严重的破坏，但编钟仍幸免劫难，出土编钟24件。15号坑大概与14号坑是同一组群关系，该坑的排列方式不同于其他礼器坑，簋、鬲不再放于鼎内，都集中堆放在坑的西北角，紧挨着放置方壶、圆壶和鉴等。鼎由北向南放3排，西一排4件，中一排4件，东一排仅1件放于坑南端。礼器上盖下铺有竹席，共出土31件。16号坑是遗址最偏东的一座，坑近方形，与其他编钟坑不类，坑中似无完整钟架，有数根悬钟的横梁同编钟一起卧放在坑的北部，编钟也为24件，保存很好，花纹为阳纹，与其他编钟上的阴纹不同，同出土的还有1件陶埙，使人感到编钟越出越漂亮。

到此阶段，发掘面积已达8000平方米，发现礼乐器坑16座，殉马坑40座，用马少者2匹，多的是4匹，仍是南北排列，头西尾东，出土礼乐器物334件。遗址性质因无重要的线索出现，一度成为难解之谜。如果说它是窖藏，将大量的马匹同时藏入地下，解释不通；如果说是宗庙，没有发现任何建筑遗存，且宗庙祭祀是不埋祭器的；是附葬坑，附近没有与之同时或相匹配的墓葬。直到1997年7月23日，负责T623的沈春荣报告，探方中出现了一道夯土墙基，这才解开了遗址性质之谜。夯土墙基残存高度30余厘米，有基础槽，层次清晰，基宽1米左右，南北向，尚存36米。为弄清时代，我们对墙基局部作了解剖，清出的夯窝、陶片都是春秋早中期的特征。从遗迹的分布情况看，所有祭祀遗存均分布在墙基以西，没有出墙基的范围，而且墙基与多数礼乐器坑的方向相一致，说明墙基的时代不仅与祭祀遗址同时，而且应是遗址的组成部分。

据记载，周代的大型祭祀活动，较常见的分外祀和内祀两种。祭天在南郊，祭地在北郊，由于都在城外，称"外祀"。而祭祀宗庙、社稷在城内，称"内祀"。这处祭祀遗址在城内，首先可以排除外祀的可能性。内祀因遗址中没有宫庙建筑，亦可排除是宗庙遗存。在周代，社稷与宗庙都具有同等重要的地位，是国家与政权的象征，所以各级贵族都把祭祀当作国家的头等大事来办。就方位讲，据《考工记》宗庙与社稷都在王宫的前方，所谓"左宗庙，右社稷"。春秋时期郑城是坐西朝东，祭祀遗址正处于西城（宫城）前方偏右的位置。社的重要标志是社坛和社壝（音唯，坛周围的矮墙），虽然这里没有发现祭坛，但围墙是存在的。墙基槽宽1米，这样宽的墙应该是矮墙。社坛和社壝是大地的象征，故以天为穹庐，所以不设宫庙之类的建筑。"社祭土而主阴气也……大社必受霜露风雨，以达天地之气。"这大概就是此遗址没有建筑的根本原因。这一发现在我国周代考古中尚是首次，300余件青铜礼乐器的发现也十分罕见，对于周代礼仪、社祭制度、郑城布局、郑国音乐、编钟发展史、科学技术等研究都具有重要的意义。此次除发现郑国祭祀遗址之外，还发现了郑、韩两国的铸铜和铸铁遗址，特别是郑国青铜礼乐器铸造遗存的发现，在郑韩故城还是首次。这次考古发掘1997年被评为全国十大考古新发现之一，到2006年出版了《郑国祭祀遗址》报告，较快地向社会和学术界提供了再深入研究的详尽资料。

1997年夏季，新密市黄帝历史文化研究会向安金槐先生请求推荐业务人员到新密双洎河（古洧水）两岸、溱水（古郐水）之滨进行古文化遗址调查，寻找与我国古代文明形成和国家起源有关的古代历史文化遗存，以促进当地历史文化的研究。安先生向他们推荐我，并经所领导同意，由我任考古领队，担负这次调查的任务。在新密市黄帝历史文化研究会与新密市文物保护单位的积极配合下，我们考古调查人员穿梭于新密市的沟河之间，踏遍岗岭沃野，从形状色彩各异的陶片中去寻觅那远去的文明，在深埋的土层迹象中去释读被凝固的历史。经过三年的调查与发掘，我们终于确认了一座巍巍壮观的历史文化遗存——古城寨龙山文化晚期城址。

古城寨龙山文化晚期城址位于新密市与新郑市交界处的新密曲梁乡大樊庄村古城寨村民组周围，双洎河的支流溱水东岸的河旁台地上。城址为东西长方形，现存南、北、东三面城墙和南、北两个城门缺口。城址保存较好，高大的城墙依旧巍然耸立，尤其是北墙和东墙，均无断、缺的现象。城内不仅有龙山、二里头、二里岗、殷墟等各时期文化遗存，而且还有规模较大的龙山文化夯筑宫殿建筑基址群。经调查发掘，证实它是目前中原地区保存最好的龙山文化城址，面积达17.6万平方米。

1997年7月，正是中原地区酷暑闷热的月份。由我任领队，有马俊才、李玉山、刘群、蔡晓红、陈桂香等同志参加的调查小组，开始了该项调查。我们先是沿双洎河北岸调查了新砦遗址、交流寨遗址、程庄遗址等，又在溱水流域调查了曲梁、马家、柿园、水泉、王垌等遗址。在所调查的区域内，从仰韶文化遗址到龙山文化遗址，甚至到商周遗址都有发现。

对古城寨的调查是此次调查任务的最后一站。我们徒步绕城观察，发现墙体下压有仰韶文化地层，墙体上夯层的夯土内包含着仰韶和龙山时期的陶片，这些陶片都历历在目。记得当时烈日当空，我们个个大汗淋漓，但仍为这些发现而兴奋不已。实地勘察后，我们初步认为，1986年由省政府公布的省级文物保护单位"郐国故城"的时代可能更早，很有可能是一座龙山时代的城址。鉴于这一发现，第二天调查小组全体出动，开始了较大规模的普遍探查。

为节约时间和经费，钻探采用稀孔探法，即相距10米探一孔，如遇重要迹象，适当加孔密查。鉴于遗址时代跨度大、情况复杂（有些地方从仰韶文化时期到龙山、二里头、二里岗、殷墟、战国、汉各时期文化接连不断，将数千年的历史浓缩到了这些地层内），我们的探查采用重点确认、重点突破的方法，也就是以查找龙山文化遗存为主，其他文化遗存只要没有异常可以一带而过。

我们很快在城内东北部发现了大规模的龙山文化夯土建筑群址。不同寻常的是，我们在临近南、北、东三面城墙的两侧也发现有夯土基础，并且东城墙附近的夯土还特别深（北墙西段除外）。这里到底是建筑基址还是墙的基础呢？普探结束后，经过整体分析，我们才明白：原来这一带地形西高而东部低洼，设计者为把城址筑成长方形，以扩大城内使用面积，把东城墙设计到了宽广的洼地之中。为了筑牢东城墙的基础，南城墙东半部的墙基宽达60米左右，东墙基宽达100米以上，墙体就筑在这一基础的中部。这样的现状实在令人难以置信：龙山时代有没有这样的生产力水平？能不能去修筑这样工程浩大的防御设施？要回答这个问题，只有用试掘的方法来解决。

我们将城址内部分为四个区，然后按区布探方。在南城墙的中部偏东，在地面墙体已不存在的缺口处，按南北向开了一条探沟（编号 IIITG 1）试掘。我们拟通过对城墙基础的解剖，验证钻探结果，解决南城墙下部基础与墙体的关系，城墙内侧基础与上部墙体的关系，墙基的时代上下限和墙基的使用年代，基础的夯筑方法与技术等。在南城墙东部内侧夯土基础上开一条探沟（编号 IIITG200），拟验证南墙东部以北地下的夯土基础情况，以及它与南墙的关系、夯筑方法和时代上下限等。我们还在东城墙内侧偏南部东西相连开了二条探沟（编号 IIITG261、TG249），拟验证东墙以西地下是否为夯土，找出它的西部边沿，以及西部边沿与上部墙体的关系和夯打方法等。

在解剖的过程中，我们把探沟 IIITG1 在南北向上挖掘了 36 米长，才找出了北侧夯土基础的北部残边。南墙外部基础由于新中国成立后搞平整土地，已挖掉两层夯土阶地，宽度约 10 余米，挖掉的土都就地填到护城河内了。群众称挖掉的部分为"二道城"。从夯筑的层次看，这里在洼地以西，墙基是在仰韶遗址上略加平整后进行夯筑的，下部是以黑色黏土作基础，厚 70 厘米左右，夯打非常坚密，上面的墙体是在这一基础上再打若干层或直接起板版筑而成。每版墙都宽、高 1 米左右，顺墙的长度则是随木板的长度而定，宽阔高大的墙体就是这样一版靠一版、一版压一版构筑成的。我们在解剖版筑墙基时，还发现了版筑时树立夹板的木柱柱洞及版墙侧面、横面上留下的夹板痕迹（有的是用小木棍编排起来作横挡头的）。

在南墙 IIITG1 下的墙基北部，我们发现了早晚叠压和打破的地层关系，展现了古城寨自仰韶晚期以来，经龙山、二里头、二里岗、殷墟、战国、汉各时期文化的历史演进过程。特别是其第 9 层属龙山文化，直接叠压并打破夯土墙基础，在探沟南侧墙基下压有龙山文化早期灰坑，给我们提供了该城墙上限不过龙山文化早期，下限不晚于龙山文化晚期最后阶段的地层证据。南墙偏东侧东部内侧墙基上的探沟 IIITG200 发掘进展非常顺利，其堆积大致与南墙 IIITG1 探沟类似。该基础深达 9.8 米，叠压关系与 IIITG1 一致，夯层的夯打情况与 IIITG1 相近似。东墙内侧的探沟 IIITG261 因夯土基础坚硬难挖，再加上距地面太深和时间、经费的局限，初期，我们计划重点下挖东部靠墙处的 5 米。事后发现，5 米长度是不能到城墙墙基的内侧边沿的，就又向西扩近 18 米，但仍然没有到边，只好作罢，留待以后解决。1999 年元月，IIITG200 终于清理到底，深度距现地面 10 米，墙基坐落于细沙土层上，地基似经过平整，在其上面用黏土掺小鹅卵石和料礓石打出了厚 25—45 厘米的第一基础层，再用黑黏土（湖相沉积泥）打出极坚密、厚度 2 米的第二基础层，然后用五花土层层夯打出地面，再起版筑墙体。此三条探沟发掘工作的相继完成，使我们取得了三重证据，对城墙的时代、修筑的上下限及夯筑方法等都有了清晰的认识。

我们为了保护城墙，没对北墙作横断解剖，只是清除了北墙城门缺口西侧墙体原有断面的杂草和风化表层。清理后露出了墙的本来面目，在其顶部发现有殷墟晚期的陶鬲残片和较大的夯窝，说明这段城墙的顶部在殷商时期曾修补过。再向下叠筑着四层龙山时代的版筑墙，残宽为 14 米，而地面以下的墙基是直接在褐色粘土上起板夯筑的。为了解夯筑方法，根据版筑墙夯打的墙体虚实不一的情况，我们对北墙城门缺口西侧地下的残存版墙（上部已没有墙体）进行了解剖，结果发现北墙的版筑方法与南墙相同，也是在预筑版墙的两侧先树小木柱，一侧两根，然后夹木板填土夯打，经这样多次反复，就会筑成横向或竖向的墙体。通过对龙山时期墙体的解剖和清理，我们还发现了一个情况，那就是墙体一版坚实、一版略虚，且多次反复、非常规律。为什么会是这样呢？我们在发掘现场进行了小型模拟试验，才明白其中的原因所在：如果一版墙靠着另一版墙去打，每版墙都得立柱、夹板；如隔一版打一版，第一版完成后，再打隔而未打的空档就无需夹板，这样不但抽板方便，省工省料，还可减少立木柱和夹板的麻烦。不仅如此，我们推测似乎是有意采用这种一实一虚的方法，蕴涵有秦汉空心砖那样的力学原理。

城墙调查与试掘的同时，我们还对古城周围的古文化村落遗存和龙山时代的墓葬区展开了一场较大范围的勘察工作，终查明这里城墙外部与内部的基础相呼应，都有较宽的基础，从而形成了古城寨城墙坚实永固的建设"平台"。从城西北角以外向东所留宽阔的引水口和沟来看，护城河是利用来自西北的溱水直抵入水口的便利，引水东流，至城东北角南折，流向城东南角，与无名河汇流后，走西南入溱水。在城外的西南部，我们探出面积 1 万多平方米的仰韶文化遗址。城以北是龙山文化遗址，遗址面积 30 余万平方米。在城以北的沟中道路以西是遗址的中心区，文化层堆积较厚，其沟中道路以东遗迹相对稀疏。因早年平整土地的破坏，中心区现仅存 1.4 万平方米左右。城东的护城河以东、农田中的南北沟以西的台地上，也是龙山文化遗址。在城址附近地面相继探完后，我们只发现了遗址，而没有发现相关的墓地，这成为本次调查与发掘留下的悬念。

发掘工作自开南墙 IIITG1 探沟以来，由于带有试掘性质，每次发掘面积都不是很大，但一直持续着。中间除收种庄稼停工之外，无论是酷暑盛夏，还是严寒隆冬，我们都坚守在发掘工地上。记得是 1999 年，姗姗来迟的冬天带来了迅猛的降温，一夜间便地冻三尺。发掘现场，镢头抡到地上，只溅起几点冰碴子，如用力过猛，手虎口都会被震裂。我们只好连夜运来稻草席和塑料地膜，每到傍晚，将工作面上铺盖，才能保证第二天工作的正常进行。城内的发掘，尽管有钻探资料作依据，我们也没有全面开花，而是根据掌握的基本情况，从遗址整体的学术研究出发，谨慎选择挖方位置，重点区域内开探沟，重点区域以外也适当开几条探沟或探方，以便对比验证，做到边发掘、边整理、边认识，循序渐进。

我们在城东北部的夯筑群址上开了两条探沟，一条开在 III 区夯土房基的偏南部（编号 IIITG89，东西向），另一条开在距 IIITG89 东北约 50 余米处（编号 IVTG180，南北向），拟验证钻探结果：下面是不是夯土和是否为龙山时代夯筑基址。我们又在城中部偏西开探方一个（编号 IT88），城北部开探方两个（编号 IVT81、IVT97），另在城外护城河以北、南北路沟以西开 2 米×5 米探沟 2 条（编城外 TG1、TG2），着重用于了解城内外遗址的文化堆积与分布，以提供与城墙、夯土建筑基址地层关系和时空界限。TG180、TG89 的发掘历时七天左右，都相继做到了夯土上，以上都压有二里头、二里岗和殷墟文化的多层堆积，在 TG89 的夯土内还发现了两个柱洞，其中一个的底部放置有基础石，在 TG180 底部的夯土上发现了一条排水用的沟槽。这两条探沟夯土台基中的包含物，均以绳纹、方格纹、篮纹的灰、黑陶为主，且夯层较薄，夯窝较小，都颇具龙山时代特征。故而认为，这些夯基都应是龙山时代房基的一部分。联想那高大城墙的存在，思考其潜在的学术价值，使人备感兴奋。

在发掘过程中，我们在北部诸探沟与探方遇到了堆积较厚而且包含物相对丰富和叠压的龙山文化地层、灰坑等遗存，出土有罐、豆、斝、甗、折腹盆、器盖、盘、碗等一批龙山文化陶器，成为后来验证城墙和宫殿基址F1、F4（宫殿基址和廊庑基址编号）地层关系并进行陶器分期的重要依据。

通过以上诸项发掘，这座古城址的时代可以毫不怀疑地定为龙山时代晚期。到此，解决城址性质就成为下一步工作的重点。众所周知，如果一座城址找不到大规模的宫庙建筑遗存，就可能是氏族部落的村寨，反之，就有可能是重要的都邑。城内东北部夯土群址上所开的两条探沟，成为我们解决这一问题的两把钥匙。在已开探沟的基础上，我们决定再开探方作进一步发现。同时多处开探方，似感盲目，经反复斟酌，我们极为慎重地选择了一号房基（F1）。在此处先开了四个探方，共400平方米，做到底后，一座夯土房基的南半部清晰地显露出来。这是一座高台建筑，虽遭二里头、二里岗、殷墟各时期文化遗存的破坏，房基南、东、西三面边缘尚清楚，柱洞、磉墩、柱础石等也都有一定的保留。为弄清房基全貌，我们紧接着又向北扩展了10米，向西扩2米，向东扩3米。清理中，由于探方面积大，南半部进度略为迟缓，先在北部发现了一道南北向的边线，清理人员误以为是房基F1西部边沿向北的延续，因而估计房基可能更大，应该再扩方。在新扩的两个探方尚不到底的情况下，因找边心切，就又向北扩了5米。约半月过后，在探方IVT103二里头文化陶窑Y3的西侧出现了三道东西向的墙基槽，也为龙山时期。毫无疑问，这样的结构不会是F1的北边沿。F1北部边沿在哪里？这些墙基与F1是什么关系？它又是什么样的建筑？是排房还是廊庑？它带给我们层层疑虑与思考，我们也深感这段时间找边用去的时间太多太多。我们检讨了工作方法，要求大家仍据已有的边线追寻。这时已到中午下班时间，为减少干扰，我只留下工地的技术人员背水一搏。大家铲土层，打关键柱，约下午1点多钟，F1剩余的三道边终于露出来了。不知是过晌的饥饿，还是问题解决后的愉快，这顿迟到的午饭虽然仅是一碗捞面，但吃起来特别香。

房基F1位于城址中部偏东北，为南北长方形夯筑高台建筑，坐西朝东，南、北、东三面有回廊，南北长28.4米，东西宽13.5米，面积383.4平方米，方向281度。房基虽经后期遗存的破坏，但仍能辨明其结构、布局与概貌。房基上南北排列着6排柱洞或磉墩，把房基分隔成面阔七间、进深六间的格局。由于晚期的破坏，每排柱洞现存5个的已不多，多是3至4个，并且仅在各排的中心柱柱洞内保留有柱础石或磉墩。在房基周边还发现有小型柱洞41个，另外在这些小柱洞之间还发现有更小的柱洞，推测应当是这座建筑木骨泥墙的主体立柱和辅助立柱。在房基南、北、东三面还发现有廊柱柱基或磉墩19个，南廊残存2个，北廊残存5个，东廊现存12个。南北两侧磉墩多为不规则圆形或长方形，且形状较大（最大的直径0.8米，最小的直径0.6米）。南北两侧的廊柱柱基呈均匀分布，唯东廊为3个一组，柱间距1米左右，而组与组之间相距都在2.5米左右。在F1房基东部边沿上有四个地方没发现木骨泥墙立柱柱洞，疑其是门道位置。

F1房基做完后，又开始解决新的发掘问题。F1以北的三道墙基槽，每道宽仅30—50厘米，基槽内有柱洞，而且断断续续遭到晚期地层或遗迹的破坏，分布在近4米宽的东西一线上，我们在东西20米的范围内进行了清理，因为是建筑遗存，我们将其编为房基F4。在最东部有一殷墟期灰坑将F4打断，此房基的西端已深入到西部探方下，说明墙基槽仍在向西延伸，于是我们将发掘范围西扩，再西扩，但是一直到农田中的南北向水渠处，仍不到边。这次扩方，我们在距已挖出的墙基东端以西19.2米处首次发现门道和门卫房遗存。越过水渠，在其以西布一个 2 米×6 米的探沟（编号 IVTG38），以解决水渠以西是否还有墙基槽的问题。相隔 25 米与 IVTG38 另开一探沟（编号 IVTG4），主要是了解墙基在西部的延伸位置。结果在探沟 IVTG38 内不仅仍发现了墙基槽，而且中部墙基槽南拐接到南基槽上，再向西成为左右两道基槽向西延伸，并且在北基槽外出现了柱基。西部探沟卡住了 F4 的西边，至 2000 年 8 月，终于在北廊庑向西 60 米处，也就是二号门的西侧发现了廊庑的西北拐角，我们一鼓作气向南又清理 16 米，又发现了三号门和一座奠基坑及柱基、柱洞等。到 2002 年，古城寨城址被列入中华文明探源预研究项目，我们对西廊庑又继续发掘，又使此基址向南延伸 11 米，其南廊庑残长达 27 米。至此，F4 为廊庑建筑已可成立。它应该是围绕着 F1 建筑的，其建筑布局应是宫殿基址的有机组成部分。但其规模到底有多大，东面和南面保存如何，还有待今后的发掘去解决。

另外，还有一些晚期文化遗存颇具特色，也较为重要。如二里头文化的水井（编号 IVT85J1），虽为较简单的竖穴土井，但不仅在井底发现了椭圆形木框井圈腐朽的灰痕，还出土了一大批完整的和残破的打水工具——小口陶罐等遗物，它为古城寨一带约在距今 4000 年前后的水文情况提供了重要的信息。该井深仅 7 米，说明当时水位较高，现在的水位则至少在 15 米以下。还有二里头文化的陶窑，虽然窑室上部已无存，但窑室底（又称窑箅）和火膛、火门、窑道及工作坑大部分保存较好，属于升焰窑的一种，对于二里头文化时期的烧窑技术、陶窑的复原研究都极为重要。在房基 F1 的东南部，在属于殷墟时期的文化层里，发现了一处废弃倾圮的土井，里面填埋了众多死者的遗骸，有的作挣扎状，有的身首异处，层层叠压，白骨累累，惨不忍睹。这些死亡者多达 15 人，推测为奴隶或是战俘，也有可能是"违法犯科"之人，因为从他们被杀和埋葬的情况来看，都属非正常死亡。这一乱葬井是研究当时社会状况和性质的宝贵资料。

通过数年的调查与发掘，在这一城址中所发现的遗迹与遗物与所呈现的各种文化错综复杂，但仍是以龙山文化晚期遗存为主。该城在中原地区龙山城址中面积较大，高墙壁垒，仅南北二个城门缺口，就显示了它的封闭性和具有一定的军事色彩。

约距今 5300 年前，中原大地上已开始构筑城池。进入龙山时代，城越来越多，至今仅河南境内就已发现 12 处，证明了龙山时代上千年间"万国"林立和兼并战争加剧的历史事实。因为城池关乎国与家的命运存亡，所以在人们心目中是至高无上的。这些早期的城池双重防御体系，是我国城防完备的母体，也是建筑艺术的恢弘杰作，因而延续数千年而不衰，成为我国历代筑城的重要防御体系模式。城是古代文明形成的重要因素之一，"'城'也是政治中心，它主要为国家统治集团服务。一个国家的建立首先是营建宫殿、宗庙，一个朝代的灭亡首先毁坏的也是这些东西。所以城是文明形成过程中最容易观察到的物化载体"。但是"古代的'城'可以做到防御性质的城堡，也可做卫护居民安全的'村寨'，而作为文明形成时期的城中要有国家的物化载体——'宫庙建筑'"，城与寨的区别也就在这里。古城寨发现龙山时代晚期大型夯筑宫庙性质的房基和廊庑建筑基址，在已公布的考古资料中十分罕见，相类似的遗存唯有时代晚于它的二里头文化中发现有二处。所以，古城寨的大型建筑基址亦理当为宫庙之类的建筑，也是我国目前已知的最早的宫殿建筑。它的发现，成为二里头文化宫殿基址形成的先河与源头。

古城寨龙山时代遗存的考古学文化归属于河南龙山文化的王湾三期文化。据文献记载，嵩山周围地区是我国的第一个王朝夏的重点活动区域之一。古城寨地近嵩山，又处于龙山时代晚期，其遗存正是探讨夏文化的重要对象之一。所以该城的发现，不仅为探索夏文化，同时为研究我国文明起源与国家形成提供了重要的依据。这不仅是我们本次调查的主要收获，也是其重要的意义所在。由于资料上的新颖性和学术上的重要性，古城寨城址于 2000 年被评入全国十大考古新发现，本人也荣获全国十大考古新发现奖。

此后，在完成中华文明探源预研究项目，古城寨周围聚落分布调查中，又在新郑辛店镇人和寨村西北发现了一座"新砦文化"城址。该城地面尚保存有 90 米长的夯筑城墙一段。东、西两面城墙多存于地下，南墙已被破坏殆尽。城址面积约 4 万余平方米。虽然城址东部被村庄占压，中部被清代寨沟破坏，但目前仍是唯一的一座地面以上有墙体的新砦期文化城址，它的发现也成为我结束田野考古工作之尾声。

40 年一路走来，在实践中学习，在学习中实践，发掘的忙碌，研究的艰辛，虽无辉煌业绩，但成就了我这个田野考古普通一兵，为国家文物考古事业奉献微薄之力的念想。数十年来，从一名工人转干，到国家文物局的特批考古领队，再到省文物考古研究所研究员。从所第二研究室副主任到郑韩故城考古领队，再到业务科科长，大半生中所承担的各项工作都是尽力而行，主持或参与的考古项目，都坚持田野一线，注重科学发掘，课题或深或浅的研究，坚守积沙成塔、集腋成裘的信念，恪守不尚空谈，不作无谓的发挥。曾先后发表论文、考古报告等各种文章 150 余篇，主编《考古钻探知识与技术》、《新郑郑国祭祀遗址》著作两部，也是《河南考古四十年》、《启封中原文明》两著作的主要撰稿人之一。研究领域从新石器时代文化、古城、古国到夏、商、周三代文化，甚至汉、南北朝、唐、宋文化。从烽火连天的抗日战争、解放战争，到社会主义时期等革命文物的调查征集；从史前岩画调查研究到古文字，再到古代石刻、壁画、帛画及其他绘画研究；从陶瓷器烧造技术，到不同窑口瓷器研究；从青铜礼乐器研究及青铜镜研究，到东周铸铜、铸铁技术研究和战国铸币技术研究等。研究成果中，《近年来"郑韩故城"出土陶文简释》曾获得河南省社会科学优秀成果三等奖。本人参与合作完成的少林寺千佛殿壁画揭取复原技术，获得河南省文化厅科学进步三等奖和国家文化部科学进步四等奖。《新郑郑国祭祀遗址》一书，2006 年获得省社会科学优秀成果二等奖。1995 年 2 月荣获省文化厅直属单位"十佳职工"称号，同年 5 月，再获中共河南省直工委和省人事厅授予的省直工委"十佳职工"称号。2000 年新密古城寨龙山文化城址的发掘，获得国家文物局考古领队奖。2002 年被推选为省九届政协委员，2005 年又被河南省政府聘为省文史研究馆馆员。2007 年被新郑黄帝故里研究会和新郑市政府授予黄帝故里终身贡献奖，2010 年被中华炎黄文化研究会和河南省黄帝故里文化研究会授予炎黄文化研究杰出贡献奖。这些荣誉与本所历届领导的关怀、同仁们的帮助支持是分不开的，借此机会，也对他们表示衷心的感谢。

悠悠岁月，实是弹指一挥间，不觉已进入"老骥伏枥"之年，虽无千里之志，但仍能发挥余热。近年承担着《郑韩故城》近 40 年发掘报告的整理、研究与编写。真诚希望在有生之年为单位及我国的文物考古事业再添砖增瓦。

1973年3月作者（前一）与王与刚、杨国庆在密县打虎亭1号汉墓拓画像石拓片

1979年作者在少林寺千佛殿临摹壁画

1997年9月作者（左二）陪同英国罗森博士（左五）在新郑参观

1999年作者（中）陪同安志敏先生（右一）看古城寨陶片

1999年作者（右四）向严文明（右二）、楼宇栋（右三）、郝本性先生（右一）介绍韩国宗庙碑

1999年作者（左二）与俞伟超先生（左三）等考察古城寨城址

往 事 琐 忆

张玉石

  1982年，我从吉林大学考古专业毕业，经统一分配到河南省文物考古研究所（时称河南省文物研究所）工作。那时，刚刚经历过10年疯狂的"文革"，当了5年多的知青，失学失业，前途迷茫。承蒙改革开放的春风，上了大学，4年苦读，终于修成正果，不仅重新挣回了当时异常珍贵的城市户口，又成了一名专业技术干部，不禁有点踌躇满志，一腔热血沸腾，真要甩开膀子，大干一场，以不负当时还是懵懵懂懂，不知道会发展到今日这般繁华的新时代。而今，30年过去，弹指一挥间。大河奔流，逝者如斯，不由得心潮澎湃，感慨良多。

  那时的郑州，可不似现在高楼林立，车水马龙，灯红酒绿，流光溢彩。还记得我去单位报到，当时的省文化局人事处的同志告诉我说那地儿不太好找。我骑着一辆从同学处借来的浑身乱颤的自行车，经正在修筑的城东路，到了陇海路，在二里岗一带七弯八拐好不容易找到单位附近，问文物所在哪儿，可就是没人知道。多处碰壁后，灵机一动，去问当时陇海马路派出所，方指明就在身后。终于找到办公室，与当时接收的同志说起此事，他风趣地说，你别问文物所，问瓦片公司这一片的人们都知道。大概人们见到人来人往，进进出出，送进来带出去的都是一些残砖烂瓦，不明白这里的人们究竟在做什么工作，也不知其价值几何，故有此戏言吧！

  安下身来，就先去了淮阳工作站，那里正在进行平粮台龙山文化城址的发掘，这一干就是四年，从此与古代城址研究结下不解之缘。其间，参与处理了惊心动魄的淮阳大规模盗掘古墓事件。现场调查时，在村头孤零零的小屋里，被人扔过砖头恐吓；与中央、省、区、县的同志们一起，一座一座地清查盗掘现场；看到当时满目疮痍的惨象，被犯罪分子肆意破坏的文物俯拾皆是，深感痛心，更增强了一个文物工作者的责任感；在县公安局鉴定收缴上来的文物，从老一辈文物工作者那里学到许多实实在在的知识，真的是获益匪浅。

  1987年，主持小浪底库区文物调查。忆及当年，虽距今不过20多年，但当时的交通、通信状况却远不比今日。从大坝以上的孟津、济源、新安，经义马、渑池、陕县到三门峡大坝，峰峦叠嶂，崎岖难行，我们硬是迈动双脚，一处一处地调查、核实，真可谓筚路蓝缕，跋涉山林。豫晋峡谷段的黄河，千山万壑，连绵不绝，调查人员相隔一道深涧，可以大声对话，但要握手相见，却要绕上个十几二十里路，花上数个小时。途中到一个山村，淳朴热情的山民们，去山上拽一把野韭菜，打两个鸡蛋，做上一碗热腾腾的鸡蛋手擀面，那种鲜香，到今天还垂涎欲滴。

  光阴荏苒，时光如梭。其后数年，先后在所办公室、1990年后主持淇县卫国故城、小浪底坝区济源留庄墓地等地发掘，主持商周研究室工作，直到1993年。整日里忙忙碌碌，到处奔波，倒也觉得充实。

1993年7月，国家文物局决定在郑州西山继续举办考古领队培训班，省文物局作为承办单位，指派我去做指导教师。其实我并不愿意承担这份差事，一是我知道培训班工作过于紧张，太累，这份差事绝不轻松；二来我也不太喜欢新石器时代考古，而对历史时代的东西更有兴趣，喜欢结合出土文物，钻弄点考据学一类的学问，以孤芳自赏，自得其乐。但组织决定，又不好违命，只好勉为其难，走马赴任，却不曾想到，西山发现了一座早期城址，成就了一段考古史上的业绩。正是：有心栽花花不开，无意插柳柳成荫了。

从1993年秋到1996年春夏之交，国家文物局第七、八、九期考古领队培训班先后在西山举办，来自全国25个省、市、自治区41家考古文博单位的75名学员在这里接受了严格的培训。而今，15年过去，当年的这批学员，正当年富力强的大好年华，许多人走上各级领导岗位，当了局长、院长、馆长、所长，成为高校大学教授、各地文物考古部门的业务中坚。想来，他们不会忘记西山，西山艰苦的培训生活，会在他们的成长经历中打上深深的烙印。

他们不会忘记，每一期培训班开学，考核委员会主任黄景略所讲的北伐战争时期叶挺独立团"铁军"的故事，那是一位老一辈考古工作者从心底迸发的呐喊，希望造就一支新时代的文物考古战线上的"铁军"，为我国蓬勃发展的文物考古事业源源不断地输送新的生机和活力；他们也不会忘记，被人们亲切地称作"老太太"的郑笑梅老师，以当年花甲之身，奔走在探方隔梁上的坚定的身影；他们肯定还记得培训班驻地门口小商店那个耳朵背得很厉害的老太太，她卖的方便面是学员们夜晚加班时唯一可以填饱饥肠的夜宵，或许现在有些人一提起"方便面"三字，还会忍不住吐酸水，犯恶心。培训班数百个日日夜夜的酸甜苦辣，工地探索时数不清的疑惑，豁然开朗时的浑身轻松，担心完不成任务时的焦虑，依依分别时的哽咽失声，或许会永远留在他们的记忆中。在今天这个全民浮躁的年代，那一份对事业的执着和淡定，尤其显得珍贵和令人怀念。

西山发掘中的许多故事，至今仍然历历在目

开始发掘时，根据西山整体研究工作的需要，我们决定首批探方一反一般从堆积丰厚的遗址中心区开挖的做法，而选择在遗址西北部边缘区开始。后来想，正是这一决定，使得最早发现了西山城址的西墙和外围壕沟，揭开了以后两年持续探索的序幕。

最早发现的西墙局部，由于其城墙结构、版筑方式迥异于以往的发现，我们并未能立刻认定它的性质，初曾以夯土台基命之。对它的功能，说什么的都有，有人推测可能是古代人们挖筑窑洞的通道，也有人推测或许是一座大墓的墓道，这种方块相叠的建筑，有可能是墓上或墓侧的祭祀遗存。这些推测，都不足以圆满解释西山这一新发现。当我们确认这一夯土建筑台基的报道1994年3月13日在《中国文物报》上发表后，仍然有人持怀疑态度，问我们什么夯土建筑台基，在哪儿见有台基？

我还清楚记得发掘时的艰辛

负责发掘这几个探方的，是当时江西省文物考古研究所的学员杨军。由于揭去表土后，就有这一重要遗迹发现，又暂时没有弄清它的性质，所以一直让保留现场。辗转已至深秋季节，初寒乍起，强劲的西北风吹得人睁不开眼睛，平面迹象难以判断，发掘工作只能在风停的间隙里一点一滴地摸索着进行。直到1993年11月18日，已经持续两天的飘飘洒洒的小雨雪终于酿成一场初冬的大雪，纷纷扬扬的雪花覆盖了西山，这是豫中地区多年未见的一场瑞雪，它滋润着饱受干旱之苦的生命复苏。21日，当雪霁初晴，厚厚的积雪消融，意想不到的惊喜出现了。雪前一直困扰着我们，难以画定的平面遗迹线，得积雪的消融浸润，由于不同遗迹土壤的密度有别，其含水量也各不相同，这时则浓淡相宜，灰坑、方块、壕沟等遗迹的分界线，比较清晰地展现在我们面前。我们利用这难得的机会，确认了各类遗迹的分布，画定了相应的遗迹线，初步确定这是一处仰韶文化晚期的，东西两侧由壕沟夹护，中间依建筑程序先后可分为三组而又紧密联为一体的，用"方块夯"筑起的夯土建筑台基。1994年元旦，其他学员完成发掘和资料整理的任务，都陆续返回和家人团聚，共庆新年了，杨军还执着地待在工地，一点一点地刮着平面，整理记录，他着急啊！挖的夯土台基，土质坚硬细腻，里面又几乎没有什么包含物，年后整理，拿什么去排队分析，比较研究，写那个发掘实习报告呢？

培训班中，曾留下不少感人至深的佳话。记得曾有一名陕西学员，入学之初，看到西山漫山遍野，硕果满枝，蜂飞鱼跃，鸟语花香，好一派田园风光，禁不住有点浪漫之情。在按惯例学员入学之初进行的摸底测试卷上，潇洒地落下"×年×月×日于西山乐园"的字样。可是没过多久，就乐不起来了。发掘一开始，就非常紧张，这里没有星期天，没有节假日，时间一长，大家就盼着下雨，只有雨天才能稍微喘口气。晚上，一般是安排讲课，对白天的发掘"过电影"，整理必要的记录资料。西山遗址的土质土色不好辨认，你好不容易画定了遗迹线，还要向工地负责人讲清理由，经认可，才能经工地统一编号，这算"合法"了，方能稍微放点心。常见有人盘腿坐在1米宽的隔梁上，闭目沉思，仿佛坐禅入定一般。这是在理清头绪，反复琢磨探方内各种遗迹的关系。到整理和报告编写阶段，就更紧张了。你必须在规定的时间内，完成各阶段规定的工作量。粘对复原、统计、制卡、画图画表，都要自己动手。每天深夜，教师和学员的寝室里，照旧是灯火通明。就是这位入学测试时落款"西山乐园"的学员，最后的考核答辩持续近三个小时。当其他学员全部答辩完毕，难得轻松地最后聚在院中聊天的时候，他才满面通红，泪水闪烁着低头疾步走出考核现场。问起答辩结果，他沮丧至极，连叹：完了！完了！这一回是兵败西山！心想肯定是过不了这一关了。想想一年来的艰苦生活，他曾经通宵达旦地借着盥洗室的灯光统计陶片，患感冒吃药过量，想是求愈心切，却昏昏沉沉抬不起头来，又觉得委屈之极。返归单位，意外地接到考核合格的通知，禁不住感慨万千。欣然奋笔疾书，投书国家文物局领导，畅谈培训班生活的体会和收获，一时传为一段美谈。

西山发掘已过18个年头，而今旧貌新颜，物是人非，念之不免心中怆然。

1996年底，根据文化厅党组决定，调我去省古代建筑保护研究所任副所长。次年伊始，怀着极其复杂的心情，与我曾经为之奋斗了15年的省文物考古研究所挥手告别，从此开始了在文物保护领域另一条战线上五味杂陈的又一段人生。

1987 年 11 月作者在本所办公室

1995 年 8 月作者（右三）在西山工地标本室（右二杨肇清、右一赵会军）

1999年月12月出访日本在大阪留影（左起袁广阔、杨贵金、作者、杨育彬）

2006年作者赴埃及进行文化交流在金字塔前

2007年10月作者（右）与张忠培先生（左）在呼和浩特参加大遗址保护会

2009年11月23日作者（前右）陪同河南省省委常委、副省长李克（左二）到工地视察

2010年赴南非参加文化交流在好望角

我在河南省文物考古研究所的二三事

秦文生

我于1997年初从河南省博物馆副馆长平调至省文物考古研究所任副所长，2006年11月离开。转瞬之间，在省文物考古研究所恰好十年时光。现在回想起来，有几件事仍记忆犹新。

一

我到省文物考古研究所后，最初负责配合基本建设工作，其主要任务是与建设单位谈判经费并签订协议，然后与建设工程有关的市、县文物部门洽谈协商，分配工作任务与经费。当时建设项目很多，有高速公路、铁路、西气东输等大型工程建设，整天忙得不亦乐乎，经常出差在外。有人说，"工作就是开会，协调就是喝醉"，此话不假，与建设单位谈判想多要钱，要主动喝；各市县文物部门想多分钱，要被动喝。说实在话，在我负责配合基本建设工作的几年间，酒确实喝了不少，好在当时四十来岁，正是能喝酒的年龄，现在想起来，真有点后怕。酒是公家的，身体是自己的呀！放到现在这个年龄，说啥也不会那样喝了！

说起与建设单位谈判考古经费，我记忆最深的是与新（乡）菏（泽）铁路复线工程建设指挥部王总谈判。十几年过去，已叫不出王总的具体名字了，但依稀记得他的模样：五十多岁，身材魁梧，满面红光，头顶微秃，两颊络腮胡子浓密，收拾得干净利落，一看就是爽快果断之人。新菏铁路复线建设指挥部设在新乡市内，我们几个人一起到达新乡，新乡市文化局文管办汪秀峰同志陪同我们到指挥部。王总寒暄几句，让其他人在会客厅等，只让我一个人进到他的办公室。然后我们两个人直截了当地谈了起来。此次谈判颇有戏剧性。因新菏线在河南境内长度也就是100公里多一点，宽度不足10米，按照过去所谈的经费数额，我们内部商定的底线是100万，争取到120万就可以了。我心中有底，所以谈判敢于直接表态。王总是从洛阳铁路分局调过去任指挥长的，他在洛阳期间曾与洛阳文物部门打过多次交道，对行情比较了解，因此张口说了100万，我说100万根本不行，至少要200万才行。他随即改口150万，一下子涨了50万。我说王总既然很有诚意，又懂行情，那我也减去10万就190万吧。王总没有犹豫又说不用再谈了，你再减10万我再加30万，180万元咱们现在就签协议吧！由于大大超出我们的预期，我当即表态说行！此次谈判，前后仅用了3分钟时间。我们两人从他的办公室出来，他就让工作人员把协议打印出来，阅后没什么问题，我们两人各自签上了名字。第二天他们就把款转到了所里的账户上。这是我负责配合基本建设工作谈判最顺当的一次，也是与下面文物（文化）部门谈分配方案最容易的一次。因为新菏铁路复线绝大部分都在新乡境内，只牵涉安阳市滑县很短距离。我提出分配方案后，新乡市文化局和滑县文化局的领导都很满意,而且成为了朋友,整个工作进展异常顺利。所里经费当时正处于紧张时期,这笔款也可以说解了燃眉之急。

当然,在抓配合基本建设的工作中,更多的项目是不顺利或不太顺利的,就不赘述了!

二

1999年所里新一届领导班子调整后,我分管图书资料室和行政后勤工作,记忆较深的是办公楼装修改造和文物库房标本室的建设。

说实在话,我到省文物考古研究所的头几年,办公条件是很差的。当时许多家庭分了新房,大都进行了装修,安装了空调,但考古所的办公室却依旧是水泥地面,没有空调,顶部是多年的吊扇,夏天炎热难耐,窗户两侧是又窄又高的墙柜,虽然实惠,但很不雅观;卫生间的条件就更差了,下水道堵塞是常见现象,有时停水或有人便后没冲水,臭味难闻,卫生间实在不卫生。作为省直事业单位,这样的办公环境确实难以让人恭维。因此,改善大家的办公条件势在必行,经过所领导班子研究,由我具体负责此项工作。为了减少议论和不必要的麻烦,我始终坚持了招标和班子集体研究确定的原则。即提出明确的标准和要求,由几家竞标单位各自拿出设计方案、效果图和报价,然后根据设计图纸和报价,最后经领导班子研究确定出施工单位。为了省钱,所选的施工单位都是报价最低或较低的。这样先后对一楼接待室、二楼会议室和卫生间进行了装修改造,对所有办公室铺设了地板砖,墙面进行了粉刷,更新了门和锁,安装了空调,办公条件得到了明显改善。在这里我要说的一句话是,又要省钱又要搞得好,有时真难做到两全其美,让人人满意。比如安装的空调,我和郭向亭同志跑遍了整个家电市场,最后所里定的是市场上价格最为便宜的奥克斯空调,价格最低,质量就难保证做到最好。这一点希望大家能够理解。

所里馆藏文物数量不少,过去大多是按发掘单位存放,小件文物多用纸包着,观看或拿取很不方便。存放标本的展柜既陈旧又笨重,若要从展柜取出某件文物,没有三四个棒小伙是去不掉柜子门取不出来的。外出展览或专家领导提出观看某件文物时,都是由保管员取出并拿到接待室看,既不方便,也很不安全。为了扩大对外交流合作,方便专家同行或领导观看,我提出把文物库房的二楼改为文物标本陈列室,并按照文物藏品的质地进行分类,先后建起了铜器室、陶器室、瓷器室、铁器室、玉器和古文字室,每个标本陈列室内的器物按年代早晚摆放。与此同时,对文物展柜也进行了彻底改造,全部展柜紧贴墙壁,并在玻璃门上安装了小巧的门锁,这样既美观又保证了文物安全,开启也非常便利。

在可移动文物标本室建成后,我又与孙新民所长提出在院内的东南角建立不可移动文物标本室。征得孙所长同意之后,选取了几处非常重要的遗迹完整取回,先挖坑埋好,然后盖房,等房子盖好之后,再让发掘者把遗迹现象清理恢复出来。目前,我们仍可看到八千年前最爱美的"贾湖人"、商代陶窑和郑州小双桥商代牛角(头)祭祀坑的原貌。文物标本室建成之后,每年接待了不少国内外的同行朋友。

三

在办公楼装修改造和文物标本室调整之后,我另一印象较深的就是抓了省级文明单位的创建。按照常规，申请省级文明单位，首先要创区级，然后是市级，再其后才能进到省级。省文物考古研究所位于郑州市管城回族自治区辖区内，有利条件是辖区内的省直单位不多，竞争对手相对说不是太强；不利条件是各区都有名额限制，管城区指标相对较少。申请省级文明单位需要按申请时间的早晚进行排队，当时排在省所前面的已有好几个单位了。我们不知道这些情况，认为只要工作做好了，条件具备了，然后提出申请通过验收就行了。当我们把申请通过陇海路办事处报到管城区文明办后，才知按正常顺序排队需几年以后才能轮到。好在我们什么事都可以破例，可以打破常规。说到此事，最应该感谢的是我们文化厅杨厅长，她当时是郑州市委常委、宣传部部长，郑州市文明办就归宣传部管。也是天赐良机，郑州市邀请一批专家在北京开会，讨论郑州申请列入八大古都的问题，我有幸作为专家参加了此次会议。在北京会议上，我以所里的名义正式邀请杨部长，并说明了这个意思，杨部长爽快答应了。心中有数，回郑州后不久，我就趁热打铁与杨部长联系，杨部长带着市文明办宫主任一起来了之后，我和孙新民所长、秦曙光书记把创建文明单位的进展情况和遇到的困难给两位领导作了详细汇报，得到了两位领导的充分理解和大力支持。领导支持至关重要，但程序和环节一步也不能少，位次向前提了，任务更加重了。按照区文明办的具体要求，办事处领导也多次到所里直接指导。所办公室几位同志更是夜以继日地准备文字、图片、音像等各种材料；所里大部分同志还要参加笔试；更重要的还是整治环境和打扫卫生，角角落落都要收拾干净，一点马虎不得，这是硬条件，也是检查人员的第一印象。通过全所同志上上下下的共同努力，创建省级文明单位获得一举成功。虽然说创建省级文明单位是全所同志的共同心愿，也是大家齐心努力的结果，但若没有杨部长的大力支持，创建成功的时间肯定不会那么早，正常是在三年之后的事！在此，我衷心感谢杨丽萍厅长！

简而言之，我在省文物考古研究所工作的十年里，做了一些应该做的事情。现在回想起来，虽有不少遗憾，但可以说是问心无愧。

1987年9月作者（左一）与邹衡（中）、日本学者松丸道雄（右一）参观淇县摘心台遗址

1999年7月在所二楼会议室所领导班子研究改革方案（左起作者、孙新民、秦曙光）

2000年4月作者（左三）出访美国圣路易斯华盛顿大学（左一孙新民、左二宋豫秦）

2001年9月作者（左三）陪同澳大利亚拉楚布大学学者（左一刘莉、右一蒂姆·马瑞）到省文物考古研究所进行合作考察（右二孙新民、左二马萧林）

2001年6月在信阳市商城县李集马堆子遗址考古发掘现场（左起作者、赵宏、秦曙光、赵志文、贾连敏）

2006年9月考察巩义白河窑出土瓷器（左起作者、钱国祥、刘兰华、孙新民）

探索历程的追忆

——舞阳贾湖遗址发掘与研究札记

张居中

光阴荏苒，岁月催人，离开河南省文物考古研究所已有12个春秋！遥忆当年，刚离开郑州大学校门的我，承蒙安金槐先生错爱，把已经分到洛阳地区文物队的我想方设法留了下来。自1982年8月到2000年6月，我为河南的文物考古事业整整奉献了18年青春！虽然时光流逝，但许多往事却历历在目，记忆犹新！其中印象最为深刻的记忆之一，就是舞阳贾湖遗址发掘与研究的经历。今年正值河南省文物考古研究所这家举世闻名、倾注了几代人精力和汗水的文物考古科研机构60华诞之际，我怀着感恩之情，将这些鲜活的记忆奉献出来，聊作纪念，以示庆贺之意。

记得我在《舞阳贾湖》一书前言中讲过：有人说，电影是一种遗憾的艺术，那么，考古学就是一门遗憾的科学。现在回忆贾湖遗址发掘与研究的历程，把经验教训和种种遗憾记录下来，或许可对今后的工作产生些许启示。

经对当年这段思考和探索的历程进行一番简单梳理之后，我发现可以将这些记忆的浪花分为发现与认识、发掘与整理、多学科综合研究这三个部分来介绍。

一、发现篇

提起贾湖遗址的发现，和其他遗址相比还真有一些不同，很有一些故事性。因为贾湖遗址的发现不止一次，细分来可以说有三次发现，每次发现都伴随着考古学科发展的步伐，有一个质的飞跃，也可以说，贾湖遗址的发现与认识的历程，是当代中国考古学科不断进步的一个缩影。

贾湖遗址的第一次发现纯属偶然，那是一个特殊的人，在一个特殊年代的一段尴尬的经历中，一个偶然的发现。

50年代末，舞阳县文化馆文物干部朱帜在反右运动中被打成右派关在铁山（即现在的武钢区），直到60年代初，他被遣返到原籍舞阳柳庄监督劳动改造，但他不在家的几年里，家中已发生了天翻地覆的变化，老父亲和妻子不堪政治运动的打击已先后去世，只留下老母亲和年幼的儿子，在老家已难以生活下去的情况下，奶奶带着孙子改嫁到了离老家十余里地的贾湖村。朱帜回来后，也追随母亲和儿子来到贾湖。

在贾湖村劳动、生活的岁月里，他在村东的沟坎、井壁上经常发现有红烧土、红陶片等，作为文物干部的他知道，这里应该是一处古文化遗址，但当时仍在被监督劳动的他，既无资格,也无能力将这一发现记录下来,更不可能对之进行研究确认它的性质与价值,只能留在他的记忆里!这可以说是曾经的专业文物干部在特殊的经历中一个偶然的发现。

河南人民对1975年8月那场大洪水记忆犹新,正是那场大洪水,把位于泥河洼滞洪区西部边缘的贾湖村的房子冲得只剩一间未倒。直到1978年,国家才拨专款重修贾湖村东的护庄堤,堤基宽14米,高2—3米,堤顶海拔69米。在取土筑堤过程中,堤东形成了一个深1米、宽26—42米的取土坑,贾湖村小学师生在坑中进行平整土地的劳动课,其间带队老师贾建国发现一些石器和陶器,这时的朱帜已摘掉右派帽子回到县城恢复了文物干部的工作。与朱帜熟悉的贾建国立即想起应把这些发现交到县文化馆让朱帜收藏研究。当时正值裴李岗遗址刚刚发现,河南文物工作者正在为这一重大发现而兴奋之中,朱帜一看到这些标本,立刻就联想到与裴李岗遗址同类标本的共同性。1979年,河南省博物馆文物工作队(河南省文物考古研究所前身)专门组织了进行新石器时代早期文化调查队。朱帜将贾湖遗址的发现向省文物局作了汇报。省调查队得知这一消息,就于1980春委派调查队成员周到先生前来舞阳,经周到先生鉴定,贾湖遗址是一处与裴李岗遗址时代相同、性质相似的新石器时代遗址,它的文化性质第一次得到确认。这可以说是贾湖遗址的第二次发现。当年,舞阳县就把贾湖遗址公布为县级文物保护单位。朱帜还把他调查的结果写一篇《舞阳贾湖遗址调查简报》,在《中原文物》1983年第1期发表,这是贾湖遗址公开发表的第一篇文献。

贾湖遗址以北的沙河宽阔的水面,自西北汹涌而下,在距遗址约3公里处环绕东行,一泻千里。灰河(古昆水)由遗址西4公里处蜿蜒而过,至北舞渡注入沙河。离遗址最近的是南面的泥河,距遗址仅1公里。泥河源于叶县,在遗址西8公里处流入舞阳县,贯穿全境,在出境处注入澧河。在贾湖村西南面紧邻一片小湖泊,即是贾湖,经考察,贾湖应为古灰河的一段旧河道,湖底有很厚很纯的河沙层即为明证,贾湖村坐落在贾湖北岸。贾湖村东为泥河洼滞洪区,面积约103平方公里,中心区最低点海拔63.8米。修建这片滞洪区主要是为了在汛期到来时,分流沙河洪水,以保护遗址东30公里处的京广铁路不受水患的威胁。贾湖村为泥河洼滞洪区西北部边缘的第一个村庄。

至于贾湖遗址的第三次发现,即对贾湖遗址独特价值的认识,那则是正式发掘之后的事情了。

二、发掘篇

作为一个考古工作者,能遇到一个好的遗址,当然是幸运的!自1983—2001年,贾湖遗址先后经历了七次发掘,本人有幸主持了其中的六次,每一次都有令人振奋、令人魂牵梦萦的发现,虽然20多年已经过去,但这些经历仍然鲜活得犹如昨日!

1. 试掘

1982年10月,著名考古学家、时任中国社会科学院考古研究所副所长的安志敏先生在河南选择新石器时代遗址发掘地点时曾经到贾湖遗址调查,由于位于泥河洼滞洪区西部边缘的贾湖村水位较高,贾湖遗址没有列入他的发掘计划。但贾湖村民因生活的需要,计划在遗址上规划宅基地,朱帜得到这一消息后,立即向省文物局作了汇报,要求进行配合发掘。当时,著名考古学家、时任河南省文物研究所(河南省文物考古研究所前身)所长的安金槐先生刚刚申请到国家文物局一个"河南省新石器时代早期文化调查与试掘"的项目（原名待查，大意如此），据说项目经费 5 万元，当时每天民工费只需 1.2 元，我们第二至四次三个发掘季度一共花了不足 5000 元，可想而知这在当时应该是一笔不小的经费。得知舞阳的消息后，安金槐先生立即组建了由郭天锁先生为领队，陈嘉祥、冯忠义、王胜利先生为队员的贾湖遗址考古队，于 1983 年 4 月开赴贾湖村，配合乡村规划，进行一次试掘。

郭天锁、陈嘉祥两位先生刚刚主持过河南长葛石固遗址的发掘，石固遗址的早期与贾湖遗址性质相似，发掘时间历经数年，发掘面积较大，可以说他们已积累了丰富的发掘此类遗址的经验。他们在村东新修成的护庄堤东西两侧布了三条探沟，其中的 T1 和 T3 位于护庄堤东侧的取土坑内，上覆晚期地层和上文化层已不存在，遗迹和墓葬已经出露，T1 是一条 2 米×10 米的东西向探沟，正好选择开在墓葬区之上，20 平方米之内清理出了 17 座墓葬。T3 在 T1 之南，为 2 米×5 米的探沟，正好开在一早期的大灰坑上。T2 位于护庄堤之西，也为一条 2 米×10 米的东西向探沟，虽然文化层未受破坏，但仅清理了几个灰坑。5 月下旬，三条探沟 50 平方米发掘到底之后，第一次试掘就结束了。这次试掘共清理墓葬 17 座，灰坑 11 个，陶石、骨龟等各种质料的遗物几十件，同时通过钻探搞清了贾湖遗址的分布范围，收获应该是蛮丰富的。陈嘉祥先生将试掘的成果在《华夏考古》1988 年第 2 期发表。值得特别提及的是，试掘发现的十多具人骨标本，由著名人类学家吴新智先生进行了鉴定。当然，这都是后话。试掘的结果给几位参加试掘者的总体印象是，贾湖遗址的文化面貌与他们刚刚发掘的石固遗址相同，既然石固遗址已经进行了大面积发掘，就没有必要在这里重复劳动了。这在尚以完善文化谱系为主的 80 年代初来说，产生这样的认识也是无可厚非的。

2. 第二次发掘

1984 年春，贾湖村民再次提出建房要求，第一次发掘只挖了 50 平方米，安金槐先生觉得国家文物局的项目没法结题，朱帜也心有不甘，于是安先生决定继续在贾湖遗址进行发掘，同时申请了发掘执照，由负责石器时代考古的第一研究室主任裴明相先生为领队。但是原来贾湖考古队的四名队员都已承担了其他任务，郭天锁先生甚至调离了河南省文物考古研究所，裴先生年事已高，不可能亲赴考古工地坐镇，而作为裴先生的助手，当时已任第一研究室副主任的我，就主动请缨，承担了这次光荣的发掘任务。

其实我对有机会承担这次发掘项目是颇为高兴的，因为我在郑大读书期间，就已对裴李岗时期的文化产生了浓厚的兴趣。我在 1978 年 9 月刚刚踏入大学校门的时候，正是裴李岗文化刚刚发现之时，作为裴李岗文化的发现单位之一，学校对郑大考古专业刚刚进行了宣传和表彰，对刚入校的我们产生了积极的影响，大家都为能到参与这么重大考古发现的学校读书而倍感兴奋，至少我是这么认为的。记得有一天，刚刚主持裴李岗遗址第二次发掘，风尘仆仆回到学校的裴李岗文化的主要发现者之一、主讲我们新石器时代考古的李友谋老师，虽面带疲惫，但又不自觉流露出的兴奋与自豪感，确实令人羡慕！大学学习期间，我搜集了当时已发表的裴李岗及其同时期文化的全部资料，并有了一些初步的思考。有了这样的机会，自然窃喜不已！

1984 年 9 月，刚刚结束上蔡砖瓦厂大路李楚墓群的发掘，经过简单的准备之后，我就和我的师弟、刚刚毕业分到所里的王良启一道，带着发掘用品前往舞阳县。记得到舞阳与朱帜接洽之后，住在舞阳姜店青年农场办的"舞阳宾馆"里，说是宾馆，实际上也就是一家普通的旅店，好像每天也就5元左右，因为较新，确实比较干净。第二天，因需购置一些发掘用品，我们在县城盘桓一天，王良启与旅馆服务员聊天，讲起我们的目的地，一个服务员说他家在贾湖村有亲戚，但从未听说过那里有古迹，我们颇感无奈！王良启说那天是他的生日，晚上我们两个买了点酱牛肉和花生米，在我们住的房间为他庆贺生日，同时为我们的发掘壮行，结果我喝了一小瓶民权红葡萄酒，他喝了一小瓶香槟，我们都喝醉了！

第二天我们在朱帜的带领下，第一次来到了贾湖村，从此与贾湖结下了不解之缘！

当时为了加强工地的技术力量，我还从上蔡县请来了雷树威、王广才两位技术工人，以及一个炊事员。因为有朱帜馆长的关系，贾湖村的干部群众对我们的到来非常热情，我们的驻地选在贾湖村党支部书记贾铁牛为其参军多年的大儿子结婚准备的4间瓦房里，另外还有两间东屋小厨房，虽然不甚宽敞，但住下我们几人还是可以的。我们住东西两端。

首先我们对遗址进行了一番全面调查，把位于遗址中部护庄堤与向北舞渡的大道交叉处的县级文物保护单位标志牌作为永久性坐标基点，以护庄堤和向东大道为界，将遗址分为几个发掘区，其中的堤西路南为第一发掘区，又称西区；堤东路南的大片取土坑，因其上文化层已被破坏，有其特殊性，作为第二发掘区，又称中区；堤东路南第二发掘区以东的大片遗址范围，文化层保存完整，作为第三发掘区，又称东区；整个东西向大路以北，包括堤东和堤西，全部作为第四发掘区，又称北区。因为此次发掘仍属配合宅基地规划性质，就确定在贾湖村东、护庄堤西侧第一发掘区中部、村民计划建宅基地的一处打谷场作为发掘地点。

虽然我已熟悉了裴李岗文化已发表的发掘资料，在上大学时又先后参加过登封王城岗遗址和禹县瓦店遗址的发掘，并且刚刚发掘过几座楚墓，但如何主持一个遗址的发掘，还是无经验可谈，只能摸索前行了！为了在有限的发掘面积中尽可能地多获取一些信息，我决定顶角布4个5米×5米探方，这一做法虽然在当时能以100平方米的揭露面积了解到400平方米的遗址范围内布局情况，但也给以后的发掘工作带来了不少麻烦，这也算是交的学费吧！

探方虽然布的有点乱，但收获还是十分丰富的，在这100平方米的范围内，我们清理了19个灰坑（其中一个后来清理到底后改为房址），15座墓葬，尤其是发现有无头葬、缺肢葬、二次乱葬、一次葬与二次葬的合葬等罕见的重要迹象，使我们信心倍增，促使我们继续在这里发掘。当然也确实如安志敏先生判断的那样，这里的水位确实很高，我们发掘不到1.6米深就出水了，不仅所有灰坑和下层墓葬都未能发掘到底，下文化层也带水作业没法清理下去，加之当时严冬已到，只得暂时回填封存，待来年春天水位下降后接着清理了。

年底回去后，我们向所领导就这次发掘的主要收获和进一步发掘的计划作了专题汇报，当时安金槐先生已改任名誉所长，听取汇报的还有时任所长的郝本性和领队、第一研究室主任裴明相先生。他们对我们的工作给予充分肯定的同时，也支持我们进一步发掘的计划。

3. 第三次发掘

本来计划1985年一开春就接着到贾湖遗址发掘的，但那年春天河南全省到处修公路，配合发掘的任务很重，贾湖遗址的发掘是属于主动发掘项目，只得暂时停下来，贾湖考古队的全班人马一起开赴渑池县，配合郑潼公路扩宽工程，发掘渑池郑窑二里头文化遗址。6月份郑窑遗址发掘结束后又整理了发掘资料，并编写了郑窑遗址发掘报告后，直到9月份，贾湖遗址的第三次发掘才得以开始。

这次在那四个探方附近布5米×5米探方12个，连同上个发掘季度的共400平方米。这次发掘扩大了战果，发现清理墓葬15座，其中的缺肢一次葬、俯身一次葬、乱堆式单人和多人二次葬相当复杂，很有特色，当时即引起我的高度重视和深入思考。发现清理灰坑30多个，其中包括有几座房址和个别窑址，但因水位较高未能清理到底，保存也较差，加之我们缺乏经验，一时未能辨认出来，都统统当成灰坑编号清理了，其中有F1—3、F41—43共6座房址和一座陶窑（Y1）等，直到发掘后期才得以确认的。这次发掘因仍是秋季，水位仍然较高，不仅原来未发掘到底的四个探方不能继续清理，这12个探方也未能清理到底，只得回填以待来年了。

这次发掘还有一个小插曲，就是在9月份刚到工地还没来得及开工的时候，一连下了十几天连阴雨，我们住的房子几乎无处不漏雨，我们厨房的锅碗瓢盆几乎全用来接雨水了，雨水叮咚，好像是在开音乐会！因还未开工，几乎无事可干，恰好来前接到河南考古学会通知，11月份要在渑池县召开纪念仰韶文化发现65周年学术讨论会，感念到当时仰韶文化研究中一些概念混乱的状况，我决定利用这段空闲时间，写一篇论文到仰韶文化会议上宣读，于是就冒雨到舞阳县城找到朱帜馆长，借来了县文化馆收藏的所有可用的文物考古杂志和参考书，虽然十分有限，但凭着这些资料，在雨水叮咚之中，完成了《仰韶时代文化刍议》一文，借鉴严文明先生提出"典型龙山文化"和"龙山时代文化"的思路，首次提出了"典型仰韶文化"和"仰韶时代文化"的概念。目前"仰韶时代"这一概念已得到学术界的公认，这也算是这个雨季的意外收获吧！

4. 第四次发掘

1986年是贾湖遗址发掘时间最充裕的一年。过完春节，我们就准备好发掘物品出发了。这一次发掘有两个变化，一是随我在贾湖一同发掘两次的我的师弟王良启调到所办公室工作，所领导委派我的另一个师弟杨振威协助我发掘。振威与良启是同班同学，都是郑州大学考古专业80级的毕业生。二是所领导批准我们工地买了一辆自行车，有了这辆车，我们去北舞渡购物，去舞阳县城办事就方便多了。记得当时我和振威把自行车及发掘所需的手铲、小耙子、资料纸、编织袋和我们的行李一件一件地扛到长途汽车顶上的行李架上，长途车到舞阳县城后再用自行车拖着发掘物品到22公里处的贾湖村。

这次发掘因是春季，是贾湖村水位最低的时候，我们首先把前两个发掘季度因水位高未发掘到底的16个探方回填土挖开继续发掘到底，然后在发掘区之南、遗址的西南部跳开布了四条2米×10米的探沟，以了解这一带的文化面貌。新开面积虽然不大，但因总揭露面积达500平方米，而且没有地下水干扰，可以发掘到底，收获还是很大的。发现房址、灰坑近70个，墓葬近100座。印象最深的当属41号墓的清理、房基的确认和骨笛的发现。

41号墓位于T5西南角，T11、21、22的连接处（为避免与试掘的Y1—3混淆，第二次发掘的T1—3后改为T21—23），经鉴定为一位12—15岁的女孩墓，俯身直肢一次葬，虽然只是一个未成年的女孩，但随葬品却非常丰富，除随葬石斧、砺石、骨针、牙削各1件、骨鱼镖5件外，胸前和腰间挂满了用鸟肢骨管横截而成的成串的小骨环，像弹簧一样，因很细小，而且还有不少压在身下，在工地现场根本无法数清到底有多少件，只得费好大劲套箱整起运回郑州，从墓坑往车上抬时，几个小伙子肩膀都压出血了！计划到室内整理，但到整理时怎么也找不到压在库房哪里了，很是遗憾！

因我当时发掘经验不足，加之早期遗迹性质辨认难度较大，虽然清理出了不少灰坑，但其中有没有房址一直拿不准。所幸发掘接近尾声时，记得是5月中旬，所内的几位专家来到工地检查指导工作，当时使我有久旱逢甘雨之感，自然十分兴奋，记得到工地的有我们贾湖考古队领队、第一研究室主任裴明相老先生，有密县莪沟遗址的发掘者、当时的河南文物考古研究所副书记杨肇清先生，有淮阳平粮台龙山时代城址的发掘者、第二研究室主任曹桂岑先生等。他们都是田野考古经验非常丰富的考古学家，尤其是杨肇清先生，有主持发掘与贾湖同时代的密县莪沟遗址的丰富经验，他到现场帮我确认了H28、H37、H82都应该是当时的残房基，H28和H48实际上是一个房基的两层居住面等，帮我解决了大问题，对我后来的发掘中正确判断遗迹现象有一定的指导作用。

如果说前两个例子只是发掘技术层面的收获的话，骨笛的发现对后来的影响可能更具有轰动性。当然，其发现和认识过程对我们也有一定的启示意义。

记得4月下旬，我回郑州汇报工作并到河南医学院联系专家到工地鉴定人骨架，正是五一劳动节那天回到工地，当时在工地主持发掘的杨振威和技工贾分良告诉我，78号墓出了两支"笛儿"，我立刻到M78处观察，发现确有两支穿孔骨管放置在墓主人左股骨两侧，我拿起仔细观看，发现一支的一端稍残，另一支保存完整，都在骨管的一侧钻有7个孔，但不见吹孔，更没有笛膜孔，显然不同于现代的横笛；若说是箫，又不见吹奏用的山口。当时我对他们说，先不急于命名，将来发掘结束后，请专家鉴定后再定名，发掘日记上暂可记录为"穿孔骨管"或"笛形器"。后来在121号墓又发现一支，就更引起我的重视。实际上在73号墓已经发现了一支，只是太残，仅存尾端，没引起注意。

发掘结束之后，我把M78和M121出土的这三件标本带回郑州，找到裴李岗文化的发现者、与我同办公室的赵世纲先生鉴定。赵先生因研究淅川下寺楚墓出土青铜编钟，与音乐界的学者有工作往来。恰好这年8月，中国音乐史界的吕骥、黄翔鹏、李纯一等一帮大腕在郑州召开纪念朱载堉诞辰400周年的纪念会，赵先生和另一位专家、第三研究室主任李京华先生应邀参加，一天晚上，我携带着这三件标本来到音乐家们的下榻之地郑州国际饭店，打算请与会的著名音乐史家们给鉴定一下。他们住在不同的楼层，我们首先从一楼开始，但住一楼这位专家看了我们带来的标本后，认为这些标本音孔较小，吹出的音应该很尖，不成音列，可能只能用来在打猎时模仿动物的声音，作为哨子使用，而不是乐器！这位专家的意见，犹如给我当头浇了一盆冷水，也不敢再拿到其他楼层找其他专家鉴定了，于是悻悻而归！当然这位专家后来在贾湖骨笛测音结果公布之后，也改变了当初的看法，给予了充分肯定，但当时如果首先找到其他专家鉴定的话，贾湖骨笛可能会在1986年就闻名于世了！当然这是后话。

这次发掘还有一项重要的工作，就是人骨鉴定。因为贾湖遗址已经发掘了100多座墓葬，骨架虽然保存较好，但一经起取必然散落，于是决定原地封存，待积累到一定数量时请专家到现场鉴定。5月上旬，河南医学院几位专家在杜百廉院长的率领下来到贾湖发掘工地，对贾湖遗址发掘出土的几十具人骨进行现场鉴定，同行的还有河南医学院解剖教研室主任范章宪教授、李世校教授、人体馆主任王友林教授以及郭漳生老师等。鉴定的主要项目有性别、年龄、身高、疾病等。这次鉴定除了骨质增生等退行性疾病这些常见疾病外，还有三个有意思的发现。

一是杜百廉院长发现，贾湖人的寰椎和枢椎关节面与现代人相比有明显区别，显示其头部活动范围较现代人小，这种人体结构的小变异，从人体进化的角度反映了贾湖人的原始性。

二是范章宪教授发现贾湖人有几例龋齿病例。龋齿病是食用淀粉人群的常发病，虽然病例不多，但也可证明淀粉类食物已成为贾湖人的经常性食物来源，这对研究贾湖人的食物结构提供了重要证据。

三是关于性别鉴定，按说对于这几位人体解剖专家而言，判断人骨的性别应该不是问题，但是贾湖这批人骨却给他们出了个不大不小的难题，因为有不少人骨架有些特征支持男性，有些特征却支持女性，在不可能运用诸如DNA等可靠手段的情况下，在现场就给一个结论性的判断确有难度，于是几位专家时不时就某一个骨架进行现场讨论，记得最清楚的是M132这座合葬墓的一次葬墓主人，大家讨论时间最长，最后根据主要特征才判断为女性。

除了以上收获外，在遗址西南部开的两个探沟也有较为重要的发现，其中偏中间部位的T19内发现了很有规律性的七行三排较讲究的柱子洞，但却无明显的居住面，怀疑是一处类似河姆渡遗址的干栏式建筑的遗迹。在整理其旁边的一个灰坑出土遗物时，发现一件制作骨笛的半成品，从一个侧面证明这处建筑遗迹的重要性。

遗址西南角开的T20，则非常简单，正好横跨在一条壕沟的东半部。遗迹虽然简单，但是否显示这里有一条南北向的壕沟？这为我们了解聚落布局提供了重要线索。

5. 第五次发掘

春天的发掘结束之后，秋天是否继续发掘，又成为讨论的议题。当时好像上级有一个总的精神，主动发掘项目要缩减，加之当时所内部分领导认为，贾湖遗址的发掘资料已经够写一篇发掘报告了，主张不再继续发掘。而我坚持认为，贾湖遗址的发掘虽然已有很大收获，但其重要价值远远没有揭露出来，好多问题刚刚有一些线索，只是初露端倪，如此浅尝辄止，不仅遗憾，而且也是不负责任的！况且当时的专项经费还很充裕，虽然只有5万元钱，现在还不够一个发掘季度用，但在每天民工费只有1.2元的当时来说，这点钱还是蛮经花的。记得我挖了三个发掘季度，花了不到1万元。

于是我就将我的想法向安金槐先生和当时的所长郝本性先生分别作了专题汇报，他们都很重视，郝本性所长专门召集有关人员开了一个工作会议，听取了我的专题介绍，记得参加会议的有裴明相、李京华、赵世纲及另一副所长许天申，有没有杨肇清和曹桂岑我记不清了。会上就我继续发掘的申请进行了认真讨论，最后形成一致意见，支持我再发掘两个季度，把我提出的特殊埋葬习俗问题、聚落布局问题、文化面貌及与裴李岗文化的关系等问题得出一个倾向性答案。但是因杨振威被抽掉出去参加什么讲师团，所里排不出助手给我，我只有孤军奋战了！好在经过五个发掘季度（包括上蔡砖瓦厂楚墓和渑池郑窑遗址的两个发掘季度）的实践，我培养出了一支实践经验较为丰富的技工队伍，他们有上蔡的雷树威、王广才，但最多的还是在贾湖发掘中培养出来的，他们有贾长有、郎福海、商中克、贾分良,以及现在继承父业担任了舞阳县博物馆馆长的朱振甫等。正因为他们,我心里总算还有一些底气。

秋天的发掘,9月份就开始了。为了落实工作会议精神,了解贾湖聚落的布局情况,这次的布方地点选在了遗址的西北部,也是老乡计划规划宅基地的位置,我们当时称为"蒜地"的地方。因为这里是菜园,还有几眼现代井,井壁上可见文化层和人骨,推测这里也有墓地,为了避免清理墓葬时老打隔梁,况且经过三个季度,已基本掌握了贾湖遗址的地层特征和规律,我就改5米×5米为10米×10米的探方,在这里我布了3排15个10米×10米的大探方,编号为T101—115,西侧接近村中的南北大道,东侧紧邻护庄堤。为了出土方便,首先跳着开了T101、103、105、108、113共5个大方。由于工地全部事务均由我一人负责,所以这个发掘季度是我最累的一次。但由于已有较清晰的发掘思路,并积累了较丰富的发掘经验,收获确实不小。

在三个月的发掘工作中,共计清理了房基12座,灰坑73个,陶窑1座,墓葬102座,以及狗坑、灶坑等数百个遗迹单位。其中有两种现象花费了我不少精力:

一是在T101发现好几个墓的墓地不在一个平面上,不是上身下陷就是下身下陷,要么就是腰部下陷,后来把这层墓葬清理结束之后,发现下层还有一层灰坑,坑内堆积大量草木灰,想必这批墓葬下葬之时,这些灰坑已经废弃了,墓葬叠压在废弃的灰坑之上,但长时间的埋藏致使灰坑内外的沉降速率不一致,才出现了上述现象。明白了这一现象产生的原因,一直困惑我的前三次发掘中遇到的类似现象,也就豁然开朗了。

二是在T114发现的F5,原编为H112,经过几次扩大,才摸到规律,原来是一座两次扩建的双间房,承重柱、护卫柱、门道、灶坑、隔墙、壁龛一应俱全,这是我亲自发现并确认的第一座保存较好的房址,心中自然很是高兴。

其间我们又发现几座随葬骨笛的墓,大多为一墓两支。特别是M253,不仅发现随葬两支骨笛,而且其中一支还是八孔笛,而且还是贾湖遗址唯一的一支八孔笛,为贾湖聚落音乐队增加了新的乐器,上面还刻了一个符号。这为我们研究贾湖骨笛提供了新的珍贵资料。

值得一提的还有,1984—1986年连续三年秋季发掘,结束时都在12月上旬,都在一次强烈寒流到来前夕,有一次收队回郑时寒流已经来到,我们在冰天雪地中坐在长途公共汽车上,看着公路两旁路沟中不时有东倒西歪倾覆的各种汽车,至今仍然觉得有点后怕!

6. 第六次发掘

第六次发掘是贾湖遗址发掘规模最大的一次,因为有郑州大学考古专业的师生的加盟。1986年冬,工地结束回到郑州不久,我到母校郑州大学考古专业找当时的负责人贾洲杰老师和匡瑜老师汇报发掘情况,他们讲起正要安排下学期的1984级学生田野考古实习,征求我的意见,是否可以到贾湖遗址去实习,我一听觉得这是大好事,当然毫不犹豫地就答应了,回所后给郝本性所长进行了汇报,郝所长也代表所领导表示支持,随后贾、匡两位老师还专程到所里与所领导商定了工作细节,并签订了一份协议,这事就算定下来了。所领导为了加强贾湖考古队的力量,又委派一位年轻同事协助我的工作。他叫王胜利,虽然没有学历,以前也没参加过考古发掘,但对工作认真负责,任劳任怨,把考勤、民工管理、后勤等工地的一切杂事都担了起来，使我可以把大部分精力都投入到探方中去，为第六次发掘的成功发挥了很大作用。

因为要增加郑大师生将近 20 人，需要联系食宿居所，1987 年春节过罢，我们就开始紧锣密鼓地准备，3 月初，我儿子刚刚出生没过半月，我就和王胜利带着发掘物品回到贾湖工地，再回到家见到他时，他已过百天啦！看着活蹦乱跳的小家伙，想起离开时的"蜡烛包"，高兴之余，不禁一阵惭愧涌上心头！

郑大来工地的是 1984 级的 15 个同学，带队的老师有三位，由我的恩师贾洲杰老师负责，贾老师当时担任郑大历史系副主任，曾经主持过元上都等好几个大型考古发掘项目，田野考古经验非常丰富，我们的毕业实习主要是他辅导的；还有两位，一位是我的大学同班同学宋豫秦老师，刚从北京大学深造获硕士学位回到郑大，另一位是刚从北京大学考古专业毕业的张国硕老师，有这几位高水平的老师，并带领 15 个新生力量，工地终于有同行可以随时讨论了，使我干劲倍增，终日处于兴奋状态，工作效率自然也提高了。

由于队伍的壮大，终于使我有精力对中区和东区进行有限的揭露，以了解遗址的全貌。首先，西北区已经揭开的部分继续发掘，特别是墓葬非常密集的 T101，其东侧的 T102 肯定要全面揭开，T103 和 T105 之间的 T104、T103 与 T113 之间的 T108，T113 东的 T114 也都全部揭开，这样整个西北区就连成了一片，就可了解这一片的全貌。这些工作主要由已经过数年发掘经验比较丰富的技工承担。而东区主要由郑州大学考古实习的师生承担。当时这里地表种的是小麦，经过钻探，我把布方点选在两家的农田里，南北向开了 15 个 5 米×5 米的探方，编号为 T61—75，学生戏称为"一字长蛇阵"！

学生的第一批探方发掘到底后，有 10 个学生转到了西南区又开了第二批探方，编号为 T27—36。由于中区上文化层均被修护庄堤时破坏，不太适合学生实习，这里派了三个学生，开了一条 2 米×10 米的探沟和两个 5 米×5 米的探方，编号为 T37—39；因这里离西北区工地很近，就由我直接负责指导。而另两位同学一个在东区扫尾，继续清理 H35 大房子，一个到西北区南侧挖了一条探沟。

在发掘 T101、T102 时，发现这里是一片氏族公共墓地，其东侧已经到边，南侧有已布的 T106，但北侧和西侧原来没有布方，就在好像还没到边的 T101 北侧扩方 3 米宽，编号为 T101 北扩；在西侧又布 T116—118 三个 10 米×10 米的探方，先在 T116 中部东西向开 5 米×10 米，发现位于 T101 的墓地在 T116 东段已到边，因时间已到 5 月份，接近本发掘季度后期，因时间关系就没再扩大发掘面积。但在发掘的同时，村民在 T117 西侧取土时，发现大片红烧土，怀疑下面可能有房基或陶窑一类的遗迹，就布了两条 3 米×7 米的探沟，编号为 T119、T120，派两个技工去清理，果然发现了一座平地起建并用烘烤技术处理居住面的房基，这也是此类建筑技术的最早形态。还有为了搞清遗址西南角壕沟堆积，就派一名同学去挖了一条探沟，编号为 T26。

1987 年春可以说是贾湖遗址考古发掘的丰收之年！主要体现在以下几个方面：

一是基本摸清了各类遗迹的埋藏规律。譬如房基，在上两个季度基本搞清了单间房和双间房的基础上，我们又发现了几座依次扩建的 3 间一套的房基和 4 间一套的房基，特别是 4 间一套的 F17，刚发现开口时分别编了 H181、H187、H219 三个灰坑号，但发掘期间发现它们是遗迹相连通的一个整体，还发现了分布在他们周围的柱子洞和柱础，其中几个非常讲究，例如 D14，洞底垫以青膏泥和纯净黄土并经夯打；D11 不仅一半用净泥垛成，底部还奠基一完整龟甲。房基半地穴周壁涂净泥，底部一侧还铺设有专供休息用的黄土台，可见该房建得相当讲究，是贾湖一期最高档次的建筑。另外，F14 也值得一提，这虽然只是一座单间房，但中间灶坑周围的灰土层中，我们后来浮选出了大量的碳化稻米，为研究贾湖稻作状况提供了重要资料。

这次发掘中，陶窑的发现与确认可以说是一个新的收获。保存较好的陶窑首先在东区的 T62 发现，在贾洲杰老师的指导下得以确认。这座编号为 Y8 的陶窑保存有较为完整的火塘、火门、窑室、烟道和出烟口，以及还有保存近 0.2 米高的红烧土窑壁，烟道内还有非常细腻的厚厚的烟灰。随着 Y8 的确认，它北侧的同位于 T62 的 Y7 和 Y9 也得到确认，只是形式有所不同，Y8 是中间火道式火塘，Y9 则是中间火台、周围火道式火塘，Y7 则是较为简单的坑穴式。这表明当时的陶窑还没有固定形式，比较随意，尚在探索与发展之中。

Y7—9 的发现令人兴奋，中区的 T38、39 发现的 Y5 和 Y6 间发现的陶窑作坊区，特别是 H288 淘洗池的发现同样令人高兴！H288 内尚存有半坑非常纯净、显然经过人工有意淘洗的细泥，在 Y5、Y6 和 H288 之间约 30 多平方米的范围之内，分布着许多较小且规律性不明显的柱子洞，我推测应属于凉陶坯的简陋设施的遗迹。在几十平方米的范围之内分布着几座陶窑，并有固定的作坊遗迹，表明当时贾湖聚落内已经出现较为集中的制陶作坊区。

瓮棺葬的发现也有一个认识过程。在前几个发掘季度，西区和西北区也偶然发现有陶器竖置于地层中的现象，但没引起重视。这次在东区的发掘中，发现有成片的这种现象，这就引起了我们的关注，把陶器整起后，对陶器内的填土进行淘洗，除发现有大量碎骨粉外，还发现了一枚婴儿的似未萌出的门齿，于是据此可以判定，这类竖置的陶器，应为婴儿的瓮棺葬。而在骨架现场鉴定时发现，几岁的小儿都像成人一样埋在墓地中，看来装于瓮棺之中的应是刚出生不久就夭折的新生儿。

狗坑的发现也很有意思！前几个发掘季度已在房基旁、墓葬区内发现有几座埋狗坑，但没注意到它的规律性。这次发现，狗坑基本上是在墓地的边沿地带，或房基旁，于是我觉得，这一规律性可能有一定文化意蕴，狗是人类最早的动物朋友，活着时帮人打猎，为主人看家护院，死了以后仍然让其履行这一使命，也是合乎逻辑的。这也是我国发现的时代最早的犬牲现象。

墓葬区的发掘，又有不少新的发现。例如，我们又发现了几座随葬成组龟壳的墓，一般八个一组，有一次葬的墓，也有二次葬的墓。有的随葬成组龟甲的墓还同时随葬骨笛和叉形骨器。例如 M344，是一座仰身直肢一次葬的墓，但却不见头骨，在头骨的部位放置一组八个龟甲，龟甲堆上还放有一件叉形骨器和一件砺石，右肩上方两件陶壶左肩外侧放两件七孔骨笛和一件骨饰，两小腿和脚部则放置六件骨鱼镖、六件骨箭头、两件牙削和四件牙饰，可谓相当丰富。尤其值得强调的是，其中一件龟甲上还刻了一个眼睛形符号，引起了人们高度重视。

提起贾湖符号的发现，值得多讲几句。在贾湖遗址发掘期间，经常发现有龟甲片出土，我当时就想，要是上面有甲骨文就好了！贾洲杰老师到工地之后，还经常用他的老花镜反过来当放大镜，观看当天出土的龟甲片上有没有刻划的痕迹。也许天不负我，终于有一天，愿望成真了！

记得是 5 月的一天下午，在郑大女同学陈朝云负责的 T33 编号为 M330 的一座墓葬内，发现了一件很像剑柄的石器，这是一座堆放式二次葬的墓葬，四肢骨、盆骨、锁骨和部分肋骨、指骨等整齐地堆成一堆纵向堆放在墓葬正中，头骨面向上置于长骨近端，显得恭敬而虔诚，柄形石饰就放置在长骨堆上，在其顶端的弧面上，清楚地刻有一行符号，当时在工地辅导学生的宋豫秦老师兴奋地找到我，我仔细观察了这座墓葬和出土的这件器物，虽然我不知道上面这些符号的音和义，但它们肯定是当时的主人有意所为，代表了主人的一定意愿，我当然十分高兴，工地一片欢腾！我决定买酒买肉加餐，当晚庆贺这一重要发现！

第二天上午我在起取 M344 随葬龟甲时，发现有一片龟腹甲上好像有刻划痕迹，因上面有泥土覆盖，看不清楚，我就随手拿了一个清理人骨架用的毛刷，拿着这件龟腹甲片，到西侧 T101 内已出水的 H172 内，把上面粘附的泥土清洗干净，一个"目"形符号清晰地呈现在我的面前！后来在 H335 出土的龟腹甲片上又发现一个"曰"符号，在其他墓中出土的龟甲片上、在骨笛上、骨叉形器上、其他石器和陶器上也陆续发现一些符号，共有十几个，我们就把这一发现向所领导进行了汇报。

所领导得知这一发现后相当重视，当即就让我们的领队、第一研究室主任裴明相先生来到工地检查指导，并确认这一发现，陪同来工地的还有贾湖遗址试掘的参加者陈嘉祥先生等。当时，又发现好几个墓随葬骨笛，其中最重要的是 M282 和 M341，各随葬两支骨笛，裴先生来到工地那天，正好清理 M282，M282：20 号骨笛刚好出土，这支笛子放在墓主人的左大腿内侧，保存非常完整，油光发亮，裴先生见了很是兴奋，当即拿了起来，不顾里面的泥土还未掏出，就用吹箫的方式，把骨笛一端对着嘴，比划画吹了起来！当然因里面泥土未掏，是吹不出音的。

裴先生回所后，向所领导进行了汇报，所领导又向国家文物局和省文物局领导进行了汇报，国家局和省局领导也很重视，由时任国家文物局副局长兼考古专家组组长的黄景略先生带领的检查组，在安金槐先生等的陪同下，到舞阳视察，但遗憾的是，不巧那几天连降大雨，工地到公路还有将近两公里泥巴路，而且去县城途经的几条河也正在涨水，为安全起见，他们一行就没有亲自下到工地，就由我把出土的主要标本带到舞阳县城，黄头观看了标本并听取了我的专题汇报之后，对我们的工作和这一发现给予了充分肯定，得到文物界最高领导机构的肯定与好评，也使我们欣喜不已！

直到 6 月初，才结束了这次发掘，进入了全面整理阶段。

7. 第七次发掘

第七次发掘是在《舞阳贾湖》一书出版两年后，我调到中国科学技术大学科技史与科技考古系任教后进行的。我在对舞阳贾湖遗址及其发掘资料进行发掘与研究过程中，深切地感受到现代科学技术在考古学研究中运用的必要性、重要性和迫切性，适逢科大的科技史与科技考古系刚成立不久，需要传统考古方面的师资，在王昌燧老师的引荐和校长朱清时院士的决策下，我就于 2000 年 6 月调到了科大。来之后朱校长和王老师就让我筹备开设田野考古课，并组织田野考古实习，以培养懂得传统考古的科技考古人才。我想，我的第一次带实习，一定要成功，不能失败！而成功的标志，就是不能挖空，发掘对象要有较高的学术价值，当然我就要找到一个最为熟悉的遗址来作为我田野考古教学生涯的开篇之作，而贾湖遗址当然是最为理想的。于是 2000 年下半年就与河南省文物考古研究所联系这次发掘事宜。同时向学校领导申请发掘经费。2001 年 3 月，当得知这次发掘已获国家文物局批准，学校研究生院批准了专项发掘经费后，我就带着陈鹏、杨益民、姚政权和夏季四个研究生出发了。他们是这次发掘的主力。学校参加这次发掘的还有秦颖副教授和邱平、单杰两个博士生，其间，朱健、栾天两位研究生也曾到工地实习。河南省文物考古研究所派潘伟斌先生来配合发掘工作。舞阳县博物馆也派朱振甫先生参加发掘。我还请了贾长有、商中克两位当年在贾湖遗址培养出来的技工，以加强发掘力量。

这次发掘的第一批探方，分散在两个地方，即 T106 和 T107 的北半部 T110 和 T115 的西半部，因是学生实习，不能开 10 米×10 米大探方，均开成 5 米×5 米的探方。开 T106 和 T107 的北半部，主要目的是将 T101、T102 的墓葬区南部边缘找出，开 T110 和 T115 的西半部的主要目的是扩大其东侧的早期墓地，争取找到其规律性。从发掘结果看，第一个目的达到了，因为 T106A、T106B、T107A、T107B 的北半部还有墓葬，南半部已没有墓葬，这样我们就把这个墓葬区全部揭露出来了，为进一步研究这个墓地提供了一批完整的资料。而第二个目的尚未完全达到，因为在 T110A、T110C、T115A、T115C 这几个探方中，墓葬仍然呈零星分布状态。因这几个探方已紧靠护庄堤，不能再向东开了，为了解决这个问题，第一批方发掘结束之后，跳开护庄堤，在其东侧布东西向两个 5 米×5 米的探方分别编号为 T43、T44。结果在紧靠护庄堤的 T43 内未见到墓葬，这表明 T110、T115 内的墓葬区已经在护庄堤下到边了。从分期结果看，这个墓地最晚到第二期早段，也就是说，这种零星分布的状态就是早期墓葬的特点。这样，这个目的也算达到了。

意外的收获是在 T44 及其东扩和南扩，发现了一片新的墓地，从分期上看一到三期都有，有数十座之多，而其中心区则在东扩范围内，东扩位于原护庄堤东的取土沟内，上文化层已被破坏，但下文化层尚在，被破坏的墓葬密密麻麻，其中有一座墓葬为一个一次葬和至少二十五人的二次葬的合葬墓，因为其东部被取土沟破坏，原来有多少人已无法得知，但就是这样也是这个时代合葬人数最多的墓葬了！

这个墓地还有两个墓葬也很特别，都是在身上佩戴好几串用鸟肢骨横锯成的厚度仅约一毫米的小骨圈，与第三次发掘时发现的 M41 的小骨圈一样，但数量更多，而且在其耳朵部位还有绿松石耳坠，一个墓的眼眶内还放置有绿松石瞑目，这应该是目前发现的同类葬俗的最早实例了。鉴于这两个墓葬的特有价值，我们把它整起运回河南省文物考古研究所，放在展厅中展示。

这次发掘还有一个重要发现，就是在西南区原 T33、T34、T35 的东侧布的 T40—42，发现了好几个墓随葬石铲或石铲与石镰组合出现的现象，结合原来这里的同类现象，我们发现这一墓地随葬农业生产工具的墓葬明显多于其他几个墓地，而距离此墓地几十米的西区墓地、100 多米外的西北区和中区墓地均很少见农具随葬，皆以渔猎工具为主。这一现象引起我的极大兴趣：难道同聚落的不同人类群体之间，其生业形式也会有很大的区别？

这次发掘的很大一个特点，就是我们一开始就计划对发掘清理出的文化层和遗迹单位中的填土进行全浮选，为此，我们专门请来了我国首席植物考古学家、中国社会科学院考古研究所科技中心副主任赵志军研究员来工地指导工作，共同拟定浮选工作实施方案和技术路线。通过现场浮选，取得了原来传统方法无法得到的大量动植物遗骸，为进一步深入研究奠定了科学基础，也使贾湖遗址的研究工作可以登上一个新的台阶，进入一个新的阶段。到现在，十一年过去了，这些发掘资料仍在消化之中。

发掘过程中，我们还邀请中国社会科学院考古研究所青年人类学家王明辉先生到工地，对出土的人骨标本进行现场鉴定研究，请著名农史专家、中国农业大学的王象坤教授和著名植物学家、中国科学院植物研究所孔昭宸研究员到工地考察指导，河南省文物考古研究所的孙新民所长和蔡全法研究员、方燕明研究员也专程到工地检查指导工作。

直到6月初，这次发掘圆满结束了，3个月共发现房基、灰坑、陶窑、兽坑等遗迹100多个，墓葬近百座，各种遗物数百件，及大量动植物标本，我们带着多年来贾湖研究中思考的问题，以多学科综合研究的思路指导发掘工作，更重要的是，对科技考古的研究生进行了田野考古的训练，其教学成果的影响是相当深刻的。

发掘结束之后，我们经与省文物考古研究所和河南省文物局领导协商，将发掘出土的一百多件完整器物带到学校作了一个考古实习汇报展览，河南文物考古研究所的秦文生副所长和参加发掘的潘伟斌先生、舞阳县文物局薛局长、县博物馆于馆长应邀出席，科大校长朱清时院士出席展览开幕式并讲话，我们还邀请到安徽省著名管乐器演奏家刘建国先生到会做现场表演，吹奏与贾湖骨笛吹奏方式相同的筹（或称龠）来助兴，这是科大校园的首次文物考古成果展览，许多师生参观了展出，展览取得了圆满成功，为第七次发掘画上了一个圆满的句号。

三、研究篇

贾湖遗址的研究工作也可以根据研究思路的调整分为三个阶段。第六次发掘结束到1990年为第一阶段，1991年到2000年为第二阶段，2001年至今为第三阶段。

在第一阶段，我的研究思路基本上沿袭传统考古研究的套路，基本上是我在学校学习的方法，只是我在发掘时有意采集了许多当时也不知可作什么研究的标本，为以后的深入研究准备了珍贵的资料。这个阶段除了整理出一篇发掘简报，并写了一篇《论贾湖类型》的文章在《文物》杂志发表外，研究工作主要是集中在骨笛和刻划符号的研究上。

第六次发掘结束之后，由于又出土了几支骨笛，总数达到20多支，而且我们也觉得应该是一种远古的乐器，尽管被那位专家否定，我们还是觉得应该找其他专家再鉴定一下，以解心中的疑惑。同时，新发现的契刻符号也需要请教专家判断它的价值，于是就向所领导汇报了这一设想，经所领导研究，就由当时的所长郝本性研究员带队，裴明相先生和我带着刚出土的保存最为完好的M282：20号七孔骨笛，和三片契刻符号较成型的龟甲片及那件柄形石饰去北京，开始了请教之旅。同行的还有郑州大学的宋豫秦老师。

到北京之后，我们首先找人鉴定骨笛。由于中国艺术研究院音乐研究所的黄翔鹏先生和吴钊先生帮助河南考古所做过出土青铜编钟的测音，郝所长和裴先生决定先请教这两位，但不巧的是这两位专家当时都不在北京，这时我想起了1983年在北京中国历史博物馆举办河南考古新发现展览时认识的该所民族民间音乐研究室主任萧兴华先生，决定首先与他联系。联系上之后方知萧先生住在北京前海西街，离北京市考古研究所很近，我们就约好在那里见面。肖先生一见到贾湖骨笛并听了我们的简单介绍后就大吃一惊，几乎肯定就是远古时期的一种乐器，但不知能否吹出音列，于是就当即决定与中国民族乐团团长刘文金先生联系，请他找人帮助试吹。刘团长当时正在组织排练节目，接到萧先生的电话后也非常重视，当即让我们一行到排练处找他。我记得当时到那里后稍微等了一会儿，排练休息间隙，刘团长就带领一帮管乐演奏家观看了我们带去的骨笛，他们研究了笛子的吹奏方式，觉得应该和河南民间的乐器筹的吹奏方式一致，应是端口45度斜吹，就由几位专门吹笛子的艺术家试吹，最后由宁保生先生首先吹出了音列，而且音相当准，当时我们都很兴奋，因为我们的推测被证实了，这是我国发现的最早的乐器！交谈中得知，萧先生当时正担任音乐研究所的所长助理，萧先生当即表示马上向黄翔鹏先生汇报，争取专门到河南组织一次测音，我们当然表示同意。

　　鉴定完笛子，我们就找专家鉴定契刻符号。记得首先找的是张政烺先生，当时张先生和他的老伴身体都很好，就在他堆满了书籍的书房里接待了我们一行，听了我们的简单介绍，张先生和他的老伴仔细观看了这几片刻符龟甲之后，认为这应是当时的人们有意刻划无疑，并与郝本性先生就符号的含义进行了讨论。之后我们又去请教了胡厚宣先生，胡先生的认识更是积极，甚至对每个符号都试图进行隶定。得到张政烺先生和胡厚宣先生的肯定，我的心中当然也十分高兴。之后我们又先后拜访了苏秉琦先生、李学勤先生、邹衡先生、高明先生、裘锡圭先生、李仰松先生、李伯谦先生等，时任故宫博物院院长的张忠培先生还让我们到故宫作了一次专题汇报，他们对我们的这次发现都给予了充分肯定。但就符号的性质问题，在肯定都是当时人工有意刻划的基础上，专家们的意见大致可以分为三种：一种以胡厚宣先生为代表，认为它就是当时的文字；一种以李学勤先生为代表，应是具有一定原始文字性质的刻划符号；一种以裘锡圭先生为代表，认为它就是当时人们的一种记号。专家们对我们如何进一步研究提出了很多宝贵的指导意见，可以说我们是满载而归。

　　当年11月份，以黄翔鹏先生、萧兴华先生、武汉音乐学院院长童忠良教授和徐桃英、顾国宝两位工程师组成的测音小组，携带当时最先进的测音仪器来到河南文物考古研究所，主要对M282出土的两支骨笛进行了一个星期的反复测音，萧兴华先生和徐桃英工程师还用M282:20号骨笛吹奏了河北民歌"小白菜"。经过几天的初步研究，专家们得出了这样的结论：贾湖骨笛"具备音阶结构，可以吹奏旋律，是当时的一种乐器。这一发现可以改写中国乃至世界音乐史"。我们都被这一鉴定结论所振奋，童忠良先生后来撰文称，贾湖骨笛的发现"像一只狂飙，震撼了音乐史界"！

　　这一鉴定结论出来后，由于许多家新闻媒体都要求报道这一重要发现，我们就计划起草一篇通稿，请河南省文物局出面采取新闻发布会的形式公布这一发现，以反映这一发现结果的权威性。得到所、局领导批准后，我就着手写这篇稿子，经过所内许多专家和领导的认真修改，安金槐先生、郝本性所长、特别是贾峨先生一丝不苟的态度和严谨的学风，都给我留下了深刻的印象。经过字斟句酌，先后九易其稿，终于定稿后，于1987年12月6日由河南省文物局在郑州举办了贾湖遗址的新闻发布会。这是"文革"之后河南文物考古界举办的第一个考古发现新闻发布会，之后逐渐变成了一种定制和常态。

贾湖研究的第二个阶段是我1990年冬天到临潼参加了全国第一届环境考古学术研讨会后开始的。说来也是机缘巧合，周昆叔先生筹备全国第一届环境考古学术研讨会，由于河南文物考古研究所在学术界的地位，来信邀请河南考古所一定派人参加，我当时对现代自然科学技术在考古学中的运用一直心向往之，但苦于没有头绪，不知从何下手，得知这个机会后，就主动要求参加，并写了一篇名为《环境与裴李岗文化》的习作在会议上交流。在会上结识了周昆叔、孔昭宸等一批热心考古学研究的自然科学家，还有陈铁梅、原思训等一批著名科技考古专家，了解了许多非常有价值的信息，拓宽了思路，开拓了视野，使我的研究思路进入到一个新的阶段。

1991年春，湖南考古所的裴安平先生到河南考古所参观，当时他主持发掘的彭头山遗址发现古稻的文章刚刚发表，对我有很大启发，我也曾苦于贾湖遗址未见到直接的农作物遗存，就向他请教，在他的启发下，我们很快就先在贾湖遗址发掘中收集到的红烧土中发现了稻壳印痕，之后又找到了一些，就找到孔昭宸先生请他帮助鉴定，另外请黄万坡先生帮助鉴定人骨和动物骨骼，请周昆叔先生帮助研究孢粉和古环境，请王昌燧先生帮助研究陶片，请李容全先生帮助研究石料，请陈铁梅先生帮助研究碳十四年代等，先后邀请涉及十几个学科的三十多位专家参加研究，特别是1992年到1993年参加渑池班村遗址的发掘期间，逐渐形成了后来完整的研究框架与整体思路，在国家文物局科研项目、国家社会科学基金项目和国家自然科学基金的支持下，终于在1999年初由科学出版社出版了近180万字的《舞阳贾湖》一书，奠定了贾湖遗址在我国新石器时代研究中的地位。著名考古学家、中国历史博物馆时任馆长俞伟超先生为该书作序，对该书和贾湖遗址的发现给予很高的评价，认为"贾湖遗址的发掘，可称是80年代以来我国新石器考古中最重要的工作"。著名考古学家石兴邦先生、魏京武先生等为贾湖报告写了高度评价的书评。1999年春，时任河南考古所书记兼所长的杨肇清先生亲自在北京中国历史博物馆为该书的出版举办了首发式，俞伟超先生亲自主持，著名考古学家张忠培先生、张森水先生、陈铁梅先生等20多位考古界师友出席首发式，并发表了热情洋溢的讲话，对该书的出版给予充分肯定。在中国文物报组织的"20世纪最佳文博图书"评选活动中，该书被评为"20世纪最佳考古报告"。并在随后先后被河南省政府评为"优秀社会科学成果"二等奖，被中国社会科学院评为"夏鼐考古学基金优秀考古成果"三等奖。

1999年英国《Nature》杂志发表贾湖骨笛的发现之后，贾湖的发现在国际学术界也有了较大影响。2001年，贾湖遗址被国务院公布为全国重点文物保护单位，贾湖的发现被全国权威考古机构和顶级专家评为中国20世纪100项考古大发现之一，贾湖的发现还被中华世纪坛镌刻于青铜甬道上。这些社会效益为这一阶段的研究工作划上了一个圆满的句号。至于贾湖报告整体思路的形成过程，限于篇幅，将另文发表。

2001年第七次发掘后，贾湖研究工作进入了第三阶段。在这一阶段，由于身在科大的有利条件，除继续延伸原有的动物考古、植物考古、农业考古、环境考古等研究领域外，还开展了食性研究、锶同位素研究、寄生虫研究等新领域，即使原有领域，研究方法也有更新，都取得了新的进展和重要成果，至今仍然在继续进行之中，这里就不一一列举了。

回顾在河南考古所 18 年的风风雨雨，我觉得无愧于这 18 年的青春，可以说我把人生中年富力强的最宝贵一段献给了河南的考古事业！总之是值得怀念的！当然，如果说曾经取得了一些成绩的话，那也是安金槐、裴明相等老一辈先生们教导的结果。因之，在我们纪念河南省文物考古研究所 60 华诞的时刻，深深地怀念他们！

1987年春作者在贾湖遗址发掘现场

2001年春作者在贾湖遗址发掘工地浮选

2001年春作者在贾湖遗址发掘工地给研究生讲剖面

2001年春作者在贾湖遗址发掘工地清理骨架

2001年春作者在贾湖遗址发掘工地观察出土遗物

2001年春作者（右）、王明辉（左）在贾湖遗址发掘工地鉴定人骨

2001年春作者（左一）在贾湖遗址发掘工地观察出土遗物

2001年春作者（左一）在贾湖遗址发掘工地和研究生一起清理出土石器

2001年春作者（左一）在贾湖遗址发掘工地与王象坤、孔昭宸研究出土遗物

2001年7月作者（左一）陪同朱清时院士、王昌燧、胡化凯教授观看贾湖出土标本

2007年10月作者（左）在德国酒文化国际研讨会上作报告

2008年3月作者（右一）在加拿大温哥华参加北美考古学年会

难忘的记忆

——从事考古工作四十年有感

赵会军

2011年12月18日上午，接杨育彬先生电话通知，明年是河南省文物考古研究所成立六十周年，让我写一篇从事考古工作以来的回忆录。放下电话，我的脑海里思绪万千，不知道该从哪里入手。从1972年开始进入原河南省博物馆文物工作队工作至今，已将近40年了。这40年，在历史的长河中虽然很短暂，但对一个人来讲，却是漫长的大半生。回首往事，经历的太多太多：1974年参加禹州钧台窑址的发掘，1975年在北京大学历史系考古专业学习，1979年在登封告成对王城岗城址的发掘，特别是1980年对仰韶村遗址的第三次发掘，使我在业务上有非常大的进步。这是我从事田野考古工作以来，第一次也是唯一一次任考古领队。1981年，因工作需要，调入河南省文物局从事文物行政管理工作（其间，1991年到淅川县任副县长，挂职锻炼两年），一干就是二十年。

这几年，我经常在思考一个问题，从事文物考古工作以来，什么让我最难忘记？想来想去，还是在仰韶村遗址发掘的日子，那是在1980—1981年进行的，我和邓昌宏参加了第一阶段发掘，后来丁清贤和王蔚波接替我们，进行了第二阶段发掘。当然更让我心动的还是仰韶村那些纯朴善良的村民，他们的言谈举止，他们为保护国家文物而所做的一切，都非常值得我学习，让我怀念。

最近，我主编了一套《考古中国》丛书，其中《发现仰韶》一书就是为了回忆我在仰韶村遗址发掘的亲身经历，书中第三章《再次喧嚣的小山村》开头是这样写的：

"几十年后，那个沉寂多年的小山村再次迎来了一群特殊的客人。一件件陈旧的器物，一段段娓娓道来的悠远历史……"

这一群特殊的客人就是我和同单位的邓昌宏先生，还有渑池县文化馆的文物干部曹静波、许建刚、王永峰。每当我想起已故的邓昌宏、曹静波二位先生，我的心里就有一种说不出的滋味和痛心，至今他们的音容笑貌经常在我脑海里浮现。那时候，虽然生活还比较艰苦，环境和工作条件也不太好，但我们在一起朝夕相处，同甘共苦，乐在其中，生活工作都非常快乐。

有人问我，你当时正在登封告成王城岗遗址发掘，并且已当上了登封考古工作站的站长，还负责工地的考古发掘工作，为什么要去仰韶村遗址发掘呢？何况第一次发掘仰韶村遗址的是大名鼎鼎的瑞典地质学家安特生，第二次又是中国著名考古学家夏鼐先生，你再去还有什么意义吗？说实在的，我心里确实很明白，如果发掘没有成果，或者搞错地层关系，出土文物又很少，怎么向所领导交待呢？当安金槐所长让我到他办公室时，我心里一直忐忑不安，不知道该怎么应对这个问题。

安金槐所长说："这次对仰韶村遗址的发掘是第三次了，尽管前两次都是大专家，但你们已经在王城岗城址参加发掘一年有余了，积累了一些田野考古实践经验，相信你和邓昌宏能胜任这次发掘任务。只要认真，细心观察各种遗址现象，多看有关仰韶文化的参考资料，你们一定会有新的收获。"听了领导的讲话，我们两个暗下决心，坚决完成这次发掘任务，不辜负领导的重托。

令我终生难忘的是 1980 年 10 月中旬的一天。我和邓昌宏先生，踏上了西去的列车，前往豫西渑池县城，一路上我们俩讨论的问题非常之多，我一言他一语说个不停。

我说，安特生先生，当年能和我们一样，走的这条路，坐的一样的火车，甚至连心里想的可能都大致一样，都渴望以最快的速度飞到仰韶村这个神奇的地方。邓昌宏先生说，他想的也许跟我们不一样，因为他是外国人，对中国的一草一木，一山一水都不可能比咱们熟悉。当他跨过黄河，途经郑州向西，山川、沃野呈现在他的眼前，他一定很好奇，心里或许在想，为什么中国这么大，坐了一夜火车还没到达目的地，甚至他会感到很神秘。我比较同意他的推测。

当时的火车还远没有提速，我们坐了六个多小时才到了渑池县城。这是我第一次到渑池县。当时的县城虽然不大，但还是很热闹，马路两边，做生意、摆小摊的各成一排，汽车来来往往穿梭而过，在街头还有耍猴的，围观者有老人，也有小孩，没有半点荒凉的感觉。

在县文化馆，见到了当时的县文化馆刘馆长和文物专干曹静波先生，他们介绍了仰韶村遗址的概况，请我们观看了采集的文物标本，经协商组成联合考古队，县里派曹静波、许建刚、王永峰参加发掘。

第二天我们走了一上午的土路，终于到达仰韶村安营扎寨，住在寺沟村王民军家里。当天晚上我们住在院子边上的瓦房里，两张小床，一张桌子，一盏煤油灯，就是我们的全部家当。房子的土坯墙上还有一个直径约 0.2 米的大洞，用麦草堵塞着，西北风吹来，松散的麦草也挡不住寒风的吹打，屋里实在太冷，盖一床薄被子根本无法入睡，我们两个就披着被子，坐在床上看书。

有一件事让我至今难以忘怀。一天晚上，邓昌宏突然披着被子从床上下来，在屋里来回走动，并自言自语道："陶器到底是怎么发明的？它都经过了哪几个阶段？"这个问题，听起来也能基本明白，可往深里想，还真不太好解释清楚。还没等我回答这个问题，他就开始讲起了自己的观点："我认为在原始社会里植物的生长，对陶器的发明产生了很大的影响，如瓠类可能就是人类最早用的容器，葫芦嫩时可以食用，老时有坚硬的木质皮壳可作容器。"

我受他的启发，也对陶器是如何发明的讲起了自己的体会。在我看来，陶器的发明，绝不是只存在一种模式，可能除了泥条盘筑以外，其他物体或者植物形状也对陶器的发明产生了积极作用。人们在使用火的过程中，逐步掌握了火与土结合的性能，才发现土经过火烧制后，更加坚硬耐用，不仅能盛食，还能煮食物。有位专家曾经说过，人们制成简单的陶器，在相当长一段时间内还不知道用火烧制，而这种火与土的结合，我们的祖先不知经过了多长时间的摸索、实践，制陶技术才发展到了更加成熟的阶段。讨论持续了很长时间，直到我们在讨论中渐渐进入了梦乡。

考古工地上，大家都在默默地忙着各自的工作，紧张而有秩序。往往在休息的时候，会有民工围过来问些好奇的问题，有的问为什么老祖先要在石器上钻个圆孔？更多的群众问，陶器上画的花纹表现的什么意思？陶纺轮那么小，怎么使用呢？这些普通的小问题，看似简单，其中蕴涵着许多知识。我和邓昌宏先生，对这些问题，都非常耐心地一一认真回答，直到大家听懂为止。类似这样的故事，几乎天天都会发生，我们也都习以为常了，一些同样的问题，有时一天都要回答无数遍。

我和邓昌宏先生有许多相似的地方，当时都非常想在业务上干出一点成绩，让领导和同志们能够刮目相看。因此，对当时的艰苦条件，从没有发过一句怨言。刚到仰韶村时，我们两个到群众家里吃派饭，尽管当地老百姓都还比较穷，但每到一户他们总是想尽办法，改善我们的生活，有时还能吃上鸡蛋或者白面条。对这样的待遇，我们也深感不安，总觉着给群众添麻烦了。因此，我们暗下决心，开始自己学做饭，不再给群众添麻烦。后来，慢慢学会了煮稀饭，炒一些简单的菜，心里深感欣慰。

连续半个月的田野考古发掘工作，大家都显得非常的累，整个考古工地有点沉闷，都盼望能休息一天。深秋的凉风，不停地吹在身上有些凉意，远处的山坡上绿色的植物也渐渐失去原野的风光，昭示着寒冬即将到来。大概上午十点多，乌云在空中飘来飘去，天渐渐暗淡下来，一阵西北风吹来，下起了小雨，不大工夫，黄土地上泥泞湿滑，无法工作，我们只好收工了，也算是老天安排吧。

说来也巧，我和邓昌宏都是属马的，1954 年生，有很多相同的爱好、兴趣，性格也比较接近，有很多共同语言。我看看外边细雨绵绵，丝毫没有停下来的意思，情不自禁地说，今天我们聊聊人生，谈点自己的生活怎么样？

他感慨地说，小时候家里很穷，父亲为他上学的事操了不少心，有时为交学费都发愁，后来考上了四川大学历史系考古专业。开始也不知道考古是干什么的，感觉很神秘，直到大学毕业后，才懂得考古的意义是多么重要，不仅研究历史，还要纠正历史记载的偏差，慢慢喜欢上了这个专业。

话题一转，他长叹了口气说，我们的工作实在太苦了，毕业都几年了，连个对象还没有找上，也介绍过几个女孩，但别人一听是干考古的，长年出差在外，都不愿意，有的甚至连面都不愿见。

听了他的一番话，我也有类似的体会和经历，介绍的对象多数一听学考古的，都非常不理解，甚至还带有偏见，认为考古就是挖坟掘土，没有多大意思。有的女孩一听还害怕，感到考古是和死人打交道的，吓都吓跑了，还谈什么朋友啊！

天有不测风云，人有旦夕祸福。在人生的道路上，有各种意想不到的情况。仰韶村遗址第三次发掘告一段落的时候，邓昌宏先生不久就因病去世了。据说他也找到了真爱，是某医院的一位护士，非常的爱他，在他有病期间，细心周到，精心照顾，直到他生命的最后一刻，甚至甘愿为他输血。为了怀念他们的恋爱经过，他的女友还写了一篇文章题目是《一片冰心在玉壶》，发表在《河南青年》杂志上，以此纪念他们之间纯真的爱情。

1981年，我的工作岗位也发生了变化，调到省文物局从事行政管理工作，从管理地下文物开始，先后担任科长、文物处长、办公室主任等职。目前，又到河南省古建研究所担任书记、副所长，从事文物保护和业务研究工作又有四五个年头了，心里觉得很充实，特别是在陶瓷研究领域，经过不断的学习，也有了很大的进步，有时候还有单位、报社、电视台邀请讲课，我对这种生活非常满足，感谢上帝使我又找回了自信，干起了我非常热爱的考古事业。

1985年，仰韶文化发现六十五周年之际，在渑池县举行了隆重的纪念大会，来自全国各地的专家、学者欢聚一堂，共同研讨仰韶文化。我作为第三次发掘者，也有幸参加了大会，这是我离开仰韶村遗址后，又一次来到渑池，会议期间，认真聆听了专家对仰韶文化的研究心得，深感自己学识浅薄，需要学习的东西太多。四天的会议，使我受益匪浅，让我对仰韶文化社会性质的认识又有了更新的理解，专家普遍认为经过几十年的专题研究，仰韶文化早期应该处在母系社会，而中、晚期可能已进入父系社会。虽然在这次会议上对这个问题讨论热烈，气氛浓厚，还存在一些分歧，但大家都积极期待以后获得更多的田野考古资料加以证明。

仰韶村遗址第三次发掘，已经过去三十年了，但我对仰韶村的情结，是终生难忘的。这几年，我想的更多的是写一本有关仰韶文化的图书，通俗易懂，更加有趣味性、可读性，让全社会都能关注仰韶村遗址，充分认识仰韶文化发现的重要意义。在这种力量感召下，促使我完成了《发现仰韶》共五本系列丛书的编写任务。

当初图书出版时，我根本没有想到，这本书会有那么大的影响，只是作为以后评职称的一本专著。谁料想，图书出版后，在社会上反映良好，河南电视台《华豫之门》栏目为了宣传这套丛书，作为礼品送给登上珍宝台的嘉宾。这一宣传扩大了影响，许多熟人找我要书，还有的外地读者，不仅索要图书，还要求为他签名。通过这件事，我深深地体会到，关起门来干考古是不行的，一定要让全社会了解考古，关注考古，使考古工作更好地为社会服务。

2011年，是仰韶文化发现九十周年，由于我出版了新书，又一次受邀参加了纪念大会。这是二十多年后，再次回到阔别已久的仰韶村，从县城到仰韶村遗址，都是宽广的水泥路，和过去我们走过的黄土路，真是天壤之别，变化太大了，有些地方几乎都认不出来了。

更可喜的是，在仰韶村遗址的中心区耸立着一座崭新的现代化博物馆，让我眼前一亮，建筑外观优美，展览内容丰富多彩，令我不敢相信，这眼前的一幕都是真的。当我走在仰韶村那乡间小路上时，仿佛又回到了三十多年前那个金色的十月，抬头向北远远望去，韶山主峰巍巍壮观，好像在向我招手，欢迎你，老朋友，我们过去见过面！

在寺沟村，很多叫不上来名字的老熟人，和我打起了招呼。其中，有一位年长者，他亲切地称我老赵，我回头一看原来是当年打过工的小伙子，他叫王民军，现在也变成了小老头，在我写的那本书里提到过他，当年我们住在他家。

在村东头的大街上，一群人围住我，有一个五十来岁的人说老赵还认识我吗？我就是当年发现"月牙纹彩陶罐"的那个小青年，我细心一看，马上就认出来了，他叫王明群，前一段中央电视台《国宝档案》栏目做了一期节目，主要就是宣传仰韶村遗址第三次发掘情况的，其中讲的"月牙纹彩陶罐"发现经过，就讲到了这个当时的小青年。我心里想，他的贡献可不小啊！因为这件彩陶，是国家一级文物，也是第三次发掘中发现的唯一一件完整器物，不仅造型优美，色彩亮丽，而且腹部一周月牙纹彩绘，也非常逼真，充分体现了我们的祖先对月亮的美好向往。

在仰韶村的一天过得太快了，不知不觉到了下午。虽然天空阴雨绵绵，路上的积水泡湿了鞋子，但我看到了许多当年调查过的文化层，重走了安特生先生走过的小路，见到了很多相识的和不相识的老乡。当我坐上回县城的汽车时，我仍然沉浸在无比兴奋之中，这里的一山一水，一草一木，还有欢送我的人群，让我流连忘返，大概这就是我对仰韶村的情结吧！

回顾我的大半生，在脑海里经常想的事还很多，在禹州钧台窑，登封王城岗、在登封程窑遗址发掘过程中，在淅川县任副县长的两年中，还有许多说不完的故事和经历过的新鲜事，有待叙述和整理，今后只要有时间，我会不断地回忆过去，展望未来，让美好的记忆伴随我度过一生！

1979 年 4 月 10 日，作者在登封王城岗发掘工地

1995 年作者（右）与信立祥在仰韶村遗址

王城岗"禹都阳城"考古发现记

方燕明

中国历史上第一个朝代是夏代，夏代第一位君王是大禹，大禹治水的故事传颂了几千年，正像古希腊英雄时代的传说一样，大禹治水的传说在我国家喻户晓。原始社会末期，洪水滔天，百姓深受其害，鲧用堵的办法治水不力，被帝尧驱逐远行。随后让鲧的儿子大禹继续治水，大禹采用疏导的办法治理洪水，广挖沟渠，变害为利，从此国家太平。为治水，大禹居外十三年三过家门而不入。这一传说在中国历史上是否真有其事？夏的开国之君是否为大禹？大禹的都城在哪里？一连串的疑问，一直是中国考古学和历史学界孜孜以求的学术难题。

一、"禹都阳城"今安在

1951年，河南省人民政府文物保护管理委员会为配合治淮工程，对郑州、登封、禹县等地进行文物调查，告成八方遗址即在此次调查中发现。登封在历史传说中有许多关于夏禹的故事，告成即古阳城地，传说为禹建都的地方。八方遗址在颍河及其支流五渡河汇合处之西北，两河之间的三角地带，面积很大。这里的八方遗址即是我们现在所说的王城岗遗址。有趣的是有关古阳城地，传说中禹建都的地方等问题在当时已引起调查者的注意。

1959年4月，中国科学院考古研究所徐旭生先生为探索"夏墟"，开始对登封、禹县、巩县、偃师等地进行调查。关于告成八方遗址，徐旭生写道：告成镇周围有土寨，公路过东门外，出西门半里余到五渡河，过河约半公里就到八方村。地势北高南下。遗址在五渡河西，八方村东，颍水北岸上，南沿被颍水侵蚀。告成镇内也见古陶片……遗址大部分在告成到八方的公路北面，小部分在南面。根据地面调查及钻探的材料，我们初步认为东部似以龙山为主，兼有早殷遗物，西部似以仰韶为主；但东西均兼有仰韶、龙山的陶片。采集的石器有石刀、石斧、石镞。陶器有龙山鼎足、罐口沿及底、杯、豆、碗、盆，纹饰有方格纹、篮纹、绳纹、附加堆纹。仰韶有钵、罐、鼎足，纹饰有彩陶、划纹、方格纹。早殷有罐及鬲。

徐旭生是如何确定"夏墟"调查重点的：在先秦书中关于夏代并包含有地名的史料大约有八十条左右，除去重复，剩下的约在七十条以内。徐旭生从剩下来不多条的史料比较探索的结果，觉得有两个区域应特别注意：第一是河南中部的洛阳平原及其附近，尤其是颍水谷的上游登封、禹县地带；第二是山西西南部汾水下游（大约自霍山以南）一带。有关第一区域，徐旭生认为：《汉书·地理志·颍川·阳翟县》下注引《世本》、《纪年》都说禹居阳城，《孟子·万章》上篇也有"禹避舜之子于阳城"的说法，是禹居阳城古异说。阳城所在据现在所找到的共有四说：说它在河南的有两说，在山西的有两说。在河南的两说，第一是《史记·夏本纪·集解》引刘熙说："今颍川阳城是也。"《水经注·颍水》下，《经》说："颍水出阳城县少室山"，《注》说："颍水东合五渡水，经阳城县故城南，昔禹避商均，伯益避启并于此。亦周公以土圭测日景处。县南对箕山。"今登封县东南三十里的告成镇，出镇西门半里余即五渡河；出南门约一里即从西向东流的颍水。五渡河入颍水处即在镇的西南。南望箕山，也只有十几里。镇北门外面百余步就到周公测景台。汉朝的阳城县经历魏、晋、南北朝、隋，名无大异。直到唐万岁登封元年才因为"将有事嵩山，改为告成县"。现在本地人们叫它做告县。今告成镇地不仅汉名阳城，《史记·郑世家·韩世家》与《六国表》都记韩文侯二年（公元前385年）"韩伐郑，取阳城"。所以在战国初年此地就叫做阳城。今告成镇的古阳城是一种最普通的说法，也是较正确的说法。

有关阳城的地望与夏禹的关系，徐旭生在《1959年夏豫西调查"夏墟"的初步报告》中指出：《国语·周语》下谷洛斗条下说禹的父亲叫做"崇伯鲧"，崇地何在，韦昭本无注（《周语》上神降于莘条有"昔夏之兴也，融降于崇山"的文字。韦昭注："崇，崇高山也。夏居阳城，崇高所近。"《御览》三十九《嵩山》下引韦昭注说："崇，嵩字古通用。夏都阳城，嵩山在焉"）……崇山即今嵩山，崇伯鲧的氏族所在地在今嵩山脚下当无疑问。为此，徐旭生在调查之先就决定把这一带作为调查中心点之一，告成八方遗址的调查由此而来。同时，徐旭生认为：此次调查夏墟，所做工作实仅极小一部分，当然谈不到作什么结论。但告成八方、石羊关、谷水河三遗址都有仰韶和龙山的陶片，阎砦遗址也有龙山的陶片。我们觉得这种相类似的性质应引起注意。

可以看出徐旭生考古调查"夏墟"的重点是从文献所保留的资料中找出来的。徐旭生对"夏墟"的研究开始于对史料的辨析，实践于田野考古调查。由此，徐旭生开辟出一条由考古学研究夏代历史的新路。

二、王城岗——打开"禹都阳城"的金钥匙

王城岗遗址位于嵩山东南麓的登封市告成镇西部。这里是颍河流经的登封中部的低平谷地，海拔270米左右。遗址在颍河与五渡河交汇的台地上。颍河发源于嵩山的太室山南麓，由西向东流，是淮河的主要支流之一。五渡河发源于太室山东侧，由北向南流，是颍河的支流之一。王城岗遗址的东部为五渡河，其南部为颍河，向南眺望箕山和大、小熊山，西靠八方村，西望中岳嵩山之少室山，北依嵩山之太室山前的王岭尖，地理位置十分重要。

1975年，为了探索夏文化，河南省博物馆文物工作队（河南省文物考古研究所前身）组成由安金槐先生挂帅的探索夏文化工作组，以告成镇西八方村东地一带为重点，开始考古调查、钻探与发掘工作。还在郑州商城发掘取得收获的时候，安金槐就想着要探索"夏文化"。什么是"夏文化"？"夏文化"在哪里？这一直是学术界十分关心的问题。安金槐凭着不多的文献资料和考古学家零星的发现，以极大的勇气和深邃的眼力，把探索夏文化的重点放到登封。这年春天，安金槐率考古队在告成八方村一带开始了发掘。工作开展之初并不顺利，在八方村只发现商代的遗存，比它早的东西没有。一时间受到一些非议和责难。可是安金槐天生就不信邪，认准的事，越是困难越要上。上级领导和同志也在他困难时给予了有力的支持，这更坚定他在登封工作下去的决心和信心。

1977年，河南省博物馆文物工作队与中国历史博物馆考古部对登封告成遗址进行了重点调查和发掘工作。以往在告成西区（即五渡河以西和八方村之间）曾进行过初步调查和考古钻探，发现在这数十万平方米的遗址范围内，除包含有原始社会末期仰韶文化遗址和商代前期的二里岗期文化遗址外，也包含有相当丰富的河南龙山文化晚期和二里头文化类型的遗存。这次工作主要分三部分进行。在告成西区夏商遗址的发掘收获有三项：一是在告成西区的偏东部，即五渡河西岸群众相传为"王城岗"的地方，发掘出一段南北长20余米的夯土墙，夯土墙下挖有口宽底窄剖面呈梯形的基础槽。基槽保存较好，残口宽4.4米，底宽2.54米，深约2.3米。夯土从基槽底部分层向上夯筑，当夯土筑至和基槽口相平时，夯土层则向两侧加宽。每层夯土层厚10—15厘米。这段夯土墙的时代不会晚于河南龙山文化晚期。二是在告成西区的中部，发掘出一处大型建筑基址的东北角，就发掘处看有几座商代二里岗期的墓葬和灰坑打破了建筑基址，并且在鹅卵石层内也发现夹杂有二里头文化的陶片和龙山文化晚期的陶片。依此看这座大型建筑基址的年代不会晚于商代二里岗期，应是属于二里头文化类型或者更早一些的建筑遗存（在2002年的考古工作中，我们竟然发现当年发掘的这座建筑离王城岗龙山文化大城的北城墙不远，大约只有1米如探方隔梁宽的距离，当时的考古人遗憾地与王城岗龙山文化大城的发现擦肩而过）。三是发现了商代二里岗遗存、二里头遗存、河南龙山文化晚期遗存的地层叠压关系。并认为在此发现的河南龙山文化晚期的夯土墙，对于在这个地区探索夏文化提供了重要线索。在告成镇周围夏商遗址的调查，发掘者利用当年夏季麦收期间，对告成镇周围的颍河和五渡河沿岸进行一次调查，在毕家村、程窑、油坊头、西范店、袁桥、康村、宋家沟等地发现夏商遗址20余处，在这些遗址中还是以告成遗址规模最大，从而增强了在告成遗址探索夏文化的信心。1977年春，在发掘告成西区遗址的同时，根据当地群众介绍，在告成镇东北的漫平高地上，调查发现了春秋、战国时期古阳城城垣遗址。初步调查得知：城垣南北长约2000米，东西宽约700米，高约8米，呈南北纵长方形。在城垣内发现一处砖铺地面和地下铺设有陶水管的战国大型建筑基址。在阳城南城墙处还发现一处战国铸铁遗址。根据文献记载，春秋、战国时期的郑国和韩国古阳城遗址就在现今的告成镇东北地带，这座春秋、战国阳城城垣遗址的发现和文献记载中古阳城的地理位置完全相符，它对于在这里探索"夏都阳城"提供了重要旁证。1977年下半年，考古工作者为了进一步了解已发现的一段夯土墙南北延伸情况，采用探沟法追踪夯土墙，证明这是一条南北长94.8米的夯土墙，在其南端发现夯土墙向东拐去，亦采用探沟法追寻东西向夯土墙长约97.6米，并发现夯土墙有向北拐去的迹象，遂认为很可能是一座小城堡的遗存。从夯土墙的叠压关系推测小城堡的时代有可能是属河南龙山文化中晚期的。并认为河南龙山文化中晚期，根据地层叠压关系和^{14}C测定的年代，它与我国历史上夏代早期是比较接近的。王城岗小城堡的发现对于在登封告成一带探索夏代文化提供了重要线索。在这次考古工作中，在春秋、战国阳城遗址发掘中，发现战国陶量上有"廪"戳记，采集的战国陶豆柄、豆盘内印有"阳城仓器"的戳记。在附近出土的西汉筒瓦面上也印有"阳城"戳记。这些发现证明春秋、战国的阳城就在登封告成，汉代的阳城也在这里。

1978年上半年，考古工作者对王城岗小城堡的东墙和北墙开始发掘。通过北城墙西段发掘，表明北城墙基槽曾被山洪冲毁得相当严重（所谓山洪冲沟遗迹，一直到20多年以后的2004年的考古工作中才搞清楚是王城岗大城的北城壕在这里打破了小城堡的北城墙的基槽），残留的底部，从基槽的南边计算保存的宽度为1.8—4米。西北城角向东延伸的北城墙基槽夯土长14米未到头。发掘者注意到小城堡东墙的方向为北偏东，西墙基槽的方向则为北偏西，而且东城墙的基槽底比西城墙基槽底深约2米，在东城墙的南端又发现一段和东城墙呈直角东拐的另一段南城墙基槽长约10米未到头。根据这些情况，发掘者初步认为东城墙基槽和东拐的一段南城墙基槽，是属于东城的一部分，而已经发现的小城堡西、南、北三面城墙当属西城，西城的东墙利用了东城的西墙，这里是两个东西并列的城堡。当年的发掘还发现埋有七具人骨的夯土坑，疑为与奠基等祭祀活动有关，被称为奠基坑。在春秋战国阳城内确认了贮水供水设施，并认为这是我国目前（若干年后，在郑州商城也发现了贮水供水设施，才将这种设施的使用年代提早到了商代）发现时代最早的"贮水供水"设施。在发掘中出土不少战国的砖、瓦和陶器，其中不少陶器上印有"阳城"的戳记及其他陶文。这对确定春秋战国的古阳城地理位置提供了可靠的资料。

　　但是，王城岗古城是不是夏代城？是不是禹都或禹居的阳城？这些问题一直在安金槐的脑海中翻腾。据当地人说，王城岗的名称是一代代的人传下来的，此说应有来历。现在的考古发现，又与文献中所记禹都阳城在箕山之阴和嵩山之阳相合。再算算夏禹的纪年，大约在距今4200—4100年间，而王城岗古城的年代约为4100年。这些恐怕不是一般的巧合。一个大胆的假设在他的脑子里萌生了：这可能是禹都阳城。为了慎重起见，安金槐直到1983年才在《文物》上发表了初步研究成果。1992年，《登封王城岗与阳城》考古报告出版。该报告认为：王城岗龙山文化二期东西相连的两座城址的发现和城址内龙山文化二期许多重要遗迹与遗物的发现，对探索夏代文化是一个重大的突破。这两座龙山文化二期城址的位置，和文献记载的夏代阳城的地望十分吻合。初步认为王城岗的两座龙山文化城址有可能就是夏代城址，认为其很可能就是夏代的阳城遗址。尽管对王城岗古城的研究并没有结束，它究竟是不是禹都阳城，学术界还在讨论之中，但是，它发现的重要意义和价值却丝毫未被忽视。因为它毕竟是河南乃至国内发掘的第一座被认定的龙山文化古城，在它之后，龙山文化古城不断被发现。

　　最近，曾经参加王城岗发掘的郑杰祥先生回忆起1977年发现夯土城墙时的情景仍然记忆犹新：大约在1977年6月底的一天，我们在T16、T17两个探沟中，发现有一边是熟土、另一边是生土形成南北走向的遗迹，大家被这条遗迹深深吸引，但是弄不清楚它是一种什么现象。当时正值盛夏雨季，遇上大雨冲刷，整个遗迹就会面貌全非，毁坏殆尽了。为尽量避免这个损失，以搞清这条遗迹的性质，郑杰祥与董琦先生一起，继续发掘工作。7月上旬，虽然赤日炎炎，但却是大地充满生机的时节。两位先生在T16、T17以南，分别开了T22、T23两个新的探沟，事属偶然，或又联系着必然，经过一个星期的努力，果然发现了一段呈南北走向的基槽，原来那条直线遗迹，正是这条基槽的西部边缘。以所发掘的T23为例，这段基槽大致呈倒梯形，口宽4.4米，底宽2.54米，深约2.3米，槽内填以红褐色黏土，层层夯打而成，为防止粘连，每层之间铺有细沙。夯层厚薄不一，夯窝大小不等，显示着一定程度的原始性。安金槐闻此大为振奋，他安排几个人到王城岗上搞钻探，没过几天就探出夯土。安金槐高兴得不得了，把考古队的同志都带到王城岗，从探沟的剖面呈现出夯土墙基的形状为倒梯形，顺着已见到的夯土向南追去，隔 5 米、隔 10 米开条探沟，在这些探沟中都发现有夯土，而且夯土向南延伸，实践证明应该是城墙夯土。随着工作的进展，东、南、西、北城墙都找到了。通过大规模的钻探和试掘，得知这些基槽连成一座大致方形的面积约 1 万平方米的城圈，从夯土城墙的地层叠压和包含物可以断定，其时代属河南龙山文化时期，T22、T23 探沟内所揭露的基槽，乃是属于这座城墙西墙基槽的一段。虽然由于年深日久，城墙已经毁坏殆尽，但是从其规模和现象表明，毫无疑问它应是一座河南龙山文化时期的城墙基槽。这个发现立即轰动了当时的学术界，同年 11 月，国家文物局在发掘现场召开了我国第一个研讨夏文化的盛会，到会学者百家争鸣，畅所欲言，充分地阐述了自己对这处遗址的看法。在此发掘期间，郑杰祥还陪同贾峨和安金槐先生调查了阳城遗址。阳城一地，最早见于战国文献记载。我们调查所见城址尚存，规模宏伟，从春秋，经战国，到汉代，城墙层层夯土，清晰可见。城址位于告成镇东北隅嵩山南麓，与文献所记古代阳城的位置恰相吻合。特别是当时在这里实习的辽宁大学的同学们，还在阳城旧址以内发现不少战国和汉代印有"阳城仓器"和"阳城"的陶器文字，进一步确凿地证明这里就是战国和汉代的阳城，也是我国迄今为止所发现的唯一一座战国和汉代的阳城城址。新发现的王城岗龙山文化城堡基址正位于古代阳城的西南隅，其相对年代与文献记载的夏禹时代也相符合，而"禹居阳城"的记载也最早见于战国文献，就是说不论夏人认为禹所都居的地方是否就在阳城，但是考古工作者即在这里发现了全国唯一的一座明确无误的春秋战国时期的阳城，且在其近郊发现了一座与禹所处时代略同的龙山文化城堡基址，更为重要的是近年来又在原小城基址之上，发现了一座面积 30 余万平方米的大型河南龙山文化晚期城址，足以证明古代文献记载是正确的，这里正是以禹为首的夏部族活动的中心地区。根据考古资料，结合文献记载，可知夏部族兴起于嵩山地区，建都于嵩山地区，从这个意义上说，嵩山地区是中原古代文明的摇篮，夏部族就是创建中原古代文明的主体。正是以夏部族为主的各部族，在这里团结合作，艰苦创业，推动着中原地区在广阔的华夏大地上，率先进入古代文明历史的新时期。

对王城岗遗址研究的首次热潮，是在 1977 年考古工作者发现王城岗龙山文化小城堡以后掀起的。1977 年 11 月，国家文物局在河南登封县召开了一次"河南登封告成遗址发掘现场会"。这次会是围绕登封告成王城岗遗址的发掘，探讨夏代文化问题的。以安金槐先生为代表的王城岗遗址发掘者认为：这一城墙基槽遗迹的建筑年代，可能相当于夏王朝初期。由于东周阳城的发现，为证明其西不远的王城岗夯土城墙基槽是夏代城堡提供了重要的旁证和线索。夏鼐先生在"登封告成遗址发掘现场会"闭幕式上的讲话中谈了几个问题：一、夯土城墙问题，王城岗遗址有夯层，有夯窝，这是工作中已经解决了的。二、地层文化问题，基槽也即城墙的年代，可以定为龙山文化晚期，这在发掘工作中可以说是解决了。三、夏文化问题，"夏文化"应该是指夏王朝时期夏民族的文化。"登封告成遗址发掘现场会"成为我国学术界第一次以夏文化研究为主题的学术盛会。

对王城岗遗址研究的又一次热潮，是在 1983 年 5 月郑州召开的中国考古学会第四次年会上，这次年会的中心议题是"商文化的研究与夏文化的探索"和"中国各地青铜文化"。由于王城岗城址发掘简报和发掘者对该城址的初步研究成果于 1983 年发表，中国考古学会第四次年会也将夏文化探索作为讨论的议题之一，学术界反响热烈。安金槐在《近年来河南夏商文化考古的新收获——为中国考古学会第四次年会而作》中指出：根据发掘材料，我们初步认为王城岗城堡有可能是夏代的重要建筑遗存。有赞同发掘者对王城岗城址的"禹居阳城"或"禹都阳城"说，也有不同意这种观点的。

进入20世纪90年代，对王城岗遗址的研究进入一个新的阶段。由中国先秦史学会、洛阳市第二文物工作队共同发起，1994年10月，在洛阳市召开了"全国夏文化学术研讨会"，国内从事夏史和夏文化研究的专家学者到会就夏文化研究的一系列课题展开了热烈的讨论。这次会议是自1977年11月"登封告成遗址发掘现场会"之后，我国学术界又一次以夏文化研究为主题的学术盛会。提交大会的论文中涉及到王城岗遗址材料的研究文章不少。

1996年启动的夏商周断代工程，是要将夏商周时期的年代学进一步科学化、量化，制定夏商周这一历史时期有科学依据的年代学年表，为深入研究我国古代文明的起源和发展打下了良好的基础。1996年，笔者承担了夏商周断代工程"夏代年代学的研究——早期夏文化研究"专题，在王城岗龙山文化晚期城址内发掘采样，主要是将20世纪70年代末发掘的探方中原地保存的重要遗迹——龙山文化奠基坑揭开，采集里面的人骨样品用于测年，旨在建立该遗址系列的^{14}C年代。在王城岗遗址上寻找近20年前发掘的探方并非易事，好在当年王城岗是主动发掘项目，曾用小平板仪测量有小范围的遗址平面图，并且在发掘时我曾负责过发放探方和遗迹编号的工作，后来我又参加了王城岗遗址资料的整理和考古报告的编写工作，对资料十分熟悉。在此次工作之前，我先是将当年王城岗遗址的发掘资料从所里资料室借出来，用了大量时间做案头工作，准备比较充分；幸运的还有当年用小平板仪测量所用的基点——一根立在王城岗遗址中部的电线杆竟然好多年没有移动，这才比较顺利地找到了那些准备揭开采样的奠基坑。为了保证采样标本的系统性，我们还花了很多时间，在告成工作站的仓库中把当年发掘的龙山文化遗迹单位的出土遗物全部翻了一遍，将其中可以做测年的骨头样品提取出来。回想当年整理王城岗考古报告时，对这些遗迹单位的陶片不知道翻检了多少遍，不仅熟悉，并且很有感情。在王城岗新采集的测年样品送北京测年期间，我曾与主持测年研究的中国社科院考古研究所的仇士华、蔡莲珍研究员，北京大学的陈铁梅、原思训、郭之虞教授等学者多次讨论王城岗样品的考古学年代问题，由此体会到不同学科的学者之间充分交流和深入讨论的重要性和必要性。2000年出版的《夏商周断代工程1996—2000年阶段成果报告（简本）》中关于夏代的始年为公元前2070年的提出，主要就是依靠我们新采集的王城岗遗址的测年样品所测的^{14}C年代推定出来的。

从1977年发现并发掘王城岗龙山文化城址，到1983年发表考古简报、1992年出版考古报告，对王城岗城址性质的研究一直在进行之中，讨论十分热烈，但却没有定论。就大的方面讲，考古学文化如何与族属或历史朝代相对应，尚没有统一的标准，而河南的龙山文化晚期是否为夏文化早期遗存，学术界意见也不一致；就具体材料而言，因为王城岗龙山文化城址面积过小，其是否为禹都阳城，学术界也有不少人持有异议。笔者作为王城岗龙山文化小城的发掘者和考古报告的编写者之一，也对当时所看到的王城岗的具体材料产生了一些疑问，譬如王城岗除了已发现的小城，还有更大的城吗？再譬如王城岗龙山文化分期所示，王城岗龙山文化第二期是小城的使用期，但属小城废弃以后的王城岗龙山文化第三、四期依然很丰富，如何解释？又譬如王城岗龙山文化遗址面积究竟有多大？在龙山文化时期的颍河上游，王城岗遗址在中华文明形成与发展过程中的地位和作用怎样？等等问题都有待我们去探寻答案。随着考古学科的发展，有关嵩山地区颍河上游的社会复杂化和文明化进程和模式，及其动因等问题也是我们所关注和感兴趣的。为此期待着能有机会，使我们为解答上述种种问题而再次投入到考古一线工作中去，寻找新材料，做新的探索和研究。

三、王城岗龙山文化晚期大城——"禹都阳城"

2002—2003 年，"中华文明探源工程预研究——登封王城岗遗址周围龙山文化遗址的调查"专题组在王城岗开展新一轮的考古工作。我们的研究目标为：对王城岗龙山文化晚期城址周围的遗迹进行调查、钻探和发掘，探索这些遗存与王城岗龙山文化晚期城址的关系，进而探索王城岗遗址及其相关遗存的性质和在华夏文明形成过程中的作用等问题。2002 年 10—12 月，我和北京大学刘绪教授率考古队在王城岗进行考古发掘、调查工作。10 月初，考古队到王城岗开展工作。王城岗遗址面积较大，文化遗存丰富。在 20 世纪 70 年代中后期和 80 年代初期曾进行过多次考古发掘，探方和遗迹的编号较简单。考虑到王城岗遗址长期研究和保护的需要，同时为了保证发掘工作的科学性和各项记录的准确性，我们对王城岗遗址及其周围环境进行了精确的测绘。测绘使用的底图是由国家测绘系统提供的 1974 年版 1∶50000 地形图。对竹园沟以南，八方村以东，五渡河以西，颍河以北的遗址核心区的各类地物，包括河流、沟坎、道路、房屋等，均使用电子全站仪进行了详细的测绘。测量精度可达毫米。八方村及其村南临河断崖的测绘使用的是由美国天宝（Trimble）公司生产的动态测量型 GPS。我们以 4600LS 型 GPS 作为基准站，GeoXT 型 GPS 作为移动站，进行野外实测。测量数据输入计算机进行载波相位后处理差分成图，测量精度约 20—30 厘米。告成镇及其通往卢店、登封的公路信息均由省测绘部门提供的 1987 年版的航片中矫正提取。2002 年遗址南部颍河河道经过大规模修整，面貌改变较大，因此对颍河河道我们仍然保留了底图上 20 世纪 70 年代的信息。另外，等高线也直接提取自 1∶50000 地形图。依王城岗遗址的四至范围，用网格法将遗址分成 400 米×400 米见方的 6 个发掘区覆盖整个遗址。发掘区呈南北向分两行排列，每行有 3 个区，西行由南到北每区的编号依次为 W1 区、W2 区和 W3 区，东行由南到北每区的编号依次为 W4 区、W5 区和 W6 区。同时根据我所 20 世纪 70 年代末在王城岗遗址所做考古工作的资料线索，在 W2 区开探方以了解二里头文化石建筑，在 W5 区开探方以了解二里头文化大灰沟的情况。

10 月下旬，在 W2 区的三个探方中发现夯土，并发现夯土遗迹的南边线十分清楚，但夯土性质和年代均不明。我与刘绪商量在这三个探方北边再开三个探方，以期对新发现的夯土有更多了解。最初我们将在三个探方中发现的夯土遗迹编号为房基 F2，当时以为此遗迹可能是房基。不久，在一探方中发现有东周瓮棺墓打破房基 F2，故知其年代不会晚于东周时期，但是否早到商代或二里头文化或龙山文化尚不清楚。在随后的发掘中我们在一探方中发现当地村民的一口废弃水井，在井壁上观察到房基 F2 夯土厚 0.78 米，夯土下面为生土。为了解房基 F2 夯土向东西延伸的情况，开始延夯土东西走向进行钻探。通过钻探工作得知：房基 F2 夯土向东长约 60 米不到头，向西长约 30 米不到头，由此推测在上述六个探方中发现的夯土可能是一体的大建筑，但更大范围的夯土是否为一体尚不清楚。经过进一步钻探得知：房基 F2 夯土东西长超过 100 米，南北宽 10 余米，是房基还是其他建筑还是不明朗。只好在这六个探方中所暴露的房基 F2 夯土面上寻找是否有柱洞和墙基槽，以便探寻房基 F2 夯土的性质。

同年 11 月，我们开始在一探方中解剖房基 F2 夯土，以了解其结构和年代。经过几天对夯土的解剖，我们认识到在六个探方中发现的所谓房基 F2 夯土应为城墙夯土，故改编号为夯土墙 Q1。这个重要的发现，让我们十分兴奋，同时又很纠结，因为还有很多线索需要追踪，许多问题需要解决。随着时间的推移，在一探方中解剖夯土墙 Q1 有了新发现，夯土中出土一片绳纹陶片，可是陶片太小，其年代看不太清楚，只能大体看出或是二里头文化或是龙山文化的。随后在该探方解剖的夯土中又发现一片素面陶片，也是小小的一片，对其年代的讨论同以前一样还是不能下定论，同时夯土中还出土一些骨头和石块。通过清理一探方中的陶窑 Y1，发现这座陶窑打破夯土墙 Q1，并知道这是一座东周时期的陶窑，由此表明夯土墙 Q1 的年代的确不会晚于东周。在另一探方中发现二里岗文化的路土 L1 叠压在夯土墙 Q1 之上，表明夯土墙 Q1 的年代不会晚于商代，但它的年代究竟能早到何时，我们并不知道。关于夯土墙 Q1 的年代之谜，古人还在与我们兜圈子，只好抓紧时间工作，寻找答案。

11 月下旬，我们开始钻探，追踪夯土墙 Q1 向东西向延伸的遗迹。在向西钻探中，在已经发现的夯土墙西边，又断断续续发现几段夯土墙。11 月底，继续向西钻探夯土墙 Q1，发现其北部有壕沟遗迹。钻探表明在夯土墙 Q1 北部约 7—8 米处有一条与夯土墙平行的壕沟，壕沟宽 8—10 米，深 6—7 米，已发现长 200 多米，因此我们对钻探中发现的壕沟和夯土墙 Q1 同等重视起来。同时，在向东钻探中开始考虑了解夯土墙 Q1 与王城岗龙山文化小城堡的关系。

12 月初，向东钻探在继续中，夯土墙 Q1 北侧的壕沟东行已追至五渡河边，获知壕沟长约 500 米。通过钻探得知夯土墙 Q1 北部的壕沟西行至八方村东边的提灌站以西，这时的壕沟总长达 600 多米。真可谓好事多磨，前一时期的钻探工作比较顺利，可是钻探向西行动中却遇到了前所未见的困难，当我们进入八方村西部钻探，这里到处都是建筑物和已被硬化的街道，只好见缝插针打探孔，钻探工作困难重重，几天下来一无收获。无奈只好移师到八方村南面的麦田中，做东西向钻探，拟找寻南行的夯土墙 Q1 和壕沟，但效果并不理想。经调查了解，当地村民告诉我们这里的地面已在 20 世纪 60 年代平整土地时被削去 3—4 米。闻听此言，我心里暗暗叫苦，不知夯土墙 Q1 南行的遗迹是否可以保存下来。几天的钻探由八方村南石水渠处向西钻探近 200 米，未发现任何有用的线索。由八方村南石水渠处向东钻探 100 多米，仍然找不到一点有价值的线索。由测量获知八方村南一带与 W2 区探方中发现夯土墙 Q1 处现在地表高差为 7—8 米，假如真有南行夯土墙 Q1 遗迹是否还会在此处保存下来，谁也说不准。钻探工作陷入僵局和困境中。为此，我与刘绪多次踏查八方村南一带，又围着八方村走了好多圈，观察地形，以确定钻探工作的突破口。接连几天我们在八方村里村外寻找可以钻探的位置，急于了解夯土墙 Q1 遗迹是否南行或继续向西行。

同年 12 月上旬，钻探有了新发现，先是在八方村东第一条南北街上钻探，未发现夯土墙 Q1 和壕沟，又转到八方村东第一条东西街上钻探，竟然发现夯土墙 Q1 西壕沟南行至此的踪迹，又在其南边一条东西街钻探，也发现夯土墙 Q1 西壕沟，至此夯土墙 Q1 西壕沟向南行残长 130 多米。从西壕沟南行看，应与北壕向东通往五渡河一样，西壕向南通向颍河，西壕沟复原长 500 多米。夯土墙 Q1 北壕沟东西长 630 米，北城墙夯土断断续续长 370 米。王城岗的地势大体是西北部高、东南部低，从地势和钻探情况看，其他面的城墙和城壕可能已被破坏了。工作至此，可以认为我们在王城岗新发现的城址，其年代不晚于二里岗文化，但其上限为何时尚待研究，城址规模 600 米×500 米，城址面积达 30 余万平方米。随后钻探工作转至新发现的大城内，在 W2 区所开探方处以南 20 多米处，发现一南北长 70 余米，东西宽约 40 米的石建筑遗迹，一般深 1.6—2.2 米见石头，若无石块时则 1.4 米见夯土，2.5 米见生土，但年代不详。从 11 月下旬开始到 12 月上旬结束的钻探工作，前后历时 20 多天。主要成果为：1. 找到一座面积 30 多万平方米的大城址，其北城壕长 630 米，北城墙夯土断断续续长 370 余米，西城壕残长 130 余米；2. 在大城内发现南北长 70 余米，东西宽 40 余米的夯土建筑。考古工作取得重要收获。

2002 年考古发掘期间，先后到王城岗工地参观、考察的有：北京大学考古文博学院李伯谦、葛英会、徐天进、张弛先生等，中国社会科学院考古研究所王巍、陈星灿、赵春青先生等，河南省文物考古研究所孙新民、曹桂岑、杨肇清、蔡全法、袁广阔、马俊才先生等，郑州大学考古系王蕴智、李锋先生等，澳大利亚拉楚布大学刘莉、魏鸣先生等。2002 年底，王城岗的田野考古工作告一段落。由于王城岗大城的年代一时未能确定，我和刘绪商量先不向外界发布正式材料，等待来年工作以后，有重要的进展和发现时再公布王城岗的新发现不迟。

2004—2005 年"中华文明探源工程——王城岗遗址的年代、布局及周围地区的聚落形态"专题组在王城岗遗址再次展开考古调查、钻探和发掘工作。我们的研究目标为：王城岗遗址在华夏文明的形成与发展研究中具有重要学术地位和价值。对王城岗遗址的年代、城址的规模和布局研究，及其在嵩山南麓颍河中上游聚落形态研究，将为中华文明探源研究提供重要资料。2004 年 9 月初，我和刘绪教授带领考古队到告成工作站，当年度的王城岗遗址的考古工作全面开始，在 W2 区布探方拟解决大城墙与城壕的结构、关系、年代等问题。在 2002 年钻探时我们得知在距发现夯土墙 Q1 的探方以东三四十米远处的夯土墙下发现有灰层，所以这次发掘探方即开在此处，以其获得城墙和城壕重要的层位关系。在 W5 区布探方拟了解大城与小城的关系问题。发掘进行了 10 多天以后，在新发掘的探方中发现夯土墙 Q1，并发现龙山文化层叠压在夯土墙之上，在地层中出土很多龙山文化陶片。

10 月下旬，我在告成工作站上仔细查看了所开探方中叠压在夯土墙 Q1 上的地层所出土的陶片，得知大城的年代不早于王城岗龙山文化二期，也不晚于王城岗龙山文化四期，其使用期为王城岗龙山文化三期。同时还查看其他探方发掘的壕沟中的出土物，知其使用年代大体与夯土墙 Q1 同时。11 月初，我们开始在一探方中解剖夯土墙 Q1，发现夯窝的特点和王城岗龙山文化小城是一样的。至此，王城岗新发现的大城的年代问题总算解决了。这时在郑州闭幕的"郑州商城 3600 年学术研讨会暨 2004 年中国古都学会年会"传来鼓舞人心的消息：郑州成为第八大古都，包括郑州商城、西山古城、禹都阳城、郑韩故城等，这条新闻是中央人民广播电台在 2004 年 11 月 5 日 18：30《新闻联播》中报道的。

2004 年的考古工作一直持续到 12 月底才圆满结束。同时，我们于 11 月中旬开始在登封、禹州境内对龙山文化和二里头遗址进行调查，到 12 月中旬调查工作顺利结束。考古发掘期间，为进行多学科研究，北京大学城环系、中国社会科学院考古研究所、山东大学东方考古研究中心等单位的考古学家和自然科学家到王城岗遗址发掘现场进行考察和采样。不同学科的学者对我们共同感兴趣的问题进行热烈讨论，并深入交换意见。对王城岗遗址所做的多学科综合研究，成为我们考古工作的重点和亮点。开展的植物考古、动物考古、体质人类学研究、石器和陶器的工艺技术分析、实验考古、系列样品测年等研究取得了丰硕成果。为讨论王城岗遗址在文明形成过程中社会复杂化与人口、资源、环境间的密切关系等问题提供了难得的资料。

2004年发掘过程中，国家文物局专家组黄景略、徐光冀和李培松等先生到王城岗遗址发掘工地检查工作。北京大学考古文博学院邹衡、李伯谦教授和"郑州商城3600年学术研讨会暨2004年中国古都学会"代表数百人到王城岗发掘现场参观。中国社会科学院考古研究所王巍、冯浩璋先生，郑州大学考古系韩国河先生，河南省文物考古研究所杨育彬、孙新民、张志清、秦文生、蔡全法、魏兴涛先生和李素婷、辛革女士等，日本奈良文化财研究所町田章、巽淳、川越先生等来王城岗发掘现场参观考察。

2005年初，由我执笔在《中国文物报》2005年1月28日一版、七版和《2004年中国重要考古发现》（文物出版社，2005年出版）上发表了王城岗遗址2002、2004年考古新发现的报道。2005年，新华社等多家新闻媒体对我们在王城岗的考古新发现作了大量报道。2006年，我执笔在《考古》2006年第9期和《文明》2006年第10期发表对王城岗遗址的初步研究成果，提出王城岗龙山文化小城可能为"夏鲧作城"，而王城岗龙山文化大城可能为"禹都阳城"。对此，学术界反响热烈。

四、王城岗——考古学界探索夏文化的缩影

自20世纪50年代初，王城岗遗址发现以来，以探索夏文化为目的，对王城岗遗址所进行的几次重要的考古调查、发掘与研究工作，成为我国考古学界探索夏文化的一个缩影。

根据文献记载，夏人活动的中心区域在以嵩山为中心的伊洛河和颍河上游一带以及山西南部。1959年，为寻找"夏墟"，著名考古学家徐旭生对河南省登封市告成镇与八方村之间的遗址进行了考古调查，当时称之为"八方遗址"。

随后，为探索夏文化，河南省文物考古工作者持续数十年对该遗址进行考古调查、发掘工作。1977年，这里发现一座小型城址、奠基坑、青铜器残片和文字等，这是新中国成立以来我国首次发现的河南龙山文化晚期城址，开始引起学术界的关注和重视，当年在河南登封召开的学术会议，是一次研究夏文化的盛会，在中国社会科学院考古研究所夏鼐先生的主持下，邹衡、安金槐等一批国内著名专家学者对王城岗城址的性质问题进行了热烈讨论，夏鼐先生在会议总结时指出，王城岗城堡是属于河南龙山文化晚期的明确无误，至于城堡是否为夏都遗迹则是另一个问题，因为河南龙山文化晚期是否为夏文化意见并不一致。夏鼐所长认为夏文化的含义"应该是指夏王朝时期夏民族的文化"，这是一个确切的、科学的概念，对后来的探索夏文化具有重要的指导意义。

1996年，"夏商周断代工程——早期夏文化研究"专题组在王城岗龙山文化晚期城址内发掘采样，已测出的^{14}C数据和研究成果表明，小城（王城岗二期）的年代已接近或进入夏

纪年的范围之中。王城岗三期、四期、五期的年代值均已进入夏的纪年范围以内。来自王城岗的测年样品还推定了夏代始年在公元前 2070 年,王城岗对于研究夏文化的学术价值得到进一步肯定。

2002 年开始的"中华文明探源工程预研究——登封王城岗遗址周围龙山文化遗址的调查"和 2004 年开始的"中华文明探源工程——王城岗遗址的年代、布局及周围地区的聚落形态"研究,使我们对王城岗遗址的研究取得了新的重要的进展。新发现一座面积 30 余万平方米大型城址,这是迄今河南境内发现的最大面积的河南龙山文化城址,同时发现祭祀坑、玉石琮和白陶器等重要遗存。

2005—2006 年,我主持了王城岗考古发掘资料的整理和《登封王城岗考古发现与研究(2002—2005)》考古报告的编写工作。笔者就王城岗遗址的新发现与夏文化研究,讨论了王城岗遗址的年代和性质、王城岗遗址对夏文化研究的价值、王城岗遗址毁于洪水说与夏文化起始年等问题。为了王城岗考古报告能早日问世,为了我的夏文化考古梦,经常是夜以继日地工作,多少个不眠之夜,多少次在工作中迎来黎明,投入了无限的热情和执着。2007 年 9 月,仅仅用了不到 3 年的报告整理和编写时间,这部凝聚着许多考古同仁的心血智慧和辛勤劳动的 160 多万字的王城岗考古发现与研究报告顺利出版。

2007 年,著名考古学家李伯谦先生对我们这些年来的考古研究成果作了如此评价:大家知道,已故著名考古学家安金槐先生于 1975—1981 主持的王城岗遗址的发掘,发现了两座东西并列的小城,其中西域面积约一万平方米的河南龙山文化晚期城堡,并在其东北方向不远处发现了出有"阳城仓器"陶文的陶器等遗物的东周阳城城址。王城岗古城是自 1931 年梁思永先生在安阳后岗发现河南龙山文化城墙遗迹近半个世纪之后新发现的河南龙山文化晚期城址,意义重大,一经披露,立即在学术界引起轰动。国家文物局为此专门召开了名为"河南登封告成遗址发掘现场会"的讨论会,以夏文化为主题,围绕着王城岗古城的年代、性质以及是否即文献记载的"禹居阳城"、"禹都阳城"之阳城展开了热烈的讨论。以安金槐先生为首的一派主张王城岗古城很可能是夏初禹都之阳城,另外不少人则以城堡面积太小为由对"禹都阳城"说提出质疑。时任中国科学院(即后来的中国社会科学院)考古研究所所长的著名考古学家夏鼐先生出席了这次会议,他在会议闭幕讲话中对王城岗龙山文化城址的性质未作明确的表态,但对东周阳城则认为"没有问题",而且认为"它的发现为寻找禹都提供旁证和线索"。夏先生的说法为与会学者广泛接受,河南龙山文化和二里头文化遂成为从考古学上探索夏文化的主要对象。

1996 年启动的国家九五科技攻关重大项目"夏商周断代工程"提出了以人文社会科学与自然科学相结合,兼用考古学和现代科技手段,进行多学科交叉研究的研究路线。其中夏代年代部分,除了梳理文献中关于夏年的记载,便是对作为探索夏文化主要对象的河南龙山文化晚期以及二里头文化进行 ^{14}C 测年。由于以往的发掘对采集含碳样品注意不够或采集的多非系列含碳样品,于是对包括王城岗遗址在内重新进行发掘,采集系列含碳样品便成为夏代年代学研究课题中早期夏文化研究专题的主要任务之一。方燕明先生是当时早期夏文化研究专题的负责人,共采集各期可用来测年的含碳样品数十个,经过对其中 11 个样品测试并经树轮校正,将过去安金槐先生所分五期合并为三段,王城岗一段(一、二期)的 ^{14}C 年代落在公元前2190—前2103年之间，取其中值约为公元前2150年；王城岗二段（三期）的^{14}C年代落在公元前2132—前2030年之间，取其中值约为公元前2080年；王城岗三段（四、五期）的^{14}C年代落在公元前2041—前1965年之间，取其中值约为公元前2003年。根据地层关系，王城岗小城的始建年代在王城岗遗址原来分期的二期即重新分期的王城岗一段偏晚阶段，至王城岗二段（原三期）已经衰落。王城岗小城这一测定结果，与文献推定的夏代始年约为公元前2070年的结论相比，明显偏早。而其规模只有约一万多平方米的面积，与发现的龙山时代的其他城址比较，均较小，极不相称。因此，在《夏商周断代工程1996—2000年阶段成果报告》中我们只是作了"河南登封王城岗古城、禹州瓦店都是规模较大的河南龙山文化晚期遗址，发现有大型房墓、奠基坑及精美的玉器和陶器，它们的发现为探讨早期夏文化提供了线索"的表述，未涉及其是否"禹都阳城"的问题。

夏商周断代工程是中华文明起源、形成及其发展研究的第一步。1999年下半年，当夏商周断代工程进入尾声的时候，我们已经开始了包括征求建议、编写可行性论证报告在内的中华文明探源工程的各项准备工作。2000年9月，当夏商周断代工程取得阶段性成果，经验收宣布结项之后，"中华文明探源工程预研究"、"中华文明探源工程（一）"便一环紧扣一环分别于2001年、2004年适时启动了。从2001年到2005年在"中华文明探源工程预研究"和"中华文明探源工程（一）"实施阶段，王城岗遗址新的调查、发掘和研究均以不同的侧重点作为子课题列于其中。之所以作出这样的安排，一是希望进一步补充和细化夏商周断代工程时建立起来的^{14}C年代标尺，使之更为完善和准确，二是试图从考古角度对其布局和内涵作出定性和定量的考察，探讨其在当时社会结构体系中所处的聚落等级及地位。而按照我内心的想法，还包括通过连续不断的工作，看能否从考古与文献的结合上对王城岗龙山文化晚期城址的性质，亦即是否"禹都阳城"的问题作出科学准确的判断。

十分可喜的是，由北京大学考古文博学院和河南省文物考古研究所联合组成的以刘绪、方燕明两位先生为首的课题组，没有辜负大家的期望，在从2001年到2005年实际上只有短短四年的时间内，共发掘1024平方米，重点调查、测绘了颍河上游登封、禹州境内的30余处遗址，并在分别完成"中华文明探源工程预研究"和"中华文明探源工程（一）"中所承担的子课题结题报告的基础上，编写出了这部融调查、发掘和研究为一体的考古报告，公布了许多新的发现和新的研究成果，大大加深了对登封王城岗河南龙山文化晚期城址的认识，将夏文化研究推进到了一个新阶段。这些新的重要发现和研究成果主要有：

通过对王城岗龙山文化遗址的重新调查，将遗址的面积由过去所知的40万平方米扩大为50万平方米。

通过地层叠压关系和出土陶器的类型学排比，将过去王城岗龙山文化所分五期合并为前后期三段，使其发展演变的阶段性更加明晰。

发现了王城岗龙山文化晚期大城城墙和城壕，复原面积达34.8万平方米，是已知河南境内发现的龙山文化城址中最大的一座。

发现了王城岗河南龙山文化晚期大城城壕打破西小城城墙的地层关系，证明大城和小城并非同时，小城始建于一段偏晚（原分期的二期），二段已废弃。大城始建于二段（原分期的三期），延续使用至三段偏早（即原分期的四期），三段偏晚（原分期的五期）也已衰落下去。

新采集含碳样品55个，经加速器质谱仪（AMS）测定和高精度^{14}C树轮校正曲线校正，并用贝叶斯统计数据拟合软件OXCal3.10拟合，建立了更加完善、细化的王城岗龙山文化^{14}C年代标尺；重新推定了王城岗龙山文化小城的年代，上限不早于公元前2200—前2130年，下限不晚于公元前2100—前2055年，其中值约为公元前2122年，大城城墙的年代，上限不晚于公元前2100—前2055年或公元前2110—前2045年，下限不晚于公元前2070—前2030年或公元前2100—前2020年，其中值约为公元前2055年，与距文献推定的夏之始年基本相符。

王城岗龙山文化城址所在地地势西高东低，经全站仪实测大城北城壕西部所开探方距偏东部所开探方为190米，二者高差（以探方西南角坐标点为准）4.346米，而城壕底部高差不足0.4米，证明当时城墙和城壕的建造是经过事先设计和测量计算的。

经模拟试验，建造大城城墙和城壕，从挖沟到堆土施夯，假定每天出动1000名青壮年劳力，约需要一年零二个月的时间，根据现代农村经验，按照一个村落能够常年提供50—100个青壮年劳力计算，要一年内完成这个工程，需要动员10—20个村落的劳力。这与调查的颍河上游登封地区龙山文化晚期聚落遗址的数量基本符合，由此推出王城岗大城的兴建可能是动员了以王城岗遗址为中心的整个聚落群的力量来共同完成的。根据调查，王城岗龙山文化晚期遗址是颍河上游周围数十千米范围内规模最大、等级最高的聚落遗址，王城岗龙山文化晚期大城是当时该地区涌现出来的可以看做是雏形国家的政治实体的中心所在。

根据地望、年代、等级、与二里头文化关系以及"禹都阳城"等有关文献记载的综合研究，王城岗龙山文化晚期大城应即"禹都阳城"之阳城，东周阳城当以"禹都阳城"即在附近而得名，而早于大城的王城岗龙山文化晚期小城则可能是传为禹父的鲧所建造，从而为夏文化找到了一个起始点。

通过对王城岗龙山文化晚期遗址动物遗骸的研究，证明当时已经驯养了猪、狗、黄牛、绵羊等动物，获取肉食资源的方式已经进入了开发型阶段。

通过对王城岗龙山文化晚期遗址出土植物遗存的研究，证明当时种植的农作物中，除了传统的粟类作物，还有一定数量的稻谷和大豆，表明河南龙山文化晚期的居民已由种植粟类作物的单一种植制度逐步转向了包括稻谷和大豆在内的多品种农作物种植制度，人类的食谱已趋多样。

类似的成果还可以举出一些。这些成果的取得，一是因为研究目的明确，目标清楚，态度认真，田野工作做得细致；二是从调查、发掘到室内整理研究，贯彻了人文社会科学和自然科学相结合、多学科联合攻关的技术路线，从而获得了更多的古代信息。可以认为《登封王城岗考古发现和研究（2002—2005）》一书的出版，不仅标志着课题组圆满地完成了从"夏商周断代工程"到"中华文明探源工程"等国家重大科研项目对其提出的任务，达到了预期目的，而且也为今后如何更好地开展考古工作，如何编写考古报告提供了一个可供讨论的参考。

作为王城岗遗址重新发掘的提议者、支持者，看到取得的这些成绩，心里感到无比欣慰和骄傲，在此谨向课题组和参加该项工作的全体同志致以衷心的感谢！我知道课题组的成员大都是年轻朋友，朝气蓬勃，意气风发，富有创新精神，也希望大家能够认真总结经验，发扬成绩，克服不足，在新的研究工作中取得更加突出的成绩。

考古学家陈星灿先生近年撰文指出：一本考古报告怎样写，写什么，从来就不是一件容易的事情。但是，全面、准确地公布考古发掘的收获，应该是考古报告的最高目标。由北京大学考古文博学院和河南省文物考古研究所编著的《登封王城岗考古发现与研究（2000—2005）》（大象出版社，2007年）一书，皇皇两巨册，文字部分长达1066页，图版248面，堪称近年来完整、全面、准确公布考古材料的典范。主要内容为2002—2005年度王城岗遗址发掘以及颍河中上游河南登封、禹州地区区域考古调查成果的全面报道。在此期间，王城岗遗址的发掘曾先后被列入国家科技攻关计划"中华文明探源工程预研究"和国家"十五"重点科技攻关计划"中华文明探源工程（一）"两个课题之中。因此考古发掘和区域调查的目的十分明确，即通过解剖王城岗遗址及对颍河中上游地区的区域系统调查，深入认识王城岗遗址的年代、布局及其在周围地区聚落形态中的地位和作用，进而为把握公元前2000年前后嵩山南北地区中国文明腹地的社会复杂化进程提供翔实、准确的第一手资料。通过短短几年的努力，这项工作取得了哪些收获呢？著名考古学家李伯谦先生在为该书所写的序言中曾有准确而审慎的概括。除此之外，我再把该报告某些重要的认识补充如下：1. 王城岗龙山文化晚期城址被水冲毁应该是春秋晚期以后才发生的事情。东周阳城由王城岗东迁至告成一带，也许正是迫于水患对东周阳城的威胁。2. 龙山文化晚期阶段，颍河中上游形成了登封境内以王城岗遗址为中心、禹州境内以瓦店遗址为中心的两大聚落群。聚落等级分化表明该时期颍河中上游地区的社会复杂化程度在两个聚落群内部得到空前发展；且两大聚落群有各自不同的文化背景和聚落发展模式。3. 王城岗遗址浮选发现二里头时期的小麦；枣王遗址龙山文化土样中发现麦类植硅体，表明该地区至少从二里头时期甚至龙山文化时期就已经开始种植小麦了；而王城岗遗址二里岗时期小麦籽粒的大量发现，表明早在公元前1500年前后的商代早期，小麦的价值已为中原地区的先民所认知。由于小麦的加入，多品种农作物种植制度得到完善。4. 植硅体分析表明，仰韶至二里头时代，颍河中上游地区的农业经济具有稻粟混作的特点，稻作农业比较普遍；浮选结果表明春秋时代王城岗遗址的稻谷相对数值下降，表明随着气候趋向干凉，稻谷在中原地区的种植规模开始萎缩。5. 通过对区域调查诸遗址浮选土样的深入分析，发现仰韶文化阶段的农作物遗存以脱壳阶段的废弃物为主，龙山文化时期以扬场阶段的废弃物为主，表明龙山文化时期发生了农业生产组织方式的变化，即"从大家庭的社会结构向更小规模的核心家庭的社会结构的转变"。6. 通过对禹州瓦店遗址动物遗存的分析，表明龙山时期野生动物比例呈逐步下降趋势，家畜成为先民获得肉食资源的主要方式。7. 通过考古实验，尝试复原了王城岗遗址龙山文化石铲、石刀和石斧的制作和使用流程。8. 通过对王城岗出土白陶的数量和微量元素分析，表明白陶的烧造可能并非由某一单一中心向外输出，在龙山晚期至二里头文化时期，颍河中上游地区可能就有王城岗、游方头和石道等多处聚落分别制作和使用白陶；黑灰陶的生产也存在类似情况。9. 通过对王城岗出土木炭碎块的分析，表明龙山文化时期遗址周围分布着大量阔叶树栎林、其他阔叶树种和刚竹属，因此王城岗地区具有亚热带气候特点，龙山文化亚热带北界比现在偏北。其后的二里头和春秋时期均不如龙山时期温暖湿润，但龙山时期以来的居民均喜欢以栎木作为薪材。凡此等等，虽然其中的不少结论尚有待进一步证实，但无不说明报告涵盖了该研究课题方方面面的内容。举凡各时期考古遗迹、遗物的描述和分析，王城岗及其周围地区的考古调查、发掘和研究的历史，遗址的分期研究，植物遗存、动物遗存的观察、测量和分析，植物硅酸体分析，孢粉分析，木炭碎块分析，人类遗骸的观察和分析，石器的显微观察和分析，陶器的激光剥蚀进样电感耦合等离子体发射光谱研究，石器工具的制作和使用实验研究，龙山文化大城用工量的模拟实验研究，^{14}C 年代研究等等，使这本考古报告跟传统考古报告有很大距离，极大地丰富了我们对于王城岗以及王城岗周围地区文明化进程的认识，为整体把握中原地区中国文明起源的脉搏，也提供了前所未有的丰富材料。实际上，这本报告迄今为止也是"中华文明探源工程"启动以来，完成最早，也最为丰硕的研究成果。发掘王城岗的另外一个重要任务是探求早期夏文化甚至夏都的历史真相。王城岗小城是否为鲧所建造，大城是否禹都"阳城"，就我看来，目前的研究还是无法回答的，但这并不减弱这本报告的科学价值。从考古学入手，揭示公元前 2000 年前后王城岗及其周围地区的经济、社会和文化发展水平，才是研究的关键所在。

2008 年 7 月，夏文化研究的又一次盛会是由北京大学震旦古代文明研究中心、河南省文物考古研究所和郑州市文物考古研究院共同主办的"早期夏文化学术研讨会"在河南郑州黄河迎宾馆隆重召开。来自国内外的研究夏文化的专家学者 90 多人参加了会议。专门以早期夏文化为题召开"早期夏文化学术研讨会"在学术界还是第一次，这在夏文化研究中有着里程碑的意义。这次早期夏文化学术研讨会，迎来了学术界研究夏文化的老中青三代专家学者，大家齐聚一堂，盛况空前，无论是大会发言还是小组讨论，学术气氛相当活跃，各位代表各抒己见、畅所欲言，可谓精彩纷呈、高见叠出。经过三天丰富的学术活动，"早期夏文化学术研讨会"取得了丰硕的学术成果，获得圆满成功。夏代在中国历史上曾经存在过是可以肯定的，但是从考古学的角度，何种考古学文化对应夏代遗存，时至今日仍为学术研究热点之一。由考古学研究夏文化肇始于 20 世纪 20 年代中国考古学诞生以后。上世纪 20 年代，李济先生在晋西南的考古调查与西阴村的发掘就带有探索夏文化的目的；30 年代，徐中舒先生提出仰韶文化为夏文化说；40 年代，范文澜先生提出龙山文化为夏文化说；50 年代，鉴于龙山文化分布范围广且地方特征明显，有学者将龙山文化划分为典型龙山文化、河南龙山文化、陕西龙山文化；在河南三门峡水库的考古工作中，考古学者又将河南龙山文化分为早、晚两个阶段，早段称庙底沟二期文化，晚段称河南龙山文化，并认识到豫西的龙山文化可能与夏文化有关；也有学者根据新的考古资料指出郑州地区的"洛达庙期"和"南关外期"遗存最有可能是夏代的文化；50 年代末，徐旭生先生在豫西的"夏墟"调查；60 年代考古学者在河南偃师二里头遗址大规模的考古工作，二里头文化的提出；70 年代中期以降，在豫西开展的以探讨夏文化为目标的一系列考古工作，如登封王城岗遗址的发现和发掘；使夏文化研究有了长足的进展。考古学研究夏文化，逐渐拨开了夏代历史的迷雾，使夏文化研究走上了一条新路。自 1996 年至今，由于"夏商周断代工程"和"中华文明探源工程"的推动，夏文化探索再度成为学术热点。多学科、多层面的综合研究，使夏文化探索工作在不少重要课题上有重大进展，经过长时间的努力，夏文化探索已取得了巨大成绩。不过在夏文化研究中，在一些学术问题上的看法还有分歧。其中最大的问题还是考古资料不够，学术界期待着新的重要的考古发现解决夏文化研究中存在的问题。早期夏文化学术研讨会的召开，为考古学家提供一个互相交流、合作的良好机会，必将推动中国考古学特别是夏文化考古学研究的深入发展。

笔者从事考古工作数十年来，主要是在嵩山东南麓颍河中上游地区开展考古发掘与研究。其中在王城岗遗址的发掘中开始了我的考古之路，当人到中年时又领衔在王城岗遗址上实践我的考古新探索，可以说王城岗是我考古生涯的福地。几代考古学者在以嵩山为中心的地区所进行的一系列考古调查、发掘和研究工作，为夏文化的研究奠定了较好的基础，取得了不少共识和重要进展，如历史上的夏代是信史，夏代的物质文化遗存应该到考古学文化中的王湾三期文化和二里头文化中去寻找，夏商周断代工程推定夏代存在于公元前2070—前1600年，即公元前21—前17世纪等，使夏文化的研究有了长足的进步。我有幸厕身其间，奉献着考古人的辛劳和执着，收获着考古人的喜悦与幸福。

2002年9月在王城岗遗址使用全站仪测量（左张海、右杨冠华）

2002年12月北京大学李伯谦教授一行考察王城岗遗址发掘现场（左起刘绪、张弛、葛英会、李伯谦、徐天进、作者等）

2002年11月澳大利亚拉楚布大学刘莉和中国社会科学院考古研究所陈星灿先生一行参观王城岗遗址发掘现场（左起魏鸣、刘莉、刘绪、陈星灿、作者）

2002年12月孙新民所长一行参观王城岗遗址发掘现场（左起曹桂岑、杨肇清、刘绪、孙新民、蔡全法、作者）

2002年11月，中国社会科学院考古研究所许宏先生一行参观王城岗遗址发掘现场（左起许宏、作者、赵海涛）

2004年12月，日本奈良文化财研究所所长町田章一行参观王城岗遗址发掘工地（左起赵宏、孙新民、川越、巽淳、陈枫、町田章、作者）

2004年11月，中国社会科学院考古研究所王巍所长考察王城岗遗址发掘工地（左起作者、王巍、韩国河）

2004年11月，国家文物局专家组黄景略、徐光冀先生一行考察王城岗遗址发掘现场（左起李培松、黄景略、徐光冀、杨育彬、作者、刘绪）

2004年11月，北京大学邹衡教授（左三）考察王城岗遗址发掘现场（左四作者）

2004年11月，作者接待中国古都学会2004年会代表参观王城岗遗址发掘现场

2005年，中国考古学会会长张忠培教授（右）考察王城岗遗址出土陶器（左作者）

2006年，郑州大学李民教授（右）考察王城岗遗址（左作者）

2005年，在我所告成工作站内进行试验考古（左起作者、刘绪、张海等）

三十一年刻骨铭心的回忆

李延斌

人的一生有很多值得回忆的地方，一个单位也有诸多灿烂和辉煌的时光，2012 年是我所成立 60 周年的大喜日子。我从 1979 年 11 月 25 日来到郑州至今，也算是有 31 个春秋了，真可谓是时间如梭光阴似箭啦。提笔忘字的我，看到我的前辈和同龄人为考古事业做出的贡献和取得的突出成就，深感内疚和后悔，内疚和后悔之余，也想用我三十一年的回忆来记录我参加工作至今的前后经历。

不知从何说起，也不会写作，思前想后，感觉还是随意点好，但愿我的这些只言片语不会使您烦感。我的工龄是从 1980 年 1 月 14 日算起的，你可能会说开头你写的就是 1979 年 11 月 25 日来到郑州了啊，告诉你们这些我不愿提起的那些是我终生难忘的过去，那些过去的蹉跎岁月，为我的父亲和家人留下的无数阴影，众所周知的政治原因，说来话长的历史背景，是我不愿提起最为沉痛的回眸。

1979 年下半年，我和我们车班的师傅承包了在登封曲河往卢店水泥厂拉石头的任务，11 月 25 日下午 5 点左右，我开车路过我们的临时驻地门口，接到同事从巩县城关公社拖拉机站转给我的一份家父病危速到郑州的电报，看到电报，心急如焚，未来得及换工装，简单收拾一下行李，背着书包，穿上大衣，厨房师傅给我拿了几个烧饼，又借给我 50 块钱和 30 斤粮票，赶往登封卢店长途汽车站，但是最后一班开往郑州的汽车已经开走了。

父亲病危的电报拿在手中，无奈的我只好想办法趁车赶往郑州，在路边商店买了两盒芒果牌香烟，又到回郑州必经的丁字路口，等了大概 20 多分钟，过来一辆拉着沙子的解放牌汽车，那时候我只知道挂 49 - 的车牌号属于郑州市区。也是因为当时年轻，我趁着汽车转弯减速的最佳时机，一手拿着家父病危的电报和拖拉机驾驶证，另一手拉着驾驶室右边后面的拉手，迅速踩上了汽车踏板，告诉汽车司机说家父病危，我也是司机，想乘他的车赶往郑州，这个司机把车停在路边。然后告诉我说他不到郑州只到新密矿务局，当时我也是为了急于赶往郑州，所以也就没有多想，趁机把刚才买的两盒烟送给了师傅，告诉师傅说家父病危乘一段算一段，师傅也很同情于我，就这样上车坐在后面的沙堆上。大概一个小时左右到了原来的密县老城东边往新密矿务局去的路口，汽车停在路边，师傅告诉我他真的到了，不能往前边送我了，我当时已经是非常感谢这位汽车师傅。他告诉我顺着这条路往前东北方向走到三岔路口再往北走就能到达郑州。我对师傅再次表示感谢之后，心里只有一个念头，那就是无论如何也要尽快赶到郑州看望父亲。

天渐渐地黑了，没有拿手电筒，只好顺着路一直往前走，忽听得在我同方向的后面传来一阵我比较熟悉的拖拉机声音，这时候我又增加了今天晚上一定要赶到郑州的信心。拖拉机从我身边走过，我给师傅摆手示意要趁车，他也就相对减速，没等车停下来，我就迅速从拖车后面爬上了拖车。当时把那几个原来的乘车人吓了一跳，他们问我要干啥，我告诉他们乘车的原因，并且把我带的烧饼分给他们三个人每人一个，他们告诉我他们是尉氏县的车不往郑州去，到三岔口就一直往东走了，果真在20分钟之后到了三岔路口，我告诉拖拉机师傅我要下车，师傅也算不错，车停在路边，我刚下来没来得及说声谢谢，他说也是为了赶路，径直把拖拉机开走了。

我的心里只有一个理念，就是尽快到郑州，下车后定睛确定往北的方向，只好一路徒步向前走，走了一个多小时后到了裴沟矿务局附近的路边，看到有一辆车门上写着河南省六冶公司字样汽车，也是为了抓紧时间，走到车边与师傅攀谈交流，他得知我从三岔口徒步到此急于赶往郑州的想法。很同情于我，便好心地对我说他的汽车是拖挂连接处断了，一会儿他们单位的修理救急车就来了，让我等他的修理救急车来到之后，可以让他们的师傅带我先行回郑州，当时把我感动得不知所措。我当年不会抽烟，再说了在卢店买的两盒烟也给了刚才趁车的师傅了，想起书包里的烧饼，就顺便递给师傅两个烧饼，这时候我才想起来我也没吃晚饭。大概又等了将近一个小时，河南省六冶公司的救急车真的来了，按计划我乘着修理师傅的汽车，没等那个被修理的车修好我们就先走了。我现在回忆应该是当天晚上10点左右到了郑州桐柏路与陇海铁路的交叉口附近，由于不熟悉郑州市区的道路，加上又是夜里，只好选择顺着铁路线往东的方向一直继续徒步走了。大概走了一个多小时才走到火车站附近的二道街旁边出来，顺着二马路走到火车站出站口看到有几辆人力三轮车，心想搭车先去博物馆问清楚家父到底在哪个医院，这样会节省一些时间，哪成想因为当天晚上有雾，三轮车的师傅说他给多少钱都不干，此时的我可谓是无奈无助，早点见到我父亲才是我的第一目的。因此，只好凭回忆自己以往来郑州领取父亲每个月15元生活费时坐的2路汽车行车路线，我顺着一马路、铭功路、太康路、北二七路、金水路走到人民路11号博物馆的值班室门口。当时在博物馆值班的是赵鸿勋老爷子，他告诉我因为我父亲病重所以家里没人，让我直接去省人民医院内科病房，我便继续步行赶往省人民医院，到住院部的时候可能是因为太晚了，住院部门口值班的人说没有医院开的探视证明就不让我进去，任凭我咋说好话也不行。身上的烧饼也吃完了，我仅有的50块钱是为我父亲看病准备的，绝对不能乱花，既然不让从正门进，那我就想办法一定要进去，围着住院部的栏杆转了一圈。发现在住院部西南角的拐弯处不用费劲就能够翻过去，我把大衣脱了扔进去，翻过栏杆就直奔住院部进到我父亲的病房，我进到父亲的病房已经是11月26日凌晨1点50分了。走进病房里，我看到母亲、哥嫂、姐妹等全家人都守候在父亲的病床边，我眼含着一次一次即将夺眶而出的泪水对我父亲说："爸爸，我是延斌，我来看您了。"此时我父亲吃力睁开双眼对我眨眨眼睛，他已经没有气力给我说话了，我拉着父亲的手，告诉他我是从登封赶回来的，父亲再次眨眨眼睛，我知道他明白我的意思。

天亮之后我才听医生说我的父亲是肺气肿后期，目前肺部已经严重感染，最终的结局可能就是肺源性心脏病，如果肺气肿控制不住的话，就会随时导致心脏衰竭而结束生命。我和我的家人都是非常渴望我的父亲能够抵抗病魔，安享晚年啊。因为我父亲被划成右派的冤假错案，1978年刚刚被平反昭雪后恢复了工作，此时我们的家境虽不算富裕，但也有了很大改变，当时的我已经在公社拖拉机站上班，哥哥在公社供销社工作，应该说我们的家境要是与60年代到70年代中期之前比的话，已经有了天壤之别的变化，日子渐渐地好过了，我们的家庭生活条件在逐渐好转了。尽管我哥哥和我姐包括我本人在内，当年在各方面都是经受政治影响的，但是有一点就是在我母亲的教导和严格要求下，感谢党和上级领导对我家的关心爱护和帮助理念一直比较坚定。我的母亲是1952年就加入中共的老党员，她老人家今年已经是86岁了。母亲对我们说看看在医院你爸病床旁边的呼吸机、氧气瓶、抽痰机、心电图监护仪和正在输液的吊瓶，还有医院的医生正在积极想办法治疗也足以说明了党和上级对咱家不错，所以我们坚持感谢党和上级领导是没错的。医院的医生和护士也了解我们全家恳请医生竭尽全力地抢救我父亲的心愿，至此之后，医生和护士确实也算是尽心尽力地照顾我的父亲，常用的医疗手段和最新的医疗措施都用上了，但是1980年1月1日凌晨1点45分，父亲终因肺源性心脏病抢救无效永远地离开了我们。

我的父亲1952年参加工作，在河南生物制药厂工作，1954年从河南生物制药厂调到省文物队工作，参加河南省文化局第一期文物干部训练班的培训之后，被领导派往洛阳参加配合基本建设考古发掘工作。1959年初被补划为右派，1978年我父亲才被平反后恢复了工作。尽管我的父亲已经恢复了公职，但是，当时我的父亲已经是病魔缠身了，特别是在打成右派回家的19年中，因家里缺医少药，导致他老人家有病也不敢到医院从根本上治疗，只是在我们村里的卫生所买一些川贝精、氨茶碱、麻黄素等非常一般的药物解决燃眉之急。时至今日，我们全家都心怀一种遗憾，那就是家境好了，我们姊妹五个也都长大了，本应让他和我们一起享受天伦之乐，安度晚年，但是他老人家依然是没有能够抵抗病魔的困扰永远地离开了我们。在此我要特别多说一句，在1978年前后帮助我父亲办理平反恢复工作相关事宜的傅永魁先生、许顺湛先生、赵国璧先生、李兰亭先生等领导和我父亲的生前好友，衷心地感谢你们对我家的热情帮助，我将时刻铭记在心。另外，在1979年11月至1980年1月1日我的父亲病危和办理后事期间，单位有不少老前辈都非常关心我们全家，也给了我们家很多帮助和照顾，也有不少老前辈还在我父亲病危的最后关头亲自到医院值班陪护，在此，我代表我们全家向之前关心和照顾我们全家的老前辈表示最诚挚的感谢。还有就是1980年1月1日我父亲去世后，当时的博物馆相关领导也是比较重视，按照政策组织相关人员办理了我父亲的后事，并且委派靳长江师傅开车，把我父亲的骨灰送回老家巩县安葬，也是我历历在目的一幕，我终生难忘靳长江师傅对我们家的恩情。我始终不忘得人滴水之恩，当以涌泉相报的国人传统礼教。我参加工作至今坚定一个理念，那就是一旦有机会就要回报帮助过自己的人，同时也在工作中坚持一个习惯，那就是张嘴容易闭嘴难，不管啥时候只要有人向本人求助，就不遗余力地帮助求助者，回顾这些年来我到单位之后走过来的路，可谓是路漫漫，三十余年弹指一挥间。

我父亲的后事在巩县老家办完之后，母亲让我陪她回到博物馆，说是来结清父亲后事的相关账目。到了1980年1月14日，当时在办公室的郑清玉大哥到我家里，告诉我说老爷子走了，单位也很遗憾，按照当时的相关规定，只能安排一个子女接班，经过征求你家老太太的意见，也是按照老爷子的遗嘱，把你参加工作的相关手续已经办理完了，从今天开始你就算是正式到博物馆参加工作了。这时候我一头雾水地问郑清玉大哥和我母亲，为啥不让我大妹来接班？我曾经就此事有过非常明确的表态：如果只安排一个子女接班的话，我坚决同意让我大妹来接班，因为当时我毕竟有一份在公社拖拉机站开拖拉机的工作，尽管当时的公社拖拉机站是个社办企业，但那份工作是我自己经过考试和努力挣到手的，我非常珍惜那一份工作。郑清玉大哥推心置腹地对我说：这是老婶子和老李叔的意思，接班的手续都办完了，不要让老婶子为难了，今后你就在此好好努力工作，回报家人的机会靠你自己今后的努力才能实现。

我的母亲眼含热泪，语重心长地告诉我：孩子啊，我心里很清楚，也知道你想让你妹子来郑州接班参加工作。但是单位领导说了只能安排一个，这一个机会我肯定不会让你妹妹占用，你是儿子，接班自然是你的事，这也是你爸爸生前交待过的，谁也不可能改变。我希望你子承父业好好工作，要给咱老李家争光，今后不要让你爸和咱们全家失望就行了。这时候我才恍然大悟，母亲原来不是让我陪她来结账的，是母亲和大哥、大嫂、姐姐他们都商量好的让我来接班。说句实话当时办理我来接班的事，招工履历表里我一个字都没有填。当时我从内心里确实不愿意来博物馆工作，后来我也是无可奈何地就此在博物馆办公室工作，先是在办公室熟悉工作。没过几天母亲说家里有事，让我在这好好工作，她先回家把有些事处理一下，有空再来。

从此之后，我就算是正式在博物馆工作了，当时我确实也不知道文物队和博物馆是两个单位合署办公的，知道博物馆有个部门叫文物队，我以为领导会安排我到田野考古发掘工地从事一线考古发掘工作。咋也没想到1980年2月初，办公室主任李庆生通知我说，原来馆里参加联防值班巡逻的人近期家里有事，让我先去金水河派出所临时顶替几天，我也是想着服从领导就答应了，谁知道一去就是一个多月，办公室根本就没有让回单位的意思。有一天金水河派出所的指导员还对我说：小李啊，好好干，将来有机会的话，给你转成合同民警。听过指导员的一席话，我便心存顾忌地告诉他说，我现在就是全民正式工，你要给我转成合同民警我不会干的。

当天下班之后我心里犯嘀咕：之前无论是读高中毕业在巩县陶瓷厂实习，还是毕业之后在生产队农业学大寨的第一线，包括在公社拖拉机站工作的一年多里，本人都是经常受表扬的先进工作者。李庆生主任会不会是因为找不到其他人到派出所值班在骗我，也有可能其他单位来参加巡逻的都是等着转正的临时工。因为当时我已经是省博物馆的正式工人了，派出所的领导咋就能说让我好好干，有机会给我转成合同民警，实在是想不通。晚上便直接去领导家里找他们理论此事，李庆生主任的家在东里路商城工作站居住，敲开他的家门，他老伴说他不在家。我又回到博物馆的院内去找当时博物馆的林治泰馆长家，他家属也说他不在家。回到宿舍想到郑清玉大哥家问问情况，嫂子说他也出差了。此时的我茫然不知所措，回到宿舍含泪写了辞职信，这份辞职信我用了七张信纸。写好之后没等天亮就去办公楼门口，隔着门缝投进当时博物馆领导的办公室。终极目的是告诉他们三天之后，再让我继续去值班巡逻的话我不干了，我希望领导尽快给我答复，否则的话我就卷铺盖回家，因为我不想从博物馆转到派出所去当合同民警。

第二天晚上我回来之后路过传达室门口，值班的赵鸿勋老爷子告诉我说李庆生主任在办公室等我，让我回来就去找他。我迅速赶到办公室，见面之后李庆生主任劈头盖脸就把我狠狠批了一顿，问我不干巡逻，想干啥？会干啥？能干啥？我告诉他说我想去工地干考古，他说你会吗，我告诉他我会学，学好也能干好。他说干考古不是谁想干谁就干的，那是个专业性很强的工作，你没有上过大学，也干不好，马上要成立基建办公室了，给领导都已经说好了让你跟着张培山等老同志去云南采购木料；你先回去好好考虑一下，这几天先去好好值班，我们很快会安排人员接替你的。二月中旬的一天，我再次找到李庆生主任，告诉他我坚决要求下工地，并说明请他根本不要考虑派我去当采购员。原因一是我不会抽烟，二是不会喝酒，三是我根本不想干，第四最主要是我一个月27块钱，当采购员不够花的，并明确表示坚决不想再去值班了，如果再没人接替我的话，我就真的卷铺盖回拖拉机站继续开拖拉机去。李庆生主任告诉我说，这个事说归说干归干，在没有找到接替人员之前，要求我还要照样去值班，并说要相信领导，领导一定会安排好的，我也是回想起我父亲患病就医的前后，领导对我家都不错，另外也是怕我母亲伤心，因此才委屈求全地继续到派出所值班。

三月初的一天早上，我准备去值班之前，见到当时还不认识的曹桂岑老师，他问我想不想下工地？我说想下工地，我就问让去哪里，他告诉我说去淮阳平粮台，我说愿意去。曹老师又问我："听说你会开拖拉机，会修拖拉机不会？"我说会修拖拉机，他说这事就好办了，只要你会修拖拉机那就有门啦，等我好消息吧。三月中旬的一天我值班回来，办公室李庆生主任再次把我叫到他办公室，说已经安排好了，从明天开始你就不要再去值班了。但是，有个条件就是在一星期之内，要把一台手扶拖拉机修好，然后准备去淮阳工作站配合曹桂岑工作，这时候我确实非常激动，也非常高兴。

第二天上午十点多钟，在博物馆院子里，看着大家刚从当时的农展馆二楼抬出来的一部红卫12型手扶拖拉机，自然是高兴得无以言表了，心中既高兴又激动。激动之余，我非常认真地对这部手扶拖拉机进行了一次全面检查，发现发动机各部分的配件确实需要大修和保养，因为当时我拿着启动发动机的摇把试图启动发动机，费老劲了甚至连一圈都难以摇动。这时候我就去向李庆生主任请示，这部拖拉机需要拆开进行修理和保养，他说我知道那台拖拉机开不成才让你修理的，你只要把它修好就行了，没钱去财务科借钱该买啥就买啥，按时把拖拉机修好就行了。我把发动机、变速箱、底盘全部拆开，并对每一个配件进行认真的检查，根据实际需要列出更换配件的清单，去财务科借钱买到配件对这台拖拉机进行了全面维修和保养。

四月初我终于不负众望地用了一星期时间，把这台拖拉机修好了。周一上班以后，李庆生主任和其他领导到现场看了拖拉机真的被修好了，对我说你做得不错，近期你要作好去淮阳平粮台的准备。以后跟着曹桂岑在淮阳平粮台配合发掘，并告诉我说到工地的主要任务是开拖拉机带着水泵抽掉挖墓时墓室里的水，做好服务工作。这时候我确实很高兴，也很激动同时也很有成就感。

1980年4月25日早上，那天是星期五，我坐着王建民开的当时博物馆仅有的一部苏联嘎斯五一汽车（车牌号是49-00852），带着刚修好的手扶拖拉机，开始了我走向田野考古的第一天。当天晚上八点多才到淮阳工作站，我们把拖拉机从汽车上卸下来，曹老师看到已经修好的拖拉机也很高兴，说今后咱们有车了只要大家努力，我们的工作一定会有成绩的。曹老师介绍认识了工作站的所有人员，当时的淮阳工作站内有曹桂岑、冯忠义、宋智生、李胜利，另外还有石敬东等几个技工。这时候我才知道淮阳平粮台是个工作站，曹老师自我介绍说他是西北大学考古专业毕业到文物队工作的。他还告诉我说淮阳平粮台是个龙山文化遗址，由于地下水比较浅，每天在挖墓过程中用拖拉机带着水泵保持发掘现场的水位不能上升，这就是我的职责，从此至今"文物考古发掘"这个词组对我不再陌生。之后每天把拖拉机开到发掘现场，用拖拉机带着抽水机配合做好当天的各项工作，在工作之余我跟着其他同志学习现场画图、学习填写发掘记录、学习熟悉文物考古发掘操作规程，说句实话，在我到达淮阳平粮台之前，真的不知道在淮阳的地下水就那么浅，挖下去1—2米深地下水就不停地往上冒，确实影响考古发掘现场的正常进行。我每天白天配合做好发掘现场的抽水工作，下班之后出去配合完成工作站的其他运输任务。

那时候求知欲望应该说是比较高的，我在白天完成本职工作之后，还积极要求参加曹桂岑老师每天晚上在工作站进行的考古发掘资料整理工作。向他们学习出土器物清洗、资料整理、绘图、分期排队、做好登记、照相等。记得有一天曹老师安排晚上要把白天在工地照过的胶卷冲洗出来，他在操作的过程让我们几个年轻人在旁边看着，我就和另外几个年轻人在旁边看着他在冲洗，他问我们谁会冲胶卷，我便直接告诉曹老师我会冲胶卷，他感到很突然，问我在哪里学的，我回答是在读高中时学会的，他很高兴，从此也就更加坚定了我从事考古发掘工作的信心。

淮阳平粮台工作站位于淮阳县城东南4公里处，是一座龙山文化古城，是国家级重点文物保护单位，面积100余亩，距今已有4600多年的历史，是我国目前发掘出土年代较早的一座古城址。这对研究我国古代城市的出现、国家的起源、早期奴隶制等重大学术问题，有着重要的价值和意义。这里出土了大量的珍贵文物，古代人烧制陶器的窑址等。由于年代跨度时间较长，所以古代遗迹现象也确实比较复杂，有的灰坑叠压关系真的让考古专家都要仔细推敲才能定论，在淮阳平粮台遗址中古代墓葬出现叠压打破关系是司空见惯的常事，所以曹老师带领我们在平粮台进行考古作业，加上地下水位较浅，豫东地区的土质比较松软，在考古发掘过程中，确实要面临很多意料之外的风险。1980年6月中旬，在发掘位于平粮台遗址东北角那座M3的过程中让我记忆犹新，当时在开始作业项目确定之前，为了提高安全防范的工作系数，曹老师就制定了严密的防范措施，发掘开始前就把用来加固墓壁四周一批10厘米厚的木板、一根直径40厘米的圆木和其他物品都准备到位，每天都按计划对墓葬四壁进行安全防范加固，工作开展得比较顺利，半个多月之后对M3的发掘已经接近尾声，按当时的计划来讲，也就是对这座墓葬发掘的最后一天了。因为那天下午把出土的器物都已经基本清理干净，除了等次日再拍一张全景照片之外，其他的项目已经基本搞定，当天下午6点半同志们下班回去吃饭。我带领朱汝海、李华英两个民工在现场值班，主要任务是及时抽水保持墓室里面的水位不能上升。曹老师把我们明确分工，让我一个人看着拖拉机带水泵抽水，他们两个人负责巡查现场安全。大概是6点50分左右，我发现墓室东壁上突然塌下去一块土，通往墓道里的水道被堵住了，这时候必须要把水道清理干净，我和朱汝海分别下到墓室里面，安排李华英在上面做好巡视工作，我在墓道里清理，朱汝海在墓室东壁下面清理，这也是为了保证水位不再上升而必须要做的。正当我们分头清理淤泥的时候，朱汝海突然边跑边叫说延斌快跑塌方了，我扭过头来看的时候他已经顺着圆木爬上去了，随后只看到一阵狼烟灰土漫天地塌了下来了，我心里明白这时候往外跑是没用的，缓过神来看时知道墓室里东西两个墓壁一起塌到墓室里了。回想起来如果那个时候我要往上跑的话，砸不死也得砸个残废。当时等到不塌的时候，我已经被稀泥埋到胸口之下了，墓道里的我，抱着铁锹护着胸口靠着墓道的西南角站着。大概过了两三分钟那样，我听见朱汝海在上面大声吆喝：曹老师快来吧，塌方了延斌没上来。实际上这时候我不是没上来是上不来。这时候按规定时间是冯忠义到现场接我的班，他当时也是正在赶往现场的途中，他比曹老师听到的要早，听到塌方的消息他也是不顾一切地往现场跑着，冯忠义和曹桂岑老师他们带着其他同志相继以最快的速度赶到现场的时候，我已经是满身泥浆从墓室里顺着圆木爬上来了，遗憾无语地站在墓室旁边看着塌得不成样子的 M3，曹老师把我狠狠批了一顿，说我不应该直接下到墓室里去挖淤泥，并说这次是个万幸，如果你要是有个闪失让我回单位咋给领导交代，要求我们今后一定要提高安全防范意识，一定要把安全隐患消灭在萌芽之中。我那时候在工地干的还算是不错的，因为本身自己就是在农村长大的，所以也适应了淮阳工作站气候潮湿和蚊虫叮咬的艰苦环境，加上自己的工作态度比较努力认真，经常能够受到曹老师的表扬，我在淮阳工作的短暂时光里学到不少业务知识，认识了汉墓里出土的铜镜、带钩、鼎、豆、簋、壶、罐、瓮、盘等等不少自己在此之前根本就叫不上名字的文物标本，认识了啥是考古发掘过程中的路土、夯土、墓土和部分出土器物上的布纹、绳纹，耳闻目睹了考古发掘的过程，体会了考古发掘人员长期在野外作业的艰辛，对于自己今后的工作起到了积极作用。

当年 6 月下旬的一天，靳长江师傅开车到淮阳工作站送发掘用品，晚上在饭堂吃饭时，他告诉曹老师说文物队与博物馆要准备分家了，单位领导说准备让我回单位开汽车，并说要做好准备，抓紧时间回到单位。我这一听就懵了，立即告诉靳师傅说我不会开汽车，也不愿意开汽车，如果能不回去的话尽量不回去。靳师傅告诉我说，这是安金槐亲自点名让你回去的，谁也不可能改变。靳师傅还说：安金槐是分家以后的第一任所长，所以他的意思不可能随意被人改变。因此，你一定要按领导要求，在规定时间（7 月 25 日之前）内必须回到单位。曹老师听了此话也很无奈地对我说，你在单位去值班的时候，也没人想起来让你学开车，到淮阳了反倒有人想让你回去学开汽车了。人往高处走，服从领导做好准备，让你走那就得走吧，我也只好点头答应。晚饭之后，靳师傅告诉我说：单位分家缺少司机是实际情况，多少人想开汽车领导不让人家开车，单位领导看上你了，你也别不知天高地厚，赶快收拾东西准备回去。听了靳师傅和曹老师的话，我给巩县城关公社拖拉机站的领导写信说明索要办理转移驾驶证的相关手续。到了 1980 年 7 月 25 日早上 8 点，我带上之前准备好的所有证明材料，告别了刚刚熟悉的老师和同事，从淮阳直接乘车到开封地区车辆管理所提取了我的拖拉机驾驶员档案，当天晚上回到省博物馆。第二天把我的拖拉机驾驶员档案交给了办公室，过了没几天靳师傅就告诉我说增驾记录的手续办好了，到 1981 年元月份就可以参加汽车驾驶员考试了。嘱咐我要抓紧时间练车，争取明年考试一次过关。从此之后我在博物馆的后院操场上，坚持按照比参加实际考场更严的要求，抽空模拟练习汽车驾驶员桩考、路考规定的必须项目。坚持抽空跟着省电影学校宋全庆师傅学习南京 130 跃进汽车的公路驾驶实际操作技术，为迎接参加实际考试作好了前期准备。

1981 年 1 月 10 日是我参加考取汽车驾驶证的日子，那天靳师傅借的是省文物商店姜和平师傅开的南京130跃进汽车。靳师傅带我一起到了设在位于金城街的郑州市车辆管理所的考场，没等多长时间，就轮到我考试了，也可能是由于我之前每天练习得比较到位，当天的桩考和路考包括半坡起步所有项目都非常顺利地一次通过了考试。靳师傅告诉我说今后就算是正式实习汽车驾驶员了，今后一定要记住自觉遵章守纪，千万不要违反交通规则。我点头答应的同时告诉靳师傅说，从1977年学会开拖拉机至今，我一直谨遵师训，从来不违章驾驶，不喝酒，不抽烟，每年都是圆满完成领导交给的各项运输任务，曾经受到领导和同事们的一致好评。靳师傅对我说，以前做得好，今后要做得更好，好好干吧，我知道你是高中毕业，做事认真，要不然安金槐所长也不会挑着点名让你回来开车的，我相信你会有出息的。

1981年，按照上级要求，文物队真的和博物馆分家了，这下分得可真够细的，分家后原文物队的名字正式改为"河南省文物研究所"，办公地点就是现在的地点（当时是郑州市工人第二新村256号），原来在文物队的考古工作人员基本上都要到文物研究所工作；原来在文物队搞古代建筑维修的一部分人，分到"河南省古代建筑保护研究所"工作，地址是郑州市文化路86号；另外一部分人分到"中原古代石刻艺术馆"工作，地址位于郑州市北郊的孙庄村西边；我本人由于家父生前在文物队工作，分家时自然就是随大部队到省文物研究所工作至今。这样在博物馆一分为四之后，1981年上半年我每天都是按照领导要求，我和钤长友师傅开着东风140卡车从博物馆途经人民路、顺城街、南城马路、南关街、陇海路、新郑路往所里运文物。

1981年下半年基建办公室成立了，安金槐所长让我跟着郭建邦、李长武两位先生到基建办公室工作，那时候我一边开车跟着领导去密县、登封、新乡、信阳等地对基建用料的考察选择，一边负责基建材料钢材、门窗、砖、沙、灰、石的质量检查验收工作。开车拉建材、在工地验收建筑材料本人并不是外行，因为之前高中毕业在生产队和巩县城关公社开拖拉机时就经常干这种活，所以每天不用作难就把活干得干净利索。应该说1981—1982年相继竣工沿用至今的办公楼和宿舍楼，留下了本人辛勤的汗水和不少足迹，因此那时候也经常得到安金槐所长等领导的表扬。

说话间到了1983年，经文化部文物局批准，举办的"文化部文物局郑州文物干部训练班"（这也是在我所举办的第一期全国文物干部训练班）正式开班，经所领导研究决定派我到训练班办公室工作，训练班的办公室就在新落成的办公楼西北角。安金槐所长兼任训练班的主任，王润杰书记兼训练班的党支部书记，翟继才先生任办公室副主任，我在训练班的主要任务是开车接送老师和协助完成训练班的公务接待活动，王登臻同志担任财务出纳和行政保管，徐炳炎先生担任会计和总务。当时训练班买的第一辆汽车是安徽六安生产的飞虎牌单排座微型小卡车，这台车的价钱是8000块钱，新车提回来以后开到位于郑州市桃园路的嵩山汽车修配厂，花了300多块钱给后车厢上面打了个车棚，棚内加装了两排座位，能坐8个人，车棚改好之后加上驾驶室的话总共能坐10人。由于这部车配置的是双缸摩托发动机和汽车底盘，因此车牌只能挂摩托牌照，所以我坚持每天开车去学校接送老师，同时负责给训练班的食堂采购物品，天天早出晚归，确实心里倒也感觉踏实。安先生经常坐着这台小飞虎汽车，也是经常出入省政协和文化厅等重要场所，记得有一次在金水路上的国际饭店开全国考古学会年会，我开车拉着安先生到了国际饭店门口，被保安拦着坚决不让我们的车进到院内，我告诉他安先生可是会议承办的东道主，我们车上拉的是会议材料，你不让进去我们的会议材料咋能发给会议代表，他们说我们的车档次太低了，怕外宾看到影响河南的形象，商量好一阵子，最后来了个交警，协调以后才勉强允许我把车开进去，保安要求我们进去之后把车停在后院，这次去国际饭店开会，门卫值班人员按衣帽取人的过程曾经在省直文博系统传为笑谈。

1984年这个训练班改名叫"文化部文物局郑州文物干部培训中心"，培训中心正式挂牌之后，专业培训科目从田野考古扩展到古钱币整理、文物绘图、文物勘探比之前更多了，原有管理人员没变，来自省内外的朱活、汪庆正、麦英豪、张孝光等专家讲课认真，我们所里的不少同志都给学员们传授了专业技术知识，来自全国各地的学员听得仔细。我与他们中间的很多人都成了至今还保持经常联系的好朋友，这些学员结业回到原单位之后，为当地的文物考古科研事业发挥了主力作用，并为文物考古科研事业作出了较大的贡献。

1986年再次更名叫"郑州文物考古干部专科学校"，这时候训练班的培训任务由短期培训班改成面向全国招生的成人大专班了，这一届大专班招收27个学员，学制三年，学历专科。既然是大专班，教学计划就必须按照省教委的规定来作。学员的专业文化课（外语、政治经济学、哲学、史前考古、夏商周考古、春秋战国考古、秦汉考古、唐宋元考古）授课老师有郑州大学的历史系考古专业的王兵翔、匡瑜、贾洲杰和外语系的老师，我们所的老一辈考古专家安金槐、许顺湛、韩绍诗、王润杰、裴明相、贾峨和郝本性、杨育彬、曹桂岑、赵青云、杨肇清、蔡全法、孙新民等年轻有为的中青年考古专家学者，这一批学员到1989年顺利毕业，回到本单位以后都发挥了非常优秀的作用，后来听说部分人都提升领导岗位上工作了，有的到目前为止还是地市文博单位的主要领导。

1990年上半年大专班本应继续招生的，但是因为我们的学校没有被省教委批准备案而被停止继续招生了。后来经过多方协调，迅速办完了中专班招生的相关手续。学校1990年正式改名为"郑州文博干部职工中等专业学校"。1990年初为了落实中专班的生源问题，按照国家文物局教育处的要求，安先生派我和翟继才老师用半个月的时间，从郑州出发途经西安、西宁、兰州、银川、呼和浩特、石家庄、济南迅速跑完了七个省的文物专管部门。有过大专班的办学经验，这期中专班自然也就轻松许多，制订教学方案，发布面向全国文博系统招生的消息，组织报名考试，1990年下半年我开车拉着王润杰、翟继才两位学校的主要领导到新乡百泉宾馆完成了当年招生的录取工作，这期中专班共招收31个学员，学员完成学业发的是省教委承认的中专成人教育学历毕业证，这一批中专班毕业回到原单位之后也成为文博战线上的有生力量。本人在学校和短期培训班的办学期间，尽职尽责，热情服务，1986年那一年我一个人手里管着东风140卡车、北京212吉普车、北京121吉普车、上海760轿车、邢台面包和小飞虎共6台汽车。根据工作需要放下这个车就开那个车，每天早出晚归，接送老师之余，照样为所里考古发掘工地运送物资，应该说本人作出了自己应有的贡献。说实在话，要想做好服务工作就得要有吃苦耐劳的付出精神，当年付出的辛勤劳动也被时任领导和同志们认可，80年代后期的几年中，在省直文化系统的司机年终评先工作中，本人曾连续数年获得郑州市先进驾驶员的称号。1989年获得本所"为科研服务优秀奖"，也结识了来自全国各地的文博系统的好友。

1991年下半年至1993年4月底，根据工作需要我被借调到省文物局担任汽车驾驶员，在此期间曾经跟着相关领导跑遍了全省各地市县的文博单位和重要考古发掘现场，也曾为河南博物院的建设立项和初期申报工作付出了艰辛的努力，记得我在文物局上班的一年多里，为了博物院立项申报工作，最多的时候一个月我要开车去北京四趟，那时候为了赶时间，开车总是风雨无阻，日夜兼程，一年多的时间本人安全行车里程达20余万公里，本人的工作态度和服务质量受到省文物局的领导和同志们的一致好评。

1993年5月4日，本人被时任省文物考古研究所所长的杨育彬聘任为保卫科科长。保卫科长这个角色对我来说确实不好干，上岗之前就不止一次地和杨育彬所长谈过自己的感受。首先是本人从来没有涉及过安全保卫管理工作，怕干不好，其次是本人既没有文凭也不是党员，怕不能胜任工作岗位，第三是让我这么一个外行从事文物安全保卫的专业管理岗位，我确实心有顾虑。然而杨育彬所长的回答却是如此的坚决，他说：这次在全所公开招聘保卫科长的方案是经过省文物局和文化厅批准的，我已经打听过了，现在除你之外，不是没人愿意干，而是我们相信你才让你干的，文物考古研究所的现任保卫科长非你莫属。说句良心话，此事我曾在1992年9月份在和杨所长交谈之中，本人就向杨所长明确表态确实难以胜任。但是杨所长聘任我走上保卫科长的决定不仅是始终没有动摇，反倒比我不想回来干的态度更加坚决了。

1993年4月底省文物局杨焕成局长正式告诉我说：延斌啊，回去吧，育彬所长相信你能干好，那就回去吧，文物所的安全保卫工作也非常重要。文物局各个处室的同志们都说你干得不错，也舍不得让你走，但是总得有人干工作，回去之后好好干，我代表文物局会支持你的工作的。时任文物局综合处的常俭传处长也对我说：杨育彬所长相信你，同志们也都说你在文物局干得很好，也不想让你走，杨局长说了那就回去吧。省文物局的领导在我离开局里的时候，还专门为我开了个欢送会。我这人比较怀旧，时至今日，我依然保存着1993年文物局送给我的那个555牌石英表，也算是留个纪念。

1993年"五一"节后我怀着忐忑不安的心情正式回到所里，服从领导的安排走上了保卫科长的岗位。实话实说，我和我的家人都明白，杨所长是相信本人才让我回来担任保卫科长。当时他在本所破天荒地聘任一个汽车司机担任保卫科长。一是开辟了省直文博单位以工代干的先河；二是给我兑现了1992年下半年所里公开招聘时公示的保卫科长享受正科级待遇同时上浮两级工资；三是兑现了保卫科专职保卫人员上浮一级工资的待遇；四是全力支持保卫科的工作，允许保卫科在全所范围内公开选聘保卫科专职值班人员；五是为了保持联系方便工作，专门给我买了一台中文传呼机。杨育彬所长在任期间给予保卫工作的大力支持、对我本人的关心、爱护、帮助使我受益匪浅，他在工作上是我的领导，在生活中也是我的挚友，这一点我将铭记心中。

1993年5月份之前，所里原有的技防监控设备几乎处于瘫痪状态，人手确实也少，所内安全保卫工作确实让领导担心。当时的辖区公安机关曾经批评我们的技防设备较差，难以应付突发案件，要求尽快整改。这也是杨所长担心的重要原因之一，我担任保卫科长之后，一是积极参加公安机关举办的专业技术培训班的学习，二是经常请教辖区公安机关的公安干警和内保专家，并且经常抽时间走访兄弟单位的技术防范管理模式现状，三是深入一线值班岗位，摸排本所的安全防范工作的基本情况。1993年5月初到8月初这三个多月的时间，我除了出去上课之外，每天在传达室、中控室、巡逻岗位上轮流值班，3个月的时间把每个岗位都轮流值了一遍。我按照自己总结的经验体会，请示所领导同意选聘了一批专职值班人员。我和王文新同志团结一致，齐心协力，结合本所实际情况，重新调整安排了本所值班班次，并修订、完善、出台了本所的各项安全保卫管理规章制度，制作了本所的各种安全保卫工作的相关登记表格。规章制度规定奖惩兑现，要求在执行过程中制度面前全所干部职工人人平等，规章制度的出台为我所的文物安全保卫工作逐步走向规范化的管理打下了坚实的基础。

挑上全所文物安全的担子深感责任重大，经过上半年的摸排总结也感到自己知识的贫乏，发奋努力尽快提高自己的文化知识面也是非常必要的。1993年下半年本人利用业余时间加班加点地复习高中文化知识，经过努力终于通过了1993年秋季河南大学文博大专班的成人统招考试，七月初接到河南大学的录取通知书，心里感到非常激动，终于疏通了1977年恢复高考时因为惧怕政治审查不敢参加高考而埋在内心深处的纠结。过去留下的纠结变成了今天的动力，开学典礼仪式上本人荣幸地被杨焕成局长推荐担任班长，从此之后我一边完成所里的本职工作，一边带领同学们一起刻苦努力地学习，1995年顺利通过了各门功课的考试，拿到了河南大学的成人大专毕业证，圆了大学梦的同时，所学的文化知识也为本人在今后的工作中发挥了很好的作用。

1993年下半年到1994年全年我们所里规章制度出台之后，所文物安全保卫工作得到了所领导的大力支持，也得益于同志们的热情帮助和积极配合，我所的安全保卫工作呈现出一个领导重视、上下一致、齐抓共管的新局面。1994年我们所的安全保卫工作受到上级主管机关的表彰和嘉奖，本人也被评为"河南省内保工作先进工作者"，1995年我所被评为"全国文物安全保卫工作先进集体"，本人也被评为"全国文物安全保卫工作先进工作者"，曾经在省文物局局长杨焕成和文物安全保卫处傅玉林处长的带领下，出席国家文物局在桂林召开的全国文物安全保卫工作表彰大会。从1993年5月一直到2002年3月本人一直在我所保卫科工作，在此期间，无论是所里的文物安全技术防范工程改造，还是各个考古发掘工地的安全保卫工作应该说都曾有过本人的努力，同时也得到时任领导杨育彬所长、秦曙光书记、孙新民所长和其他领导的大力支持，再次向他们表示衷心的感谢。

1997年冬，为了配合蔡全法先生主持的新郑郑韩故城青铜器窖藏遗址发掘现场最后阶段的文物安全保卫工作，我受领导委派及时到达发掘现场负责配合做好现场的安全保卫工作。临近春节的最后一段时间，时间紧任务重，大家都很辛苦，我曾经连续27个昼夜没有脱过衣服和鞋子全副武装地坚守在考古发掘现场。秦曙光书记到现场检查安全工作的那天下着小雪，身为保卫科长的我坚守阵地责无旁贷，领导的高度重视和关心支持做得实在，秦曙光书记亲自为我送去了棉帽、棉鞋，使我时至今日还感动不已。那次发掘现场总共累计出土了348件青铜礼器、乐器，也为了进一步研究编钟架子的结构提供了资料，主持发掘工作的蔡全法先生请示所领导同意，把修复室的马新民、郭移洪两位专家及时请到现场，对最后提取的一个编钟窖藏坑清理后采取用木板、槽钢进行加固后决定整坑提取，这个编钟窖藏坑加固后整取用的是当时新郑县最大的吊车，据说这个窖藏坑的总重量达到了14.7吨，从新郑到郑州 41 公里的路程，我们用了将近 4 个小时，把这一坑编钟安全运回所里的时候已经是午夜时分了，经过大家废寝忘食的共同努力，顺利完成了考古发掘现场的安全保卫工作，尽到了自己的职责。

1998 年春节之前的一场大雪使我记忆犹新，那场大雪为河南的城乡居民带来了诸多不便，为了尽快营救因下雪困到丹江水库孤岛上的贾连敏等考古发掘人员，身为保卫科长的我在秦曙光书记的带领下，以最快的速度到商场采购了营救所需物品，连续驾车行驶两天一夜赶到丹江水库库区，我们到达库区费尽周折才算和领队贾连敏同志联系上。我们约定船只靠岸到达时间和地点，看到船靠岸边，不容分说大家一起动手，因为同志们都知道岸边的冰很快就要融化，我们卸船装车准备离开岸边时，岸边的冰层已经融化了许多，我们把十几厘米厚的棕床垫子放在车轮之下，经过大家的共同努力，终于克服重重困难，历尽千辛万苦总算把已经困在孤岛上将近一周的贾连敏、朱汝生等同志安全从船上营救出来。秦曙光书记说今天接着大家我就放心了，同志们也都辛苦了，看着贾连敏他们这一身装束回家没法给家属交代。我们今天直达南阳梅溪宾馆，晚上到那里让这几个辛苦多天的同志们休整一夜，明天回去也好给各位考古队员的家属说话，我们的考古队员实在是太辛苦了，这一点本人深有体会，我想也应该是大家有目共睹不争的事实。

2002 年 3 月至 2005 年 3 月，我担任老干部科长兼任办公室副主任，在此期间为所庆 50 周年跑前跑后，圆满完成了领导交给的各项服务工作；对全所的老干部和田野考古工地的后勤保障加强管理，并提供最大努力的服务。落实老干部应该享受的待遇，组织老干部去开封、洛阳参观学习、到考古发掘工地指导工作；坚持每年为老干部订阅《老人春秋》，坚持每年为老干部办理郑州市内交通免费乘车证，坚持定期慰问老干部，坚持组织老干部老党员参加时事政治学习，坚持给老同志祝贺生日，坚持与离退休老同志交朋友；关心他们的工作生活学习，了解他们的需求，帮助他们解决自己能够帮助解决的困难，这些年来本所干部职工家里无论是大小事如儿女结婚、生孩子、老人住院治疗，只要本人在郑州，基本上无一例外地为大家提供热情周到的服务和帮助，受到同志们的好评和上级主管单位的表彰。这些年来在秦曙光书记、孙新民所长和所领导班子的大力支持下，相继完成了对机关大院和办公楼、库房楼、科研综合楼的上、下水管道的更新改造、所内电路更新改造工程，完成了本所九号宿舍楼住户的水、电一户一表改造工程，为了更好地方便全所职工体育锻炼，在秦曙光书记的指导下，修建了符合正规比赛要求的羽毛球场，安装了室内和户外体育设施，制作了科研成果展示和文明创建宣传板报。为本所院内的金桂、银桂、广玉兰、白玉兰、紫薇、丁香、枇杷、海棠、冬青、女贞、雪松、马尾松、石榴、国槐、洋槐、法桐、紫荆、榆树等 20 余种植物制作了种植档案；制作了省级文明单位创建工作档案，改善了所内公共环境条件；近些年来省内外的不少专家学者和上级领导到我们单位工作之余谈论的话题中经常有人表示：在外面看的是窄巷小路，破墙陋院，到单位以后前后院看到的是红砖铺地，绿树成荫，红瓦老房，古香古色，树木参天，花卉草木井然有序，完全出乎预料，体育设施配置多样，真像个花园一样。听到此言也算是对咱做具体工作的一种肯定。

2003 年，我所配合安钢公司扩大再生产建设，新中国成立以来首次在安阳殷墟孝民屯开展考古发掘工作，本人被领导派到发掘工地做后勤保障服务工作。我和第一任领队樊温泉等人是当年 3 月份进驻安阳殷墟孝民屯开始考古发掘工作的。我们到达现场后与安阳钢铁公司基建处、社科院考古所的领队王学荣进行了沟通，认定了作业区，制订了考古发掘管理办法，做好了考古发掘的准备工作。

现场确定任务以后和我们在出发前定好的考古发掘计划基本不变，当时说的是后勤保障人员由本人和时任保卫科长的郭向亭同志，每人一个月轮流到工地去值班，没想到 2003 年 4 月初因为"非典"防疫管理要求，使我一直在安阳殷墟孝民屯发掘工地住了 10 个月没有离开安阳一步。那时候按照上级的要求，我们每天必须对在工地上班的所有人员进行防疫检查，然后才能进入考古发掘作业项目。当时我们所里领导是张志清副所长带队，执行领队分四任：第一任领队是樊温泉，第二任领队是王龙正，第三任领队是李素婷，第四任领队是马俊才。我们在工地分工明确，各司其职，河南大学袁俊杰教授带领他们的学生，郑州大学的靳松安老师带领他们的学生，另外还有从三峡工地撤回来的一批技工，大家一起工作。尽管工地条件比较差，但是大家合作得都很愉快，我们自己的团队齐心协力，按计划有目的地工作，由于我们承担的发掘任务重、时间紧，所以安钢公司全力支持工作，不仅是每天都给我们派一部大轿车把考古队员送到工地，而且每天根据工作需要都及时派出铲车、运输土方的卡车等机械设备配合我们工作。我们的这支队伍经过一年的磨练，不仅是自己内部团结一致，而且与中国社科院考古所的同志们和安阳市文物队的同志们及安钢公司后勤处的同志们都相处得非常融洽，大家相互支持、相互体谅、相互包容、相互交流，圆满完成了预期的考古发掘项目。我记得最多的时候我们工地用工达到 280 余人，每天的防疫检查工作分别由方长直接到现场检查，我和樊温泉、杨树刚直接到现场进行抽查，我们每天都坚持对出入工地的所有人员进行全面防疫检查。由于之前我们的防疫措施比较到位，管理也比较规范，在疫情开始到最后疫情解除，我们的发掘工地未发生一例疫情感染人员。当年夏天省文物局孙英民副局长陪同省文化厅郭俊民厅长到发掘现场视察慰问时，在发掘现场看到了我们的考古队员挥汗如雨地工作，也看了我们的食堂，到驻地看了我们的临时库房和队员宿舍，郭俊民厅长对我们的孙英民副局长和副所长张志清说，同志们如此辛苦地工作，我真是非常佩服，一定要做好考古一线人员的后勤保障工作，建议给同志们买件能够吸汗的衣服，这个事要抓紧办。我们听到厅长如此这般的关心体贴考古队员，比盛夏酷暑的季节吃块冰糕都舒服。郭厅长对鞍钢工地后勤保障工作的建议是当年至今我继续努力工作的动力。

2004 年 4 月 12 日省文化厅举办的"让中原告诉世界大型文艺晚会"，从排练到正式演出本人有幸被借调到晚会车辆组，负责整个晚会的车辆调度服务工作。由于工作认真负责，晚会结束后在省文化厅召开总结表彰会上，郭俊民厅长亲自为本人颁发了"特别贡献奖"的奖状，郭厅长握着手对我说："你就是李延斌，我们认识哦，车辆组为晚会的成功举办作出了特别贡献，为我们文化厅争了光，也节省了不少经费，我代表厅党组向你表示感谢。"当时我对厅长表示说：干好工作是应该的，今后只要厅里需要，本人一定会加倍努力地做好领导交办的各项工作。说心里话当时从厅长手里接过奖状确实是比较激动，两个月的正常借调工作被厅长表彰，还发了 1500 元的奖金，实在是出乎预料，也可以说是受宠若惊，因为我到车辆组以后，想着既然来了那是要干工作，应该干的事就一定要干好，干好才算完成任务，要不然人家让你来会务组干嘛呢，没有打算让领导表彰还发奖金。通过这次活动以后，更加坚定了自己不计得、失踏踏实实干好工作的信心。

2005年3月，至2008年3月本人担任物业科长期间负责本所后勤保障工作，恪尽职守热情为大家服务，配合完成了文物整理楼、职工之家、老干部活动室、本所荣誉室、遗迹标本保护室的建设工作，并完成了所内办公科研局域网的建设工作，为本所科研工作人员提供了较为方便的网络通信后勤保障服务工作，受到领导同志们的一致好评。

2008年3月至今担任办公室主任，兼任第三党支部书记和纪检干部专干，深感肩上的担子确实是越来越重了，2009年本所第二次被评为"省级文明单位"，可以说本人付出了艰辛的努力，也作出了较大贡献。说句实在话，2008年至今本人感觉确实很累，也很吃力，行政事务要管、党务工作要管、人事劳资要管、职称要管、老干部要管、后勤保障要管、计划生育工作要管、文明创建要管、综合治理要管、考古学会的后勤保障也要管，整个是一个杂事老总了，确实是累了点，但思前想后也算充实，工作上取得的点滴成绩被领导和同志们认可也算是对自己工作的肯定。2011年6月份本人被省文化厅授予"省直文化系统2009—2010年度优秀共产党员"称号，同时被省直机关工委授予"省直机关2009—2010年度优秀共产党员"称号。工作中取得的点滴成绩与所领导和同志们对自己工作的大力支持和积极配合是分不开的，在此真诚地感谢领导和同志们。

时光飞逝三十年，再接再厉是心愿。总结以往的工作，三十一年来，本人曾经在安金槐、郝本性、杨育彬、孙新民四任所长的领导下工作，也是本人感到非常欣慰和自豪的三十余年，本人这三十余年的成长过程曾受到老一代领导专家教授的关爱，本人从老一代领导和专家身上学到了非常宝贵的管理经验，这些宝贵经验是值得本人继续发扬的光荣传统，也将伴随本人的今生并成为今后自己工作的动力。与此同时，也曾得到同代考古专家和年轻考古学者的大力支持，在日常工作中从他们身上学到了许多胜于本人的管理方法，他们将是自己今后身边的一个努力工作的方向和标杆。在此一并向他们表示最真诚的感谢！在今后的工作中，我希望一如既往地得到他们的关爱和支持。三十一年来，应该说本人为了我所的发展壮大强盛付出了努力、作出了应有的贡献，成绩是被领导和同志们认可的，因为本人的年终考核曾连续十年被评为优秀档次，也曾多次受到本所和上级主管部门的嘉奖和表彰。取得了一些成绩，作出了一些贡献只能说明过去，今后无论在哪个工作岗位上，都要更加努力做好本职工作，团结同志，坚持原则，最大限度地为我所的事业兴旺发达发挥自己的光和热。

我希望我们的文物考古事业借助2012年龙年的大好时光，龙腾虎跃。有道是长江后浪推前浪，也衷心希望在今后的日子里全所继续坚持上下一致，齐抓共管，团结协作，为河南、为国家、为社会作出更加灿烂辉煌的贡献！

1996年作者（左二）陪同钱伟长先生（左三）在郑州小双桥考古发掘工地

1999年作者（左二）参观省文物考古研究所、武汉大学及法国国立科学研究中心合作发掘的南阳龚营遗址

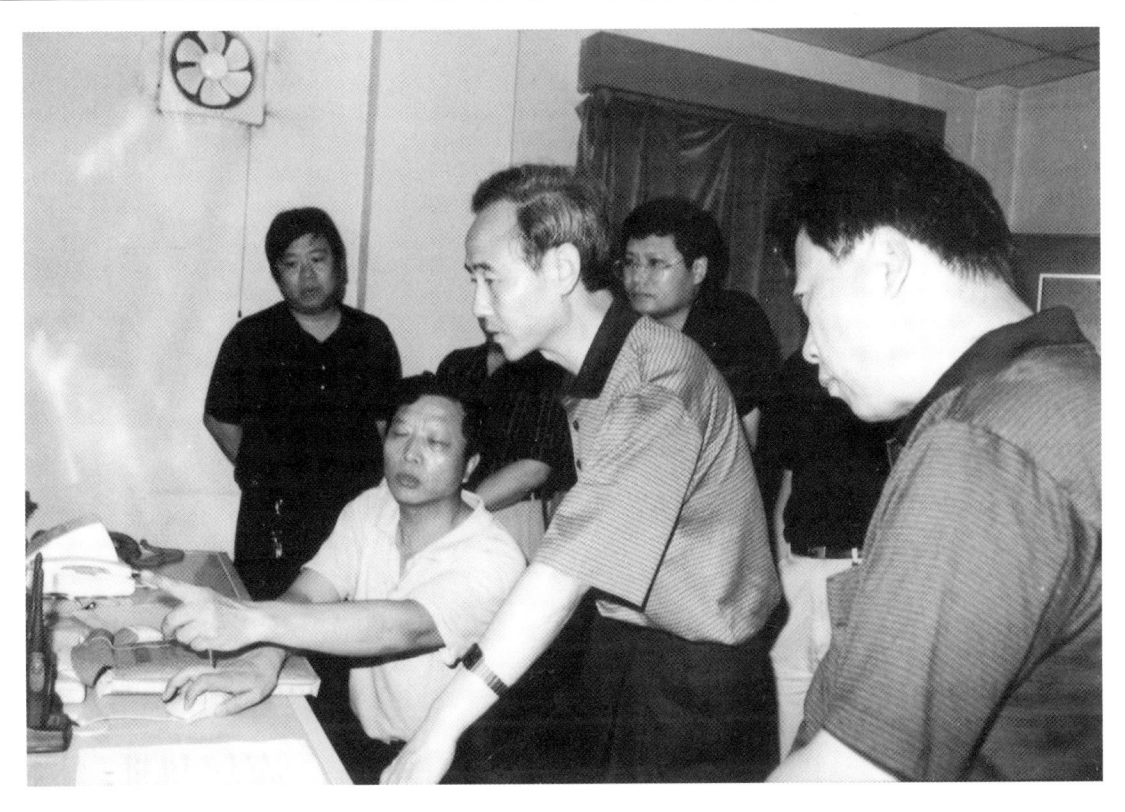

2000年作者（左二）在本所保卫科中控室向贾连朝副省长（左三）等领导汇报保卫工作

2001年建党80周年，本所党员参观西柏坡（二排左一为作者）

2002年作者（左二）陪同张忠培先生（左三）检查巩义黄冶窑出土文物标本

2002年作者（左）在桐柏月河墓地考古发掘现场

2002年8月作者（左一）在省文物考古研究所院内（左二郭向亭）

2002年省文物考古研究所建所50周年，作者在河南人民会堂前留影

2002年11月，作者参观登封王城岗遗址发掘的东周陶窑

濮阳卫国故城发掘记

袁广阔

2006年5月28日,河南重大考古发现的新闻发布会在河南省文物局隆重召开,"濮阳高城卫国故城"宛如美丽的新娘被揭开了面纱,就此走入公众的视野。这是继濮阳西水坡出土蚌壳龙(中华第一龙)这一惊人发现后,濮阳境内考古工作的又一次重大突破,是中华文明探源工程项目取得的累累硕果之一,也是中原古代文明研究的一朵新鲜奇葩。城址自身的历史价值和所蕴含的考古学意义,得到了专家们的一致认可和很高的学术评价,有的专家更将高城遗址比拟为"东方庞贝城"。各大媒体也争相报道,"河南发现春秋时期神秘卫国都城遗址"、"卫国都城惊现濮阳高城"、"东周卫国都城遗址在河南省濮阳县浮出水面"等众多文章见诸各大报刊、网站,学术界的认可和公众的广泛关注将河南考古推向了一个新的高潮。

那么,卫国故城是怎样发现的,在整个发掘过程中发生了怎样的故事?本是高城遗址为什么被称为卫国故城?既是卫国故城又怎么会被比拟为"东方庞贝城"?远在东周(春秋)时期的卫国故城在林立的各诸侯国中处于什么样的历史地位呢?这一连串的问题萦绕在不少人的脑海里。为此,作为一名考古工作者,特别是作为卫国故城的发掘者有必要在此梳理一下城址的发现过程和引发的种种思考。这既是和大家一起分享真实的考古故事、考古人的喜悦和辛酸,也有益于相互探讨学习,期待更多的人能从浅尝辄止的了解、转变为追本溯源的关注考古、认识考古。

提起笔,记忆中的点滴已汇聚成篇,如泉涌般跃然纸上,就让我们一同走进这个高城遗址吧。

一、剑指濮阳,解决心中疑问

濮阳位于河南省的东北部,北临河北,东接山东,是一座具有悠久历史和灿烂古代文明的新兴城市,是中华古文明的主要发源地。这里曾经是传说中五帝之一——颛顼帝的故里,还是夏代后相的都城。《汉书·地理志》曰:"濮阳本颛顼之墟,故谓之帝丘,夏后之世,昆吾氏居之"。早在上世纪六十年代,郭沫若先生就曾专门派北京的学者来濮阳进行实地考察,但由于"文化大革命"的爆发,这项工作不得不中断了。2000年,国家"九五"重点科技攻关项目"夏商周断代工程"结束之后,国家又启动了中华文明探源预研究工程,笔者承担了密县古城寨遗址的考古发掘和豫北地区龙山时期考古学编年谱系研究两个子项目。在考古发掘和资料收集研究的过程中,有两个问题一直在我的脑海中盘旋:一是豫中嵩山周围的考古学工作已经十分之扎实,但多数遗址不超过30万平方米,未见面积超过100万平方米的大型龙山遗址,而晋南同一时期的不少遗址面积却超过了200万平方米甚至达到300

万平方米。二是河南地区龙山城址的面积为什么只在10—30万平方米之间，与之同时期的山西陶寺城址的面积则达280余万平方米，这些问题直到2003年中华文明探源预研究工程结束也没有找到答案。

2005年春节后，河南省文物考古研究所召开了一个小型专家座谈会，主要内容是探讨本所如何在配合正式启动的国家古代文明探源工程的同时，也寻找有关遗址做一些具体工作。会上我首先谈了预研究工作以来的成果和问题，其中谈得最多的是前面的两点疑问，最后提出我们能否在濮阳做些工作，因为这里是河南考古工作最薄弱的地区，但从文献记述方面看，它又是最重要的地区。专家们也指出不仅郭沫若先生重视濮阳，北京大学亦十分重视这里考古工作的进展，进行了多次考察和发掘。所长孙新民对我的想法予以肯定，并提到前两年濮阳市文物保管所曾经汇报他们发现了一处古城址，与会专家都认为这个线索十分重要，建议将此地作为工作的突破口，探索、了解濮阳地区古代文化的真实面目。会议讨论方案在报请河南省文物局申批同意后，于2005年3月成立了濮阳考古调查小组。小组由河南省文物考古研究所和濮阳市、县两级文物保管所联合组成，我担任组长，副组长是濮阳市文物保管所所长张相梅、副所长张文延，成员由瓮兆功、孙欣然、杨翠平、阎宏斋组成。小组成立的目的非常明确，而且成立之后很快就投入到工作中，每个成员都精神振奋，期待在此次的调查和发掘中能有所斩获，能够找到依据，回答前面提出的疑问，为中华古代文明的研究做些有益的事情，如果能发现重要、可参考的详实资料，推动河南省境内的中华文明探源工程再上一个新台阶，就更是求之不得的了。

二、调查走访、磨刀不误砍柴工

一般来说，考古发掘前的准备工作非常重要，主要表现为两个方面：一方面是发掘设备的准备，另一方面是对发掘对象历史沿革及其有关历史记载资料的熟悉，后者的工作量十分繁重。在古代浩繁的典籍记载中，濮阳的称谓几经变更，原始社会晚期称帝丘。夏代叫昆吾国，商代"卫"已经出现，春秋时期称卫都，战国后期始称"濮阳"，秦代设置东郡，宋代称澶州，金代叫开州，民国时复名濮阳。绵长的历史沿革，使得弄清楚濮阳每一时期都城位置的工作具有一定难度，在大致梳理了濮阳称谓的变化后，我们将工作重心放在了对西周以后卫国历史的研究发掘上。

西周的卫都应在淇县。《史记·卫康叔世家》曰："周公旦代成王治，当国。管叔、蔡叔疑周公，乃与武庚禄父作乱。欲攻成周，周公旦以成王命兴师伐殷，杀武庚禄父、管叔，放蔡叔，以武庚殷余民封康叔为卫君，居河、淇间故商墟。"所谓"河、淇间故商墟"，系指黄河与淇水之间的朝歌一带。卫国故城实际并不在朝歌，多数学者认为卫在朝歌之东，具体方位应在今河南省浚县西南25公里的卫贤集。卫贤集本是古卫县县治所在，又称卫县集。高士奇《春秋地名考略》曰："卫县西二十五里有古朝歌城。"卫县县治即今卫贤集。

卫自康叔建国，迄懿公共16世403年，都于淇县。懿公好鹤，淫乐奢侈，狄人伐卫，遂杀懿公。鲁闵公二年（公元前660年），卫戴公继位，东渡黄河，迁都于漕邑（今河南滑县南10公里白马城故址）。鲁僖公二年（公元前658年），卫文公迁都楚丘（今滑县东30公里）。鲁僖公三十一年（公元前629年），卫成公迁都帝丘。卫国都城与濮阳有关的只有公元前629

年以后所在的帝丘，因此我们的任务也就更加明确，即寻找东周时期的卫国都城。

关于濮阳帝丘的具体地望，文献记载较为简略，并且有不少矛盾之处，归纳起来，大致有两种说法：（一）如上引《大清一统志》和杨守敬《水经注疏》所说位于今濮阳县西南，即现今称作的故县村。河南省文物考古研究所老一辈考古学家武志远先生不仅亲自考察而且认为故县村就是卫国晚期的都城。（二）《大清一统志·直隶大名府》古迹条又记今濮阳县东还有一座昆吾古城，也被称作"颛顼之墟"。其文云："昆吾故城在开州东。《诗·商颂》：'卫侯梦于北宫，见人登昆吾之观'"。

解决文献自相矛盾的最好方法就是实地调查，根据以上这两条线索，我们开始实地走访。2005年4月6日，我们首先来到濮阳县西南岸子乡的故县村，这是一处县级文物保护单位，面积约10万平方米，遗址表面十分平整，上面被绿油油的麦苗覆盖，在田间地头我们捡到一些汉代的绳纹砖、板瓦、大量筒瓦和一些汉代的碗、豆碎陶片，毫无疑问这是一处汉代遗址。快走出村子时，一个白髯飘飘的老者告诉我们以前村西的田地中保留有砖墙，上辈人传说是城墙的西门。在仔细研究该遗址的面积、地理位置和采集到的遗物后，我们认为这是一处汉代遗址，与东周的卫国都城没有关系。第二天我们开始了濮阳县东颛顼故里的考察，《河南省文物地图集》载："高城遗址位于濮阳县东约7公里的高城村北。经钻探，遗址覆于地表6米以下，面积约100万平方米，文化层厚1～3米，包含物有龙山文化黑陶薄胎豆、黑陶碗、罐等残片，周代灰陶矮足鬲、粗绳纹罐等器物。据传，这里是卫国晚期都城帝丘"。2002年，濮阳市文物保管所曾对该遗址进行过考古钻探，发现遗址北部有夯土城墙，并找到了城墙东北和西北拐角。这个线索十分重要，该勘探情况表明《河南省文物地图集》所记"高城遗址位于高城村北"的说法可能有误，城址的正确位置应在高城村南面。经过几天的走访，我们认为目前发现的城墙应是一处大型城址，而且很大程度上与卫国都城和颛顼所在的帝丘有关，因为高城村南遗址内部现在还有清代石碑，记述该地为颛顼城，村民说解放前这里还有颛顼庙。此外，我们在高城南约4公里的桑园村调查时，村民说村南有南城头地和南天门，其东面紧邻102国道有个村庄叫东郭集，把这些地名联系起来分析，似乎形成一个城址的轮廓，因此我们依照当地农民提供的线索，在以前北墙的基础上开始了本次考古钻探和发掘工作。

三、不负众望，城址姗姗走来

每一次重大考古发现都带有一定的偶然因素，但同时又要发掘者必须具备丰富的经验和敏锐的直觉。然而即使众多有利条件都加在一起，每一次的考古发现也注定了不都是一帆风顺的，总是要经历一些波折，就像前进道路上遇到的荆棘，不仅羁绊你的双腿，延误时机，还会带来某种程度的伤害，甚至是前功尽弃。这一次的发掘同样也不例外，困难和辛苦自不用说，凭借着对考古事业的热爱和执著、对城址发掘的信心和决心，考古小组克服了重重困难，渡过了道道难关，信仰支撑着我们勇敢地朝希望走去。走过去，前面就是个天，等待我们的就是梦寐以求的重大发现！

1. 考古钻探工作——自己动手丰衣足食，考古人个个是发明家

考古钻探是考古发掘的前提，钻探发现的信息为发掘提供一手资料。因此一项考古项目的完成首先得益于扎实的钻探工作。高城城址的钻探工作一开始就遇到了难题，众所周知，

考古钻探所用的探铲是早期洛阳一带盗墓贼发明的,分铲头和探杆两部分,铲头为钢质,探杆是白蜡木棍。当所探遗迹深度不断增加时,在木棍上端系一绳子即可解决探杆长度不足的问题。洛阳一带为黄土形成的丘陵,探孔一般不会出水,而濮阳处于黄泛区之上,一根木棍没有打过2米,探孔就出水了,因此用典型的洛阳铲是无法进行钻探的。针对这种情况,考古小组专门召开会议,让大家献计献策,有队员听说濮阳县文保所原来钻探时已碰到类似问题,他们对洛阳铲进行了改进。考古小组当即决定让阎宏斋带几把试试,改进后的探铲的确不错,探头和探杆均为钢管,而且钢管顶部留有螺丝,当探孔加深时,拧动顶部螺丝还可以使探铲继续加高,保证探孔可以打到10米以下。这项技术的改进,解决了钻探中的大问题。但由于探孔太深,加之水位又高,有的探铲需要接三次杆,探工在操作的时候一不小心转错方向,就会使下面的探头脱落,掉在探孔内,因此,有时候还得耗费人工挖几天的大坑才能把探头挖出来,不仅耽误时间,还给工作带来很多麻烦。

打过探孔的人都知道,这项工作需要极大的力气,在惯性的作用下,除了会掉探头,像手机这样的随身物品也经常会掉到探孔中。民工小张的手机就曾掉入8米深的探沟中,因探孔中有水,被水浸湿的手机已无法再用,因此也没有挖出,就留在了探孔内,造成小小的损失。但愿若干个世纪后考古学家在发掘出手机时,要弄清楚今天探孔的层位关系,否则,他们会误认为早在春秋战国时期中国人就已经发明、使用手机了。

高城遗址整个城址钻探过程的确与其他地方不同,所遇困难也是在其他地方所未见到的,我们戏称为"有个性"、"有特征"。经过近两年的细致钻探,我们明确了城址的大致范围,弄清了城墙的走势,发掘工作也逐步展开。

2. 考古发掘工作——"黄河之水天上来",考古人与天斗与地斗

高城城址的发掘和钻探工作几乎是齐头并进的。凭借钻探显示的信息,我们很快就开始了考古发掘。5月10日,当我们发掘至北城墙深约1米处时,两件令人欣喜的事情出现了。一是在城墙南部夯土的最下方,夯土叠压最早处,发现了一块黑色夯土,特征是夯层厚,无夯窝,包涵物为仰韶晚期至龙山早期的陶片,这完全出乎意料之外,我们盼望的早期夯土出现了。二是北部春秋夯土与战国夯土之交发现一块人头骨,收工时我们清理了所有探沟内地层,使之平整如镜,一块块不同时期、不同颜色的夯土展现在面前,遗迹表现出的复杂性正说明该城址所含历史文化信息的丰富性。就在我们沉浸在初次收获的快乐中、兴奋的表情尚未退去的时候,却传来了意想不到的消息。从县城回来的农民说黄河灌区放水了,而且水已经到了遗址东部的草庙村。我一听慌了神,这无疑于晴天霹雳,倘若大水一来灌入城墙,我们刚刚发掘的成果将被淹没,近一个月的劳动成果也会泡汤了。

高城这地方位于黄河北岸,自古以来干旱少雨,每到春季,焦渴的麦田呼唤着老天爷的甘霖,但老天爷似乎总是对这一切置之不理,特别吝啬,农民们盼望的就是通过把水放进水库来浇灌麦田。我们的探方布在村子的池塘中,而池塘就是村子的水库,所以我赶快招呼工地上的民工和考古队员商量对策,这时一个民工提议说,想保住探坑,只有将池塘东部的进水口堵住。我一面组织大家堵塞进水口,一面即刻去找村长,寻找下一步解决办法。不巧的是当晚村长去乡政府开会未归,问题只能等到第二天解决。半夜时分,前面房东在窗外大呼:"袁队长,快起来,探方里进水啦!"我们急忙跑到工地,一看糟啦,不知哪位村民在

半夜里扒开了进水口，灌区里的黄河水正滔滔不绝地向池塘涌去，探方已被水淹没一半，四壁已出现坍塌。望着坍塌的城墙墙壁，在该坑发掘的老瓮眼泪忍不住滚滚而下，嘴里一面不停地说"再等半天放水多好啊！至少可以把资料取全"，一面不停地诅咒那个扒水的人。就这样，一个多月的辛劳顷刻间化为乌有，队员们心里像堵了石头，扎了刺一样，特别难受，我更是心情沮丧，晚上一醉方休。转眼已到了麦收季节，发掘工作无法进行，2005年上半年的考古发掘就只好在希望和失望的交织中结束了。

带着满腹的遗憾回到郑州，我向领导汇报了上半年发掘的情况。领导肯定了成绩，并支持我们下一步在池塘之外的发掘计划。2005年6月15日，麦收刚过，我们就紧锣密鼓地开始了下一个探沟的发掘。根据当地的情况，我们首先租用推土机将城墙上面厚达4米的淤沙层推去，直到夯土城墙露出。其次，考虑到城墙地下水位较高的因素，我们还租用了专门的抽水设备，并在探方周围打了24眼水井。一切准备就绪，我们期待着高城地下城墙露出神秘面纱时刻的到来。但天有不测风云，就在我们打好水井，划出整齐的探方时，老天爷突降倾盆暴雨，而且一下就是三天三夜。我们所住的高城村像汪洋中的孤岛，飘曳在风雨中，四周被水包围，田野里的玉米被齐腰深的水所淹没，在雨中摇晃、挣扎着。村民说这是一场百年不遇的大雨，多少年来都不曾经历过这样的雨天。我们也被洪水困住了，无法出去买菜、购买日常用品，生活变得很困难。晚上躺在床上，听着连绵不断的雨声，思绪像河水一样翻滚不息，猛然想到高城所处的位置，心中不免感到十分担忧，因为高城处在黄河以北、金堤河以南，而金堤河以南的地区地势低洼，是黄河的泄洪区，一旦黄河水位上涨、甚至泛滥，这里无疑就会成为泄洪的区域。要不田野里的高压电线杆为防水淹倒塌，均在下面建有2米高的水泥墩子呢，这也是本地的一大景观。想到此，我的心忐忑不安。那一夜雨没停，我也没睡。

三天三夜的雨水充斥在周围的田地里，庄稼浸淹在1米深的水里。望着地里的一片汪洋，我一筹莫展。一方面为恶劣的天气给农民带来的灾情痛心不已，另一方面感慨今年考古发掘工作的曲折和不易，难怪多年来帝丘城的考古工作进展缓慢，这和此地的天气有着密不可分的关系。第四天，雨停了。濮阳市文物保管所的领导来看望我们，带来的肉类和蔬菜，隔着"汪洋"无法送达我们的手里，我们真的只能是望"洋"兴叹了。从与所长张相梅的手机通话中得知，濮阳所辖县南乐和清丰都受了灾，许多庄稼淹没、房屋倒塌，省领导已来濮阳慰问，张所长要我们无论如何要挺住，困难总会过去的。

焦急的等待之后，洪水退去了，但新的问题依然存在。地下水一直下不去，村子里水井的水位不到半米深，田野里的土壤却像泡了水绵一样，用脚一踩就会出水，庄稼全被淹死了。我们的24眼降水井昼夜工作，也只能将水位降至4米左右，这个水位仅仅是城墙夯土刚刚露出的层位。无奈，我们只能盼望天多晴些日子，好让土壤中的水分多蒸发一些。但2005年的夏天和秋天，老天似乎专门与我们作对似的，水位稍一下降，南面海洋就有热带风暴形成，一刮台风，北方就会降雨。那段时间，只要听到台风，我就预言明天有雨，而且预报的十分准确。整个秋天的雨也特别频繁，地下水位好像永远降不下去，我们非常无奈。没办法，在人与自然的斗争中，人的力量太渺小了，尤其是在考古发掘现场，天气的因素往往决定着工作进展速度的快慢，而地下水位的高低决定着发掘的深度和广度。整个秋天雨都在隔三差五地下着，我们一边盼望着美好天气的到来，一边整理着已挖掘的资料，做着再次发掘的准备。当萧瑟的秋风转为冷冽的寒风的时候，我们的美好期待已成为奢望，只好收兵回郑州，等待来年再发掘。

2006年春节刚过，我们就住进了工地。由于一冬寒风劲吹，探沟中的水位终于降了下去。我们赶忙利用这难得的枯水季节展开发掘，争分夺秒，在南墙和北墙都开挖了探方。到2006年6月，一共开挖探沟3条，由于地下水位较高，每一条探沟都没有发掘到底。

四、揭开面纱，卫都赫然眼前

伴随着发掘规模的扩大，地层的深入，城墙夯土不同颜色、层位的展现，高城遗址渐渐露出了鲜为人知的一面。考古钻探和发掘的资料表明，这是一处面积约916万平方米的古城址。古城址四面城墙顶部多被4—5米的唐宋和明代淤沙层所覆盖，城壕和城内的文化层被汉代厚约6—8米的淤土层所叠压。整个城址平面形状为长方形，保存高度约6—9米，城墙基础宽约70米，顶部宽约20—30米，城墙之外有一周护城壕。北墙长约2420米，该墙中部偏东内收，形成一个近90度的折角，东墙长约3790米，西墙长度约为3986米，南墙长约为2361米，其中，南墙毁坏比较严重，不少地段在距离地表7—8米才见夯土。

通过分析历史遗迹蕴含的信息，查阅古代文献的记载，我们的目光穿越时空，追溯2000多年前这里曾经发生的一切，逐步拼拾散落在高城遗址上的记忆碎片，拨开层层迷雾，慢慢地将影像定格在春秋时期的卫国都城。

从两条探沟内均发现夯土结合部埋有人头骨或兽骨架的线索推断，当时在修补城墙时举行过一定的祭祀仪式，这与史书记载东周时期城墙修筑过程中存在祭祀现象相吻合。从城墙夯土之中出土较多的仰韶和龙山文化碎陶片来看，早在新石器时代的仰韶、龙山文化时期，这里已经有大量的人口居住。经鉴定，这些陶片，时代最早的是新石器时代，下至东周，有早商，也有晚商的。遗址出土的各个时期遗物，时代上也和东周时期的卫国都城相适应。

经过多年的考古发掘，河南境内东周时期比较大的方国都城基本找到，如商丘的宋都、新郑的郑韩故城、三门峡的虢国都城、上蔡蔡国都城等。唯独卫国都城目前没有找到。此次发现的城址，无论是城墙高度，还是城墙长度；无论是建设特点，还是城墙整体规模，都和同时期的其他都城规模相当，如此大规模的城址除了都城不会是其他级别的城址。而卫国东周时曾迁都帝丘，濮阳本颛顼之墟，故谓之而帝丘。种种迹象表明，这个城址应该就是东周时期卫国的都城。

2006年5月27日，来自中国社会科学院、北京大学以及河南省的考古专家齐聚濮阳，对该城址进行论证，会上专家一致认为高城遗址是春秋战国时期的卫国都城无疑。至此，高城遗址即卫国都城这一论断很快便公诸于世。

根据以上的考古钻探和发掘资料，以及专家的论证和分析，我们还可以逐步揭示以下几个问题：

1. 卫国都城城址的毁因

高城遗址上面覆盖着厚厚的黄河淤沙，城墙顶部一般淤积厚度为4米，城内当时地面的淤沙厚约 12—13 米。这上面的黄沙应该是古黄河多次洪水泛滥堆积而成的。从文献记载可知唐宋以前高城遗址离黄河很近，历史上的黄河改道就在这一带。从城墙外侧以及墙顶发现夹杂大量汉代瓦片的淤土分析，该城最早是被汉代的一次黄河特大洪水所冲毁，可能与内黄三杨庄汉代遗址毁于同一次洪水，以后又被多次的黄河泛滥所掩埋。

2. 高城遗址与卫国晚期都城

确定高城遗址为卫国晚期都城的主要理由有如下三点：（一）地点与文献记载的位置吻合。《水经·瓠子河》："河水旧东决，迳濮阳城东北，故卫也，帝颛顼之墟"。（二）由城墙夯土层内包含的陶片可知城址的时代与卫国晚期在濮阳的时间一致。（三）城址的规模与已知东周时期方国的都城接近，如新郑的郑韩都城的面积为近 1000 万平方米，而卫国都城的面积为 916 万平方米。高城遗址是春秋时期的卫国都城，该城在战国为濮阳城，因此可以说我们找到了历史上最早的濮阳城，使濮阳的建城史提早了一大段。

3. 高城遗址与颛顼的帝丘

历史上五帝的解释共有四种，其中三种都将颛顼列入其中，而黄帝、颛顼、帝喾、帝尧、帝舜为五帝的说法较为正统，被司马迁采用，载入《史记》。颛顼又称高阳氏。历史学家金景芳认为，颛顼以前的著名氏族都是以图腾作标志的，以后则不是，颛顼之际可以看做是世系由女系过渡到男系计算的标志。徐旭生认为："大约颛顼以前，母系制度虽然逐渐被父系制度所代替，但尊男卑女的风习或尚未成。直到帝颛顼才以宗教的势力明确规定男重于女，父系制度才确实的建立。"可见颛顼本身是一个大的巫师，他所进行的宗教改革在中国历史上的作用有空前的影响。《汉书·地理志》曰："濮阳本颛顼之墟"。遗址内部现在还有清代石碑记述该地为颛顼城，解放前这里还有颛顼庙，可见濮阳曾经应是颛顼帝的故里。城内发现的仰韶和龙山文化时期的陶片表明早在新石器时代这里已经是一处重要的古代文化遗址，它为研究五帝之一的颛顼帝提供了重要线索，但颛顼存在于仰韶文化时期还是龙山文化阶段，我们还无法下结论。

从目前已知的考古资料，也能看到濮阳在远古时代的宗教势力是相当的强大。1987 年，考古工作者在濮阳西水坡遗址发现了距今 6400 年的蚌塑龙形图案墓葬（第 45 号墓）。该墓埋葬 4 人，墓主位于中间，其骨架的两侧用蚌壳摆塑着龙和虎的图案，龙在右侧，头南尾北，昂首拱背，四足抓地，作呼啸欲出状，这就是闻名中外的"中华第一龙"。人骨左侧是一只蚌塑的虎，呲牙咧嘴，张口伸舌，作急速行走状，龙虎同出于一座墓内，有学者认为这是中国历史上最早的"青龙白虎"图。

蚌壳摆塑的动物图案，除第 45 号墓之外，还有两组。一组距龙形图案约 20 米处，其动物图案有虎、鹿、龙和蜘蛛。其虎头朝北，面向西，背朝东，龙头朝南，龙虎为一体；鹿头朝北，背朝东，卧于虎的身上。蜘蛛位于龙的头顶，另外在蜘蛛与鹿之间还有一件石斧。正对龙口的地方用蚌壳摆放一球状物体。另一组也为动物图案，其中有龙和虎两种，其虎头朝西，背朝南，呈奔跑状，其龙位于虎的南面，头朝南，尾朝西，背上有一人，有人称之为"骑龙升天图"。有人认为龙是颛顼氏族的图腾，甚至有学者认为第 45 号墓的墓主人就是颛顼本人。龙的传说在中国延续了几千年，它是受古人崇拜的、由多种动物特征组成的图腾，人们把它视为权势与威严的象征，体现了中国人的理想、愿望和追求。

4. 高城遗址与"庞贝古城"

庞贝古城位于意大利,它在公元 79 年被附近大地震的火山灰在极短的时间掩埋,由于是一次性掩埋,一千多年后的考古工作者在精细的发掘后发现该城的街道、店铺、庭院,甚至是雕塑都保存得一应俱全。今年 6 月举行的卫国都城论证会上,专家们也认为高城遗址为一次大洪水所毁,城里面的宫城、高台建筑和整个城址的布局都会较完整的保存,就其保存状况而言堪比"庞贝古城",因此有专家将其比拟为东方的"庞贝古城",但就其时代而言,卫国故城要早于"庞贝古城"700 余年。

五、上下求索,待识庐山真面目

卫国在两周时期是一个文赋纷华的国度,卫国的音乐久负盛名,它与"郑声"一起,被称作"郑卫之音"。此外商业、文化发达,很多历史典故都和卫国有关,比如"好鹤失国"、"大义灭亲"、"螳臂挡车"、"桑间濮上"等。自公元前 629 年卫成公迁都帝丘到公元前 241 年卫元君迁都野王(今河南沁阳市),卫都在濮阳的地域上历经了 388 年,该城因洪水深埋于地下,当时的街道、宫殿布局等一定保存较好,一定还留有大量精美的青铜器和玉石器,一定还有反映民生的各种城市建筑,这些不可多得的遗迹和遗物等待着考古工作者去发掘。

古代的濮阳还曾经是夏伯昆吾之都,殷之相土之都。北魏郦道元《水经·瓠子河注》载:"河水旧东决,迳濮阳城东北,故卫也,帝颛顼之墟。昔颛顼自穷桑徙此,号曰商丘,或谓之帝丘,本陶唐氏之火正阏伯之所居,亦夏伯昆吾之都,殷之相土又都之"。因此有近代学者认为濮阳古称商丘,是先商的都城,因此卫国都城的下面,除了原始社会的颛顼还有夏代昆吾的古国、先商的古国等待着我们去探索。

关于卫国都城今后的考古工作,在日前举行的论证会上,专家们提出了一些意见和建议:专家认为发现城只是第一步,城里面应当还有宫城以及春秋战国时经常修建的高台建筑和整个城址的布局。第二步,要在早期文化方面多做一些工作,特别是抓住现有的线索寻找早期城址是今后的工作重点。论证会上一些专家还提出采用探地雷达、地磁探测等现代科学手段来尽快揭开这座"东方庞贝城"的面纱,还卫国故城一个真实的面目。

站在高城遗址的废墟上,回望掩映在树丛中的高城村和周围的田野,心中无限感慨。世世代代居住在此的农民在这里繁衍生息着,既享受着黄河母亲的哺育,也承受着河水泛滥的灾难。曾几何时,这里的城址和建筑显赫一时,空中回荡着绵延不绝、悦耳动听的音乐,无不述说着都城的繁华与喧嚣。而这如歌的岁月不知持续了多久,多少无辜的生命就在一场洪水中消失得无影无踪,也许就在甜甜的睡梦中被洪水卷走,也许在闹市中商品的交易未进行完毕就一命呜呼。在大自然面前,有时候人类显得多么的渺小啊!

站在卫国故都的废墟上,我仿佛听到了历史的脚步。车轮滚滚,不知碾过了多少岁月,见证了多少朝代的更迭。如今,生活在这里的人民无论如何也想不到这里既是五帝之一的颛顼生活过的地方,又是 2000 多年前卫国的都城。他们目前的生活并不富裕,但愿通过对卫国都城的进一步发掘,会给他们带来一些福音,我希望为此能做更多的工作。

如今我已从河南省文物考古研究所调到首都师范大学多年,过去的考古工作还历历在目,仅以此文献给河南省文物考古研究所六十年所庆。

1999年12月出访日本参观京都金阁寺（左起杨贵金、杨育彬、作者、张玉石、秦小丽）

2003年作者在新疆喀纳斯湖考察

2005年作者（右）和曾晓敏（左）在濮阳高城遗址发掘

2005年在晋祠后山考察（左二刘绪、左三何驽、右一作者）

2006 年 5 月作者在台北历史博物馆参观

2006 年作者（左）在山西陶寺遗址考察

新蔡葛陵楚墓发掘历险记

宋国定

一 序 曲

1964年我出生于河南省武陟县。1985年从北京大学历史系考古专业毕业后，进入河南省文物考古研究所从事文物考古工作。先后参加或主持过郑韩故城、郑州商城、郑州小双桥遗址、新蔡葛陵楚墓等处的考古发掘。如今我已调至中国科学院研究生院多年，但那些魂牵梦萦的考古日子时时涌上心头。今年是河南省文物考古研究所建所60周年，所领导让写点回忆录，就写一点儿发掘葛陵楚墓的经历，记下那些激情的岁月。

盛夏，豫东南大平原骄阳似火，热浪滚滚，到处都蒸腾着灼人的暑气；空气仿佛凝固了，没有一丝风，树叶被晒得蔫巴巴地耷拉着脑袋，知了也都屏住了呼吸……然而，有一群光着膀子的考古队员却正顶着炎炎烈日，奋力地从一座墓葬中抢救出一件件珍贵文物：锋利如初的礼兵器，龙飞凤舞的铅锡器，造型别致的车马器，精雕细琢的象牙器，纹饰华丽的骨角器，品质精良的玉石器，连同漆木器、皮革甲胄、盾牌及拆散的木车构件、竹简等，林林总总，令人目不暇接，叹为观止。他们严格按照《田野考古工作规程》的要求，小心翼翼地清理、编号、照相、绘图、起取、包装、入库，一切都进行得有条不紊。他们顾不着赶走叮咬在身上的蚊虫，来不及擦去流淌在脸颊的汗珠，忘却了上下墓室和奔波于驻地和工地间的疲劳，夜以继日地工作着，衣裤和皮肤粘在了一起，双手和嘴角鼓起了血泡，但一双双熬红的眼睛仍充满着收获的喜悦……

这是一次令人难忘的抢救性考古发掘。

时间：1994年7—8月，一个通常不开展考古发掘工作的季节。

地点：河南省驻马店市新蔡县葛陵村，位于新蔡县和平舆县交界处附近的一个不太起眼的自然村。

缘起：当地村民烧砖取土对埋藏在地下的古代墓葬造成了严重地破坏，来自省内外的盗墓团伙闻讯赶来，就驻扎在附近，磨刀霍霍，伺机而动，对墓中文物安全造成巨大威胁。于是村里的义务文物保护员把消息汇报到了李桥镇党委，又被很快上报县文化局文物保护管理所、地区文化局文物科和河南省文物局等相关部门。省文物局领导经过认真讨论后决定：能保则保，无法现场保护就尽快发掘。发掘的任务自然而然落在了河南省文物考古研究所的头上。

人员：时任河南省文物考古研究所所长助理兼第二研究室主任的张玉石研究员迅速拍

板：由研究室郑州工作站组队，派室内业务骨干和所技术部门人员参加，尽快对濒临破坏的一号墓葬进行抢救性发掘。新蔡葛陵考古队由省、市、县各级文物部门联合组成：宋国定任队长，曾晓敏、谢巍、冯天成、王胜利、郭移宏、谢辰、余新红、叶嘉林等为主要成员，技术工人尚金山、王广才、宋少非、齐雪芳、张清池等共同参加。1994年6月，考古队奔赴前线，进驻葛陵。

经过：考古发掘工作从7月2日开始，到8月25日结束。期间历尽无数酸甜苦辣……

结果：经过近两个月的艰苦奋战，新蔡葛陵楚墓的发掘取得了丰硕的成果。这是淮河流域考古中新发现的又一座大型楚国封君墓葬。该墓棺椁形制特殊，结构复杂，尤其是"亚"字形椁室，尚属首次发现。墓葬出土的随葬品数量丰富、种类齐全，从质料的不同可以分为青铜器类、玉石器类、漆木器类、骨角器类、象牙雕刻、铅锡器类、皮革类、陶器、铁器等；按用途可分为礼器、乐器、兵器、车马器、工具、装饰品和其他。南侧室发现的1500多支竹简是中原地区继信阳长台关楚墓之后的又一次发现。精美的象牙雕刻和彩绘角饰很少见于同类其他墓葬。随葬的近百件铅锡器，多见龙凤图案，造型别致，又富于变化，在楚墓中也不多见。墓内殉人反映了人殉制度的残余，6位殉人均为女性，年龄普遍较轻，身边多随葬有玉器，其身份可能是墓主人生前侍女。从骨骼鉴定看，其中一个人的头骨前额已产生严重变形，似因长期扎束丝带所致，这一现象可能是来源或种族的不同。该墓的竹简有卜筮的内容和记录随葬品的遣策，墓主人在生病后卜筮祭祷祖先与神灵，求其保佑；不少竹简是以事纪年，还涉及一些楚国国君以及官名、人名、地名，竹简字迹清晰，字距或密或疏，应是由多人多次书写而成，也具有较高的书法艺术价值。这些竹简上的内容对于研究楚国历史、思想信仰、医学史与楚文字的字体和书法，均提供了宝贵的资料。根据该墓出土的铜戟、铜戈铭文"平夜君成之用戟"、"平夜君成之用戈"和竹简上的"小臣成"推断，墓主人当为平夜君成，该墓葬就是楚国贵族"平夜君"的墓葬。平夜君的世袭封地就在今靠近葛陵的河南省平舆县。平夜君即平舆君。这位名叫成的楚国封君，其封邑就在该墓西南不远处的葛陵故城，即在今新蔡县与平舆县交界地带。该墓出土文献资料为新蔡、平舆一带地方史的研究提供了珍贵的第一手资料。

屈指算来，距离新蔡葛陵楚墓的发掘已近十八个春秋。撇开墓葬研究的学术价值不谈，回顾墓葬发掘的日日夜夜所发生的一幕幕惊心动魄的场面，真可谓惊悚诡异，险象环生，时至今日仍历历在目，且心有余悸。现摘其二三事附记于此，与大家分享。

二、夜半魅影

位于河南省南部驻马店市的新蔡县，历史上曾是个饱受战乱和自然灾害双重忧患之地，今天仍是河南省的贫困县之一。从文献可知，这里西周初为古吕国的封地，春秋战国时又先后成为蔡国的京畿之地和楚国的领地。地下埋藏有从自新石器时代开始各个时期古遗址、古墓葬。由于县境地势相对低洼，汝河、洪河分南北流经该县，连年受到非旱即涝自然灾害的影响，致使粮食减产，农民生活一直在较低的水平线徘徊。上世纪80年代以后，改革开放之风吹拂着新蔡大地，广大人民群众解放思想，拓宽财路，商品经济日渐活跃，人们开始了勤劳致富的生活。与此同时，也有一部分头脑简单，既没有文化，又不懂国家法律的农民，在一些不法分子的蛊惑下，财迷心窍，想入非非，逐渐滑向违法犯罪的泥潭。正是在这种情况下，葛陵楚墓连续遭受人为破坏，尤其是各类烧制砖瓦的小型吊窑在墓地周围的"龙脊"上建起，其中不乏盗墓者以此为掩护，堂而皇之地干起了盗墓的勾当。

1993 年 11 月份，砖瓦窑取土一步步挖向一号古墓的中心，直到挖出了椁盖板，当时距地表的深度已近 8 米，由于古墓内保存有较深的积水，加上椁板厚重，盗墓者的阴谋并未得逞。葛陵村委获悉此事后，上报镇政府和县有关部门，有关部门立即派人到现场进行回填封实，才暂时使该墓有惊无险。然而，窑场挖到古墓的消息还是不胫而走："楚王的墓找到被人挖开啦"，"尸体未化，连衣服和头发还保存得好好的"，"里面是实的，绝对没有被盗过"，"还有人摸着大石棺了，重得很，肯定没有动过……"，省会郑州自发形成的旧货市场也在暗地里传播着这诱人的消息。时隔三个月后，在一个阴沉沉的傍晚，除了砖瓦窑上稀稀拉拉三五个外地雇来干活的民工，村民们早已回到各自的家里开始准备晚饭。这时，一辆乳白色的面包车，疾驶在古墓西北 1000 多米的土路上，远远地把车停在了路边，只见从车上下来一伙人，准确说是五个人，身穿迷彩服，有个大个子身高在 1.8 米以上。他们手执可拆卸式的挖掘工具和各种制作讲究的盗墓设备，窜到分毫不差的古墓中心部位准备实施盗掘。尽管如此，当他们费了九牛二虎之力又掘至棺板位置，并用其锯凿或斧锛之类器具劈开棺盖板准备下水进行盗窃时，葛陵村民已经集结起来，追喊着向窑场赶来，那帮人眼见不妙，拔腿就跑，愤怒的村民一直赶至五里开外，眼看着面包车消失在茫茫夜色中。

1994 年 2 月 27 日，我们陪同张玉石主任赴京九铁路信阳段考察，途经新蔡闻知此事到现场查看时，盗掘现场还一片狼藉，惨不忍睹。我们还在古墓附近发现近期刚被盗掘不久的砖室墓葬和用"洛阳铲"钻探留下的密密麻麻的探孔。事后，县文物保管所再次将盗掘现场回填。眼看着古墓面临被盗掘的危险，县市文物工作者心急如焚，经过请示、报批，省文物局批准由省文物考古研究所牵头，驻马店市文化局文物科和新蔡县文物保管所配合，尽快组队对其中的一号墓进行抢救性发掘。考古队经过数日奔波，于 5 月 26 日在葛陵村委大院安营扎寨。紧接着，盘炉火、拉电线、打水井等纷杂之事分头落实。

三、出师不利

前期的调查、勘探取得显著成果：原来初步认定的 10 米×10 米，深 8.5 米规格的墓葬被东西长 25 米，南北宽 23 米，深 10 米，东壁有一条斜坡墓道的"甲"字形大墓所代替，并且在墓西侧还发现了陪葬的车马坑。这种规格的大型墓葬决不会是普通的贵族墓，而极有可能是身份、地位极高的国君墓或与国君有密切关系的嫡亲——地位显赫的高级贵族墓。新蔡县委、县政府相关领导对这一发现非常重视，成立了领导小组，委派专人负责并协调方方面面的关系，又责成由村、镇、县三方联合组成安全保卫组织，由县公安局治安股李景山股长坐阵现场指挥。及时充实人员和发掘设备，发掘大幕即将拉开。

然而，就在 6 月 30 日傍晚，仰面躺在古墓南侧平台的一名考古队员偶然间发现古墓上方昏暗的天空出现一个罕见的长方型格子状图案，顿时惊得目瞪口呆，他将此情景告知其他几位同事，大家也是议论纷纷，一脸茫然，他们推测这种图像很有可能预测着某种事物，甚或映现着古墓下面的棺椁结构？阴沉沉的天空很快黑了下来，值夜的是新蔡县文管所的两位年轻同志小薛和小吴，他们拿上刚换了电池的手电和应急灯准备前往墓地，忽然发现用于和驻地保持联系的对讲机出现故障，调试半天也无济于事，无奈之下二人手持一根腊木杆匆匆消失在漆黑而沉闷的夜色中。零点刚过，考古队驻地的大门外，匆匆跑回了值夜的小薛和小吴，惊愕和恐惧的表情深深地印在他们那张绷紧的脸上，在他们气喘吁吁中告知大家墓地发生的异常情况：十一点半左右，大约有十几个人从墓地东、北、西三面向墓地围拢过来，由远及近不断地用忽强忽弱的灯光相互联络，他们二人从简易帐篷中静观四周，发现北面的目标行至距警戒线十余米处不返回，西北方向和东北方向逐渐靠近帐篷的目标不约而同地放了两枪，从枪声可辨其为标准猎枪。当目标逼近警戒线三面之时，四周变得死一般地静寂，因无法与驻地联络，二人急忙从帐篷跑出，沿着一条小路疾驰而回。听完二人的述说，大家纷纷发表看法，一致认为：无论如何也不能在县里安全保卫人员到岗之前，让墓葬遭遇不测。

考古队员兵分三路展开行动：一路由县文管所两位同志迅速绕道去李桥镇公安派出所报案；第二路人马迅速到葛陵村委赵光治书记家汇报情况；第三路是剩余人员一起到村委李振中主任家通知他用广播号召村民迅速赶往墓地。熟睡中的李主任被急促的敲门声惊醒，通报情况后，李主任决定派几个人绕到墓地附近进一步了解情况，剩下的人随后到村东、北口接应。大家做了多手准备，如需要时从村委广播号召村民群起逐之，大家手里都带上了可用于自卫的器械，有镰刀、探铲、手铲，还有木棍。先行去墓地观察动静的三四个人约半小时后回到村口，向李主任汇报说：在附近砖窑上证实，确实听到四五声枪响，还有人证实这一伙人确实窜到了一号墓跟前，为首的两人蹲在地上抽了支烟后就四散离开啦。他们从哪里来？又去了哪里？似乎无人知道。他们是谁？是过路的猎人，还是专职的盗墓贼？难道他们是想吓跑手无寸铁的考古队员？也没有答案。观察一会儿后，发现墓地附近确已没有人在活动了。这时天漆黑得像掉到了墨池里，不时能听见远方传来隆隆的雷声，大家好像还不死心，总觉得他们就在附近。李主任突然想起自己家中还有过年时买的大雷子炮，他回去取来，大家会合一处，沿着村北的小路再次摸向墓地。几个大雷子炮的确成了最能壮军威的武器，乘着万籁静寂中的远处的雷声和雷子炮的轰响，大家悄悄地逼近墓地。到墓地西侧的砖窑时，大家一起挤进烧窑雇工的小土屋，竖起一双双警惕的耳朵，仔细地辨别着古墓方向传出的任何一点微弱的声响；因为对方手中有猎枪，且为数有十几个，丝毫不比我们当时在场的人员力量弱，在没有弄清楚那里所发生的真实情况之前，我们不许任何人单独前去冒险。这时雷声轰隆隆地越来越近，忽然一声如雄狮怒吼般的霹雳在一道划破漆黑夜空的闪电之后倏然炸响，躲在小屋里的齐雪芳刚刚伸出头去，恰好被这让人胆颤的雷声震到，险些跌爬在地；紧接着，突起的狂风和着蚕豆般大的雨点劈劈啪啪卷进小屋，使人猛地惊起一身鸡皮疙瘩……就这样，考古队员在风雨中轮番钻出小屋，拾起地上砖头瓦块不断掷向距此40米开外的古墓中心，一直持续到雨停风住的凌晨4时许。东方天际透出一抹朝霞，经过一夜狂风骤雨的洗礼，葛陵古墓愈发显得净彻明晰。5时许，考古队员逐渐靠近墓中心时，看到的是杂乱的脚印和丢弃的烟头。

四、暴风骤雨

说来也真是奇怪，自葛陵楚墓开始发掘以来，本该进入雨季的七月下旬，却成日里艳阳高照，万里无云，没有一丝要下雨的迹象，难道果真应了附近好事村民所谣传的那样"考古队挖墓把龙脊上的龙脉挖断了"吗？但这至少对于我们的野外考古工作无疑是件利好的事情。整个清理工作正按照规程要求有条不紊地进行着：先是清理完了残存的封土，向下即进入了利用一层层五花土夯打起来的墓室，但墓葬四壁均呈台阶状向内收缩，想来一方面是营造墓葬时便于出土，同时也可以有效地防止墓壁的垮塌，墓室东壁正中有一个斜坡状墓道，这个当年在墓主人下葬时向墓中运送棺椁和随葬器物的通道，如今恰好可以作为我们向外运土的路径；再向下挖时我们又依次发现了葬具周围的青膏泥以及覆盖在椁板顶盖上的苇席。距离打开棺椁的日子越来越近，考古队准备开棺的消息越传越远，从四面八方赶来看热闹的村民在用铁丝网围成的警戒线前面越聚越多，负责现场安全保卫的压力越来越大，维持工地秩序的弦越绷越紧，危机仿佛一触即发。

7月31日上午十点，像往常一样在现场巡逻执勤的协警——治安员常宽发现了一点异样：一个推着自行车的年轻人从帐篷旁边的入口处进入了警戒线，那人若无其事地把自行车斜倚在帐篷边上，准备凑近一步，仔细端详一下墓里到底出了什么样的物件。正在他准备向下跳时，只听后面传来一声断喝："干什么的？出去！"那人先是愣了一下，随后转身欲逃，可惜已经迟了。听到喊声的几位治安员旋即冲了过来，拦住了那人的去路，年轻气盛的治安员揪住入圈者不由分说就是一顿拳打脚踢，人群中一阵躁动：有人大声嚷叫着："快去看哪，有人被打死啦！""李桥的人被打了！"那人一边求饶，一边寻求帮助，可是和他同来的那几位一看这阵势，谁也不愿往前凑。大约一分钟以后，被打者终于寻得机会，一瘸一拐地跑出了警戒线；治安员并未追赶，而是转身拿起铁锹、锄头砸向了靠在帐篷边上的自行车，一下、两下……失去主人保护的车子遭了殃，几下就被砸成了终身残废。眼见上面的动静越闹越大，我赶忙停下手边的工作，顺着梯子爬到了地面，喝住了正在砸车的常宽他们并询问了事情的经过。他们一边把那辆砸坏的自行车扔到了警戒线外，一边对我说那人擅自闯入，不听劝阻，有企图抢夺墓中出土文物的重大嫌疑。

突然，横空响起一个炸雷，大地颤抖，狂风乍起，乌云骤集，天色昏暗，眼看大雨将至，人们开始四散奔逃。我瞄了一眼那个蜷曲在土堆边上痛苦呻吟的人，他约摸三十岁出头，身材瘦小，头发蓬乱，一脸血污，嘴角还在不停地渗血，衣服上沾满了灰尘，衣袖和裤脚被撕扯出了几道口子，正当我不知该如何上前安慰他几句时，有一个年轻人向他走了过去，一手扶起了他的自行车并扛在了肩上，另一只手搀起了那位伤者，二人步履蹒跚地消失在了滂沱大雨之中。我正要进入帐篷躲雨，葛陵村一位上点年纪的村民凑在我耳边的一句话，竟让我半天没有回过神儿来，我立马意识到：搞不好要出大事啦！原来那人说：被打的人一起来的是四个人，先前一看同伴被打，有两个人已经抢先回去搬救兵去了，他们是李桥镇上的混混，可都是不好惹的碴儿呀！怎么办？我问了自己一句。

李桥回族镇是新蔡县西北最远的一个乡镇，这里西接平舆黄楼乡，北连新蔡弥陀寺乡，镇上居住人口众多，90%以上是回民，当地以牛羊屠宰业为支柱产业，另外还是远近闻名的皮革购销加工基地。如果那两个人真的到镇上搬来了救兵，后果将不堪设想：报复、械斗将在所难免，这不仅会严重影响墓葬的发掘进度，还会因此造成李桥和葛陵两个村村民之间的宗族群殴，甚至升格为当地回汉两族之间的尖锐矛盾。事态的发展不允许我再想下去。雨越下越大，看热闹的人早已不见了踪影，我派人请来了昨晚上值夜班的民警老唐，这里只有他是正式干警，而且因为他年纪稍长，大家平时对他也非常尊重，现在是该他拿个主意的时候了。他简单问了下事情的经过，当即拍板：马上去李桥镇向镇党委李树林书记汇报，务必请他出面协调。一方面他是位高权重的一方"诸侯"，同时他早年还在李桥村任支书多年，在当地有很高的威望。然而当说到怎么去时，大家一时又没了主意：在没有实施村村通工程的1994年，从李桥到葛陵8公里的距离还没有修通公路，黄土路面狭窄而崎岖不平，特别是遇到下雨天就变成了真正的"水泥路"，不用说开车，就是步行也十分困难。往返30多里，徒步显然行不通；汽车更是无法通行；剩下来唯一的办法就是使用农村的那种四轮铁牛载我们前去。于是我们找来了村里的文书李振兴，驾驶着小型四轮拖拉机的机头，由李文书掌舵，我和唐公安一人一边跨坐在两个车轮上方的两个支撑架上，三摇两晃，跌跌撞撞一路滑向镇政府大院……李书记在二楼会议室接待了我们，在听了我们的汇报后，他十分淡定地说了句：你们放心回去吧！不会出什么问题。果真不出所料，一切皆在李书记掌控之中。看着彼此满身泥水的狼狈相，想想即将平息的风波，我们三个互相对视了半天，会心地笑了起来。事后回忆：如果不是因为天公发怒、龙王显威，使得道路泥泞，舟车难行；如果不是李书记为官李桥多年有着牢固的根基，单凭葛陵村支书赵光治的一句话："谁敢来，我们就打折他的狗腿"，村民间的对峙绝不仅仅是流几滴血即可万事大吉的。

五、险象环生

墓葬发掘工作外围的矛盾刚刚解决不久，安全保卫环节又出现了"内鬼"。八月中旬，墓室的清理工作已到达棺内，青铜器、漆木器、皮革盾甲、兵器、竹简等珍贵文物层出不穷，考古队挖出金马驹的谣言迅速向四周村庄蔓延，外村的人刚走了一拨儿，外乡的人又接踵而至，到后来连那些来自外县的参观者也变得络绎不绝，发掘现场人头攒动，熙熙攘攘，人声鼎沸，车水马龙。汽车喇叭声，三轮车马达声，小商贩的叫卖声此起彼伏，不绝于耳。新蔡县城里的人也纷纷利用休息时间开车前来，想一睹墓主人的尊容，据说在距离发掘现场不远处还出了场车祸，轧死了人，就这也没能挡住参观者的脚步。一时间，葛陵挖墓成了县里的头号新闻，墓葬四周的警戒线已经彻底陷于瘫痪，值班干警对此也已无能为力，只有人进我退，把警戒的范围缩小到了墓圹的边缘，尽管当值民警声嘶力竭地呵斥，紧挨着墓圹盘坐着的人脚下还是不断有土块被挤落到棺内，间或会砸在考古队员的头上，现场秩序已经彻底混乱，安保措施基本全盘崩溃，留给我们的只剩下加快进度结束田野发掘！于是整个发掘开始二十四小时昼夜不停地轮换倒班进行，驻地的人枕戈待旦，发掘现场夜以继日。尽管如此，意想不到的事情还是发生了：8月15日夜23时40分许，正在清理南侧室随葬品的考古队员的上方，照明用的碘钨灯突然熄灭，现场顿时漆黑一团，人们发出阵阵惊呼，原来是位于帐篷北侧的柴油发电机熄火啦！我一面告诉大家：立即停下手里的活儿，待在原地别动；一面迅速上到地面。与此同时，蹲着干活的技工师傅赶忙拿起预先准备好的手电筒照亮正在清理的南室，以防不测。直觉告诉我：这也许不是发电机的故障，很有可能是人为蓄意破坏。来到发电机旁边，伸手摸摸滚烫的水箱，打开油箱盖检查的结果也没发现什么异样，于是我告诉站在旁边的村委委员重新启动柴油机发电，同时注意观察周围的动静，五分钟后一切恢复正常。但这时我身边两个人的举动引起了我的警觉：村科技主任小刘和他的一个兄弟在照明灯熄灭时就一直和清理的区域凑得很近，在我爬出墓室时却又紧随我身后，口中不断暗示我柴油机过于老旧，质量不过关等，还不时鬼鬼祟祟地东张西望。我提醒现场值班干警到四周巡查一下，以确认有无可疑情况。果然他们很快就有了发现：就在发电机旁边的芝麻地里，发现了一个不省人事的醉鬼，近前看时，才看清是本村一个游手好闲的地痞，平行于地垄匍匐在地显然是有意摆出的POSE，酩酊大醉是伪装的结果，这无非是想在事情败露时逃避干警的盘问。这时一直跟在我左右的科技主任二人见状，急忙上前搀扶住醉汉双臂，拖拉着他迅速离开现场，口中全是埋怨的口气：这小子今儿个又喝大了。看到这个样子，我们也不好再继续追究。事后得到的真相竟然和我的推断惊人地相似：这其实是一次有计划、有预谋的抢劫行动，事先商定，三人合伙，以现场维护秩序为名，混进发掘队伍，由一人负责关掉发电机，另外两人在现场趁乱伺机下手，劫掠文物。如果不是我们早有准备，如果不是迅速排除障碍，如果不是及时寻获那名"醉汉"，接下来会不会继续发生其他"事故"，墓中随葬器物能否成功摆脱劫难还真的是个未知数呢！

六、尾　声

　　新蔡葛陵楚墓出土的1200余件珍贵文物和竹简，虽历经波折，终于还是安全运抵河南省文物研究所整理基地。在中国社会科学院考古研究所文物保护专家白荣金先生和湖北省江陵博物馆技术部方柏松先生的积极协助和大力支持下，使得资料整理和文物保护工作均取得了显著进展。新蔡葛陵楚墓对研究豫东南地区楚墓丧葬习俗、楚国封君制度以及探讨新蔡和平舆一带的地方历史沿革都提供了重要的实物资料。1998年，墓葬发掘报告得到国家哲学社会科学基金的资助，并于2003年正式出版《新蔡葛陵楚墓》学术专著；针对墓中出土竹简的专题研究也获得了武汉大学等单位的专项基金资助，由河南省文物考古研究所贾连敏研究员编著的专题研究报告《新蔡葛陵楚简》也已基本完稿，正在交付刊印中。随着科学技术的不断进步，越来越多的科技手段正在应用于对考古资料的专门化研究中，相信在不久的将来，涉及到新蔡葛陵楚墓出土物中金属文物的铸造加工工艺、漆木器、骨角器、玉石器等文物的制作技术、象牙类装饰品的雕刻镂嵌方法以及盾牌、人马铠甲的髹漆绘画水平等不同领域的科技考古研究一定会取得骄人的成绩。

1996年作者在郑州小双桥遗址进行物理勘探

1996年10月作者（右一）接待钱伟长先生（右二）参观郑州小双桥遗址（左一杨育彬，后李延斌）

1999年4月作者（右一）陪同邓楠（前左三）参观郑州商城工地留影

2000年在华盛顿大学人类学系实验室（左起宋豫秦、孙新民、沃尔森教授、冷健、作者）

2000 年作者在美国哈佛大学人类学系演讲

2004 年在河南偃师参加二里头遗址国际学术研讨会（左起作者、高炜、郝本性、杨育彬、秦文生、方燕明）

2004年驻马店泌阳下河湾遗址调查（前左起杨新德、作者、李京华）

2004年作者在河南西峡做旧石器考古调查

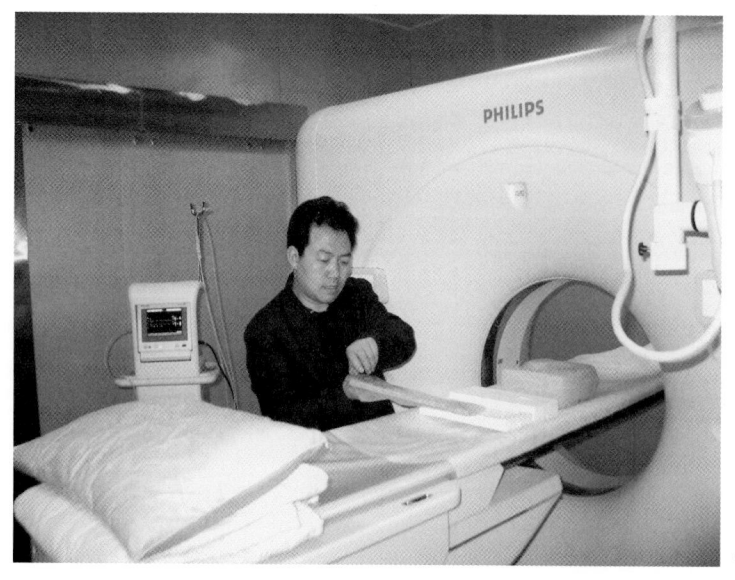

2006年作者在河南省郑州市武警总医院对出土文物做CT扫描

2007 年作者在维也纳艺术大学对小双桥文物进行检测

2007 年在淅川申明铺工地发掘（前左起刘国奇、作者、吴卫红、宫喜成）

2009年作者（左）在驻马店文物考古管理所观摩商代青铜器

2009年作者参加意大利锡耶纳国际科技考古大会

2009年作者（右）在黑龙江省哈尔滨参加中国考古学年会

再铸辉煌

——我在河南省文物考古研究所十三年的回忆

秦曙光

我是 1994 年 4 月调进河南省文物考古研究所工作的，先后担任党支部副书记兼副所长，党总支书记兼副所长，直到 2007 年 11 月调到河南省古代建筑保护研究所担任所长，我在省文物考古研究所工作了整整 13 年。

记得我上任时是时任省文化厅人事教育处处长李祥辰同志送我去的，时间是 1994 年 4 月 12 日的下午，宣布完任命后，我就随着李处长的汽车回家了。第二天，我骑着自行车去所里上班，在陇海路转悠了一个多小时才找到考古所的大门，因为当时紫荆山路未打通，所里又不临路，隐没在郑州烟厂家属区里，实在不好找。在此后的十多年里，郑州很多的出租汽车司机都不知道在这个家属区里居然还有一个名噪全国同行业的省直科研单位。

考古所占地面积不大，大概是 14 亩的刀把地，院门朝西，院内的建筑倒是各有特色，大门两旁是两栋 20 世纪五十年代的两层青砖木地板的小楼，据老同志说是当时 1952 年成立省文物队时的产物，北面坐北朝南是一栋始建于八十年代初的五层办公楼，东面是始建于八十年代中期的一栋带地下室的文物库房楼，南面是两层楼的汽车车库，院子正当中是一栋两层红砖楼，一楼整理文物二楼修复文物。沿办公楼平行向东越过库房楼的东北角，就是刀把地的刀把，北边是食堂，南边是锅炉房和澡堂，一直到 2005 年才被新建的三层科技楼所取代。院内绿化得不错，有塔松、紫薇、金桂、玉兰等二十几种花木，这些树木大都是业务人员在田野发掘时看到有好的、稀罕的树木品种就顺便带回来种在了院内。据说李长武老师最擅此道，带回来的树苗最多。时间久了，各种植物把个小院掩映得百花齐放、郁郁葱葱。

当时的考古所，杨育彬同志是所长，杨肇清同志是所党支部书记，许天申同志是副所长。所领导大都没有独立的办公室，由于王润杰老书记退休，我又正好到所工作，所以就和杨肇清书记共同在办公楼二楼西头的一间办公室内工作了。

河南省文物考古研究所成立于 1952 年 6 月，其前身为河南省文化局文物工作队，1981 年 2 月改名为河南省文物研究所，1993 年 12 月更名为河南省文物考古研究所。其时的研究所已是全国著名的省级考古研究大所，拥有一批声名卓著的新中国成立后的第一代考古学家。如安金槐、裴明相、贾峨等和第二代考古学家郝本性、杨育彬、曹桂岑等，还有一大批文革后第一批考古专业大学生。业务成绩斐然，在旧石器时代向新石器时代过渡研究、裴李岗文化研究、仰韶文化研究、中国古代文明起源研究、夏商文化研究、古代冶金研究、古代陶瓷研究等诸多重要考古研究课题中取得了突出成就。

在考古所领军的核心人物是安金槐先生，一个把毕生精力都投放在郑州商城研究上的全国著名考古学大家，安先生被称为"新中国河南考古第一人"曾于 2009 年被评为感动中原双六十年度人物，他为人耿直，为考古所的建设和发展作出了巨大贡献。

1999 年，杨育彬所长和杨肇清所长相继到龄退休，厅党组对考古所的领导班子进行调整，任命孙新民同志为所长、所党支部副书记，我为所党支部书记、副所长，秦文生同志为副所长。一年后提拔第三研究室主任张志清为副所长。

新的所领导班子建立后，如何带领考古所继续前进再铸辉煌，成为新领导班子成员考虑的第一个问题。当时，所里在经济上没有什么积累，而经济的薄弱又制约了科研工作的开展，大批的考古资料积压，一些五六十年代的发掘项目都未能整理出来，发掘出来的器物残片到处都是，有的一人就占用了十几间房搞整理。由于整理工作未结束，许多珍贵的文物都掌握在个人手中。针对所里存在的突出问题，领导班子决定下决心搞"三清"，即清理办公室和整理室、清理个人手中的发掘资料和文物、清理积压的发掘财务账目，并以此为突破口，摸清家底，并对全所工作进行调整和理顺。

"三清"工作原计划三个月完成，而实际上用了整整一年的时间。工作的复杂程度和难度远远超过我们的想象，出现的问题可谓"五花八门"，历史的、现实的；政策性的、人为的；客观的、主观的；个体的、集体的；个人利益和国家利益交织在一起的问题等等，因此整个工作至始自终包含了大量的思想政治工作。

"三清"工作取得重大收获。第一，办公室和整理室得到清理和重新分配，科学合理，现有房产得到充分利用，一些急需整理的发掘项目有了整理室，推动了科研工作的开展；第二，原来掌握在个人手里保管的文物资料，包括发掘日记、照片和一些珍贵的文物全部登记入库，确保了国家资产的安全。当时收回的纸质资料近万份，照片两万余张，珍贵文物如玉器、铜器数千件。第三，积压沉淀多年的旧账得到清理，时间最长的陈账已挂账 15 年之久。清理陈账达 500 万元之巨。第四，通过"三清"工作，一大批沉积多年的问题得到解决和疏通。最重要的是"三清"工作使所里的工作作风得到了极大的转变，绝大部分职工心情舒畅，科研环境得到改善，为考古所的再发展奠定了基础。

"三清"工作得到了国家文物局和省文物局的充分肯定，在全国和全省的文物工作会议上受到表杨，许多省的考古所到我所考察，认为我们做了他们一直想做而未敢做的工作，了不起。

我们这一届班子所面临的机遇，也是前所未有的。从上世纪末开始，国家加大了基本建设的投入，河南也不例外，基本建设如火如荼，特别是高速公路、铁路的建设，更是走在全国的前列，因此考古所的发掘工作一年比一年繁重，当然发掘经费也一年比一年充足，几乎每年递增 600 万元左右。

有了钱，就想改变面貌。

当时，考古所的科研设备还是比较落后的，尤其在电脑自动化方面和交通运输方面，电脑、数码相机和汽车的数量一样多，也就三四部吧，远远不能满足日益增加的实际工作的需要。为此，所领导班子研究从基本设备入手，改善考古领队的工作设备，分批配备了手提电脑、数码相机，更新了传统胶片相机，并逐步在全所各办公室配备了 586 台式电脑。全所的生产力水平大幅提高。

尽管如此，所里每年要开十几、二十几个工地，一些大型设备仍无法满足工作需要，怎么办呢？所里当时有两种思想：一是主张艰苦奋斗，"新三年旧三年，缝缝补补再三年"，认为"现有条件很不错了，比老一辈考古工作者强多了"；二是主张与时俱进跟上时代，改善现有工作条件。结束"远看是要饭的，近看是收破烂的，仔细一看是考古钻探的"的现状。

对于我来说，有几件事使我不能忘怀。一是1996年所办小工厂（所劳动服务公司）购买了一辆红色普通桑塔纳轿车，在所里引起强烈反响，有赞成的也有反对的，有些同志甚至认为是"大逆不道"，集体企业敢买高级轿车，简直是天方夜谭，"烧包烧到天上去了"。"所里要保持高度的革命性，一定要保持艰苦奋斗的传统"。"艰苦奋斗"到底是表现在形式，还是在内在的精神，使我也使大家思考了很久。二是1997年初，临近春节前突降鹅毛大雪，在南阳淅川丹江口水库库区内发掘的贾连敏辗转发来求救的信息：库区大雪纷飞，水位上涨，发掘工地没水、没电，食品基本告罄，由于风大，渔船已禁止出港，发掘队被困在了水库中寸草不生的孤岛上。杨育彬所长紧急派出宋智生同志开着北京客货车去接人，可走了一天到新郑就被堵了回来。杨所长急得在院里团团转，同时打电话向省文物局、南阳市文化局和淅川县文化局求援。看到此情况，我主动向杨所长要求带队再赴淅川救援，无奈之下，杨所长同意了我们的要求，千叮咛万嘱咐要注意安全。这次救援，李延斌同志开着一辆老掉牙的北京213吉普车和宋智生同志开着北京牌客货车，当天下午就出发了。一路上泥雪交加，到处都在修路，汽车一寸一寸地前进，到夜里三点多才到达驻马店，大家疲惫不堪，在路边找了个小旅馆休息了三四个小时，不到七点就又开始赶路。下午三点快到唐河时，发现宋智生的车漏油，五点多赶到唐河县城修车，简单吃了口饭就连夜往淅川赶。出南阳没多远有一段路特别不好走，有一个大斜坡全是泥水，宋智生的车冲了两次没上去，我和李延斌同志都去推车，在几个好心司机的帮助下，终于将汽车推上了斜坡，但我们都成了半截泥人。凌晨四点多时到达淅川县香化镇，敲开了一家"招待所"，睡眼蓬松的店老板告诉我们说：床有，被子只有两条。你们挤挤睡吧。房间里的那个冷、床单上的那个"油"、被子头的那个味，嗨，没得说。但我们仨高兴啊，毕竟离我们的发掘队员很近了。眯了一眼我们就往码头赶，上午九点多钟刚到码头，正好赶上淅川县派出的接应渔船靠岸，全体发掘队员全身而归，激动得相互拥抱，以示庆贺。从郑州到淅川，不到500公里的路程我们走了两夜一天40多个小时，平均每小时10公里。这件事使我深刻认识到，好的设备不仅是生产的安全保障，更是职工生命的安全保障。三是1999年秋天，樊温泉在小浪底淹没区关家发掘，我们邀请时任省文化厅厅长的孙泉砀同志视察考古发掘工地，为了走近路，我们在库区租船往工地赶，看完工地，孙厅长坚持要到发掘队的驻地去看一看。由于发掘区是水库的淹没区，当地的百姓都移民外地去了，发掘队住在村民遗弃的几栋破窑洞里，门窗不全，摇摇欲坠，老鼠乱跑，没电，吃水要雇人到十里以外去挑水，不能洗衣服，更不能洗澡。当时工地没有手机，发掘队员基本上与世隔绝。看过驻地，孙厅长非常感慨，严肃而又动情地对我们说："人们都说考古辛苦，我没想到有这么辛苦！确实不容易啊。你们一定要关心职工，爱护职工。不但要关心工作的进程，更要关心发掘人员的人身安全和日常生活。所里一定要和各个发掘工地保持畅通的联系，要制定遇急遇险预案，遇到问题，首先要确保职工的生命安全，人命关天啊。"我们把孙厅长的指示在第一时间迅速传达给了全所职工，大家都非常感动，感谢孙厅长对考古工作的理解、支持和关怀。当时厅纪检组对事业单位配备手机的管理还比较严格，厅直各单位大都只批一部，而我们所一次就批了四部之多。无疑，这是领导的支持和关怀。

这三件事使我明白了"贫穷不是社会主义"，"发展才是硬道理"的道理，明白了什么叫解放生产力，明白了什么是人民群众的根本利益。在此后的工作中，我积极主动的推动各类设备的添置和更新换代，促进了办公自动化的进程，添置全站仪等数码设备，更新换代汽车，到2003年所里已配置各种车辆10部，满足了工作的需要。

在业务工作上，领导班子始终坚持解放思想、改革开放，走出去请进来。考古工作有地域的局限性，各级考古所基本上是根据自身政府的行政区划来开展工作的，"不越雷池一步"。因此各地方的考古所专家都是具有"地方区域层面"的考古专家。如何把考古工作拓展出去呢？我们连续走了几步棋。

一是对外合作研究。与日本独立行政法人国立文化财机构奈良文化财研究所合作，进行中国巩义三彩与日本奈良三彩的比较研究。每年互派5名学者进行业务交流，互通研究成果和新的考古发现。此项合作原定5年，由于合作得非常成功，应日方要求，又两次延伸了10年。

二是积极参与外省考古发掘。①沙下遗址是香港最大规模的考古发掘工作，于2001年底至2002年底进行，除香港的考古研究队伍外，香港方面亦邀请内地的考古专家到港，分为4队共60多名专家一同工作。我所积极参与，在香港发掘西贡沙下遗址，发掘面积达700平方米。发现有新石器时代的晚期、青铜时代和宋元代的遗存。遗迹中属新石器时代晚期有房址、灰坑等，青铜时代有房址、灰坑、石器制造场、灰沟等，宋元代有灰坑。遗物中有不同时代的石器、陶器、硬陶器、瓷器、釉陶器等。香港方面对我所的工作给予了高度评价。②连续5年参加三峡库区淹没区的考古发掘工作，每年发掘数千平方米，共发掘了1万多平米。其中，2002年刘海旺同志在丰都县兴义镇杨柳寺村六社庙背后发掘古代锌冶炼遗址获"三峡工程重庆库区2003年度十项重要考古发现"。专家判断，该处冶炼遗址的年代应为宋代。该遗址的发现、发掘和研究，将为研究中国古代锌冶炼的起源、发展与技术的进步过程提供全新的实物资料。③我们还积极派员参加了广东深圳龙岗区的考古调查和发掘工作。出省工作使我所业务人员不仅开阔了眼界，增强了自信心，更重要的是在解放思想上有了质的飞跃。

三是拓展考古工作的新领域。本世纪初，我所有两个在读博士引人注意，一个是在澳大利亚读动物考古学的马萧林，一个是在西安交通大学读文物（化学）保护的陈家昌。之所以引人注意，主要是这两位所学都不是河南考古所的"强项"。马萧林临毕业时从澳大利亚打来电话，担心回所后无用武之地，探问所里能否建立动物考古实验室。我说："能！你需要多少钱吧？""10万。"我说："班子研究了，拿100万。你回来吧。"2003年11月，马萧林回来了。我们把在"刀把地"上新落成的三层小楼起名科技楼，把一层西面两大两小的6间房辟为动物考古实验室。马萧林不负众望，在短短的两三年内拿出了第一批研究成果。

2007年7月，所里在黄河迎宾馆召开了全国首届国际动物考古学学术交流会，一举奠定了我所在国内动物考古学研究的领先地位。陈家昌回来了，我们把科技楼东面一层6间房拨出来建立了文物保护实验室，主攻方向是漆木器脱水和土遗址保护，由此奠定了河南省文物保护中心建立的基础。

四是扩展标本陈列室。为了加强对外宣传，展示我所考古发掘新出土的文物，我们在所原有的两间标本室的基础上，进行扩展，将库房楼二层全部腾空并进行了装修，建立了石器、陶器、铜器、瓷器、玉器杂项等七个标本室，将近年来出土的珍贵文物和典型器物进行陈列，与同行进行学术交流，赢得了同行的好评。国内外许多专家学者和国内的领导都慕名前来参观。记得有一位专家看过标本室后感慨地说：学考古，如果不来河南考古所看看，那真是缺了一环啊。目前，每年来所里参观标本室的各级领导、专家学者和在校研究生不下数千人。

五是整合工作站，加强基地建设。我所原有的7个工作站，分设在登封、淮阳、新郑、三门峡、济源和郑州。随着工作的进展，一些工作站已基本丧失了原有的功能，且年久失修，疏于管理。为了整合资源，所领导班子研究决定，将登封、淮阳、三门峡、济源四个工作站交由当地文物部门管理，全力发展建设新郑工作站、郑州商城工作站和郑州西山工作站。经过多方努力，新郑工作站异地再建成功，郑州商城工作站重建成功。成为所里两个重要的整理基地。到2007年，在省发改委的支持下，郑州西山工作站的建设工作全面启动，现已落成并投入了使用。前几天我刚好路过那里，碰巧又遇见了王建民同志，就进去参观了一下，很漂亮。

六是做好配合省内基础建设工作。本世纪初，是河南基本建设的高潮期，高速铁路、公路、水库、电厂、南水北调、西气东输、旧城改造等大型基础建设项目一个接着一个，配合省内基础建设工作成为所里非常繁重的日常工作，常常是发掘合同都签了，还派不出发掘人员，压力很大。对此所里采取各种手段调整发掘力量，变压力为动力，抓住机遇，强行突破，确保配合省内基本建设工程按时完工。同时培养了一大批考古发掘技工。配合省内基本建设工作取得了优异的成绩。

1990—2007年，我所共获得18项"全国十大考古新发现"；多项国家文物局"田野考古质量奖"；16项科研成果荣获20世纪全国优秀考古报告、全国第四届优秀科普作品奖、中国钱币学会第二届金泉奖、河南省社科优秀成果奖、河南省社科联优秀成果奖、河南省五个一工程奖等多项荣誉。我所主办的《华夏考古》曾获中国期刊方阵双效期刊、中国人文社会科学核心期刊、全国中文核心期刊、中国社会科学引文索引来源期刊（CSSCI）、河南省社会科学一级期刊、河南省社会科学优秀期刊、河南省社会科学二十佳期刊等荣誉称号。

在业务工作方面我们取得了丰硕的成果，在行管后勤和精神文明建设方面也取得了骄人的成绩。

杨肇清所长曾给我讲过一件事，他说他有一个日本朋友（我忘了叫什么名字），来所里参观后回去给他来了一封信，信上有这样一段内容：十年前我曾去贵所参观，办公楼楼道内黑黑的，两只发出淡淡黄光的、串联在一起的灯泡，给我留下了深刻的印象。十年后的今天，当我再次走进贵所的办公楼时，没想到的是，楼道依然黑暗，两只黄灯泡还在。讲到此，杨肇清所长愤愤地骂了句"他妈的，小日本，净看我们不好的地方"。我们深感疼痛和震撼。因此，在建所50周年的前后，我强烈建议并推波助澜美化办公区，将院内的植物进行调整，补配和替换一部分观赏性植物，扩大了观赏性植物的种植面积，并在院内建了一个多功能的小体育场；整修办公楼，更换了门窗，铺装室内地坪，亮化走廊、梯道，装修了一楼接待室、二楼会议室和全部卫生间；更新了安全技防设备等，改变了所里的基本面貌。当时，省文化厅夏林副厅长在轰轰烈烈抓全厅直的精神文明创建工作，我们乘着东风，再接再厉，连续作战，力争在"市级文明单位"的基础上争创"省级文明单位"。在创建过程中，我们得到了厅文明办、陇海路街道办事处和郑州市、管城区文明办的大力支持。为把卫生搞上去，陇海路街道办事处的王玉凤同志到所里蹲点，具体指导创建工作的全面开展。管城区文明办的霍豫闽同志多次到所里具体指导创建资料的整理和建档。在创建工作的后期，我们终于有机会向时任郑州市委常委、宣传部部长的杨丽萍同志作了创建工作汇报，杨部长对我所的创建工作给予了明确的指导和肯定。经过多方努力，我所在厅直（处级）单位中第一个成功创建为"省级文明单位"。

1994—2007年，我所先后荣获"省级文明单位"、"省级卫生先进单位"、"河南省文物系统先进集体"、"省直五一劳动奖状"、"河南省社科联系统先进单位"、"省直先进基层党组织"、"省直先进基层工会"、省文化厅"厅直先进基层党组织"、"厅直先进基层工会"、"区级花园式单位"等40多项行政荣誉。2006年被河南省文化厅荣记"集体二等功"。

回顾在考古所的工作，我认为的的确确做了一些事情，在一定程度上促进和推动了考古所的建设和发展，使考古所受到各方面的关注和赞扬。王传真、孙泉砀、郭俊民等历任厅长和省文物局原局长常俭传同志都多次表扬考古所，夸赞考古所是厅直文化系统的"红旗单位"，是各方面发展"最好的单位之一"，为河南文化文物事业的发展做出了重要的成绩。在保持共产党员先进性教育活动中，所领导班子及其成员在群众评议中获得好评，被群众誉为"建所以来最团结的领导班子，实现了最快的发展速度，创造了最好的发展时期，再次铸就了考古所的辉煌"。

时值今年考古所60华诞，我虽在所里工作时间不长，但也力所能及，虽未呕心沥血，但也殚精竭虑，认认真真，踏踏实实去做好每一项工作，与所里的一草一木、一砖一瓦，更与所里栉风沐雨、风雨同舟的男男女女、老老少少的兄弟姐妹们有着难忘的情结，我爱他们！

我用最粗的线条勾画了我在所期间的工作，一是时间太紧，二是线条粗了结实，结结实实地连接着我与考古所的情怀。

祝愿河南省文物考古研究所60岁生日快乐，健康发展，步步登高，再铸辉煌！

1999年所领导班子开会研究如何"团结奋进，求实创新"（左起秦文生、孙新民、作者、张志清）

2000年5月宿白先生来我所考察访问（左起孙新民、秦文生、宿白、作者、张志清）

2004年作者（中）陪同副省长贾连朝（左一）视察省文物考古研究所（右一孙新民）

2001年作者（右四）赴日本奈良文化财研究所考察访问（右二赵志文、右三王文华）

2001年作者（右四）在省文化厅建党80周年歌咏比赛总结会上

2002年作者（右一）陪同省文化厅厅长孙泉砀（右二）、副厅长刘清俭（左二）视察省文物考古研究所（左一张志清）

2002年作者（右二）访问香港大学美术博物馆（左起孙新民所长、杨春棠馆长、省文物局常俭传局长、右一省文物局司治平处长）

2002年在省文化厅文明创建工作会上（左起夏林副厅长、作者、秦文生、张志清）

2003年国家文物局副局长郑欣淼（前中）视察省文物考古研究所（左一省文物局局长常俭传、右一省文物局副局长陈爱兰、右二作者）

我与恐龙蛋二十年

李占扬

本人1987年由山西省考古研究所调入河南省文物研究所，回到故乡主要从事旧石器时代考古调查、发掘与研究工作，至今已有26个年头。今年恰逢河南省文物考古研究所建所60周年，我将工作中可圈可点的回忆写出来，以飨读者。

1992年冬西峡盆地惊现恐龙蛋化石，至今已有二十年，从接触到这件事情，到后来由此引发的风风雨雨，恐龙蛋在许多方面对我个人的影响都是很大的。恐龙蛋降温后，在地矿部门的力争和文物部门的谦让之双重结果下，全国内的古生物遗存，似乎在一夜之间统归于现在的国土资源部门经管，文物部门管理古生物化石的时期俨然成了一段历史，并渐渐地淡出了人们的视野，如今的西峡龙蛋山，早已是凭高价门票才能进入的地方。我的一位朋友曾告诉我说，恐龙遗迹园上方的山坡上——当年我挖化石的地方，仍有一通记录那次抢救性发掘的纪念碑斜插在半山的土里，碑体已沉湮于没人的荒草中，沦为野蜂筑巢、蜘蛛结网的托体。碑体上的文字已经漫漶莫识，当年的场面早已随风而逝。物是人非，昨日已老，叶重霜寒的深秋远去了，唯有脑子里的一叶记忆尚存。

一、上　　山

1993年9月3日，我和发掘队员一起进驻西峡盆地上田西坡，开始对盗挖活动的重灾区进行抢救发掘。经过当地公安、文化部门的综合治理，虽然这一地区群发性的盗挖恐龙蛋化石的活动暂时平息下来，盗坑有些已经填埋，但是地下倒卖活动仍很猖獗，慕名而来的贩子云集山里，周围环境仍显得多变而复杂。一些被打击的盗挖分子仍在暗地里窥伺，大有死灰复燃之虞。西峡县公安局考虑到考古队的安全，特配给一支双管猎枪，这是一支上好的猎枪，并示意我们每当天黑以后，向东南和西北方向各放三枪，名曰威慑，实为壮胆。

秋天，盆地的傍晚别有情趣，农家收工了，鸟回山林，村子的竹林顶上缭绕着炊烟。然而，夜幕刚一降临，考古队的猎枪便开始吐出串串火舌，猎枪霰弹的回声在村子上空"哗哗"作响。

那一夜，我的耳朵里充满了"呲呲"的枪弹声，也是从那一夜，我第一次品尝了失眠的味道。

从5月到9月间，我总共来盆地考察过三次。第一次上山，所见的是满目疮痍，盗坑满地，大大小小的恐龙蛋、龟蛋化石扔得满地皆是，好像还有人向我们兜售恐龙蛋。当我们第二次上山时，国内外主要媒体已经将西峡盆地发现恐龙蛋化石的消息作了报道，这时山上仅能捡到半个拳头大小恐龙蛋块了，稍完整些的已被人捡拾走。到了第三次上山的时候，竟连指甲大小的蛋壳也难以见到了。开始我们不知道老乡要那些碎蛋壳何用,当我们参观了一家造假恐龙蛋的农户后,便明白了其中的缘由。可见造假恐龙蛋在那时就已经开始了。

人们对于那枚最先在媒体亮相的恐龙蛋大概并不陌生,但谁能想到那也是一枚再造的恐龙蛋,只是当初我们的专家还没识破它。

二、发　　掘

各项准备工作做完之后,便开始发掘,但在布方问题上我们遇到了一些困难。偌大的一个盆地,到处是重叠的中生代白垩纪岩层,壁立的元古代震旦纪基岩,满眼的红石头令人目眩,该如何下手呢?我们想到了那些在附近村里找来的民工。在过去几个月盗掘活动最盛行的时候,他们中间的一些人,几乎摸遍了盆地中的每一条沟,对蛋埋藏的情况可谓了如指掌。看上去软沓沓的山民,一说起挖恐龙蛋来,个个抖起了精神。他们说地层中凡是有白色条带的地方,下面肯定有恐龙蛋,但地层里有好几条白色条带,其中一条下面是水层,只有水没有蛋。根据老乡提供的线索,我们在上田西坡的坡上很顺利地布了5个探方。

10月28日,是开工以来令人高兴的日子,在3号探方,我们终于发掘出一窝恐龙蛋化石,这是大家梦寐以求的。我的心情比激动更激动,虽说那时西峡盆地多个地点挖出了大量恐龙蛋化石,但都是由无序的盗掘获得,由于相关资料的缺失,在研究上几乎没有用途。比如说,以往见到的蛋都是下面保存是完好的,上面就有些破损,当出土了这一窝化石后,我们才有了这样的判断:一是蛋在埋藏过程中,上边靠地面的部分由于埋藏较浅,在长期的石化作用下,致使顶面风化而使其不完整。另一种可能是,孵化过程中小恐龙破壳时也可能造成顶面破损。至于现在世面上见到的恐龙蛋化石都是上面规整,下面有一个底座一类的东西,应是商人们考虑到美观而故意将其倒置做成的。

挖掘恐龙蛋化石没有想象的那样容易,工具是铁锤和钢钎,所谓的地层是硬度在5度左右的砂岩,和石灰岩的硬度相当,一锤下去仅留下一道白印儿,通常一个人用三个工作日才能挖出一枚蛋来。现在世面上流传的蛋化石之所以完整者极少,是因为那些盗掘者多在夜间操作,黑灯瞎火间,加上心虚理亏,慌忙中十有八九会弄烂。盗掘者将蛋块进行切割拼凑,再补上些许碎蛋壳,就是常见的半真半假的蛋化石,近些年,我看到的化石多属此类。

我向村民了解,怎么能在漆黑的夜里找到恐龙蛋?他们告诉说其实很简单,挖到了蛋层以后,一遇见异常,就停下来用拇指的指甲在地层中刮几下,然后放在鼻子上闻其味道,有刺鼻的硫黄味道时说明就是蛋壳,完整的蛋化石也就不远了。他们的行为也留下了物证,并为此付出了代价,后来,公安局的人就利用了这一点,看谁的手上指甲不是指甲,茧子不是茧子的,便认定是盗掘者无疑。

完整地取出第一窝恐龙蛋化石,可以想见队员们是多么地高兴,又天气晴好,月到中秋,那天下午不到5点就下了工,大家不约而同地想起一件事——喝酒吧!

但在那时,周围的环境还不容我们过度放松,因为就在我们驻地不远处的山凹间,又出现了不少新的盗洞,夜里我们常被隆隆的爆破声惊醒,有时近处的爆破声震得房檐直落土。我们在明处,他们在暗处,河水不犯井水,盗掘者曾向我们转达过此等意思。

我的一首《中秋之夜》小诗似可看到当时的情形：

中秋之夜

夜色明净

天空无云

抢蛋风波

并不影响月色的皎洁

偶尔

远处传来

几声闷闷的爆破声

又给我们刚刚松弛的心

增加几缕新的惆怅

一九九三年

国庆和中秋结为同日的双节之夜

欢愉撒满了夜空

抢救发掘恐龙蛋的人们

趁着月光

举起酒杯

向国人

向家人

——深情地祝福

经过三个多月的苦战，到了1993年年底，在第2、3两探方共出土176枚恐龙蛋化石，此外还有2枚鸟的蛋化石。5号方位于山脊上，因恐龙蛋埋藏层较深而未果。4号探方化石分布最为密集，保存得也更加完好，我们意识到这处密集埋藏恐龙蛋的区域的意义非凡，决定将4号探方进行封填，留给以后可能兴建的遗址博物馆用。

后来证明，正是由于4号探方的原地保存，成就了现今西峡恐龙遗迹园的主体展示。

三、宣　传

西峡盆地恐龙蛋化石的新闻最先由《光明日报》报道出来。通过对西峡盆地恐龙蛋化石的考察，我起草了一篇题为《西峡盆地发现世所罕见的恐龙蛋化石群》的新闻稿件，后刊登在《光明日报》头版显要位置上。稿子写好后，涉及到发现的数量问题用了"大量的"字眼，报社说这不妥，应当量化，哪怕是一个估计数字也成。但是很困难，地下之物，谁能说清楚？我大胆推测道："目前已发现数千枚，估计整个分布可达上万枚"。当时担心估计过了头，心里很不踏实，但后来其数量远远超过了这一数字。

1993年，改革后的央视新闻评论推出一档栏目叫《东方时空·焦点时刻》，西峡盆地发现恐龙蛋化石群在其中屡次播出，造成了不小的影响，同时，国内外的主要媒体也都参与了进来，再加上地方报刊的大量报道，如此新闻大战的结果，使西峡这个名不见经传的山区小县迅速走红。

四、杂　记

西峡位于豫西南伏牛山腹地，一脚踏六县，抬眼望三省，目前这里已建有包括恐龙遗迹生态园在内的众多旅游景点，短短数年，这里已是河南省的旅游强县，据前几年旅游部门的测评，西峡旅游的人气指数位居全省第一，可谓发展旅游的前景看好。

通过新闻媒体的广泛宣传，而今，西峡盆地发现恐龙蛋化石已被世界上大多数人知晓，这是新中国成立以来最大也是最有效地对自然遗产、地质古生物乃至文物考古的一次成功的宣传，也是对上述门类科普知识的最大普及。

于是，恐龙、恐龙蛋化石成了收藏界的新宠，原生的化石价格不断升高，一方面丰富了人们的物质文化生活，但同时也给保护工作带来了新的难题。有买就有卖，有买卖就有无休止的盗挖、造假，一个个旧的盗坑被填埋，一个个新的盗洞又有可能被挖开。

不知从何时开始，恐龙蛋也成了送礼的上品，这是笔者始料未及的，但谁能保证那些送出的化石不是再造的赝品，送礼者怎能弄到一枚完好的恐龙蛋化石呢？

为适应恐龙蛋化石保护管理的需要，西峡县成立了国内唯一的恐龙蛋化石管理局，但包括笔者在内，与此事有关的很多人，大都有其负面的影响，有的人卷入了本不应有的官司，我自己也为此交了足够多的学费，可以说，恐龙蛋发现的二十年，也是我等不堪回首的二十年，好在一名言"眼前的得失不要常挂在心上，长远的考虑才是智者的生存之道"支持了我……也有人因此高兴得手舞足蹈，美国好莱坞影片《侏罗纪公园》，则在西峡恐龙蛋化石的大肆宣传中受了益，他们是赢家，我等仅是道具而已。

科研工作没有当时预想的好，现在国内在职科研人员中，已无一人专门从事恐龙蛋化石的研究，该项研究领域早已走上了后继无人的境地。

恐龙DNA的研究，也着实让人们激动了一阵子，但北大课题组在一枚由收藏者提供的恐龙蛋中获得6条DNA片断之后便没了下文……

说到造假问题，我将用一个造假的事例来说明，或许对现握有该类化石的人有些帮助。这里引用新华社文章的内容：

一枚在中国广东出土、距今6500万年的恐龙蛋窝化石于2005年12月3日在美国洛杉矶公开拍卖，最终以42万美元成交。据此，我将这块化石同广东河源、河南西峡等地出土的恐龙蛋蛋窝化石和流落到海外的西峡盆地恐龙胚胎化石图片进行认真比对后，认为这窝恐龙胚胎化石至少有8处疑点：1. 蛋窝表面模糊，不见颗粒，没有质感，和白垩纪时期形成的红色砂岩岩性不一致。2. 蛋窝和蛋心颜色不一致，蛋窝中心颜色同四周不一致，一般是蛋心和蛋窝的岩性成分和所呈颜色基本相同。3. 蛋壳过厚，且不显示鉴定恐龙蛋化石真伪最关键的蛋壳表面结构。4. 蛋壳颜色过深。5. 蛋体周围岩石除棕红色以外，隐约可见白色，同恐龙蛋埋藏层颜色不一致。6. 骨骼化石过于完整、生动，而常见的则是在埋藏中受到挤压造成变形。7. 从公布的"蛋窝直径61cm和每枚蛋长13cm、宽8cm"这一数据来看，比广东、河南等地的长形蛋尺寸要小得多，也就是说，两地目前未见过这样的恐龙蛋化石。8. 另外，从价格来讲，如果这窝恐龙胚胎化石是真的，价值应在百万美元以上，42万美元的成交价与其价值不符。

以上8个疑点说明，这块所谓的'恐龙蛋蛋窝化石'为造假之作。

五、花　　絮

前面提到的那位朋友也说了这样一件事儿，因为他对我的工作一直很关注，人又十分善言，所以他常有雷人之语流传。

他说某年他们单位年终活动出了一批有奖智力竞猜题，有一题是问西峡恐龙蛋距今已有多少年。他答曰："距今一亿零七年"。结果赢了一台优质的电饭锅。别人问他怎有如此精准的答案，他说西峡恐龙蛋发现那年他儿子刚刚出生，曾听我说过西峡恐龙蛋的年代是距今一亿年，他答题那年儿子刚满七岁，一亿年加七年，便是一亿零七年。

有一次我在西峡丹水出差住在旅馆里，因阴雨正百无聊赖之时，就听店家大声唤我，说当地的支书要请我去吃酒。非亲非故，无功受请心里很是狐疑，但出门在外有人请客也是一件很爽的事。主人十分客气、友好，又是倒剑南春，又是帮我夹拔丝弥猴桃，并称我是他家的贵人，弄得我是一头的雾水。后来我明白了，他说他儿子大学毕业找工作时，某供电局的领导说如能给他带两枚他家乡的恐龙蛋的话，他儿子的工作则不成问题，但要求是要真的经鉴定过的恐龙蛋，他撒了个谎，说我是他的好朋友，称那蛋是我亲自鉴定过的，因为我的拙名曾见于报端，白纸黑字为证，那领导信了，连说"成！"、"成！"这事儿就顺利地办成了。我诧异并茫然地吃了这顿酒，他儿子这时正式上班已有数月，斯时他正担当某特大城市国庆照明突击队的副队长，是恐龙蛋助他在国庆大型活动中立功受奖的，他的职业生涯当从两枚恐龙蛋写起，可我该向他祝贺、还是别的？

2001年5月，我的一册《白垩纪之光——西峡盆地恐龙蛋考察漫记》被"第四届全国优秀科普作品评委会"提名，当时正值方舟子学术打假的开端，后来的媒体多次披露方舟子的打假直指那次评奖活动。在提名作品公示期间，评委会收到一封来信称《白》是伪科学，评委会非常重视此事，在原两名审读者的基础上又增加两名，四大评委几乎将《白》大卸八块，细查数日，结果没有发现什么伪科学，清白后的《白》有幸又回到受奖的名录中。

在北京人民大会堂颁奖的间隙，负责此奖评定的全国出版总署的崔处长告诉了我这件事，我则想，写信的那位先生可能是不慎打错了靶子！在会前，全国科协周光召主席向中华书局柴剑虹先生索要《白》一读，称有人说小书写得可以，你们（中华书局）怎么没给我送一本呢，说这话时柴连一本书也没有了，于是我将我手上的给了他，柴先生悄悄地对我说，何不趁势求周在书上题个辞呢，机不可失啊！可我当时还没有那个胆量，这件事儿也就存入了我的心里。

1993年作者主持发掘西峡恐龙蛋遗址现场

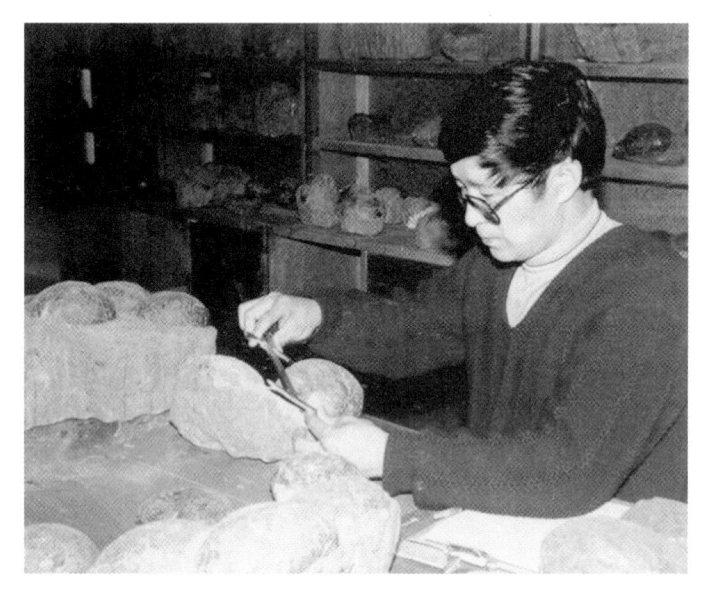

1993年作者进行恐龙蛋研究

2007年8月作者在俄罗斯叶尼塞河流域考察

2008 年作者（右）在"许昌人"发掘现场

2008 年作者（左三）在许昌灵井遗址

2009 年作者在南非斯特克方丹洞穴

2010 年作者在日本仙台东北大学当年鲁迅先生听课的座位

2011 年 11 月作者在意大利庞贝古城考察

那段青涩而美好的时光

杨振威

1984年7月,我从郑州大学毕业分配到河南省文物研究所工作,后来又奉调到河南省文物局。八十年代是个充满理想、激情和进取的岁月。回忆当时在省所工作的几年时光,时间虽短,受益良多。值六十周年所庆,撷取刚参加工作时所写的几篇日记,流水账式记录留下了那个时代些许印记,冒昧示人,谨此表达对前辈师长和同仁的无限敬佩和感恩之情。

1984年7月8号

很长时间都没有记日记了,似乎有很多话要说。从哪里开始呢?想来还是从离校的时候吧!临别校园,老师给我们留下了期望和要求:要勤奋踏实,别怕吃苦;多抓材料;到单位会遇到很多困难,要拿得起,放得下!

今天来文物所报到,是一位姓许和姓马的同志接待的,并领吾去见了赵青云副所长。他谈了所里的一些基本情况,如人员编制,以后的改革,三个研究室的任务等。安顿好一切后,回家休息了十天。

7月23号

今天来单位正式上班。郝所长和我们三个新来的谈话。他很坦率地谈了所里的情况,要求我们刚来的学生不但做好考古,还要做好其他工作。在所里召开的大会上,郝所长介绍了我们三个后,传达了改革精神(所里是省里的改革试点单位),后分组讨论。郝所长领我们参加研究室讨论,我们讨论得很热烈。裴表现出长者风度,刘建洲则抢先发言,声音宏亮,李说话时大家都很安静,还时而记下意见。张居中则谈了发掘奖金和目前考古发掘存在的问题及与地区文物局的关系。从这次讨论中,吾很受启发,作为学术部门领导,一方面要内行,要有专业知识,另外要把握整体形势,还要有口才等其他方面的能力。

裴明相主任及天申等来看我们。孙新民从开封回,见之。

郝所长谈我们工作问题,我被分在二室,搞后一段。二室主任李京华同我谈话,说了后一段的学术问题,而后说了怎么学习。

刚来,我和志文出去散步,谈了很多。回来得晚,老师傅不开门。说明我们考虑问题不周,以后注意。在住室志文拿出他大学时的合影照,让我评论照片上的每个人,其中一位读了研究生,给我留下很深印象。

这几天我们三个搞第二批文物普查的简写材料,这是来所的第一项任务。居中对我们所写的资料指出了许多问题,暴露出我们有些无知,同时我们也意识到还有很多东西要学!

7月29号　星期日　晴

今天是上班后的第一个星期日。上街主要有两项任务：一是买书，二是去学校办一些其他事情。在二七书店买了些历史文献一类的书籍，亦看了本中南五省区编的有关青年思想修养方面的小册子，感受很多，但还没有形成想法。

7月30号　星期一　特热

现在我觉得工作有压力学习亦紧张，倒是在办公室把"二普"材料写完后有种说不出的愉快。晚良启要拉我出去，刚好因天热，许在办公室，我们便闲扯起来。一会儿进来一个三十多岁的中年人，许介绍后方知是蔡全法，是和我在一个研究室，李同我谈话时曾说他是个好人，现在是新郑工作站站长。说话当中，我发现此人对工作极其负责。天申说以后考古发掘补助可能要提高，由原来1.1元提高到1.8元，我们都很想快点下去。现在所里有很多事情要搞：信阳长台关楚墓，温县盟书，濮阳设考古工作站，许昌发掘裴李岗文化，新郑一大堆事，下半年要搞宋陵，就是人手不够，而自己知识又浅，普查一结束，很可能去新郑，这样吃点苦也好。现在首要任务是：一、专业课学习（包括外文）。二、田野工作。

7月31日

今见实习时曾带过我们的姜涛，他似乎更加高且胖了。晚与志文到外边散步，他谈起了他家庭及他母亲的坚强。这种感情很真挚。后来我们谈到其他事情。他说感受最深的是"实习"，并说起在长江边上实习挖大溪遗址时怎么受到锻炼等。志文朴实，重感情，有些话讲得很有道理。

8月1号　星期三　八一建军节

吃过饭，正准备去上班，天申在门口发电影票，是所里在中州影剧院包场。其一是《五号机要员》，其二是《龙女》。五号是长影拍的，试图探索地下党活动者新途径，良莠各半，并不成功。但主角洪桐刻画得不错，看到他那塌陷的双眼放射出的光彩，顿使人觉得其伟大。那下塌的深眼窝不但不成之累赘，反而增加了其老练和深邃。《龙女》是上影拍的安徽黄梅戏，女主角表现了很强的反抗和顽强不屈的精神。

8月2号　星期四

上午继续抄写整理二普资料。中间开会改选团支部。下午因有四川文管会和北京馆客人来所看陈列室，所长让我们三人跟着去看，没写多少东西。晚在食堂吃饭时正好与蔚波坐一块，他说了新郑工作站李德保及很多民工的趣事。说那里交通方便，工作站对面是电影院，不远处是百货楼，文化局和文化馆就在站隔壁，伙食更好。这席话使我有些向往了！

8月3号　星期五

这几天热得要命，半夜醒来，浑身冒汗，搨、洗才罢。我想，他们在校复习考研的没有电扇该怎么过呢！中午居中来送资料，说下午要去上蔡，对我们交待了资料整理的一些问题。我观察他说话时的神情似乎是要树立长者和领导者形象，二者又以领导为重。他说完话，转身即走，好像不大高兴。

晚饭后散步，沿火车道往南走，志文又滔滔不绝地讲起他们的实习经历，回来让我看他写得诗。他说除一个女孩外，你是第一个看到的。有些诗写的确实不错，能诱发人的情思，没想到这个少言寡语的人还真有点诗意呢！

8月12日　星期日

上午去社联姜明生处，姜拿出年级的通讯录让我看，我觉得不论是分配到地区还是留在郑州的都不错。从姜明生处出来到省博看了下展览：日本刻字展览、五岳摄影展览及历史陈列。后又到二七书店买了些书，另有一些也感觉要买，拿着放下，放下拿着，终因兜里只有16元钱而舍弃，以后还是要买回来。

8月13日　星期一

中午在办公室工作，祝推门进来找谢。他们谈起一些事情，似乎作证什么的，看起来二人很激动也很气愤。吾对其所说内容如坠五里烟雾，不知来龙去脉，因前天谢对吾说了分房之事，我猜与之有关。另外还谈到所里领导和刚提拔的大学生，许有能力……谢对工作的看法很有见地。他提醒我说，你对所里的人还不了解，要通过一段时间情况摸透了，然后再发表自己的意见。说话中吾声音有些大，谢很警惕，并到门口看看，告诉我在单位说话千万谨慎！

此外，谢的谈话还使吾对怎样做好所里工作有了更多的认识，我想，领导要比一般群众眼光高一点，办法也要多一筹，有魄力有魅力。要调动人的积极性，维护单位名誉，出成果出人才。领导对部下每个人还要了如指掌，看其才用其人，因势利导之。也要注意培养有潜质的后来者。

8月14日　星期二

上午跟国家文物局训练班学员听《文物保护法》。下午，祝容通知开团员会，内容是如何开展团支部活动。因大家对一些问题争论不休，吾不愿介入争论，故保持沉默。这几天还有几件事很感动：一是方燕明女朋友考到了广州美院，方为此很刻苦，没看过电影，没歇过星期天，准岳母打电话让去家里吃饭，不去！学习精神甚佳，应当学习之。另外是谢谈起在登封王城岗发掘时，与历史博物馆张承志一块工作，说其热爱生活，时常爬嵩山，找当地农民谈话，晚上一直坐到十二点学外语，后考上研究生，并到日本留学。发表了《北方的河》、《黑骏马》等等。

8月15日　星期三

前几天晚上看电影回来，外面刮风，突感有些凉意，看看天气，很有秋天的味道，问知确已是立秋。一年四季中吾最喜秋天，当然，冬天的大雪及夏天的大雨也是一景。

早上起来和志文沿京广铁路跑操，看到满载旅客的火车由东向西驶去，似乎有种特殊的感情。这时，太阳还没有出，天有些寒气，我驻足观看，想起实习时从北京参观回来，车过黄河大桥后那晨曦微露的清晨。志文说这有什么看的呢？他不知此时我想起去秋同样的清晨火车徐徐而过就要回到郑州时那种特殊感受和体验！

上午所里要发沙发和桌椅板凳之类，因拿不出多少钱，干脆放弃，现也不急用，后征求意见，还是要了一对沙发。吃晚饭时在院内同刘建洲交谈。他是学美术的，谈起自己怎样学美术转考古进而提到"文革"中所里人遭到的境遇，李京华还编成顺口溜等。当时安还称赞我们陈老师的刻苦和钻研，说其是女秀才。的确，那个时代他们的奋斗精神让人感动。想，我们比不起吴晗，比起身边的前辈也确实少了很多艰苦奋斗的精神。"文革"时，他们这一代大学生多在青壮年，正是骨干，有的还担任领导职务，可惜耽误了很多年。

8月16日　星期四

昨中午在门口碰见蔡等几人从新郑回，他问近来干啥，我说已经审查完文物普查重点材料，现在没事。他说下午我和所长说一下，这几天就一块坐车去新郑！刚忙完材料，这么快就到工作站似乎有些茫然，虽然有利条件不少，但舍弃大块时间也有些可惜！因为以前郝所长说过派驻新郑的事，所以中午还是收拾准备了些东西，又上街理了个发，回到办公室和谢聊了会儿准备就到新郑工作。晚吃过饭，蔡到住处坐了会儿，谈了一些新郑的情况。大致如下：以前新郑站站长李德保已经在那里呆了二十多年，积压了很多资料等，现在已经调回所内整理，站内目前还不稳定，发掘任务很紧，技工管理也有些问题，以后会慢慢好起来等等。

8月18日　星期六

这两天有些感冒，下午去省直二门诊看病，本来带了十几元钱准备到二七书店买书，但到省博斜穿马路时，猛然被一位小姑娘叫住，似乎略微迟疑地问我："同志，你是本地人吗？"我不知之问话目的，便反问道："有什么事？""我是北京人，我和我母亲从北京到昆明去，从这里转车，钱被掏了。"我明白了，她是想让我帮助一下。我对她说我是去医院看病的，兜里只有十几元钱，就顺便把仅有的十一元五角钱给了她。我说："这太少了。"她说："谢谢，你把地址留下吧！"我说："不用。"然后就快步离开了。回单位路上，我想当时似乎就没考虑什么就把钱给了之，她要是骗人呢？但愿这是真正需要帮助的人，想此，也就释然了。回去后和志文说起这个事，他不以为然说："骗局！"呜呼！

良启可能要去上蔡，晚他约一块散步，还买了半个西瓜。

8月20日　星期一

到今天为止已工作整整一个月。

上午去办公室领了工作包准备去新郑站。碰到祝说让国庆前交一篇稿子，参加文化厅比赛，吾说马上要下去了，尽力而为吧！东西收拾完后，才十点多，便到郝、赵所长处告辞。赵谈了些工作站以前的情况，说到站要多听各方面意见。郝则开宗明义，说站里常年积累的矛盾多，交待要注意团结大多数，严格要求，别介入，有什么事就说刚去的，以自己的角度去观察！郝还用天降大任于斯人等格言谈了为人处世和怎么学习等具体事情。看来，领导对我们还是寄予了一些期望。从郝、赵办公室出来，感到心情有些沉重，主要是后悔在大学时没能认真学。

下午到新郑工作站已四点多。刚进院子，觉得有些沉寂和冷清，正惶惑间，看到侯从屋子里出来很客气地接住行李，还帮助忙活了一阵子。收拾好后我到院子内外转了转，看到院内的花开的很热闹，一中年妇女正在小平房里忙碌，说话间方知是前站长李的夫人。她说，过三天车来就把东西搬走，李在这儿二十余年一直是站长，现在是蔡。她说话时好像显得很小心又很惋惜。后来又到街上看了看，电影院、百货楼、文化局等就在工作站附近，确实像王说的那样条件不错。晚站里人一块吃饭，有五菜：烧鸡、腰窝、白菜、豆芽、豆腐，还有酒，喝了几杯。总之，还是以前所想，要努力工作，不可再像大学时那样浪费时光。新的环境，新的人员，如所长所言，团结多数，干好田野，多听勤学。

8月22日　星期三

昨天早上五点多起，骑车跟老蔡一块去河李等几处地方看了钻探和发掘工地。因我初来，早起又不吃饭，老蔡怕不习惯，就在路边买了三碗豆腐汤喝，算是早饭。这时，太阳还没出，街上人少，感到秋天空气很湿润。一些正休息的民工看老蔡一到，赶忙干起活来，来不及的也就不好意思地笑笑，看着老蔡。老蔡问了些发掘的情况，用批评的语气指导着怎么干，没多讲遗迹现象和出土器物。在我们去另外的工地路上，老蔡说，民工的基础差，以后必须是高中毕业的，并谈了怎样培养她们。在坐船过双洎河时，岸边杨柳低垂茂密，还有芦苇和荷花。只是上游有些造纸厂的废水冲到河里，使河水显得有些发黄。老蔡讲再过些天，这些杨柳青黄相间时，风景很好，可写生。其实我觉得现在风景就很好，很有些南方的风味。在工地，挑了几个民工往陶片上写编号，字写得歪歪扭扭，实在不敢恭维。了解到这些姑娘高中毕业的确实很少，也只能这样，以后加强训练吧。上午还去了棉纺厂、玻璃厂等工地。

截至现在各个工地都去过了，工地现在情况：人多浮于事，纪律松懈，有混饭吃之嫌，当然也有各工地领导方法问题。

下午，去五宅庄工地照相，都说某民工不好好干，我觉得至少下午干的还不错。还有那个冯某，是个高中毕业的，没考上大学，人还比较成熟些。回到站里正准备做些什么，只听外面有高声说话的女音，出来看方知是以前辞退的民工高某某在责问老蔡。老蔡爱人听不下去，便从屋里出来与之对质，二人大吵继而对骂继而就打了起来。吾拉了两次，把老蔡爱人劝住，高不罢休。黄昏时，高家姐、爸、哥、嫂、弟一干人来站里又闹得不亦乐乎……这些事使吾思之良久。

8月23日　星期四

上午，去法院搭架子照相，警长是个老头，很热心地帮助跑前跑后。下午去玻璃厂照相，回来又帮助老蔡整理了四份材料。吃晚饭时，老蔡说让吾到他那里一趟，但没交待具体事。后来与王聊起文学，他认识些作家。

8月24日　星期五

早上，乌云密布，估计会下大雨，吃饭时却又放晴了。中午跟老蔡到玻璃厂看探方，把一些遗迹图画了一下。到沙发厂的路上，老蔡说，现在站里人已经不少，有几个人生活标准要求高，我们是搞工作的，下探方是本行，都不下探方会行。我想这可能是老蔡昨晚想要说的话吧。下午又到工地把剩余的图补齐。

在青峰的门口，看到他愁眉苦脸，与他说了会儿话。他因文化考试不及格要补考，觉得有些丢人，我好心劝慰一番。后来，下起了大雨，想完蛋了。明天工地照相要告吹，一步跟不上，要耽误几天了。

8月25日　星期六　晴

中午县文化馆打来电话说二中操场因雨冲刷出一遗迹。蔡让吾一同去看，遗迹是用砖券一圆形，砖较薄，上有绳纹，内填砖瓦碎块。蔡说像墓，我认为是窑。到玻璃厂查看，井坑等遗迹果然被雨水填满。几个民工边往外刮水，边冲老蔡嚷嚷着要干活的工资，说就等这几个工资了，再晚发几天就没法过了。

文化局李银新来站说城关镇建房问题，我和蔚波接待之，后又到工地看了发掘的夯土情况。回到站时已近7点，见站门口的街对面站着几个人在张望。进到院内，忽见人围在一个过道处，心想是干什么的，赶紧走过去看，只见一个先前的技工张某某呼呼走了出来，后面还有一个老太太跟着（后知是其母）。我正好与之照面，张某说，"想参加打架哩，头老圆！"我莫名其妙，感到站里可能发生了什么事情。走进院内，果见老蔡爱人田正坐在凳子上大声哭诉。原来，田拉着陶片正从后院往前院平棚送，张某看到田过来就故意站在拐角处找茬，田接上，双方对骂着便厮打起来。张母也跟着帮起忙来，对白发老人，田不便还手（事实上这正是玄机所在，如其动手，那么大门口准备好的几个人就会随时加入）。我们过来时，双方正打完散去。后来我向侯、胜利问了发生事情的前前后后，胜利还发表了对此事的看法和评价。认为这两次打架事件说明领导和群众二者关系出现了问题。来站前老蔡说站里还不稳定，看来确实如此。我想，现在站里存在着站长与工作人员，站里与民工，站里与地方政府（处理关系问题），站里本身的制度等问题。文化局李的意思很明确，有些指责站里。说要"冷"，急则事与愿违。对一些事情，指导方针要明确，处理方法要妥当，具体问题要灵活。

8月28日　星期二

老蔡从郑州回。下午县宣传部、文化局、公安局及城关镇镇长来站调查打架事件。

8月30日　星期四

上午回郑。来站十天，好像很长，实在想回去看看。赵所长见我回来，同我谈话，问了些情况，批评了些人和事。王书记也谈了。王书记说，民工不应闹，临时工时间长不好办，基建用人和单位用人要分开等。以前传王谈话只听你说，这次他好像谈话兴致很高。许叫住也说了很长时间。还见了居中、新民、玉石。

9月1日　星期六

早从郑来站，汽车内很拥挤。胜利又谈起前几天发生的事情。这个人很有才，就是爱说些怪笑话。

9月3日　星期一

这两天站里的气氛有些压抑。晚上没电，和胜利、蔚波一块去散步，看着半圆的月亮，想到快中秋节了，无心在外久呆，便独自回来，搬个小凳坐在院子看月亮。半圆的月亮高高悬挂，天空暗蓝，星星稀疏。院子紧临公路，却显得很沉静，月光斜泻下照着半个院子，朦胧胧的，院子的另半边是桐树的阴影及花园，站里的小狗蜷在花园一旁。叫之，它会贴在你身边乱抓，显出异常亲热的样子，烦之，喝一声，它会很知趣走到别处。望着明月，似乎想着什么，似乎什么没想，脑子里只是些过去生活的浮现。想，如此美景，也只能愧对上天了！

9月4日　星期二

下午天申、新民来站处理打架一事，胜利做饭买鸡忙得不亦乐乎。与天申划了几个酒，只赢了两个。新民捎来同学玉波的来信，看后知道其改行不成，主要是父亲反对。

9月8日至9月9日

昨一天把工人工资点完，不知怎么多出两元。钱这事是丝毫不能马虎的，差之一分，账就得重新算一遍。我再点，查了三遍都没有查出。我还以为真是多出两元，就开玩笑说，这两元买糖吃。最后，还是旁边的帮手发现了这多出两元的原因。对这种很细心地活，要认真对待，不然就会弄个一塌糊涂。虽是小事，也要谨严。领导布置给自己的工作一定要认真干，干净利索结束之。对平常的生活细节也要养成良好习惯，对人对己均非坏处。

另外，春秋战国郑韩故城内器物特征及早中晚各期划分应再仔细过一遍。

9月16日　星期天

下午回郑。晚良启、志文三人终于凑齐，第一次去老安处。老安虽近古稀之年，但从谈话中可知其头脑异常清晰。老安鼓励我们：要创，要干，不怕失败。要成为专家，必须牺牲点什么。老安一星期从工地回来一次，和他爱人各有分工。他说干考古的时间不能因处理行政事务受干扰。他教我们学习方法：不要贪多，坚持下田野，干一段就学好一段，把一些基本问题搞清，并叮嘱我们一定要把外语学好。必须坚持，时间长了，收获可观。拜见老安后，感到受益很大。这个人有一种精神。

9月17日　星期一

今天，向郝所长汇报工作。郝问了些新郑的情况，说可能会把我长期固定在新郑，意思说还可能担负更重要的任务。叮嘱我要高标准要求自己，来年去考察。他以前在新郑干过，交待了我很多如何辨别郑国和韩国的器物方法。

9月26日　星期三

从21日雨，直到今天仍未停。这几天主要看《洛阳中州路》。感到生活是舒服，但一直呆在此也似有不甘。老安说成为专家是要失去些什么东西的！

10月5日　星期五

今天浏览了些报纸，祖国各地到处传递着令人鼓舞的消息，自己心情也开朗起来，现在应清楚看到摆在自己面前的路。

以上琐言赘语，仅取于此。离开省所多年，但忆及这段青涩而美好时光，的确受益匪浅。诚如毛主席诗词所言，三十年弹指一挥间。如今，国家发生了天翻地覆的变化，省所也在代代学人不懈努力下，队伍壮大，硕果累累。展望新的时期，愿我所考古之树长青，愿我所考古之花长艳，愿同志们的生活越来越美好！

1993年在郑州西山国家文物局田野考古领队培训班合影（左起李延斌、司治平、张文军、李京华、杨肇清、作者）

痛并快乐着

——在小浪底发掘的日子

樊温泉

最早听说小浪底这个名字，是 20 多年前的事了。那时单位组织人员对小浪底库区的文物分布情况进行实地调查，我有幸成为了其中的一员。

说实话，"浪"这个字在河南人的字典里绝对是一个贬义的形容词，俗语说，男人看相女人看浪，说的就是这个意思。如果说一个男人"浪"似乎还有作秀之意在里边的话，但若形容一个女子，就一定让人想入非非了。可这个穷山恶水中的偏僻之地，不仅"浪"，而且要"浪"到"底"！所以第一次要去这个地方的时候，心里觉得真是既可笑又好奇！其实真的到了地方，才发现这里不仅不"浪"而且少"浪"！以后每次去之前，都有同事开玩笑地说，去"浪"哩！而回来的时候，也必定是"浪回来"的问候。久而久之，这个"浪"字不仅没有了一点贬义，反倒愈发亲切中听了！没想到，从调查到后来的发掘，这一"浪"就和小浪底结下了近 10 年浪漫和辛酸之缘。

一、白沟历险记

第一次发掘的工地是济源的白沟，那是 1996 年的春季。白沟在小浪底的上游不远处，是大峪沟乡的一个小村子。我们发掘的是一处仰韶文化晚期的遗址。尽管堆积不很丰厚，倒也出土了不少精美的彩陶。

考古队和大坝的施工人员都住在黄河北岸岸边的简易房内。施工队的民工是天性活泼的甘肃老乡，每天下班的时候，住地都飘荡着"花儿"的香气。闲暇的时候，也去门口当地农民摆下的台球案上和他们斗斗球技，倒也自得其乐。转眼到了盛夏，一场接一场的暴雨，不仅打断了正常的发掘工作，而且也诱发了多次险情。

一日午后，大雨倾盆，响雷震耳，毫无睡意的我们挤在一间不漏雨的房内打牌。忽然间，巨大的响声震撼了所有的人们，大家不由自主地跑向了门外！刚才还好好的简易房瞬间倒塌了一间半，我正好就住在没有塌完的那半间房内！而最令人毛骨悚然的是，一块预制板就斜砸在我的床上！当时的一幕，现在想来还有些后怕。

不过令人后怕的事情紧接着又发生了。由于连降暴雨，黄河水急剧猛涨。一天晚饭后，我们收到指挥部的紧急通知，说深夜有大流量的洪水要从上游下来，所有人员都要紧急撤离。施工队的民工像逃难似的，肩扛被褥，手提行李，争先恐后地爬上工程队准备的卡车，转眼溜之大吉了！考古队是一个小单位，既无相关部门准备的车子，也无法和单位联系

（那时没有手机，打电话最近需跑到几十里外的乡里）。万般无奈，我就找到了一个在我们工地打工的当地老乡，他家在岸边的山上有一个以前喂牛的窑洞，施工队进驻村子后，他就把窑洞改造成了放录像的"影像厅"。好说歹说人家答应我们暂时用一宿。于是大家手忙脚乱地把重要的生活用具和出土的小件一趟一趟地抬到了山上的窑洞里，但床铺和陶片都被临时集中在一间远离水边的房间里。夜深了，我和一个岁数较大的技工结伴守护在河边的临时房里，一根接一根地抽着烟，一遍又一遍地打着手电查看暴涨的洪水。咆哮的水声夹杂着不知名的野鸟哀号，熟悉的住地逐渐变得让人毛骨悚然！就这样，看着河水一点一点向住地侵来，插在地上用来观测水位的小树棍一根接一根地被水吞噬……漫长的夏夜终于在揪心难熬的等待中撤离，肆虐的洪水也在经历了一夜的鏖战后于天明时分驻足在最靠河边的一排房脚下徘徊不前了！胜利了！那种喜悦的心情一点也不亚于我们打了一场胜仗！大家聚集在一起又说又笑，你看看我，我看看你，都有久别重逢的亲切感！其实我的心里除了庆幸的欣慰外，更多的却是劫后余生的感慨！事后才知道，当晚的洪水并没有达到事先预报的流量，如果真的是预报的流量，那后果就……

其实考古本身就充满了惊险新奇、悬念丛生，有了这次经历，不仅没有产生半点对从事这个职业的悔悟，反倒是感到考古生活更加充实了！

二、西沃黄天黄地

西沃是新安县的一个乡，算是新安县比较富裕的乡镇。这个紧邻黄河的乡生产硫黄，黄河岸边是硫黄的富矿，顺着岸边的公路行走，到处可见大大小小的硫黄矿。工地就坐落在黄河岸边的二级阶地上。这是一处庙底沟二期文化的遗址，文化层都处在沙土层中，发掘起来比较容易。迹象的边沿不仅好判断，而且由于土质松软，挖起来也较省力，陶片也便于保存，不易被挖碎。发掘的季节是冬季，清澈的河水把黄河打扮得苗条秀丽，这是一年中黄河最美丽的季节，一洗夏日洪水暴涨时携沙带石张牙舞爪的泼妇形象，又经秋季的沉沙细流调理，此时愈发显得恬淡妩媚。原本发掘的环境应是相当恬适的。可遍地的硫黄矿不仅把满世界涂抹得青黄一片，就是湛蓝的天空中也充满了缕缕黄烟，放眼望去，西沃一带成了黄天黄地。我们每天就在黄烟的笼罩下工作生活，污染最严重的时候，几米远的地方都看不见对方的模样，只能闻其声而不见其人。满身灰尘倒是次要的，只不过多去黄河边洗几次衣服而已。最最难受的是嗓子，不仅干燥，而且被熏得肿疼。上班的时候一定得带上水杯，不时地喝上一口，少喝一点水，嗓子立马就感到燥疼，吐出来的痰都是黄色的。怪不得大家说不仅西沃的馒头发白，就是人在这里待久了也会给硫黄熏白！可怜的黄河也蒙上了一层黄纱，美丽的少妇转瞬变成了黄脸婆！一到晚上夜深人静的时候，就能听到她低声的呜咽。哎！硫黄固然无罪，硫黄矿的开发也给当地人带来了无穷的财富，可原始的开采方式和粗犷的提炼手段，又给环境造成了多大的污染呢！？原本满山翠绿，现在岩石裸露，时时滑坡；以前河岸平坦，如今千孔百洞，处处是坑。估计没人去细算这笔账。说心里话，事过多年在整理西沃的陶片时，我依稀还能闻到淡淡的硫黄味。特别看到庙底沟二期文化陶斝器壁上覆盖的一层黄白色沉淀物时，我猜想是不是西沃的先民们早在远古的时代就已经知道提炼硫黄了？但愿环境的污染不是从那个时候开始的！

三、麻峪牛经济

"峪"这个字眼一看就知道是在山谷里，麻峪就是新安县西部大山中的一个极小的村子，全村人口只有一百多号，而且极少见年轻人。考古队动土那天，全村能动的男劳力基本都来了，年龄最长者已近九十，年轻的也是花甲之年。尽管岁数偏大，但劳动热情和工作态度却绝对一流，他们是我在小浪底水库发掘工地中遇到的最能干的民工群体之一。举一个简单的例子，大家就能从中了解他们工作认真的程度。有一个探方的灰坑，由于只在探方中暴露了很小的一部分，所以最后需要扩方，扩方时又受当时地形条件的限制，无奈只好以掏洞的形式向里边挖。负责挖掘的民工已是将近八十高龄的白发老人，可是有一天他竟然从黑漆漆的洞中爬出，然后用双手递给我们一样他亲手挖出的宝贝——一根完好无损的骨针！当时在场的人都惊呆了！不是大家不相信自己的眼睛，而是大家都在怀疑老人的眼神！一根10厘米左右长，直径0.15厘米，针眼孔径0.1厘米的骨针啊！既使是在露天作业的情况下，说心里话，如果不是十分细致、全神贯注的话，很难说这根骨针还会独善其身！何况是一个耄耋之年的长者，又是在漆黑的洞中！这简直令人不可思议！

麻峪这一带养牛的人很多，而且都是散养。大家可能感到奇怪，只听说过散养鸡的，哪里还有散养牛的！其实这里的牛可真是名副其实的散养。除了需要耕种的季节和寒冷的冬天，一年中的大部分时间家家的牛都是游荡在漫山遍野间。它们自己寻找食物和水源，但主人要定期去给自己的牛喂食盐巴，这是很重要的步骤，否则久而久之，牛就会乏力，这自然就会影响到牛的耕作能力。健壮有力和青壮年龄的牛都会有衰老的一天，这是和人一样的自然规律。但老人是要颐享天年的，而牛最终的归宿都是要到屠宰场的。麻峪周围的老牛和病牛最后多是被卖到济源那里去的。在这个买卖的过程中就诞生了一个特殊的行当——牛经济。我们的房东老赵就是从事这种交易的。平时他在我们的工地做工，有买卖需要的时候他就去干他的老本行。经常有他经手的牛会暂时拴在我们居住的院中等待集中后一块儿运走。其实老赵最大的本事并不是他的交易能力，而是在交易前对所买卖的牛的综合评价和准确估量上。他能通过细致的观察，判断出牛的岁数、健康状况以及劳损程度等，但这还不算稀奇，他最绝的看家本领是能在短时间之内精确估量出牛的重量，而这一切只需通过眼看和手摸。这一点在牛市的交易中是至关重要的，这也是老赵多年来一直只赚不赔的诀窍。据他自己讲，经他手交易的牛没有千头也差不了多少，最大的误差没有超过10公斤的。他就是靠这种独特的眼力赚取买卖之间的重量差，从而成为当地小有名气的牛经济。

世有行当百千种，唯以技精留其名！其实考古这个行当又何尝不是这样呢！？

四、关家情结

（一）与苦为伍

记得在关家发掘时，我曾经以"养在深闺人未识"为谜面，让大家猜一地名，谜底范围从河南缩小到三门峡，后来又从三门峡缩小到渑池，最后当我提示到是南村乡的地名时，才有人报出"关家"的谜底。也不知是我的谜出得太偏，还是关家太不起眼了！其实谜真的是好谜，"养在深闺人未识"的本意就是把小姐"关"在"家"中的意思，只不过关家确实"养在深闺人未识"了!

我们去发掘的第一年,关家的村民尚未搬迁,山下黄河边上还有一条东到峪里(新安县的一个乡)西至南村的土路,尽管弯弯曲曲,坑坑洼洼,但还可以跑车,所以还算道路畅通。当时村里有井喝水、有电照明,虽然时常停电,倒也习以为常,唯一不便的是通信。那时手机用量极少,为了我们便于和单位联系,杨育彬所长把他用的摩托罗拉模拟机送给了我,当时所里也就两三部手机。那个宝贝蛋子可真是个好玩意儿,走在大街上,你若用它打电话,肯定会吸引无数眼球!可到了关家,说句不中听的话,它就成了高级摆设,没有任何信号!为了打一个电话,我必须爬上关家后面的山头,而且只有一个几平方米见方的地方才能收到微弱的信号,通话时不仅时断时续,而且还要不停地变换身体的方向和手机的角度。知道的人说你在打电话,不知道的人还以为你在跳健身操呢!就是这个地方,也是我在无数次的探索中才发现的。一个几分钟的电话,我必须要花上四十多分钟的时间爬上爬下跑个来回。不过也好,打了电话,也做了锻炼,两全其美!

从第二年开始,关家的人就陆陆续续地张罗着搬迁了,他们要去的新家是开封的杏花营,一个听起来挺富有诗意的地方,而且绝对是一个要比关家强百倍的好去处。他们走了,我们的发掘仍在继续,但环境却发生了天大的变化。首先是停电,这是每一个搬迁区都要经历的头等待遇。没电给生活带来了极大的不便,你必须考虑迁移。紧接着就是大规模的扒房,窝都没了,你还赖在这里干啥,那边的新房诱惑着你去享用呢!这一带的窑洞很多,有恋家的老人在旧房扒掉后就偷偷搬到窑洞去住,这样一来,时间不长,窑洞也被炸掉。我们在和当地有关部门交涉后,被特许留下了大小四孔窑洞。村里唯一的一口水井又为我们延续了半年寿命后也被填掉,原因是还有当地的顽固不迁者和我们同享一井水!生活和工作的条件在逐渐地恶化,困难每时每刻都在和关家的考古人对峙。为了解决吃水问题,我们伤透了脑筋,一开始派人下到黄河挑水,待水澄清了以后再食用,但黄河的水时常受到污染,不能保证日常生活。后来就四处寻找泉水,虽然也找到了,但水量太小而且路程也较远。最后还是我们的一个民工自告奋勇,他出主意让他爸爸从山上给我们背水。因为在当地的村民搬迁后,我们的民工主要用的就是山上非搬迁区的村民,他们一早从山上下来,带着中午的干粮,晚上收工后再回家去。还有的民工为了干活干脆就住在破窑中。他爸爸同意后,我们就为他准备了两个30公斤的大塑料壶和几个小塑料壶,从此开始了艰难的送水。从山上下到我们居住的地方也就是几公里的路程,但山路弯曲,走起来可就慢了。他爸爸是经常走山路的人,来回一趟也要快三个小时。如果遇到下雨,特别是连阴雨,可就麻烦大了。为了我们不至于断顿,他就穿着雨衣,拄着树棍,坚持给我们送水。看到他浑身湿透,满身泥浆的背水过来,大家都特别地感动。虽然背水是付工钱的,但他这种风雨无阻的精神却实在难得,所以大家见到他就感到异样地亲切。就这样,我们用黄河的水淘洗蔬菜,用他爸爸从山上背来的水做饭喝水。在那种情况下,不用你做思想工作,大家都自觉地养成了节约用水的习惯。水库蓄水后,黄河边的土路就被淹没了,我们的给养也成了大问题。每当食物快用尽时,我就提前上山和单位联系,告知所需用品,然后由单位的司机把东西运到山上的村子里,我们再组织人力上山搬运。上山的时候把挖的陶片背上去,回来的时候把给养背回来。2000年的春节前下了一场大雪,我好不容易爬到山上和单位取得了联系,但被告知由于道路结冰，车辆开不过来，单位让我们自己先想办法。眼看着食品越来越少，而且还要给留守工地的技工备用，再待下去的话就更成问题。大雪还在一直地下，当时大家的情绪都很低落。在一个午后雪小的机会，我决定带人走出去。大家都备好了自己简单的行李，各自找了根树棍用来探路，就这样，在没膝大雪的山路上，我们互相照应，经过近三个小时的艰难跋涉，终于在天黑前爬到了山上的村子里，晚上就住在给我们送水的老乡家中。我又和单位联系后，得知汽车可以开到峪里乡，但我们要走到乡里去。第二天早上大家吃饱了早餐就上路了，因为谁也不知道下一顿饭会在什么时候吃。山上的路相比山下的路就好走多了，但路程太远，从黛眉寨（我们晚上歇息的地方）到峪里乡有近20公里。平时坐车不觉得远，可真的走起来，而且又是在漫天皆白的雪路上行走就大不一样了。不过虽然很累，但一想到车子就在前面等我们，大家就又兴奋异常。20公里的山路，又是在将近天黑时走到了终点，当大家见到王建民师傅和他的越野车时，那种高兴的心情一点也不亚于回到了家中！

（二）乐在苦中

关家发掘的日子确实单调和艰苦，这一点毋庸置疑。但话又说回来，其实生活是丰富多彩和包罗万象的，就看你站在什么角度来观察和适应它了。有时候你可能只看到一个点，可当你变换视点再重新审视，说不定你会有新的发现和别样的感受。我就是在这种看似枯燥无味的环境中寻找到了新的乐趣，而且爱不释手、自得其乐。那是偶然的一个机会，工作之余到黄河滩上散步，雨后的河滩上到处都是大大小小的河卵石，仔细一看，那些平日里不起眼的石头上面竟布满了各色图样，有的像盛开的花朵，有的似奔跑的动物，真是太神奇了！这时候才想起了以前在洛阳看到的奇石，当时还在猜测那些石头的出处，原来就在自己的脚下，这不正是"踏破铁鞋无觅处，得来全不费工夫"吗！？自此之后，一下班或者下雨休息的时候，到河滩找奇石就成了我的最大乐趣。慢慢地，我的这个嗜好也传染给了考古队的其他同志，大家在闲暇时都来河滩寻宝石了。黄河石，中国的名石，也是黄河母亲在孕育炎黄儿女、开启华夏文明的过程中衍生给我们的天然美石，以其独特的造型，稳重的色彩，丰富的图案，带给了我们心旷神怡的享受和天马行空的遐想。我曾寻得一方美石，垂柳下有两个神态安详的鸳鸯在戏水，一番苦思冥想后，终于谋得"春江水暖鸭先知"的佳句为其配名，倒也其乐融融！玩石赏石，自觉陶冶了情操，磨砺了心志！其实说白了，最大的收获就是极大地丰富了业余文化生活，减少了恶劣环境带给人们的寂寞和躁动。大而言之，石文化在无形中助推了考古学文化在关家的开展。

单位领导十分关心我们的日常生活，专门为我们购置了一台雅马哈牌的发电机。有了这台发电机，我们可就幸福多了！不仅重新起用了搁置多日的冰箱，放心到集会上买肉而不再怕肉有味道了，而且每天晚上还可以看一会儿电视，尽管收视的节目不多，但天气预报和新闻联播等节目却拉近了我们和外界的联系。更重要的是我们可以在灯光下整理当天的发掘日记和绘图资料了。那部上山才有信号的手机也不用再拿到山顶人家去充电了。整理工作结束后大家偶尔还可以凑在一起打几级双升，下几局象棋。出错牌的埋怨和悔棋的争吵，都显得非同一般地惬意和自在。那种闲情逸致和自得其乐，真是难以用言语来表达。每当夜幕降临，雅马哈的发电轰鸣声响起时，一种祥和温馨的气氛就弥漫在了考古队的驻地上空，一天的劳累也随即消失。没人嫌电机的噪声大，也没人讨厌刺鼻的油烟味，不管大家各自在忙什么，每个人的脸上都荡漾着幸福和欢快的笑容……

　　1999年深秋的一天下午，记得是个多云的天气，关家的发掘工作仍在有条不紊地进行。我刚写完一个探方的发掘日记，就听有民工在喊："樊队长，好像有人在下面叫你！"随着喊声，大家一起向靠近河边的探方跑去，只见断崖下面的黄河上从下游驶来一艘游轮，游轮上面站了好多人。一会儿就又听到游轮上有人用高音喇叭在叫喊："樊队长，你在哪里？"这下才知道确实是有人在找我们，于是大家都齐声喊道，"我们在这里！"游轮靠近后我才看清是单位的秦曙光书记一行过来了。由于蓄水后就没有船只从水路到过关家，所以根本就没有大型船舶靠岸的码头。好不容易在大伙的忙碌下用门板和木板搭起了一条上岸的路。等秦书记上岸后介绍，我们才知道是文化厅的孙泉砀厅长特意来看望我们。孙厅长先来到工地，认真地倾听了我对关家工地的发掘介绍，然后又下到探方仔细地观看了一些遗迹的发掘情况，并询问了有关发掘的详细内容。他一再叮嘱我发掘的同时一定要注意安全，特别是防范靠近河边的一排探方由于长期受到河水浸泡而发生坍塌。不知不觉中天色已经转晚，这时有人建议返程，但孙厅长却执意要去我们的住地看看。从工地到住地虽然只有一里多路，但一是爬坡，二来山道难走，孙厅长坚持来到我们居住的窑洞，并挨间进去察看。他一边看一边问询日常生活的有关情况，诸如怎么吃水，怎么买菜，怎么和外界联系，怎么出去等等。他还不时地蹲下身来观察我们清洗的陶片，讨教有关陶器的名称和用途以及下一步的修复方案。最后孙厅长建议和我们发掘的人员在窑洞前合影留念，并特意要我和他站在一起。合影后我挽留他们在工地一起吃晚饭，孙厅长还开玩笑地说，我们这么多人在你这里吃上一顿，还不把你吃穷啊！望着河面上逐渐消失的游轮，我的心一直难以平静。后来我才知道由于回去得晚，加上航道不熟，孙厅长他们回到济源已是很晚了！事过多年，每每想起这段情节，我都感到激动！也许正是有了这样的鼓励和鞭策，我才更加坚定地在关家这种艰苦困难的环境中静心发掘，不仅发掘出了一处仰韶文化晚期时期的较为完整的聚落遗址，而且在这里相继写出了西沃、马河以及麻峪等几处遗址的报告初稿。

　　(三) 怀念妈妈

　　所有小浪底的考古工地，就属在关家待的时间最长，从1998年的夏天一直到2001年的春天，两头算来四年。四年，在历史的长河中，可能只是短暂的瞬间，可是对我个人而言，却正是大好的青春年华，33岁到36岁，这是人的一生中多么值得珍惜的时光啊！我把它无私地奉献在了豫西山区一个偏僻封闭、交通不便的小山村里。我是个做事低调的人，一般不用豪言壮语，也不善于吹捧自己，但在这里我却用了"无私"这个极具高尚意义的词，其实我的真实用意是借用"无私"这个词来表达我的一种思念之情，一种深深的自责愧疚感和久久萦绕在心头的相思情。我的妈妈，我亲爱的妈妈就是在关家遗址发掘最紧张期间离我而去的，而我在妈妈临终之际竟没赶回去和她老人家说上只言片语……自古忠孝难两全，妈妈，您的在天之灵能原谅儿子吗？

　　妈妈是四十岁才有的我，所以特别疼爱我，而我十六岁就出门求学了，后来参加工作、结婚、生孩子，妈妈基本没和我们在一起生活过，因为她住习惯了老家的平房，住不惯天天爬上爬下的六楼！每当春节我们要回家看望她时，她总是老早就把我们要盖的被褥洗净了，然后在太阳下晒了又晒……而我们要离开的时候，妈妈是眼含热泪把我们送了又送，走远回头看时，妈妈还倚在大门口注视着我们……我今生今世也忘不了妈妈那满含期盼依依不舍的眼神！

　　2000年的五一，我从关家工地回单位时接到姐姐的电话，说妈妈得了肝癌！我当时就惊呆了，我实在不相信也不愿相信这是事实。我很快把妈妈接到郑州，找了几家医院复诊，最后的结论都是一样的！五一过后，我把妈妈送回老家，在家里的医院接受化疗，其实医生交待像妈妈的年龄最好是保守治疗，但我一直认为与其坐而等待，不如主动治疗。可化疗的效果实在让人难以接受。原本还能走动的妈妈，没化疗几次竟连路也走不动了，而且饭量也越来越小！全家上下愁得一片凄然。可这个时候也正是关家工地进展得如火如荼时，工地马上要收尾了，各种各样的繁琐杂事特别多。就在这时，我做了一个让我终生都悔恨不已的决定，我自以为妈妈的身体还不至于那么快就……我想抓紧时间回关家把工地的紧要事情解决后就马上回来好好陪陪妈妈。当我把想法告诉妈妈的时候，妈妈口头上答应了我，她老人家说，去吧，儿大不由娘，官差在身不由己，早去早回！但我清楚地知道她不想让我走。在家的几天，妈妈晚上吃的药都是我喂的，可我说了要走之后，妈妈晚上就坚决不让姐姐喂她，她执意要我喂，并说温泉不喂我不吃！晚上妈妈睡了，我陪在她身边，看着妈妈熟睡的面孔，我想了很多很多，我边想边哭，妈妈，其实儿子一点儿也不想走啊！我躺在妈妈身边，泪水慢慢打湿了枕巾……第二天早上天不亮我就醒了，抬头一看妈妈就坐在我的身边，她深情地注视着我，"快去快回！"这是妈妈留给我的最后一句话！这次告别也成了我们母子二人之间的诀别！

　　妈妈走后相当长的一段时间，我都沉浸在无比悲伤的情绪之中。送走妈妈后，南阳下了一场百年不遇的大雨，整个南阳城都淹没在了一片汪洋之中，城内的道路都可以行船！我整日厮守在妈妈一个人生活的小屋中发呆。我一直在思索着一个问题，那就是：人活着究竟是为了什么？儿女情长，高朋满座，衣食无忧，功成名就，出人头地，衣锦还乡，前呼后拥，名垂青史……痛定思痛，思前想后，终于有了自己的结论，那就是不管你做什么事情，无论你有怎样的身份，你都是娘身上掉下来的肉，你都要首先孝敬自己的父母，即使你再忙再累，也一定要挤出时间去尽自己的孝心！工作是做不完的，时间是可以自己掌握的。不要等到父母走后再嚎啕大哭，抱怨自己工作太忙未尽孝心，不仅为时已晚，而且后悔终生！为了天下的父母都安享晚年，为了自己的良心不受自责，常回家看看父母吧！天若有情天亦老，及时行孝是正道！

　　转眼小浪底的发掘工作已结束10多年了，小浪底水库早已蓄水发电，并日益发挥着它的巨大作用。小浪底库区也成了远近闻名的"千岛湖"风景游览区，吸引着众多的游客来这里观光游玩。考古工作结束后我一次也没来过当年发掘的地方，但可以肯定的是它们都已淹没在了黄河的万顷碧波中。当旅游者沉浸在小浪底游览区湖光十色的美景中时，估计他们没人能猜想到这里曾经有过考古工作者的辛勤劳动。考古人在这里有过美好的梦想，有过勤劳的付出，有过幸福的喜悦，有过浪漫的经历，当然也有过生活的烦恼，有过辛酸的往事……

　　谨以此小文献给河南省文物考古研究所建所60周年。

1990年作者在三门峡虢国墓地发掘

1999年河南省文化厅孙泉砀厅长（右三）视察小浪底关家遗址（右一秦曙光、左一作者）

2001年作者（左一）在桐柏丹河春秋墓地发掘

2002年12月，作者（前右一）陪同张忠培先生（前左一）考察三门峡庙底沟遗址

2004年作者在郑韩故城月季新城铜钱窖藏坑发掘现场

2004年作者在新郑防疫站（郑韩故城）M6发掘现场

荥阳关帝庙遗址考古发掘亲历记

——写在所庆六十年之际

李素婷

一

在大地坐标北纬 34°47′42″、东经 113°28′27″的地点，有一座现代村落，名叫关帝庙，因是纪念关公的庙宇而得名，行政隶属河南省荥阳市豫龙镇。村子东约 3 公里处，有须水河自南向北流过，北部约 6 公里处，索河自西南向东北流，两河在距遗址东北约 8 公里处汇合成索须河继续向东北流，入贾鲁河，而后入淮河。村子北 16 公里处，黄河水日夜奔腾不息，自西向东流去。虽然村内庙宇早已被毁，但村子每年还有固定的集会，是日，周围十里八村的人们聚集在庙址前进行商品交易。人们很难想象，在他们生活、耕种得最熟悉、最亲切的土地下竟然神秘地埋藏着三千多年前的古村落——荥阳关帝庙遗址。记得 2006 年 6 月接到发掘关帝庙遗址的任务后，我开始收集发掘所需要的资料，曾上网搜索荥阳市豫龙镇关帝庙村，在百度上只搜索到一条消息，是关于豫龙镇关帝庙村村务公开的，再无其他。几年后的今天，再去搜索，近万条消息跃然网面，仔细翻看，多是关于关帝庙遗址考古发掘的消息。这些变化，与河南省文物考古研究所关帝庙遗址考古队在关帝庙发掘的两年余密切相关。

为配合南水北调中线工程建设，河南省文物局统一安排部署河南省境内工程沿线的文物保护和发掘工作先期进行。2004 年，在配合南水北调中线工程建设沿干渠进行的文物普查中，发现关帝庙村西南地为一古代文化遗址。其后，经上报国家文物局批准，河南省文物考古研究所组成关帝庙遗址考古工作队，准备对遗址进行复查和发掘。2006 年 6 月中旬，在荥阳市文物保护管理所工作人员的带领下，我们到遗址区域进行调查。在走访了大量村民后，通过地面踏查和剖面观察，结合以前的调查资料，大体确定了遗址的范围。同时，我们也寻找、确定了发掘时驻村的住房。在准备好了发掘所需的资料和生活用品后，2006 年 7 月 10 日，河南省文物考古研究所关帝庙遗址考古工作队进驻工地，从此开始了长逾二年的关帝庙遗址的发掘工作。刚刚到单位参加工作六天的郑州大学毕业的研究生李一丕，也以关帝庙遗址的发掘，开始了他的职业生涯。虽然是炎炎酷暑，考古队进驻工地后，利用几天时间边采购工地必需品，一边和关帝庙村村干部协调耕地占压赔偿和参加发掘民工工资问题，一边率技工通过钻探，了解遗址的准确范围和遗址内的堆积概况，然后测绘遗址地形图，规划拟发掘的具体位置，定下第一批探方的地点。

由于关帝庙村为荥阳市最东的一个村子，和郑州相邻，各种关系复杂，工作很难开展。

进驻工地后，为了青苗赔偿、民工用工等问题，我们往返奔波在地方政府、村干部和村民间，不厌其烦地宣传文物法和文物工作的重要性，说服村干部配合考古发掘工作。几天时间马不停蹄，累得浑身散架，满嘴燎泡，嗓子都哑得发不出声来，最终谈好赔青问题，并发动了附近几个村子的部分村民参加发掘工作，使得发掘工作得以开展起来。在发掘过程中，不仅遇到技工不足的问题，还常常遇到民工短缺带来的困难，时常还会遭到一些阻挠、刁难甚至恐吓，这些问题又要花大量的时间和精力去应付去处理去解决。由于村民对考古发掘工作劳动量不了解，第一天仅有十几个民工出现在考古工地上。我们只布设10×10平方米的探方两个。为了赶工作进度，在民工下班后，我们率领技工亲自转运虚土，挖土方。虽然个个大汗淋漓，但我们的队伍中间不时爆发出朗朗的笑声，每张脸上都洋溢着开心的笑容。工地距郑州较近，节假日我的孩子到工地探望，孩子感动于工作人员的敬业，主动加入了我们的发掘队伍，在工地操起铁锹做起了"义工"。

随着各项工作的逐步开展、村民对考古工作的进一步了解，民工数量和技工数量都不断地增加，发掘面积也不断扩大，各项工作都步入正轨。工地钻探、发掘、整理资料、粘对陶片、修复陶器同时进行。大家夜以继日地干着。夜深了，古朴的村庄里静悄悄的，可考古队的院落里依然灯火通明。夏夜里，大家围坐在摇头扇周围干着手中的活，电扇的嗯嗯声是我们动听的乐曲。冬夜里，我们围炉而坐，炉火的温暖，就似大家滚烫的心散发出的对考古工作的热情。累了，饿了，技工们抽一支香烟，啃几口馒头，嚼着喷香的方便面，大家谈天论地，悠然自得，幸福无比。2008年4月7日，《光明日报》刊登了关帝庙工地发掘者的一份工地日志，谈到了关帝庙发掘者背后的生活、工作和精神情操。文章如下：

"苦乐自知"在田野

一份日志：2006年8月8日　星期二　晴

早上5：30起床。单人钢板床虽然很不舒服，但在工地，能睡觉本身就是一种奢侈。十分钟内刷牙、洗脸，催促一下起来慢的技工。

早餐是一锅玉米糁稀饭和馒头。库师傅在工地上做饭多年，煮饭很有特点：夏天做饭偏稀——补充水分，解渴；冬天做饭偏稠——防饿，保暖。工地要求每天上班工作人员必须提前5—10分钟到达工地，所以大家都是一边走一边吃馒头夹咸菜，驻地到工地有五分钟路程，走到了，馒头也吃完了。

今天完成的工作有几项：一、重点清理T3415中南部的M3。二、清理M3的间隙，对H1、H19及T3416西北角的人骨进行拍照。三、与关帝庙一队队长马长岭协调工地民工工资发放及考古发掘占地问题。四、晚上7—9点加班粘对陶片，整理资料，准备明天早上上班需用的工具。五、深夜12点后到工地查看工地值班情况及安全状况。

考虑到同期南水北调工程的推进，工期很紧，一天下来大家相当于跑六七十里路，真有些吃不消。但一看到我们的领队李素婷老师每天都要到各方去仔细地检查工作进度，我告诉自己：我们年轻人更应该多吃点苦！

以上摘录的，是刚刚参加工作的郑州大学考古系硕士生李一丕在关帝庙遗址挖掘期间的一篇日志。文中提到的李素婷，是荥阳关帝庙遗址挖掘队领队。本来，这位秀外慧中的女硕士可以在办公室根据现成资料撰写论文，她却选择了野外考古，每天的野外工作时间都远远超过8小时，回到驻地往往是满身泥浆，疲惫不堪。但她却用诗意的语言描述自己的工作感受："手铲和毛刷下，一幅幅历史画卷从纵深呈现出来时，那种对文物发现的喜悦感和由此产生的责任感，真是无法替代。"

随着工作的开展，民工最多时可以达到200多人，技工最多时达到20多位。发掘面积也由开始时几百平方米，扩大到近万平方米。考古队各方面的工作更加繁重起来。一个考古队就是一个生产队。从发掘工作人员的安全到民工安全，从驻地、出土文物的安全到工地、出土遗迹现场的安全，从技工的团结到工地民工的管理，从技工的考勤和工资发放到民工的考勤和工资发放，从对考古内部的生活管理到涉外事务处理，从后勤到新遗迹的判断和处理，从生活到下一步的工作开展，每个环节都必须详细到位，不能有差错。因为夜里三点钟以前很少睡过觉，大家戏称我为工作狂。无论冬夏，带班的李一丕每夜凌晨以后必去工地检查工地值班及安全情况。

考古发掘是一门严谨的科学工作，不仅需要考古工作者不怕吃苦、耐得寂寞，还需要按照严格的要求科学地进行。在工作过程中，我们严格执行《田野考古工作规程》，认真履行领队负责制。工地管理严格，制定了必要的措施和各项制度，如《工地责任分配制度》、《安全保卫制度》、《工地发掘及资料质量检查要求》、《民工管理制度》、《后勤管理制度》等，确保了工地各项工作科学、合理、有序地进行。对驻地和工地安排专人24小时值班，同时辅之以值班巡逻制度，值班及带班人认真如实做好值班记录。工地配备了帐篷、探照灯、手电筒、对讲机等，保证值班和带班之间、驻地和工地之间的信息畅通。工地成立了临时库房，建立严格的临时库房管理制度，专人保管出土文物，管理库房。工作过程中紧紧围绕确保生命安全和出土文物安全两个关键，严密细致地排查漏洞，不放过任何一个不确定因素。

发掘时所有遗迹采取先发掘二分之一或四分之一的方法以更好地控制剖面，掌握遗迹堆积情况。为了更好地控制地层，我们在布设的10×10平方米探方内以5×5平方米的探方形式进行发掘，个别重要的迹象采用1米×1米网格发掘；重要灰坑填土网筛；重要遗迹线格网框大比例测绘；工地总平面图利用全站仪测绘。遗物分类全面采集，包括浮选、植硅石、孢粉、土壤磁化和酸碱度、树种、砾石石料、C13与C14等资料。文字、表格、绘图记录规范齐全，全部遗迹摄影，全景高空摄影，重要遗迹录像，确保资料记录的科学性、准确性、完整性。对各类遗迹的划分、标本的采集及各种记录进行定期检查，发现问题及时纠正，确保发掘的每一项环节科学操作。易碎陶器等遗物采取化学加固方法采集，人骨、动物骨骼全部整取，个别保存完整的重要遗迹如陶窑等进行加固处理，拟整体搬迁保护进行博物馆展示。

工作过程中我们还采取边发掘边整理的工作模式，压缩报告编写周期。2006、2007年度发掘报道已由《中国文物报》、《2007中国重要考古发现》刊出，简报于《考古》2008年7期发表。

在发掘过程中我们始终强调课题意识，大面积揭露遗址，尝试聚落考古研究。发掘工作围绕聚落单位布局、聚落单位的基本生计形式、聚落与周围自然环境的关系、对资源的利用情况等几个方面进行，以期通过这些工作研究当时人们的行为方式、亲属结构、社会组织结构和管理机制。发掘前我们已经收集关帝庙遗址的各种图片、图纸、文字资料，了解到遗址在最近几十年的变迁脉络，而且注意到遗址地貌特点，为探索该遗址布局等提供了直观的背景资料。我们利用现有的影像、文字资料，借助相关的计算机技术，迅速、准确地制作遗址大比例尺的地形图。为核实遗址范围，我们以有无文化堆积为依据，采用观察现有剖面和钻探相结合的方法，确认了遗址的范围和地层堆积特点。在发掘过程中，采取大面积揭露遗址的方法，地层、遗迹统一编号，注意聚落考古研究中遗迹单元本体、遗迹单元之间布局关系问题的分析确认，注意聚落考古研究中区域功能的分析确认，并注重聚落的历时性和共时性的关系确认，把遗址内不同时期的遗存和同一时期不同阶段的文化遗存区分开来进行分析。

在发掘的同时，在前人工作的基础上，我们对关帝庙遗址周围数十平方公里范围内进行了考古调查，对该区域内原来发现或已发掘的古文化遗址进行了复查及对其文化内涵、文化年代等方面进行梳理和重新认定，并新发现了部分古文化遗址。这些工作，对关帝庙遗址商代晚期文化聚落的定位及研究当时的聚居特点、形式、结构等亦有重要意义。

我们的发掘也注重多学科结合，注意进行年代测定、环境考古学、体质人类学、动物考古学、植物考古学、成分和结构分析等多项研究。我们在发掘过程中最大限度地采集各类信息，以期对当时的气候、地形、植被、动物等自然环境因素，人的体质形态和血缘关系，农业和家畜起源在内的当时人的全部生产活动，各个时期各种食物的种类和数量，石器、陶器的制作工艺等方面有全面的研究。在每个堆积单位中都采集有土样，并对土样进行了浮选和重选，系统地获取了大量植物遗骸。和中国科学院研究生院科技考古系合作，研究遗址不同时期人们采集植物和栽培农作物的种类和数量，以进行环境考古学的研究。采集柱状土样，和中国科技大学科技考古系合作，进行孢粉学和植硅石分析，以期通过不同层位或不同部位在植硅石成分和百分比频度上的变化，了解聚落各部分的具体功用等。发掘的动物骨骼，请本单位动物考古实验室专家进行分析。所有墓葬的骨骼，全部保存或起取，请中国社会科学院相关工作人员，进行性别和年龄鉴定、骨骼形态、骨折及骨病理的鉴定、古代人骨的种族类型学研究或种族判断等体质人类学的研究。和加拿大英属哥伦比亚大学人类学系合作，对出土的人体骨骼及牙齿锶同位素含量进行分析，以确定遗址内人群来源及与周围人群的联系。对发掘出土的石质、骨质生产工具，请中国科学院研究生院科技考古系工作人员，进行微痕分析，以了解当时的生产方式等。对出土的陶质生活用品内残留物的分析等，亦同时进行。出土的重要遗迹由本单位科技考古室土遗址保护专家进行加固处理。

另外，在发掘过程中我们也尝试新的方法和技术在考古中的运用。我们和上海龙安互动科技有限公司合作，使用三维科技，进行考古发掘现场三维重建。通过数字化处理，把在一个平面无法表现的遗迹用三维或多维的方法表现出来，并把遗址内的不同堆积单位及其关系在多维空间里从多个层面清晰直观地展示出来，克服了传统的摄影、摄像资料不能在单个文件内全面展现的不足，弥补了文字资料难以完整准确表述的缺憾。这是数字化考古有益的尝试。

正是由于我们在发掘过程中通盘考虑具体操作，我们的发掘工作才得以顺利进行并取得了较大的收获。

在发掘中，我们对关帝庙商代晚期聚落遗址的认识也有一个过程。在2006年下半年的发掘中，我们确定遗址的地层堆积分4层。由于遗址南部在20世纪平整土地过程中地表被起取1.50米以上，所以上层文化堆积被破坏，耕土层下即为生土，只留下大量的文化遗迹。遗址的生土为红褐色黏土，土质纯净，结构紧密，部分地段文化堆积较深，破坏了该层生土，文化堆积下直接为黄褐色的沙性土壤或黄白色沙土。遗址所分的4层堆积分别为现代耕土层、近代扰土层、汉代文化层和商代文化层。根据发掘的遗物看，遗址历时较长，涵盖仰韶文化晚期、晚商、西周、东周、汉、唐、宋、清代等，但以商代晚期为主。通过参照商代器物分期标准，我们认为关帝庙遗址应是以商代晚期遗存为主的一个遗址。但此时由于发掘面积较小，遗迹还比较零散，我们对遗迹间的布局规律认识还比较模糊。

2007年上半年，发掘面积扩大到1万平方米。发掘到的商代晚期的陶窑、房子、墓葬、祭祀坑、水井、灰坑进一步增多，关帝庙遗址商代晚期的村落布局渐次清晰，这对于探明遗址的性质和内涵提供了依据。我们意识到这个商代晚期聚落的完整性和重要价值。因为在世界范围内，作为考古操作和研究的方法，聚落考古日益受到重视。但我国目前进行的聚落考古和聚落形态研究多集中在史前社会，进行的历史时期的聚落考古也集中在大遗址、大都市如偃师二里头、偃师商城、郑州商城、安阳殷墟等，大规模揭露的小型聚落很少，尤其是商代晚期的，除商代王畿地区外，缺少低等级小型聚落遗址的发现与大规模揭露。商代晚期都城殷墟的发掘已有80多年了，基本的布局概况已为世人所熟知，但这是最高阶层的居住、生活的环境，下层平民所居住的村落究竟是一个怎样的布局，文献无可考据，以往的发掘还没见到。2003—2004年，在安阳孝民屯遗址的发掘中，曾发掘出商代晚期的平民聚落，但所发现的平民聚落坐落在王畿范围内。在晚商的王畿外尤其是在黄河南岸能够发掘一个完整的平民聚落，应该是具有相当重要的学术意义和价值，从一定意义上可以说是一个突破。这样，下一步我们的工作就转移到时刻注意聚落内的布局分区问题上来。

原来南水北调文物保护办公室给关帝庙遗址的发掘面积是1万平方米，但仅靠这发掘的1万平方米和钻探是解决不了该遗址的布局的。为了能够更全面的揭示该聚落，了解其布局及规律，必须更大面积地进行揭露。为此，我们把发掘的情况和问题及时向所领导进行汇报。领导在我们的发掘过程中也早已意识到遗址的重要价值及进一步开展工作的必要性，因此非常支持我们的工作，支持我们向省南水北调文物保护办公室汇报情况申请增加发掘面积，并表示如果省南水北调文物保护办公室控制面积有限、经费不足的话，所内会筹措经费，贴补该遗址的发掘。领导的支持让我们信心大增。我们向省南水北调文物保护办公室报告发掘情况，要求增加发掘面积，省南水北调文物保护办公室领导也在总控制面积有限、经费不到位的情况下，给我们通融让我们多挖。所领导和省文物局领导的支持，使我们下一步的工作得以顺利进行，并取得重大进展。

到2007年年底，关帝庙遗址发掘面积扩大到1.85万平方米。发掘灰坑1650余个，墓葬230余座，灰沟12条，房址21座，水井26眼，陶窑22座，灶坑3座，祭祀坑12座。至此，商代晚期的文化堆积范围及各种文化遗存的分布已经显露出规律，使我们对关帝庙聚落的内涵有了一个清晰的认识：商代晚期文化遗存主体分布在一条环状围沟之内。聚落西部房址分布比较集中。聚落中、南部是当时地势最高的区域，有较大型的祭祀场；陶窑散布聚落各处；围沟外围东北部商代晚期时遗迹比较少，是专门规划用来作为墓葬区的。该聚落主体外有围沟，兼具居住区、祭祀区、墓葬区多种功能，及多座零散分布的陶窑作坊，功能完备。这对于研究商代晚期聚落的功能分区、布局及当时人们的生活状况、宗教习俗、村社组织及管理、当时人们依托当地地理环境对村社的规划思维、房屋建筑结构、陶窑结构及陶器烧造过程、手工业的分工及形式、墓葬制度等都具有重要的意义。

为了使荥阳关帝庙商代晚期聚落的资料更加完整，2008年上半年，我们继续对关帝庙遗址进行了发掘。发掘主要集中在遗址东北角墓葬区的边缘和位于南水北调干渠以南的区域。由于该项发掘工作为配合南水北调工程进行，发掘主要集中在干渠占压范围内，在干渠占压范围外的区域，我们进行了钻探，同时开了数条探沟以了解各处的文化堆积及各个时期的文化堆积范围。在遗址东部，有一条现代冲沟，冲沟东部基本不见商代文化堆积，但在墓地东北角干渠经过的边缘地带，我们在冲沟东部钻探出略呈东南—西北向排列的墓葬。顺墓葬分布的方向，我们又开挖800平方米进行揭露，把聚落的墓葬区完整地揭露出来。同时，为了完整找出聚落围沟的范围、过道等情况，我们在干渠渠线以南的区域内顺围沟的方向开出数条探沟追索围沟。在遗址的南部稍偏东发现围沟两侧自行封闭，形成一个8米宽的过道，过道中间有路土；在过道西部的围沟内侧，发现门像过道的"门卫房"。至2008年7月底，关帝庙遗址计发掘面积逾2万平方米，发掘灰坑1721个，墓葬270座，水井33眼，陶窑23座，房基22座，灰沟15条、灶坑3座。出土包括青铜、陶、石、骨、蚌、角、铁、瓷等质地在内的文化遗物上千件。

鉴于关帝庙遗址的重要性，2007年9月，著名考古学家、夏商周断代工程首席科学家、北京大学古代文明研究中心主任李伯谦教授、北京大学刘绪教授先后到工地检查和指导工作；2007年10月国家文物局原副局长、国家文物局专家组组长黄经略先生到工地检查和指导工作；2007年11月3日，国家文物局专家组成员、故宫博物院研究员张忠培先生、天津文化遗产保护中心主任陈雍、中国社会科学院研究员朱延平先生等来关帝庙工地检查和指导工作；2007年11月，台湾鸿熙美术馆舒佩琪研究员等、澳大利亚拉楚布大学人类学系刘莉教授带学生到工地参观、指导工作；国家文物局组成南水北调文物保护专家组徐光冀、焦南峰先生等来关帝庙工地检查和指导工作；中国科学院地理所研究员周昆叔先生、北京大学城环系教授宋豫秦先生、河南省地理所研究员杨瑞霞先生等到工地参观、指导工作；2007年12月11日，河南省省委常委、宣传部部长、副省长孔玉芳在省长助理孙泉砀、文化厅长郭俊民、文物局长陈爱兰等陪同下到关帝庙遗址检查和指导工作；2008年5月，河南省文物局副局长孙英民到工地检查和指导工作；2008年6月，中国社会科学院研究员唐际根、加拿大英属哥伦比亚大学教授荆志纯、美国威斯康辛大学人类学系詹姆斯·斯多门（James Stoltman）先生、詹姆斯．伯顿（James H. Burton）先生等到工地参观、交流，并给我们的工作提出了许多指导性的意见和建议。中国社会科学院考古所研究员岳洪彬、何毓灵、谢肃先生等，郑州大学教授李民、张国硕先生等，都到工地参观和指导，并留下宝贵的意见和建议。国家调水办、省移民办、河南博物院及西班牙、韩国、日本等有关方面的领导、专家、学者，也都先后来工地参观、交流和指导工作。发掘期间，河南省文物考古研究所的领导、河南省文物局的领导多次到工地进行慰问、检查和指导。尤其是2006年农历年腊月二十四，在我们为赶在放假前抓紧时间清理出土的祭祀坑时，河南省文物局陈爱兰局长、南水北调文物保护办公室张志清主任、秦文波副主任冒着刺骨的寒风到工地慰问我们，使我们在严寒的冬天、艰苦的工作中倍感温暖和关怀，同时他们也给我们的工作提出了指导性意见，对我们干好工作提供了很大帮助。

在河南省省文物局领导、河南省文物考古研究所领导以及所有关科室的帮助和支持下，关帝庙考古发掘队齐心协力，共同奋斗，使关帝庙遗址的工作顺利开展，并经受住了各级各类领导、专家、学者的检查，得到了大家的一致好评。2007年9月，关帝庙遗址的发掘工作获得国家文物局田野质量奖三等奖；2007年12月，获中国社科院考古所考古论坛"全国六大考古发现"之一；2008年4月，被评为"全国十大考古发现"之一。河南省文物局为迎接我国第三个"文化遗产日"的到来，特别组织优秀大学生代表开展了"揭开考古发掘神秘面纱——走进考古发掘现场"活动，并选定关帝庙遗址考古发掘现场为活动地点。2008年6月11日，共有解放军信息工程大学、郑州大学、河南农业大学和郑州师专等高校选派的11名学生走进关帝庙考古发掘工地现场，操起手铲、小耙子、铁锹、洛阳铲，体验考古发掘工作。他们在关帝庙遗址的发掘中，感受到了历史的真实。活动结束后，大学生们感触很深：学了这么多年的历史，经过这次体验，直到今天才真正感受到了什么叫做历史。他们也用自己的理解为考古工作下了定义——"它是科学：理论多元，方法系统，技术先进；它是文化：揭开历史，展示真实，告诉现今。把文化遗产加以保护，这就是考古，让保护成果人人共享，这就是考古。原来，考古是享受文化盛宴的生活，考古是畅游知识海洋的心灵之旅。"更多的大学生从体验中感悟到了一种沉甸甸的责任，他们表示要把自己的感受跟更多的人分享，呼吁更多的人投入到文化遗产保护事业中。我始终认为，对于文物工作者来说，发掘本身获得重大发现不是目的，目的是为了加强对文物的保护，进行科学研究，继承中华民族优秀的历史文化遗产，弘扬中华民族优秀文化。所以关帝庙遗址的发掘得到民众的理解和支持，让民众感受到保护文化遗产、弘扬中华民族优秀文化的责任，能够为现实服务，我们感到无限高兴和荣光。

关帝庙遗址的发掘早已经结束，对遗址的发掘资料的全面整理正在进行，遗址的发掘资料，将以《荥阳关帝庙》考古发掘专著的形式呈现给大家。《荥阳关帝庙》已获得全国社科基金资助，提升为国家级研究项目。愿我们的工作能为保护文化遗产、弘扬中华民族优秀文化尽到自己的责任，为河南由文化资源大省向文化强省迈进，做出一份自己的贡献。

二

回眸过往，感慨颇多。

其实，我们都只是河南省文物考古研究所普通的工作人员，是河南文物战线上普通的文物工作者，我们只是在做着一个普通的文物工作者的工作。关帝庙遗址的考古发掘也只是一项普通的考古发掘，它的工作也只是所有考古发掘项目的缩影。

考古发掘是一项辛苦与枯燥的工作，发掘工地一般都在交通不便、经济相对落后的农村。在一次文物工作会议上，我们的文物局长总结道：现在的农民工打工是背着被子进城，而我们的考古人员开展工作却是扛着被子到农村……可见我们考古工作者的工作性质和条件的艰苦。考古工地生活条件的艰苦自不必说，工作中要与基建部门、地方政府、村民打交道，遇到的困难更多。遇到对文物考古工作不理解的对象，需要从多方面开展工作，大事小事面面俱到，各个环节不能出现一点纰漏。在工作中，考古人员必须周旋在各种复杂的关系中，解决一个又一个棘手的问题；在考古工地，既要全局把握工作进度，保证工作安全和田野发掘质量，还要身体力行，蹲探方，刮地层，分析各种堆积现象。晴天一身土，雨天一身泥已经成为常态。想起自己在考古发掘中的几个片段：

1995年，小双桥遗址发掘工地，三伏天的正午，趴到像蒸笼一样的库房里一袋袋拣选发掘出土的动物骨骼。中国社会科学院进行动物鉴定的专家来了，工地上买来了西瓜招待他们。一个工作人员几次叫我下去吃瓜不见人过去，进库房看到汗水在我满脸的灰尘中冲出的泥道道，双眼噙泪，话语哽咽："李老师你太能吃苦了，连我们男子汉都汗颜。"

1997年7—8月，在颍河上游地区早期聚落的调查和试掘中，和同事及美国圣路易斯华盛顿大学的同行一道，早上6点出发，8点前赶到禹州的工地开始工作；中午12点下班，找地方吃点东西；下午2点准时开工，6点或6点过后处理完一天的发掘现场再收工，晚上8点后才回到驻地；晚饭后再整理一天的调查或发掘记录，往往工作到深夜。为节约开支，我们工作人员不仅要铲平面刮地层做记录，还得当民工亲自挖土方。太累了，就在上下班途中的车上睡一觉。就这样在禹州、登封的各个遗址中奔波，度过一个暑期。7月底，雨后骄阳下，在登封王城岗遗址的拉网式调查中，在一人多高、密不透风的玉米地里，湿热如蒸笼，汗如雨下，几近脱水。美方领队冷健因暑热而赤红的脸和黑褐色的嘴唇，中方年轻队员安伟中暑后的呕吐，都没有终止我们的工作。在新发现的瓦窑头遗址高高的断崖旁，一丛圪针狠狠扎进腿里，咬牙拔出来，血滴到绿色的叶片上，再滴到杂乱密集的灌木丛中不见踪迹。调查结束后，发现腿上、胳膊上满布被荆棘和植物叶片划出的血道道，晚上站在登封工作站的凉水管下冲凉，全身却是火辣辣的疼痛。

1999年的小双桥工地，大雪纷飞的日子，在野外搭起帐篷、拉起电线，不分白天黑夜，抢时间清理、起取出土的牛角，不顾被严寒冻坏的双脚和红肿皲裂的双手。由于对煤气敏感，曾经两次煤气中毒，头疼欲裂，囿于交通不便当地又没有卫生所，只好在房顶上冲着寒风坐等天亮。住所阴冷潮湿，原本的体育健将，却因此得了关节炎，双腿至今不敢用力。尽管如此，还是在工地跳下探方，铲刮探方平剖面，分析各种遗迹现象，划分地层；忍着疼痛，爬到高高的单梯上找最佳的位置为遗迹遗物拍照。

2003年春夏，配合安阳钢铁集团厂房扩建工程进行的孝民屯遗址的发掘，正赶上非典高发流行时期。工地靠近安钢环境最差的车间，厂房里不时冒出阵阵红色的粉尘，飘撒在工地，落在人身上，常常呛得人不住咳嗽。因粉尘过敏而双颊红肿满面疙瘩，又痒又痛，苦不堪言，至今仍落下面部过敏的毛病。

2003年冬，南阳王营遗址发掘中，冬至的午后，一人带着手铲、小耙子，拎着编织袋到遗址周边调查。旷野中目之所及没有人迹，看到自己在太阳下越拉越长的影子，突然无来由地想到"孤独"这个词……

"孤独"这个词，在中国文字里的解释，孤是王者，独是独一无二，独一无二的王者必需永远接受孤独，他不需要接受任何人的认同，更不需要任何人的怜悯。孤独者，不管他处于什么样的环境他都能让自己安静，他都能自得其乐。有人说，"我所理解的孤独是指在个体生命过程中，所毅然持守的特立独行并具有出色价值理想的精神状态。"按照这个理解，孤独是一种状态，是一种境界。考古工作者是孤独的。在艰苦的环境中能够耐得住寂寞而不被熙熙攘攘纷纷扰扰的世界所打动，在这个物质世界里能够安于自己的清贫、能够坚持遵从自己职业操守，面对世人的不解甚至鄙夷时能够安然相对，这本身就是一种境界。

1997年配合紫荆山路建设发掘郑州商城城墙时，一位常年在城墙边居住的老者经常到工地观看，边看边发牢骚，说考古发掘没有一点用处，而且耽误修路，纯属浪费国家钱财。想到考古工作者的责任，我耐心给他解释考古工作的意义，解释《文物保护法》的内容。他不耐烦地说：你不用给我讲什么大道理，我只知道你们天天蹲在这里挖，也没见挖出金银珠宝，只是挖些烂瓦片，都是不值钱的玩意儿，有什么用？我又给他解释挖出的这些陶片在学术上有什么价值。他还是不认同，而且言辞激烈："不值钱的东西，怎么说也没有意义。你再说历史价值，光有历史价值有什么意义？知道了中国有辉煌历史又有何用？祖宗的文化值多少钱？认识祖宗的文化对经济发展有什么意义？我不认识祖宗不照样活得好好的……"看看他带着的小孙子，我笑着对他说：你这样对待你的祖宗，以后你的孙子也可能也不认识他的祖父了。以后老者再到工地观看，再也不对我们的工作品头论足了，有时还会帮我们做点事，显然是受到了触动。

遇到更多的是始终对我们工作不理解的人们，尤其是在配合基建的考古发掘中，往往会遇到抱怨我们"阻碍了"他们施工的建设方。社会上一些"向钱看"的人，经常鄙弃我们这些在故纸堆里扒、在黄土地里挖的人"拖后腿"。凡此种种，我们会尽到自己的责任去解释，解释不被接受的，我们用自己的行动去证明。我们不求他人对我们工作的认同、对自己的认可，我们力求的是人们对我们祖先优秀文化的认识、对民族先进文化的认同。对于我们不能改变的，我们安然若素，泰然处之。

田野发掘本来就比较辛苦，女同志搞田野发掘尤其不易。在学校学习时，系里多次请河南省考古界前辈安金槐、许顺湛、张家泰、杨焕成、郑杰祥等先生给我们讲课、作报告，使我们不仅学到许多专业上的知识，而且对河南考古界前辈的工作历史有了许多了解。20世纪50年代考古界有名的"刘胡兰"小队，成为我们女生崇拜的对象；读研时恩师陈旭先生严谨的治学精神、敬业的工作态度和巾帼不让须眉的风采，让我深受震撼；文学作品中考古发掘工作的神秘与浪漫，成为我的梦想。在校实习时，贾湖遗址工地住所顶梁上日夜不停落到床上甚至曾经进入我鼻孔的小虫子，荥阳墓地的森森白骨和部分明清墓葬中腐臭的毛发和衣物，都没有让我放弃对这个梦想的追求，反而让我感觉因有了贾湖遗址的骨笛，贾湖水更有诗意；想象着荥阳墓地我绘制的人骨架会不会穿了他褴褛的衣衫，夜半翩然起舞。同学们时常把"光荣属于80年代的考古队"唱得山响，仿佛自己就是一名伴着驼铃踏入大漠、掂起手铲钻进墓穴的考古队员。毕业时放弃高校，费了周折进入这个可以从事田野考古发掘的研究所。工作后所领导曾考虑到女同志田野工作的不便，安排我做室内工作。始终怀揣着田野考古浪漫的梦想和恩师的期望，让我工作几年后，放弃室内的清闲和安逸，选择了考古一线。选择了田野就意味着某种牺牲，梦想中的浪漫与现实中艰苦的工作环境、繁重的工作大相径庭不接。在校实习时自己的任务只是单纯的田野发掘和整理，其他问题都是带队老师和工地负责人解决的，所以可以一心一意发掘，闲暇时还可以在大脑里勾勒些让自己感动的画面。参加工作后再进入考古工地，自己的角色已经不是实习的学生，而是一个必须处理各种关系解决各种问题的考古工作者。从各种关系的应对到工地安全的保障，从工地全局的把握到单个遗迹现场的处理，从学术理念的进入到课题意识的具备，从多学科的结合到新科技的运用，都需要去解决去思考去实施。多少回，正在工地上忙碌着，突然家中的儿子打来电话，说父亲出差不在家，自己还没吃饭，问怎么办；在离郑州比较近的工地发掘时，儿子遇到同类问题会问我能不能回来。我只能一脸歉疚地告诉儿子：工地很忙，暂时不能回去，家中抽屉里有钱，你自己拿着去楼下饭馆里吃点吧，吃完饭了，别乱跑，回来写作业。挂上电话，再默默念叨：对不起了儿子……34岁那年从工地回来的路上，一个20多岁的姑娘亲切地叫我"阿姨"，悚然心惊。下车后站在熙熙攘攘的街头不相信地上下打量自己，看到为抵御工地严寒而臃肿不堪的棉衣和拂之不去的满身泥土，只好自己摇头苦笑，怅然离去；未满40岁之时在工地，听着一个小姑娘甜甜地唤我"奶奶"，虽有酸涩，但已经没有了尴尬，我已经明白，田野的风和太阳，已经让我真切地感受到了它们的亲切和魅力……

　　田野工作虽然辛苦，我们在辛苦的工作环境中常常能够自得其乐。苦中作乐、寻找快乐、视辛苦为快乐、变辛苦为快乐、让自己工作得快乐、快乐地工作，成为考古工作者在特殊的环境中生成的一种能力和智慧。记得小双桥遗址发掘时，春季和夏初常有风沙，因遗址近黄河处台地，风尤大沙尤多。大风的日子，工地上沙尘飞扬，沙土打到人脸上生疼。我们曾经开玩笑：在这里，好脸能被打成麻子脸，麻子脸也能够被打平喽，建议麻脸的考古人员都来这里吧……2000年春末夏初的一天上午，风和日丽，阳光明媚，大家8点前赶到工地开始一天的工作。不一会儿，西北方向飞速压来大团黑灰色的云彩，霎时狂风大作，天昏地暗，又一场沙尘暴来了！大家几乎睁不开眼。一个技工站在高高的土堆上，在漫天的狂沙中展开双臂扯开喉咙："大风起兮尘飞扬……"何等地豪迈！多像那位创建西汉王朝的高帝！

　　2001年滑县三义寨工地上，因传说该地为皇姑庙、庙所在的堌堆为皇姑的坟冢，所以村民以为我们要开挖皇姑坟。十里八乡的村民都涌到工地上看热闹，更远的还开了蹦蹦车、奔马车，车上载满了兴奋的人们，像赶庙会。原本荒凉的古冢周围，一下子热闹起来，竟然还摆上了各种各样的地摊，卖起各式各样的东西，仿佛一个集市。有一天下班时查查，仅卖冰棒的流动车就有十几辆！因为发掘点是堌堆遗址，面积不大，堆积十分厚，尽管我们的探沟和探方都是从堌堆半腰开设的，文化层厚度还是超过10米。拥挤的人群不停地拥到探方边看热闹，你挤我扛，给我们工作安全带来极大隐患，对看热闹的人们来说也时刻存在危险。尽管我们做了大量的解释和劝说工作，也立下了严格的工地管理制度严禁外人进入，但兴奋的村民压根不吃这一套，都想亲眼看看我们每一铲下去有什么东西出来，村干部的干预也不起作用，村支书亲自上阵值班也阻止不了老乡高涨的热情。无奈，在发掘经费有限的情况下，买来宽宽的彩条布，把整个发掘区全部圈定起来，并求助乡政府，乡政府派来派出所工作人员值班，以阻止热情的老乡再来"助阵"。工地发掘出汉代的彩陶俑的消息，不知怎么传到老乡耳朵里，马上，兴奋的老乡们奔走相告："考古队挖出了小人儿，挖出时还在跳舞呢……"老乡围在工地不肯离去，非要看看会跳舞的小人儿。一位在工地实习的学生好气又好笑地对着老乡："我给你们跳舞，你们看行不行？……"这是何等地幽默！

2004年配合安林高速（安阳—林州）公路工程建设郭邓工地时，正值雨季。一日正在工作，突然雷声大作，豪雨如注。尽管我们在周围围起土埂以阻止雨水流入发掘区，但雨水还是无情地注满了探方，很快整个发掘区一片汪洋，看不到探方和隔梁。看到我们无力胜天，一位工作人员站在雨中，张开双臂仰面朝天："让暴风雨来得更猛烈些吧！"颇得小双桥那位英雄的真传！为了赶工期，也为了防止雨水把探方泡塌，第二天带领工作人员和民工用水桶、脸盆向外舀水，还用上了村民的小型抽水机。一位工人边干边感慨：我体会到了人民解放军抗涝救灾的神圣……

工作中的收获也常常超越辛苦给我们带来快乐。2003年孝民屯工地，非典时期各种骇人的听闻、厂房飘出的有害粉尘、载着通红的钢铁块儿不时从身边驶过的小火车掀起的热浪，让人有窒息的感觉。但当那个未曾发现过的沟状堆积在自己的手铲下清晰地暴露出来的时候，同事丁新功高兴地跳将起来，连声叫好……2005年三门峡三里桥工地，当我们发现了那条宽大的壕沟的时候，我们既兴奋又紧张，连夜制订这条沟的发掘计划。因为建设方工期紧张，在我们正在发掘时，建设方的推土机和挖掘机已经不可阻挡地开进工地开始工作。为了能够取得关于这条沟的更多信息，我们只好在保证安全的情况下夜以继日地抢救这条沟，终于在挖掘机挖到之前清理了它，取得了它的有关资料。拿着这条沟的资料，一位工作人员流下了激动的泪水……2008年春关帝庙遗址发掘期间，当电波里传来工地被评为全国十大考古发现的消息时，大家欢欣鼓舞，在工地负责的李一丕兴奋地在工地唱起了豫剧、跳起了舞蹈……

"一把手铲走中原，翻尽黄土兴未酣。苦辣酸甜家常饭，风霜雪雨等若闲。工地为家家作店，床铺设地房设天。上穷碧落下黄泉，不梦周公心不甘。"同事一则戏谑的短信道出了考古工作者的辛酸，也道出了考古工作者在艰苦的环境中对考古事业无悔的追求与执著。作为考古工作者，常年奔波在野外，日月荏苒，岁月流逝，翻尽了黄土，褪去了红颜，酸甜苦辣已经成为我们的家常便饭。在美为时尚、美女遍地的今天，作为女考古工作者，我们仍是素面朝天，工装便服，满身泥土，默默无闻地工作在考古发掘工地上，早已不再幻想田野考古工作的神秘和浪漫。不时念起在学校时做"我是学考古的"演讲时的自豪，未敢忘记恩师对我谆谆的教诲和殷切的期望。虽然时有惰心，但每当进入考古发掘工地时，由衷的责任感和使命感让人不敢懈怠。不敢谈贡献，只敢言付出。在考古工地上，我们付出过汗水，付出过劳动；在考古工作中，走过了青春，又迎来了自己的不惑。沿着老一辈考古工作者的足迹，我们走在考古的路上。

谨以此文献给风雨六十年的河南省文物考古研究所。以感恩的心情祝愿我所繁荣昌盛，永远辉煌！

1995年，邹衡先生（右三）参观郑州小双桥遗址在周勃墓前留影（左三为作者）

1995年，在汝州煤山遗址考古工地（左起作者、李锋、陈旭、马萧林）

2001年，滑县三义寨考古工地（左起作者、省文物局孙英民副局长、秦文波）

2003年，作者在安阳考民屯遗址考古工地

2004年，作者在安阳西高平遗址拍照片

2007年，李伯谦先生参观荥阳关帝庙遗址（左起贾连敏、孙新民、作者、李伯谦）

2007年，作者（右三）陪同张忠培先生（左二）参观荥阳关帝庙遗址

2007年，孔玉芳副省长（前左三）参观荥阳关帝庙遗址出土文物（前右一为作者）

汉代黄河岸边秀美的乡里田园

——内黄三杨庄汉代聚落遗址考古工作纪实

刘海旺

　　1989 年我从郑州大学毕业后来到了河南省文物考古研究所，二十多年来，先后担任过办公室副主任、第三研究室主任，长期从事田野考古发掘工作。参加过长江三峡的发掘，潢川黄国墓地的发掘，延津沙门古城的发掘，禹州雍梁故城的发掘，还有内黄三杨庄汉代聚落址的发掘。这些均有重要的考古发现，对自己的人生之路也是难得的锻炼。今年恰逢河南省文物考古研究所建所六十周年，所领导让写一些回忆录，使我充满激情，回忆以往难忘的岁月我印象最深的是在内黄三杨庄 8 年多的考古历程。现在写出来，作为向所庆的汇报，以飨读者。

　　三杨庄汉代聚落遗址位于河南省内黄县梁庄镇三杨庄村一带，东北距内黄县城约 30 公里，东距濮阳约 20 公里，西距浚县大伾山约 21 公里，东南距现在的黄河河道最近约 45 公里。2003 年 6 月，遗址因开挖硝河引水（拟引黄河水）工程，于地表下 4.5～6 米处发现。遗址因黄河大规模洪水泛滥而被淤沙整体掩埋，是我国目前考古发现的唯一一处保存完整、性质明确的西汉晚期至东汉初期的农业聚落遗址。在已完成考古钻探的 100 余万平方米范围内，已发现 14 处汉代庭院及道路、水塘、农田等遗存，其中最大的一处建筑遗存面积达 1 万余平方米。自 2003 年 7 月以来，对其中的 4 处庭院遗存进行了考古发掘，发掘面积 9000 余平方米，清理出土了大量汉代遗迹与遗物。三杨庄遗址所展现的"宅建田中，田宅相接，宅院相望，路道相通"的聚落布局，首次直观再现了汉代黄河下游两岸地区农业生产状况、农村社会形态、农民生活场景等，是一处价值巨大、内涵丰富、影响深远、独具特色的汉代聚落遗址，也为研究黄河水文史提供了丰富而珍贵的考古实物。目前，遗址内的第二处庭院遗存保护展示馆已经建成，各项配套设施已基本完成，第一、三、四处庭院遗存保护展示馆正在规划筹建中。三杨庄汉代聚落遗址在发现之初，被中国社会科学院选定为 2003 年全国六项最具学术研究价值的考古新发现之一。2006 年被国家文物局、中国考古学会、中国文物报社等评为 2005 年全国十大考古新发现之一。2006 年被国务院公布为第六批全国重点文物保护单位，并被国家文物局列入"十一五"全国百项重点保护大遗址项目。2010 年 10 月又被国家文物局列入第一批 23 项国家考古遗址公园立项名单中。

　　自 2003 年三杨庄汉代聚落遗址最初发现与开始发掘算起，至今已 8 年有余，遗址考古工作和探索的过程说不上跌宕起伏，但也处处充满着困惑与悬疑，而且，遗址的发掘过程凝结了许许多多参与者和关心者的心血和努力。本文尝试将这一重大考古发现的概略过程陈述

一、遗址发现的消息与考古工作准备

2003年6月24日下午，一个令全国考古学界、古建筑学界震惊而兴奋的消息从河南省内黄县传出：县南部黄河故道地下发现了一座保存完好的可能早到汉代的古代房屋建筑！学界人士将信将疑，这可能吗？是哪个时代的？可能是汉代的吗？保存状况如何？真的很完整吗？有多完整？如何保存下来的？……

河南省文物局领导和省内有关领域的专家立即闻风而至。仅凭现场由内黄县文物保护管理所工作人员初步清理出的、保存较好的瓦屋顶初步判断，可能是汉代至南北朝时期的房屋建筑。怎么办？抢救性的考古发掘任务交给了河南省文物考古研究所。

2003年7月4日，在"非典"肆虐全国的时候，由我带领的一个考古队刚刚在济源市完成了一项配合基本建设的抢救性考古发掘任务撤回所里，当天下午主管所领导就将内黄发现古代建筑遗存的消息告诉了我，并要求我带队尽快进驻遗址现场进行抢救性临时考古发掘，发掘清理的时间可能仅需半个月。7月8日一早，我们在进行了必要的发掘前的准备工作后，没有来得及休整，即开赴内黄古代建筑遗存发现现场。这次考古发掘，由于对遗存本体的了解有限，可资借鉴的资料稀缺，不像对待其他遗址考古发掘那样，这一次没有事先确定发掘面积，人员做了调整和精简。内黄县我以前从未去过，那里究竟会是怎么一种状况？又有什么情况正等待着我们呢？

二、黄河故道深处偶然的巧遇

我们要去的地点——内黄县梁庄镇三杨庄村，位于内黄县西南部与浚县交界处。这里地处黄河故道，沙土厚积，地表沙岗连绵起伏；位置偏僻，交通闭塞，仅有一条窄窄的小柏油路通过东面10余里外的梁庄镇与外界相通。

卫河的一条小支流——硝河，从三杨庄村北自西南向东北流过。硝河是黄河在金代后期改道南移后在原故道主河床处形成的河流。历史上，较为宽阔的硝河河道地势低洼，常年积水，河两岸土壤里硝、盐、碱的含量很大，硝河的得名概由此来。这也是豫东和豫东北黄河故道内过去的普遍现象，熬盐、熬碱、熬硝，长时间成了当地的一项重要的手工业。而且，硝河两岸许多区域沙土厚积，特别是南北两岸的众多沙丘，在民国年间仍经常随风南侵、移动，有的村落在清代地方志中被称为土山村。因而，这里至今也显得人烟稀少，较为偏僻。

位于三杨庄村西北约800米的颛顼、帝喾（五帝中的第二和第三帝）二帝陵，传说汉代开始祭祀，唐代就已有明确的文献记载，元、明、清三代官方均定期进行祭祀并勒碑以铭。但清末的陵园及历代碑刻等，是于1986年才开始逐渐从荒沙的掩埋中清理出来。从新中国建立之初的20世纪50年代初开始，国家在这里大规模封沙育林，广植刺槐，沙丘得以固定和绿化，到现在仍然保存有几万亩的槐树林。原来的不毛之地，如今成了清新深幽的林区，特别是，每到槐花飘香的季节，花香弥漫，沁人心脾；盛夏时节，槐林深处荫翳蔽日，蒿草丛密，野趣盎然，徜徉其间，清凉而又神秘。

随着农业生产的发展和周边工业生产的发展，这一区域地下水位明显下降，原来水位线常年距地表深 3 米左右，现在已降至地表下 18 米左右。硝河实际上在 20 多年前也已几近断流消失，只是原河道地势仍稍为低洼。由于地下的盐、碱、硝不再随地下水泛出地表，河道处近年来都已被开辟为农田。2003 年夏，当地政府为排涝和引水，重新疏浚硝河，在原河道范围内开挖新的河道，施工中，古代房屋建筑遗存就在现地表下 4—5 米深处被偶然发现。

当时开挖河道用的是较小型的推土机。2003 年 6 月 23 日下午，当推到三杨庄村东北一段时，在近似达到的开挖深度时，推出了一大片古代大瓦（后来发掘编号为第一处庭院的主房屋顶的一部分瓦）。三杨庄一个负责现场施工的村民将这个情况电话报告给了村党支部书记，村支书要求有瓦的地点停止施工，待向县里文物部门汇报后再决定。第二天下午，县文物部门到现场进行了简单的清理，发现这些瓦排列整齐有序，像瓦屋顶一样，认为可能是一座房屋，保存很好。他们随即将这一情况上报河南省文物管理局，并安排人员日夜看护现场。就这样，不经意间，一个日后震惊国内外的重大考古发现从此揭开了序幕！

三杨庄汉代聚落遗址的发现的确再一次证明了考古发现中，存在"可遇不可求"这一真理。已故著名考古学家邹衡先生生前考察三杨庄遗址发掘现场时曾谈及，他和俞伟超先生 20 世纪 60 年代曾在豫东北黄河故道一带进行过详细的考古调查，特别希冀能找到一处类似这样的遗址，但由于地表沙土厚积，始终未能如愿。

实际上，黄河下游两岸由于地处暖温带，黄河淤积带来的疏松、肥沃的土壤，使得这里从远古以来就是中国农耕文明特别发达的地区，也是经济最发达的地区之一。因而，留下了许多著名的历史传说和古代遗迹，例如，继黄帝而统领华夏部族的颛顼、帝喾的主要根据地传说就在这一带；1987 年发现的著名的濮阳西水坡新石器时代遗址（出土有号称"中华第一龙"的仰韶时期的蚌塑龙形图案），就在三杨庄村东约 20 公里处。黄河能够带来无比的繁荣，也同样带来了巨大的灾难，古代先人在这一区域创造的物质文明和活动遗迹也总是不断地被一层层的淤泥和淤沙深埋在地下。毫无疑问，这里的地下埋藏有许多保存十分完好的古代文明遗存，但谁能知道具体在什么位置？

如果不是今天地下水位下降得厉害，当地政府也不会去疏浚硝河，希望引黄河的水来补充地下水。可是，谁又能事先预料到，在这条口宽 35 米，深约 5 米，底宽仅约 8 米，长约 1500 米的新开挖的窄窄的河道范围内，竟然会碰上 7 处汉代庭院遗存？这样的巧遇真令人难以置信，但它却是真的！

三、最初发现时的欣喜与困惑

我们考古队抵达内黄后，县里有关方面安排我们住进了二帝陵风景区行政管理处内。第二天上午，我们就到达一直有人看护的古代建筑遗存现场。首先看到的是县文物保护管理所工作人员初步清理出的，位于新开挖河底的南北两部分瓦屋顶，尤其是北部的那部分瓦顶，大部分的板瓦和筒瓦的扣合仍然保存着在原来屋顶时的原状，呈南北向，从扣合的方向上看，为南北两面坡屋顶的北半坡。这么好的保存现状的确令人惊异。汉代的瓦全国各地都有很多发现，但这样在屋顶上使用的原貌却实属罕见。这应该是座倒塌的瓦顶房屋建筑。

我们根据已发现的遗迹情况，在开挖的河道范围内布设了 4 个 10×10 平方米的探方，按照地层的叠压关系正式开始发掘清理，并根据发掘的时间先后把这里暂编为第一发掘区。

当清理到以前发现屋顶的东南部时，又发现了整齐地摞放在当时地面上的一摞摞板瓦和筒瓦。为什么屋前会放这么多没有使用的瓦？接着，在东北部清理出一堆废弃的板瓦和筒瓦残片，后来在西部又清理出一个不大的、用砖铺砌的、簸箕形的拌泥池。当这些遗迹和遗物都清理出来后，我们判断，该座房屋不会是正在铺盖瓦顶的新建房子，新建的房子不可能有那么一堆碎瓦砾，而且，也不可能在房子还未完全盖好后就已经经过打扫和整理。这样，一个房屋瓦顶正在维修的景象清晰了：由于房屋年久失修，屋顶的部分瓦开裂露雨了，必须把这些开裂的瓦替换下来；需要更换的瓦从屋顶上清理下来后，破成了碎片，并被清理干净并先堆积在一起；买来一些新瓦，开始补修屋顶；就在这时，大河（黄河）突然涨水了，河水很快漫过了河岸到达这里，人们丢下手中的活计，匆忙地收拾细软，赶着牛车，携家带口逃离家园。当然，房屋维修工作无法完成了；他们也许幻想着等河水退下后再接着原来的工作把屋顶修补好。但河水不仅没有很快退去，而且这里又成了河床的一部分，尚需维修的房屋也被一直未退的河水泡塌了，他们重返家园继续生活的梦想永远破灭了。

当我们初步完成上述第一发掘区内的建筑遗迹清理工作后，在距这一建筑遗存西约500米的河道内也发现有一片瓦屋顶遗存，临时又将这一区域编为第二发掘区。发掘第二区前，我们先进行了钻探，钻探的结果显示，这一区域遗迹、遗物堆积面积较大。根据钻探的结果，这里布设10×10平方米探方6个。首先清理南部的探方，依次发现了南门、东厢房、西门房。南门宽约2.45米，在门的内侧东边发现有木质的门轴痕迹。门的西墙外侧发现一鼓形石磉。东厢房为坐东朝西，东西两面坡瓦屋顶，屋脊用筒瓦扣砌。第一进院内清理出小石磨2盘、陶甑1件及部分犁、镰、削、斧等铁器。在清理中部的探方中，发现了第二进院墙的西段，为砖墙基。主房的大面积瓦顶也清理了出来，并且，在瓦顶的东侧表面初步清理出3个带有篆书"益寿万岁"字样瓦当的筒瓦；主房坐北朝南，砖墙基的宽度是其他墙基宽度的两倍，宽约62厘米。二进院内西厢房的圆形大柱础石也清理了出来，柱础石的直径约30厘米。在西厢房外的地面上清理出3枚"货泉"铜钱；还清理出大的圆石臼和小的方石臼各1个。当清理到这种程度时，汉代庭院的概念清晰地浮现出来：这是一座两进院的庭院，坐北朝南，由西门房、东厢房、西厢房、主房（堂屋）组成。西侧还有一个大的水池遗迹，池底还清理出大石臼和小方石臼各1个。当然，庭院的前后剩余部分的遗迹尚有待进一步清理。

由此我们确定，第一发掘区内清理出来的房屋也只是一座庭院的主房部分，经过钻探，南面还有另外的房屋建筑和一眼水井。这样，我们的清理工作就涉及了两座汉代庭院，按发掘时间的先后，可以分别正式编号为第一处庭院和第二处庭院。而且，主要是根据出土的板瓦、筒瓦、陶器等的特征，结合出土的钱币与汉代文献的记载，我们初步推断遗址年代属于西汉晚期（新莽时期）。

这些初步的发掘结果和对遗址的初步认识，无疑令我们非常地欣喜。但是，首先，遗址的性质是什么这一最基本的问题我们都难以确定，也就是给它定一个什么名字恰当呢？这是一个庄园，或者是一个城镇？所有发现的房屋均为瓦顶，使用砖基础，是什么人的庭院，他们是地主吗？当时一般的平民能这么富有盖大瓦房？使用"益寿万岁"瓦当的房屋主人当时具有怎样的社会地位？为什么两处庭院都是孤零零的，没有其他直接相邻的庭院……这些问题一直让我们深感困惑，难有定论。最后讨论的结果，我们只好借用考古界多用来描述新石器时代居住遗址的名词——"聚落"来给它命名：三杨庄汉代聚落遗址。

正是由于上述的那些困惑，难有确切的定论，我们当时还无法，也不能多说什么。但不管怎样，我们已经有了一些结论，例如，遗址的形成是黄河洪水惹的祸，就是其中之一。

四、大河洪水泛滥造成的灾祸

遗址内的地层堆积呈典型的河床淤泥与淤沙交替层状堆积形态，这与历史上黄河在宋金以前长时期在此地流经相吻合。黄河在汉代以后，为这一区域普遍带来了厚达5米以上的淤泥和淤沙。

据文献记载和有关领域学者考证，西汉时期的黄河（河水）河道在这里形成一个明显的折弯点流向东北方向。东汉及东汉以后黄河河道则从这里向东流去，河道在这里较前平直并较为固定，一直到唐。这与西汉末年黄河在这一区域的多次大规模洪水泛滥并改道有关。史载：公元前29年5月（四月）连续大雨十多天，黄河在东郡金堤（千里堤，在今浚县西南，三杨庄遗址的西南）决口，水淹4郡32县；次年决口得以堵塞，因而，汉成帝改元河平。到王莽始建国三年（公元11年），"河决魏郡，泛清河以东数郡。先是，莽恐河决为元城冢墓害。及决东去，元城不忧水，故遂不堤塞。"国家此时处于兵荒马乱的动荡年代，根本无暇顾及黄河水患，这次决口不加堵塞的结果是，这一区域开始了长达近60年的黄河水患，直到此次洪水发生后的东汉永平十二年（公元69年），王景等受命主持整修黄河，实施（黄）河、汴（河）分流，修筑了从荥阳到千乘入海口的河堤，此后600年内黄河河道在这里没有发生大范围的位移。唐代后期以后，黄河河道在这一区域又发生了频繁的大范围的改道，直到北宋时期黄河河道彻底南移，这一区域就成了黄河故道。

发掘的情况正与此相吻合，以第一处庭院地层堆积为例，在汉代地面以上有超过2米厚的淤泥与淤沙交替堆积层，特别是紧贴汉代地面的这一层红褐色淤泥层最厚，约25厘米，说明淹没遗址的这次洪水来水量大，而且持续时间最长；接着是厚约80厘米的唐宋时期的地层；再往上为近2米厚的纯淤沙层和淤泥层及现代耕土层，内出土有极少量的唐宋时期瓷器残片等。而第二处庭院的地层堆积则更为单纯，汉代地面及遗迹以上大部为纯净的淤沙层，不见唐宋时期的地层。

由此，单从历史记载的黄河在遗址所在区域的泛滥历史分析，该遗址可能形成于新莽后期的某次大水灾，后来又长时间处于黄河河道的范围内，河床内的淤泥与淤沙越积越厚。其间，唐宋时期虽有一段时间的人类居住、生活、生产等活动迹象，但几乎没有对汉代遗迹形成任何扰动。最终形成了遗址现在的良好保存状况。

学术感觉敏锐的中国社会科学院考古研究所相关研究领域的专家学者，一直关注三杨庄遗址考古发掘进展情况，2003年年底，部分专家莅临发掘现场。随后，他们将三杨庄遗址已有的考古发现确定为当年度全国最具学术研究价值的重大考古发现之一，并邀请我参加了年度考古论坛。这是三杨庄汉代聚落遗址考古正式展示在国人面前的开始。

五、豁然开朗的发现与激动

2004年，为保护已经发现并经初步清理的那两处汉代庭院遗存，当地政府最终决定将这一段渠道南移约 50 米重新开挖新渠。这对于经济欠发达的内黄县政府来说，也是一笔不小的意料之外的开支。然而，在 2005 年年初的施工中，在第一处庭院西南约 80 米处，在 8 米宽的渠底正中又碰上了一处同样保存相当好的汉代瓦屋顶。挖渠工程又不得不停了下来。三杨庄有村民也将这一新的发现电话告诉了我。

2005 年 3 月 8 日，我们第二次进驻工地进行抢救性发掘。这一次我们就做好了较大规模考古发掘的准备，在村里租用了一处民宅（但没想到，竟租用至今）。根据已有的经验，在正式发掘清理前，对该处庭院的范围用钻探的方法进行初步确定。庭院的大小确定了，同时，在该庭院的东侧约 30 米处，又探出了另外一座庭院。这两座庭院相邻，是否同时发掘清理？如果同时清理，发掘面积将达 6000 平方米，出土量约为 30000 立方米。这应该是相当大的工作量，因为考古发掘经费还得要省文物部门自筹。这时，省文物局和省所主要领导现场商议后，决定两处庭院都进行必要的清理。这是一个关键的决定。

我们接续以前的序号对这两座庭院进行了编号，将西边的一处编为第三处庭院，东边的一处编为第四处庭院。我们首先清理第三处庭院，仍然是布方发掘。同时清运两处庭院之间的上层淤泥和淤沙。两个月后，上层的淤沙才清运走。我们开始细致地清理，第四处庭院的大致轮廓也显现了。

第三处庭院是唯一得到最完整清理的庭院。首先清理出的是主房坍塌的瓦屋顶，接着是东西两侧的边沟、东西两侧的院墙、南门、南厢房、南门外的水井、第二进院墙、主房北侧的厕所、厕所北侧的树木遗迹。该庭院面积大致为 30×30 平方米，若算上门前的活动场地，总面积约在 2000 平方米左右。从该处庭院的各类遗迹的分布看，庭院总体布局规整，东西两侧边沟对称；院后树木成排，间距（约 3 米）适中；显然经过精心的规划设计。这些尽管也是新出现的遗迹现象，但并没有让我们太感意外。当清理到庭院后面树木以外（北侧）的地面时，先出现了两条东西向浅沟状的遗迹，不太直，这些浅沟的表面平整致密，硬度较高。由于清理的面积不够大，我们难以确定这一遗迹现象究竟是什么。因为位于庭院的后面，有人猜测有可能是院后道路上的车辙；有人推测可能是晾晒粮食的场地。我们沿着这两条沟向北清理，又出现了几条另外的类似宽窄深浅的沟。当再向西清理，在第三处庭院的西侧出现了一行行整齐清晰的南北向浅沟时，我们一下子有了一种豁然开朗的感觉：这是当时的庄稼地农田！这一发现让我们所有的发掘人员都感到十分激动，我们深知这一发现的重要性！接着，在第三处庭院与第四处庭院之间又发现尽是深浅不同的田垄，田地内居然还发现有车辙痕迹、牛的蹄痕……第三处庭院的前面除了一块面积不太大的活动场地外，仍然发现有田垄。这就是说，第三处庭院的周围都是农田。为了进一步印证这一结果，我们分别在第三处庭院北、西约 50 米处各清理了一个小探沟，都清理出同样的田垄，宽度也大致在 60 厘米左右，而且还都是南北向。

垄作农田的发现太重要了！这么大面积的古代农田，在全国，甚至在全世界也是第一次发现。它解决了我们以前许多的困惑。例如：首先，遗址最基本的性质明确了，它就是一处汉代最基层的农业社会（农业乡里）遗址；其次，它说明了为什么每一处庭院都是独立的这一现象，因为它们之间不是紧邻的，没有像城邑中或后来的农村的庭院那样相互之间有共用一道墙的现象，它们之间都是农田；第三，每座庭院的所有者或居住者的身份可初步得以推定，他们应该是当时普通的农民，耕种着自己庭院周围的土地；当然，第二处庭院的所有者当时的社会地位肯定比较高；第四，它让今人第一次看到了汉代的农田耕作方法。

当然，老的问题解决后，新的问题又来了，比如说，每户耕种的土地一样多吗？所耕种的土地是归自己所有或租种的吗？有没有统一的灌溉体系？户与户之间是什么关系？……考古学同其他科学一样，有永远也解不完的谜。

另外，在第三处庭院的西北侧田地表面，清理出一些树叶痕迹，经有关方面专家确认，应为桑树叶和榆树叶。这就说明，第三处庭院周围发现的树木（超过10棵），应为桑树和榆树。

当清理第四处庭院时，我们出于对瓦屋顶等保护问题的考虑，决定不将瓦屋顶揭示出来，只是清理出它的遗迹坍塌的轮廓。该庭院的大小和平面布局与第三处庭院大致相同，只是没有西边沟，代之的是一行南北向的树木。该处庭院的南半部分没有进行清理；北侧和东侧则同样清理出有规整的田垄。

我们在清理第三处庭院和第四处庭院的同时，将第二处庭院的尚未清理的前后剩余部分进行了补充清理。在南门外偏东南约5米处发现了一眼水井，水井壁砌法与第三处庭院南门外的水井相同，均为小砖横立圈砌，但井口外用同样的小砖平铺了一个约成方形的井台。井的附近散落有一些小石磨盘、陶水槽、瓮、盆等日常实用器物。南门外有一条用碎瓦铺设的通往水井的便道。而且，在井的西侧约5米处还清理出一处编织遗迹。遗迹四角为三块砖摞成的四个分布呈长方形的砖垛，砖垛内堆积有较多的长×宽为10厘米×5厘米的砖块，砖块的中部刻有可以缠线（或细绳）的凹槽，故此，推测该处可能为编制竹席或草席类物品的遗迹。庭院的西北角也清理出一带瓦顶的厕所。

至此，我们的遗迹清理工作暂告结束。

在遗址考古发掘的过程中，国家文物局除对遗址的发掘给予了直接支持和指示外，有关领导更是亲临遗址发掘现场考察、指导。国内考古学、古代建筑学、历史学等领域的一部分著名的学者曾应邀来发掘现场考察，除了与我们一起分享发现的快乐，也对我们的发掘工作给予了悉心的指点。也有一些德高望重的老一辈学者虽未曾亲临考古现场考察，但以不同的方式对遗址的发掘给予了高度的关注和指教。可以说，遗址已有的考古发掘成果凝聚了方方面面人士的努力和汗水，不能不令作为考古发掘领队的我发自内心地深致谢忱！

在三杨庄遗址工作最初的日子里，我特别喜欢每天吃过晚饭独自在二帝陵园前面的广场上徘徊、漫步，或仰望晴朗夜空中的星斗，或环视周围黑魆魆而特具神秘感的树丛，享受这难得的静寂和孤独，思绪经常缥缈回两千年前的遥远的汉代，努力想象着当时在这里居住的人们的生活。那时全国人口最多时才近六千万，尽管人们已经掌握了当时独步世界的"最先进生产力"——生铁的冶铸和钢铁农具的制造技术并且普及了牛耕，但仍然有大量的可耕地等待开垦，因而，人们的辛勤劳作才有了用武之地，这样，既为自己积累了财富，建起了美好的家园，同时，也造就了国家的强盛。土地和铁无疑是大汉盛世的最重要的物质基础。

三杨庄汉代聚落遗址的初步清理和部分考古勘探，像是为我们吹开了一幅黄沙掩盖下的汉代黄河岸边乡里田园和农耕文明的秀美画卷的一角，它初现的优美、真切的景象，无疑是令今人击节叹赏的。

六、遗址价值的认定与遗址保护工作的开展

在考古发掘的过程中，河南省文物局多次组织省内各相关领域专家对遗址的发现、价值与下一步的工作的开展进行了研讨、指导。

2006年元月，在特别繁忙的工作日程中，在国家文物局的安排下，河南省文物局在北京主持召开了"内黄三杨庄汉代建筑遗址保护专家咨询会"，受邀与会的学者对遗址的发现价值作出了充分的肯定，对今后的工作方向发表了各自的意见，并对遗址的保护工作提出了初步设想。

2006年2月，河南省文物局在郑州召开了"内黄三杨庄汉代农田和庭院建筑遗址考古新发现新闻发布会"，全国各大媒体记者都参加了本次发布会。会后，在国内外出现了三杨庄汉代聚落遗址考古发现新闻宣传的高潮。

2006年5月，在一年一度的全国十大考古发现评选中，三杨庄汉代聚落遗址被评定为2005年度全国十大考古发现之一。

2006年6月，在国务院公布的新一批国家重点文物保护单位名录中，三杨庄汉代聚落遗址名列其中。这时距三杨庄遗址的发现还不满三年。

2007年，第二处庭院展示馆开始动工兴建，至2008年年底基本建成。

2009年5月，正编写的《内黄三杨庄》考古专著获全国社科基金资助，提升为国家级项目。

2010年9月，在内黄召开了"汉代城市和聚落与汉文化国际学术研讨会"。来自国内外一百多位考古学、历史学等相关研究领域的专家学者集中考察了第二处庭院遗存本体和遗址地层剖面，发表了各自对遗址性质等的认识和观点，极大地推进了汉代聚落研究的进展。

2010年10月，国家文物局公布了第一批国家考古遗址公园立项名单，共有23项，三杨庄汉代聚落遗址名列其中。这就为遗址今后的保护、研究工作提供了前所未有的良好条件和机遇。

七、下一步工作展望

三杨庄汉代聚落遗址是目前我国首次考古发现的、性质明确的大规模汉代农村类遗址，是汉代考古中的一次历史性发现，对它的认识也需要有一个逐步深入的过程。

现在，考古探查和发掘工作仍在进行之中。下一步的工作重点是试图掌握该遗址的范围、庭院的数量、道路的分布、整体布局特点等；通过有限的发掘清理确定农田的分区，管窥其可能明示的土地分配制度等；同时，通过对其中一座庭院及各其单体建筑的整体解剖以搞清楚各类房舍的梁架结构、开间布局、室内遗迹等。也要继续对各类标本进行科学检测和分析，确定其环境特征、农作物的种类、植物的类别等，较为充分地提取遗址中与人及人类活动有关的各方面信息。同时，开展多学科对遗址区域黄河变迁、淤积等历史的研究。

在与三杨庄村土地相接的东南大城村一带地下，经我们考古钻探，确认了一座边长近700米的略呈方形的古代城址遗存。

在近三年的田野调查中,在距三杨庄村约4公里的乔小吴村东北,也发现有汉代板瓦、筒瓦、砖等建筑遗物及汉代地层。目前推测,在内黄县南部较大的区域内,可能有一些类似三杨庄遗址这样的汉代聚落遗址分布。

鉴于该遗址的范围面积很大,内涵极为丰富,也由于埋藏较深,现阶段考古工作所能取得的成果只能是阶段性的,包括本文中的一些认识也仅是初步的、笼统的。要想获得更为完全的丰富成果,绝对不是较短时期内所能够达成的。

2003 年 12 月，河南省文化厅郭俊民厅长（左二）参观内黄三杨庄遗址（左四秦曙光、右一作者）

2005 年 7 月 21 日，作者（右一）陪同刘庆柱先生（右二）考察内黄三杨庄汉代聚落遗址

2005年9月，作者（右二）陪同邹衡先生（右三）参观内黄三杨庄遗址

2005年11月19日，作者（前右四）陪同张忠培先生（前右五）考察三杨庄汉代聚落遗址

2006年8月，作者（前左二）陪同国家文物局单霁翔局长（前右二）考察内黄三杨庄汉代聚落遗址

2009年5月，作者（前左）向河南省委书记徐光春（前右）介绍内黄三杨庄汉代聚落遗址考古现场情况

风雨古都行

马俊才

一、感　　言

2011年12月中旬的一个阳光普照、普普通通的冬天的上午，年届中年、已有些体态发福的我正俯案整理新郑胡庄韩王陵发掘资料，诺基亚手机在台案上突然振动起来，屏幕显示是杨育彬老所长的电话。"会有些什么事呢？老先生退休多年仍在笔耕不止，大概又是要问些我所主持的考古新发现吧。"

"小马，"听筒里传来杨先生熟练沉稳的声音，"明年所里60年大庆，你写一篇回忆录。"我有些吃惊，怀疑是否听错了，因为写回忆录的事儿可都是那些德高望重的老先生啊！于是我问杨先生怎么回事，他说，"中年段的也要写，你做的大遗址多，应该写。"推辞不过，只好硬着头皮应承下来。

挂了手机后，沉思良久，也没有所以然。天性有些散懒的我平时不注意写日记，所记的也是三天打鱼，两天晒网的简易片段，加上光阴的磨灭，二十几年的工作经历看似清晰却又十分地模糊，头绪众多却又没有连续的头绪……经过努力的回忆，加上脑海中那些如刀刻斧削般的零星画面，渐渐地，工作后所遇到的人、事、物有了大概的印象，足迹所至的8座古都——商都郑州和安阳、邰都新密、房都遂平、郑韩都城新郑、蔡都上蔡和新蔡，渐渐地浮现在眼前，可以说在这些古都中参加的考古工作，组成了一个个工作后我生命中的里程碑，让我感慨万千，感言万千！感慨古人创造的都城万千奇迹和厚重历史，感言万千仅为表达我对培养我的单位和众多朋友们的谢意。

二、报到商都大本营

1989年8月2日，带着简单的行李和一小箱积累的课本和书籍，个头不高、身材瘦小、体重107斤的我，怀惴着学校到河南省文物研究所报到的派遣证，登上了北京发往郑州的一趟绿皮火车，一路颠簸来到了郑州火车站。当时天已过中午，几经坎坷，终于来到了位于陇海路北三街的河南省文物研究所的大门口。

想象中的文物研究所应该是一个很大很气派的单位，位于闹市，拥有漂亮的大门和高高的办公楼。看到门口的那一刻，我才发觉想象与现实有了很大的反差：文物所地处较偏僻的郑州烟厂以南，单位并不气派。陇海路北二街和北三街说是街，实际上只是两条东西平行的胡同，东西长不过300米，宽不过8米，向东不知折向何处。虽有几座楼房却都是很破的红砖楼，还有许多低矮的平房，远远望去好像都市中的贫民窟。文物所就夹在两条街的当中，大门向西，门口是一条连接两街的短路。两扇铁门已有些破旧，但那块白底黑字"河南省文物研究所"的牌子却很干净整洁，还有年代看起来比较久远的小楼房和一座五层高大楼，后来我知道那座大楼是我们的办公楼……

到办公室报到后，我成了文物所的一员。在学校时，从《商周考古》的教材上我知道了郑州是二里岗时期一座商代都城，平面呈不规则的长方形，面积约3平方公里。当时对新石器时代考古很感兴趣，因为1987年上半年在湖北天门市肖家屋脊毕业实习时，我有幸发掘到了一座长江流域最大的酋长墓（国王级），出土了108件陶器、石器等珍贵文物，一直兴奋了两年多，希望毕业后能以这段考古为主业。

我到了时任所长郝本性先生位于一楼的办公室等待分配工作。郝先生身材魁悟，面容和蔼，操着普通话和我聊了一些学校和考古的基本知识后，郑重地对我说："你先熟悉熟悉所里边的情况，然后到新郑工作站报到。这里是郑州商城，你可以看看。"这可不是我想干的专业啊！但我不敢说，只好照办，开始了第一座古都郑州商城之旅。这次"旅游"时间仅持续了不到50天时间。时间虽短，有几件事情给我留下的印象十分深刻。

1. 难以想象的团结户

现在的人们对"团结户"这个名词很陌生，当时却是很多缺房单位的特色，就是两户以上的职工居住在一套三室一厅大小的房子里，一家使用一个大卧室和厨房，另一家使用两个卧室，两家共用卫生间，两房以上的人家"团结"地住在一起。如果都是未婚者，每人分用一间，厨房卫生间共用，那就更"团结"啦。当然，团结是主题曲，摩擦之类的小插曲是少不了的。这可是房改前公有住房的一大特色啊！

我分到了四单元五楼东的大卧室，和五百年前是一家的马晓建先生一家住"团结户"。由于搬进去住时已过盛夏，避免了夏日出卧室门就要衣帽整齐的难受和内急时的尴尬，加上晓建的豁达与谦让，短住期间我们十分团结和平。不久，我出长差去了新郑工作站，只是偶尔回来打尖报账，我们一直友好团结下来。

2. 商城印象

郑州商城之行我只去过两个地方，一个是商城工作站，一个是墩墟城墙保护点。

现在的郑州商城工作站是一座很现代化的两层洋房式建筑，那时只是一个仿明清砖瓦建筑的一个小院，门房、展厅、仓库都是两面坡式的青瓦房，混砖的墙壁涂成朱色，像是一座寺庙建筑。小院的东边还有一个小跨院，盖有南北一排小平房，是工作站和所里一些职工的住房，很拥挤，窄院里拉在小树间的绳上还有些五颜六色的衣服在院内飘荡。和所里大本营一样，这里处处也显示出单位住房的拥挤和办公条件的艰苦。

小院建筑都是有走廊的，一些走廊上还堆着不少装着陶片的编织袋，小院的北墙根躺着一门锈迹斑斑的古炮和一些石雕，不知具体时代。东厢房是商代人头骨展示坑，因为不对外开放，朱红色的大门经常关闭着。初去时，时任商城工作站站长的宋国定先生为我打开门后，虽然在课本上了解过这个体现商代奴隶主残忍性的遗迹，当时看到真实的现场还是大吃一惊，心里甚至有些畏惧：那一堆被锯成碗状的天灵盖人头骨挤靠在一起，森森然地，仿佛在诉说着奴隶主的残暴和几千年来的冤屈。西厢房是标本陈列室，有许多发掘出的二里岗时期的陶器，除了那个叫作"将军盔"的大口尊外，已没有大的印象。

到隞墟城墙遗址参观是 1 个月以后的事啦，那时的建筑和现在相比没有太大的变化，所有印象只是不高的长有众多灌木的城墙和城墙上不少违章搭建的平房。

3. 青铜构件牵出大发现

家在外地，在郑州可以说是举目无亲，在商城逗留期间，郑州工作站成了我常去的地方，也经常找学兄宋站长聊天。一次，宋站长突然从保险柜里拿出了一个近正方形的大青铜器，上面有长方形的穿孔和饕餮纹，问我，知道这是什么东西吗？当时知识浅陋的我不知所然，好一番琢磨后才说好像是构件。宋站长说，这是小双桥村民上交的，他看应是商代高级建筑上的，省博物馆也采集有一件，质量较差，但肯定有联系，出土地附近不是宫殿遗址就是像妇好墓一样的商代贵族大墓，我要去小双桥调查。后来，宋站长果然在那里发现了著名的商都级遗址。

这件事对我的影响很大：小物件后往往隐藏着重大发现，学术头脑要十分敏捷，要向学兄宋站长学习，通过蛛丝马迹探寻古代奥秘。果然在以后的郑韩都城和上蔡城工作中，这种工作方法使我大受益处。

三、盘桓郑韩城

我到单位报到前，宋国定一直在新郑工作站从事发掘和财务工作。我去新郑就是接他的班的。大约在 1989 年 9 月 29 日，我和宋搭上了开往新郑的长途中巴。中巴很小很破，连发动机箱盖上都坐了 5 个人。因从始发站出发，我们还有座位。途中，宋不断比划着向我介绍窗外的村名，五里堡、十里铺、郭店、五里口、新郑二十里铺、十里铺，村名不断进入我的耳朵。"看，那就是郑韩故城的北城墙。"顺着宋手指的方向，我终于看到了巍峨高大的城墙和两个豁口。城墙是土城墙，高度在 10 米以上，上面长满了低矮的灌木，茂密的绿色枝叶几乎把城墙捂了个密不透风，只能从枝叶间看到零星的黄色墙体和高低错落的茼蒿艾草，微风吹拂下，灌木的枝叶摇摆不定，草丛也随风起伏。放眼望去，整个北城墙像一条绿色的长龙几乎笔直地由东伸向西方。长龙的东头很宽大，后来我才知道那是中国历史上最早的城墙防御体系"马面"，"马面"的北边是一处军营，两名哨兵笔直地守卫着绿色的铁大门。两个豁口各宽 50 米左右，中间夹有一段宽约 60 米的地上城墙，形成了天然的故城北大门，当时的郑新公路宽度不到 30 米，蜿蜒曲折地从东边的缺口通过。汽车通过缺口路段时我专心地看了一下东边的城墙剖面，剖面很陡近似直角，厚约 10 厘米的层层黄色夯土赫然在目，夯土层间还有零星的小灌木顽强地生长着。

郑韩故城是东周时期郑国和韩国的都城，春秋早期由郑武公始建，公元前 375 年，郑都被战国七雄之一的韩国国王哀侯占领，继任国都，直到公元前 230 年韩国被秦始皇吞并，这座故城作为前后两国的首都存在了近 540 年，是当时的名都之一。从课本上我知道这座城很大，是不规则的长方形，由东西两座城组成，面积在 10 平方公里以上，西城为王城，是韩王居住的地方，东城是郭城，住的是老百姓。故城内外文物古迹众多，1961 年就被国家定为全国第一批重点文物保护单位，随后专门设立了工作站工作至今，我就是去那里报到的。

1. 工作站的变迁

从当时的北关汽车站下车步行了约 10 分钟，就到了新郑工作站的大门口。如果是陌生人，这个单位是很难找的。它位于县城东西主干道人民路的西段，西邻文化局，东和南是毛园村，隔路是当时的商业中心——百货大楼，只有两层楼，毛园村很破，只是临街有几处简陋的两层楼，其他都是典型的北方农家院，道路没有硬化，有些污水在流。工作站的大门向南凹了进去，一层临街青砖瓦顶门面房遮住了院落的大部。大门是铁质的，涂有灰漆，砖柱上挂着"河南省文物研究所新郑工作站"的牌子。

工作站大致呈南北向的刀形，前宽后窄，东西南三面有围墙，面积约2.3亩，只有四排东西向的青砖红瓦房，前院很空，西北角是厕所，院子中心是一株很繁盛的冬青树，树冠很大，很多麻雀躲在树冠中鸣叫。树的周围种的全是月季花，当时花期已过，花叶很密，枝头上密布尖刺。第一排房坐落在刀面的拐角处，西连西墙，是职工宿舍和办公室，东端与东墙之间是一条宽约2.5米的南北向走道。第二排房和第三排房形成一个小院，有月亮形的门洞和钢筋焊成的两扇红色铁大门，这两排房是仓库区。第四排房与南墙和东墙有1米的距离，是仓库和站长的住室。

我被分配到第1排第3间屋居住，同屋居住的还有早我一个月报到的刘海旺，第1间屋是办公室。本想在这座很破的工作站工作一段时间就可以回大本营了，可一待就是11年多，直到后来搬到了位于县城南后开的东西主干道新华路中间的新工作站。老工作站很简陋，每个人的办公生活用品只有一张三斗桌、一个板床和一个半截木柜。虽然简陋，老工作站仍给我留下了许许多多难以磨灭的印象，我熟悉那里的一草一木，一砖一瓦，一人一事，它伴随着我走过了年轻气盛的20几岁生涯，许多重大发现像金城路祭祀遗址、信用社祭祀遗址、中行祭祀遗址都是在这个小院度过的。

1998年9月，因拆迁工作站乔迁到了现址。新工作站原来是一座汽车大修厂，大约1995年盖成的，位于新华路北，是个完整的门面院，临街楼面阔9间，高4层，进深11米，东面还有东西宽7米的3间配楼，外墙用白色瓷片装修，铝合金门窗，当时是很气派的。新工作站占地约5亩多，离门面楼很近的地方修有隔墙和二门，后院里东北两面修建有宽大的修车车间，没有围墙，只有红色的两面坡瓦顶。院西侧是玻璃钢瓦顶钢管结构的半透明临时建筑，是喷漆和钣金所在地。西北角靠墙有一个两层3间小楼，是机修工住的地方。由于节简惯了，加上对老工作站的深厚感情，新工作站后院仓库和整理屋的改建过程中，在蔡全法站长的领导下，我们用站内的汽车和架子车将老站拆下的门窗、好砖、好瓦一车车地拉往新站，当时的熟人们一见面就问，"你们的砖车还在干活吗？"经过近4个月的改造，新工作站的后院和前院西厢房形成了现在的模样，基本满足了我们的工作需求。可以说工作站的变迁体现了我们所的具体变化，也见证了我工作中的重要阶段，直到2003年5月我北上殷都安阳，近15年间，我作为领队或主要业务骨干参加的大小发掘项目过百，发掘面积近5万平方米，清理墓葬近万座，这座古都作为我的第二故乡一点也不为过。本文仅简述几个留下深刻印象的项目和事件。

2. 郑韩文化之殇

报到后的第二天我就开始了发掘工作。当时发掘的主要对象是城外以东现西亚斯工商管理学院所在的李马墓地和城外西边的周庄墓地。发掘干部有蔡全法、陈彦堂、刘海旺和我，没有汽车，交通工具是一辆摩托车和四五辆老掉牙的28型自行车，我负责财务和发掘，经常骑自行车往返于六七里之远的工地和老工作站之间。到工地前我只听说过墓葬被盗，从没见过盗洞是什么模样。当我走上李马墓地南北向的高大土岗，到达发掘现场时，看到的情况让我十分新鲜：长方形的墓坑大小不一，许多墓边上有圆形和半圆形的近直土洞，一些工人还在坑里的圆洞口掏挖，负责发掘的技工告诉我那些圆洞、方洞都是盗洞，还给我摆弄了一些盗洞里盗墓贼抛弃的陶器碎片、骨珠、碎铜器片、人骨等，一个盗洞里还清出了一具呈蹲状的白骨，男性特征明显，头往上扬，手向上举，颅骨顶还紧贴一块很大的蓝色砖片（后来我知道那是战国至汉代的墓砖空心砖），这肯定是盗墓贼的尸骨，盗墓贼的同伙见财起意，为了独吞盗出来的财宝，下砸一砖图财害命的。在一座长度近5米的中型大墓旁，我指点着查了一下盗洞的数量，竟有20几个之多，密密麻麻地，像筛子一样布满墓室，盗洞下部近墓底处为横向掏挖，几乎洞洞贯通，棺椁尸骨文物荡然无存，墓底只留下了几根残骨和一些破烂陶片。在工地上大致转了一下，我发现几乎每个墓葬不论大小几乎都有盗洞，个别保存好的小墓陶器还在原处。

我本以为李马墓地被盗情况是最严重的，但随后发掘的周庄墓地、新华路墓地、后端湾郑国贵族墓葬都是这种情况，最大的郑公1号墓的盗洞超过了45个，可以说郑韩故城内外的被盗情况超过了十墓九空，达到百墓九十九空的水平，能发掘一座未被盗的墓葬可以说是百里挑一的事儿，挖到梦寐以久的青铜器的希望十分渺茫，直到工作后的大约第4个年头，也就是1993年我才有幸在金城路东端的一座春秋墓葬中亲手挖到了两个青铜鼎，当时兴奋之情难以言表，时值深秋天，空飘着小雨，我和技工蔡晓红、孙春玲未带雨具冒雨将两个青铜鼎取出来，租了一个拖拉机把鼎埋在拖拉机后斗的土中拉回了老工作站。郑韩两国是当时的大国，青铜文化是十分发达的，从被盗的中型以上墓葬的盗洞中或棺椁内，我们经常发现小铜片和放铜器的印子，每当此时总有发掘人顿足诅咒盗墓贼，是这一帮帮不肖之徒掘坟盗墓制造了郑韩文化之殇！

后来我逐步了解了这场文化之殇的背景。1920年以前的郑韩古墓很少被盗，1921年新郑南街村李锐家的菜园中打井发现了许多大鼎、铜罐等青铜器，盗卖后事发，当时的民国政府派兵进行了挖掘，出土了以一对莲鹤方壶为代表的100多件青铜重器，时称李家楼郑公大墓彝器，轰动全国，到现在青铜莲鹤方壶仍是故宫博物院和河南博物院的镇馆之宝，一时间全国的盗墓贼闻风而动，纷纷到新郑盗宝，有的盗墓贼甚至盘踞各村，传宗接代世代盗墓，虽然像故城以外的李马墓地、周庄墓地、烈疆坡墓地、河李墓地和故城内的后端湾墓地、新华路墓地等，每个墓地的墓葬数量均在数千座以上，仍架不住这些盗墓贼的连年累日盗掘，造成青铜器和玉器难觅踪迹。曾有老先生向我说起，他们20世纪60年代初来新郑工作站调查故城时，首先打听的是哪村哪家以前是盗墓的。由于解放后这些盗墓世家均金盆洗手啦，国家也不再追究，探听时很容易，有几个甚至出来帮助考古队调查古墓。因为他们很了解底细，所指墓葬地点和时代十分精确，甚至哪一块哪一座古墓有没有被盗、盗了几次都了如指掌。在烈江坡村落户的一位曾经告诉蔡全法先生烈江坡有一个大墓没有盗成，当时他们挖成了深洞准备掏东西时，遇到了"鬼吹灯"现象，就是他端的油灯没有风突然灭了，不敢再盗，再盗要死人的，希望考古队有机会挖一下，其他的墓他都盗过了，而且他下去时有的已经盗了两回了。

3. 编钟来了，"九鼎八簋"来了

金城路的两个铜鼎给我开了一个好头，我陆续又在这个墓的旁边周庄墓地、新烟厂工地、现在的工商银行新郑支行工地陆续挖到了一些青铜器墓，最大的一座是五鼎墓，最小的只出土鼎、敦、盘、匜等一组青铜器，车马坑也挖了十几座，但这些车马坑都是和中小型贵族墓配套使用的，规模小，埋藏浅，有的只有一辆车和两匹马，车辆破坏也很严重。高级贵族使用的编钟一直没有遇到。钟鸣鼎食是商周时期高级贵族生活场景的写照，编钟的出土是其标志。编钟是实用器，一般比较厚重，出土时大部分完整，还能演奏出美妙的音乐，我国第一颗人造卫星播出的《东方红》就是用信阳长台关楚墓出土的编钟演奏的，著名的"郑卫之音"是当时的通俗流行音乐，已成千古之谜，破解它急需郑国编钟出土，但一直杳无音讯。

1993年5月中旬的一天，1个推土机手正在金城路东端开着东方红推土机卖力地干活，事前这个地段没有经过钻探发掘，是基建单位在违章施工。突然，推土机手感到铲头碰到了硬物，加大油门推了过去，却发现铲头的土中有一个圆形绿色物在滚动，急忙停车下来，发现那是一个还算完整的青铜大鼎，他把鼎抱上车准备私藏，一旁观看的人有人偷偷向县文保所打电话报告，于是郑国的第一个祭祀遗址发现了。据后来到现场搜集损毁文物的文保所同志讲，共有六个大鼎和四个鬲在施工中严重损毁，损失惨重。

所里派曹桂岑先生主持后续发掘工作，我是业务骨干。在现场我们发现路基已推成东西向的三道沟，沟间剩有两米多宽的土台，被推坏的青铜器窖藏坑位于南边沟中，同时被推坏的还有两个马坑，土台面上有密密麻麻的探孔，可见文保所已详细补探过，没有发现重要遗迹。幸运的是就在南边的台面上我亲手发掘到了两个青铜器窖藏坑，其中一个是鼎、鬲、盘、豆的礼器坑，另一个是寻找已久的编钟坑，里面整齐地摆放着四件镈钟和二十件钮钟，编钟终于出来了，谁知这仅是个开头。

这次发掘，使我知道了郑国祭祀遗址一般有马坑、青铜礼器坑、青铜编钟坑组成，于是我对马坑十分敏感，有马坑的地方我都安排人严密布探。

1993年6—9月，中行基建地进行较大规模的发掘，参加人员除站内技工外，还有郑州文博专科学校91级的27名学生，指导老师是王润杰、翟继才等，发掘的主要对象是十几座汉墓。期间发现了3个近东西向长方形的花土坑，从一个探孔中探出有马骨和绿色锈土，判断为车马坑。车马坑是考古工作中最难清理的遗迹之一，需要有很高的水平，我们专门请来了本所的马全先生帮助清理，因为他清理过淮阳马鞍冢楚王大型车马坑。马先生领着几名学生每天仔细地用手铲向下清理，清了快一个月，清到马骨了也没有见到车，定性为马坑。学生的实习期到了，基建单位催得又紧，工地停工了。

1994年10月22日，在中行工地西边不足150米的新郑县城市信用社院内起土中，一名工人挖到了一坑九鼎八簋九鬲两方壶一圆壶一豆一鉴共31件的青铜器，报告县文保所进行了清理，工作站随后进行后期清理。这个大院东西70米宽，南北长些，门面楼已建，发现的礼器窖藏坑离大楼的墙基有七八米的样子，地面上也有很多探洞，一些探洞里有马骨的残块。我们进行了大面积布方发掘，又发掘到8座青铜礼乐器坑，55座马坑。其中6座历史上被盗，1个残留有两鬲的礼器坑，1个出土完整的24件编钟坑，这是故城内第二次发现完

备的祭祀遗址。

每每回想起金城路和城市信用社祭祀遗址的马坑，一直放心不下中行的车马坑，1996年夏，让技工沈永建带队前后复探了两次，又发现了约15个马坑，就隔三差五催蔡全法站长找经费发掘，蔡站长一直在积极筹措经费。1996年9月24日，发掘工作得以开始进行。到12月7日，发掘了12个探方1200平方米，除了20几个马坑外，北边应该出青铜礼乐器坑的地方没有迹象，难道这里只埋藏马匹吗？经费垫了一大堆，蔡站长的压力已经很大了，基建单位越催越紧，再不发现青铜器坑发掘工作面临被迫下马的局面。快下班时，技工牛花敏负责的探方T595正在准备收工，一个年老的沈姓民工在一片低洼的坑中兜了一耙子，一声金属撞击的闷响后，耙子的一齿卡住了，牛花敏赶紧用手铲一拨，一个编钟漏了出来，苍天不负有心人啊！工地上一片欢呼……于是一发而不可收拾，在这个1号编钟坑所在的东区青铜礼乐器坑一个接一个地露了出来，这个工地历时两年半，发掘面积8000多平方米，前后共发掘了有春秋6个礼器坑、3个编钟坑、马坑45座、墙基1段和各期大量遗迹，出土了348件青铜礼乐器，被评为"1996年全国十大考古新发现"。

这次发掘，不仅使我大过了一次挖铜器瘾，还领会到动态分析法在大型古城发掘中的实用性，即遗迹间是有密切关系的，要学会吃着碗里的，看着锅里的，瞄着灶台边的，要密切注意车马坑、陪葬坑、祭祀坑等和大墓、祭祀遗址有密切关系的遗迹，要顺藤摸瓜。这点认识，对以后在寻找蔡侯陵的工作中起了重大的作用！

4. 车马坑清好真难啊

每当听到人们说起新郑车马坑博物馆清得好时，心里总会油然生出一股自豪的成就感，因为那是我考古发掘的一件作品啊！为了挖好车马坑和郑公中字大墓，我可是费了好一番心血的。东周时期郑韩车马坑里的车都是木结构，两千多年以来受深埋黄土中的腐蚀，那些木车化成朽灰，只留下大致的模糊形状。清理车马坑只能用竹签、小铁铲尖慢慢地将覆在这些朽灰上的土块剔除，幸好郑韩故城车马坑中的车辆几乎都油漆过，油漆不腐朽，下面还粘覆着木条的表皮，为车马坑的清理提供了好条件。但即便如此，清好车马坑也是非常困难的，首先因为郑国的车辆是拆车葬制，就是把车辆的轮子、轭、绳带等拆开，拆下的车马具放在棺椁内，有车辕的车舆叠压在一起，车轮靠在车马坑的四壁上，马是杀死后平铺在坑底车下的，造成密密麻麻乱压一气的现象，发现填土的平面上到处是木灰，你很难分清车子的结构，只能摸索着各个击破，往往清理了很长时间，各车才有了一点眉目，一不留神就会将车轮去头、车横清掉。

我是2001年年底成为国家考古发掘领队负责整个郑韩故城发掘的，上来就碰到了最难清理的车马坑和中字大墓。这是一座大型春秋郑国车马坑，长10.4米，宽8.4米，深5米，位于后端湾郑国贵族墓地中，是为配合当地群众盖房进行的抢救发掘中发现的。从4月份春暖花开的时候开始清理，熬过了酷热难耐的盛夏，直到寒风凛烈的11月份，1号车马坑才艰难地清出了模样，小小的坑底挤放了22辆大大小小车辆，带辕的车舆呈东西三排依次叠压，车轮靠四壁摆放了一圈，马的白骨凄惨地横陈在车的下面，一只狗的骨架趴在一个车舆的旁边，车横上还缠绕有皮带的灰痕，估计有40多匹马，放眼望去几乎没有立足之地，清理工作难坏了我们的清理人员，很多时候他们呈金鸡独立状小心清理，有时还得趴在吊着的木板上凌空清理，不时还得给车辆喷水保养防止其干裂，酷暑天时坑下的温度之高难以想象，清理人员绝对是个个汗流夹背、挥汗如雨，可以说是经历过了千辛万苦才修成正果的。更困难的是车辆的加固保护问题，木灰既怕干裂，又怕潮湿冻裂，当地政府又决定就地建博物馆，长期的加固保护必须进行。还好我们先从三门峡虢国博物馆借来了 PS 试剂加固，有了一定效果。后来又请来了省化学研究所的席发明、李红等保护专家用 NS 土遗址专用试剂进行了后期加固，防裂、防水、防霉效果很好。地方政府又在坑的周围挖修了 7 米深的混凝土隔水墙，所有难题终于迎刃而解了。

轰动一时的 1 号车马坑清理结束后，第 2 年又碰到了更加难以清理的中字大墓墓道里的乱车。这座大墓是为了配合车马坑博物馆的建设进行的配套发现，墓室南北长 13 米，东西宽 10.3 米，总长 45 米，是郑韩故城有史以来发现的最大的春秋墓，从形制上看就应该是一代郑国国君的大墓，十分重要，决定发掘展示。2002 年 8 月 5 号清理墓室时为了赶进度用挖掘机挖上层填土，刚挖了两勾，墓道口的填土里就滚出了一只绿锈斑斑的青铜器，我急忙叫停，拿起青铜器一看，是一个装饰有蟠虺纹的车管，这是车轮轮毂的加固装饰件，我肯定是遇到了难得一遇又十分复杂的墓道葬车，心急吃不得热豆腐，只好仔细缓慢地开始了中字大墓的发掘工作。墓室中最少有二十几个不同时期的盗洞，把棺椁盗了个地覆天翻，棺椁里面几乎没有原来的填土了，都是盗墓洞土，可以说盗墓洞洞洞贯通，陪葬的珍贵文物荡然无存。失望之余，墓道葬车的清理成了重点，刚刮出了一个工作平面令在场的人均大吃一惊，长长的南北墓道填土上到处是灰白色的木灰，有的红色漆皮非常醒目，可以肯定墓道里塞满了车。初步分析断定，这些车都是拆车葬，数量在 30 辆以上，这可是重大发现啊！于是我们集中了经过了 1 号车马坑锻炼的精兵强将游惠琴、师爱梅、王二妮、冯江芹等，开始了漫长的清理工作……骨头车、红漆车、彩绘车、象牙装饰车，前后共有 45 辆大小不一、装饰各异的车辆露出了真容，可以说这些车形制多样，应该是当时周围列国和友好诸侯吊唁时送的礼物，代表了不同国家的车辆特征，是不折不扣的古车博物馆。直到 2003 年 4 月初，这座历时 8 个月之久的大墓发掘才拉下了帷幕。

这两次发掘，提高了我清理和判断车马坑的能力，极大地锻炼了车马坑清理队伍，为以后更为复杂的蔡侯大墓葬车清理奠定了坚实基础。

5. 和古钱有缘

记得大学时一位学中文的同学调侃我工作后的情景时描述道"一个老头带着近视镜，左手捏着一枚长锈的铜钱，右手拿着放大镜，在还算明亮的台灯下仔细观察研究。"不想我的学术之路竟然和古钱有着割不断的缘份，可以说古钱的发现与研究是我学术之路的起步和发展阶段。1992 年 8 月 16 日，我正亲自发掘位于故城东部的大吴楼铸铜遗址的一个探方 T185，不远外的一个灰坑中 H717 出土了一块砖头状的文物，仔细剥去覆土后，砖的表面竟然有一个"公"字锐角布的型腔，与型腔相连的流道里还有零星绿色铜锈，这不是钱范么？这可是罕见的珍贵文物啊！东周古遗址中布币、圜钱等经常发现，钱范是凤毛麟角的，此前故城二十多年的发掘只在这个遗址出土了 3 块楚国大布和连布的钱范，3 块范均被定成一级文物。正苦于没有重要研究对象的我异常兴奋，急忙让工人们用筛子筛起了遗迹中的土，清理也更加小心。大锐角布范、小方足布范接连出土。为了有更多的钱范和铸钱遗址发现，我经常拿着这些钱范给技工讲课，告诫他们要不断检查故城内外的建筑工地，有挖出来的砖头要捡回来让我看看是不是钱范。

上行下效，技工们不断地捡砖头，但捡回来的几乎都是汉代花纹砖。1993年9月初的一天，我正在中行工地（原高新技术开发区）发掘，东边一百多米处的地方有几个村民在挖土迁坟，老技工沈春荣又过去捡砖头了。一会儿双手各拿了一块T形砖头过来，问我是不是钱范？接过手一看，竟然是大型"蔺"字圆肩圆足布面范，范面上刻有两个钱腔，大喜，急忙过去观看，这时村民已挖棺结束，留下了一个不规则的1米多深的坑。钱范就是在坑边的虚土里找到的，仔细一翻，又找到了几块保存了大半截子的圆足布范，这可是赵国的铸型钱范，韩国怎么有它的铸钱遗址呢？安排工人在这个地方开了个小方T299，稍一清理，一个近圆形的填满了梯形和长方形钱范的窖藏坑露头了，编号H199。最后我们竟然在H199中清出了180多块钱范，许多是完整的，还有一些是成对的面背合范，种类除了"蔺"字圆足布范外，还有"离石"圆足布范，圜钱背范，甚至还有一块半成品状的圆足布石头范。一次出土这么多钱范在东周考古史上也是十分罕见的，捡砖头捡出来了个钱币考古大发现。

谁曾想，我们又捡到了个大发现！8月份大吴楼铸铜遗址边缘修路施工过程中，老技工尚金山也捡到了一些圆足布范的残块，经过抢救清理，发现也是两个圆足布范的小型窖藏坑，这次这两个坑出土的都是砸碎埋葬的，很难拼对，是古人有意掩埋的，和H199中大量完整钱范明显不同。

有了这些新发现，我终于有了学术研究的突破口，开始写有关钱的文章，和参加有关钱的会议了，但和钱的缘分还没有结束。1996年10月份，我在中行郑国祭祀遗址东南角的一个春秋中期的水井中，挖到了一面特大型平肩弧足空首布范和芯范，这是我国最早的空首布范。2002年11月，在冯庄制陶遗址一个春秋中期的水井中发现了一面特大型空首布范。2003年3月，发掘新郑监狱新址工地东周墓时，大院的东南角又在起坟，新技工郭江涛捡砖头又捡到了3块特大型平肩弧足空首布范残块。布了4个探方清理后，一个呈规模的春秋中晚期郑国的铸币遗址被发现了，出土了十分丰富的特大型空首布范、数以千计的芯范、铸钱浇包、熔炉块等珍贵铸钱遗物，填补了同期铸钱遗址发现空白，具有重大学术意义。

现在时隔十年，我正在撰写《郑韩故城铸钱遗址发掘报告》一书，也算是钱缘的一种了结吧。

6. 制陶遗址大发现

盘桓郑韩城之间，参加和主持的大型发掘项目不少，印象深刻抱憾至今的发掘是两个大型制陶遗址。2002年8月，当地新修一条大街道叫能人大道，从故城的东北角穿城墙缺口而过。为了了解缺口附近是不是城门和道路遗迹，在城墙的内侧开挖一排6个10米×10米大探方，竟挖出了一个大型战国时期官营制陶作坊，在工人使用的水器陶罐肩上发现有"郑城左司工"印章痕，在许多筒板瓦的内侧各发现印有两个不同姓氏的小印痕达40余个，还发现了排列整齐规模宏大的砖瓦制造车间，车间内淘洗池、陈腐池、地埋盆排列有序，地下管道和排水沟渠规划严谨，院子里还发现两个相邻的同期陶窑，可以肯定这是一处罕见的手工业遗址，以生产筒瓦、板瓦、脊瓦、凹槽砖、空心砖、管道为主的建材厂，属左城司工衙门管辖。虽然施工单位违章施工拒付发掘费，到11月份，我们仍垫资发掘了3900平方米，挖出了建材厂的生产区。

2002 年 10 月，冯庄村民在村东头平地造田，捡砖头的技工发现推土机推出了很多变形的陶器残次品，一些上面还有铭文，就阻止了这次施工，开始抢救发掘。至 2003 年 4 月，把这片遗址约 7000 平方米全部发掘了出来，当时的场面十分壮观，几百个灰坑里几乎都填满了各式各样烧变形的鬲、豆、罐、盘、支架等陶器，二十几个春秋早期至战国晚期陶窑分布在灰坑之间，个别窑里还有烧变形没有取出的陶器，作坊址数量很少，只发现 4 个，是半地穴式的小作坊，其中一个长方形作坊里西部地面上整齐地摆放着密集的豆的泥坯，门道口所在的东部地面上侧躺着一个老年男人的骨架，蜷着腿侧着上身双手捂着肚子，一种突然死亡无人理会的状态，这应该是一个孤苦的老陶工的遗骸和他的屋子。出土的陶器中几乎都为生活用器，还有一些雕刻有龙、鱼、蛇、鹿等精美图案的陶印模和大量豆柄形、矮圆形支垫，陶盆的口沿和豆柄上很多刻有史、彭等姓氏，可以肯定这是一处民营作坊址集群，商品经济特色明显，姓氏刻名有着商标的特点。支架的发明在中国的陶瓷史上是最早的，大大提高了生产效率。发掘高潮时逢三九隆冬，地冻三尺难以下挖，寒风中工人用大耙子用力一刨，地上只有三个白点，向菜农学习到了一个土办法，先在工作面上用塑料布覆盖，又在塑料布上蒙上两到三层稻草编织的草帘，保温效果不错，第二天掀开发掘时，工作面冻结的厚度不到 0.5 厘米，已不影响发掘清理了。甚至一场大雪后，发掘还能正常进行。

因工作需要，2003 年初我要到参加殷墟发掘工作，就加班加点抢救发掘这两个大遗址。时间紧迫之下，两个遗址采取了不同的处理方法，冯庄遗址中的陶器等文物全面提取，能人大道除提取了部分筒板瓦、管道等标本外，作回填保护处理。冯庄的陶器小件我租了拖拉机拉，共拉了 15 拖拉机，拉回工作站后只能码放在大仓库里，小件堆高达 3 米多，陶器数量暂时无法统计。能人大道的回填工作推迟了很长时间，在我没到现场的时候，草草采集了一些标本后回填了。这个遗址我只挖到了表面的遗迹，下层的遗迹未能清理，现在一条宽广的马路重压其上，不知何时马路两边还挖有深深的地下排水沟，肯定对这个罕见的"国营大厂"造成了难以弥补的破坏，早知如此，当初还是应该发掘到底的，这始终是我的一个遗憾。

四、邻都迷雾

新密市境内有一条名叫"溱水"的河流，自西北向东南流入双洎河，河谷宽阔陡峭，河道不宽，河水潺潺而流，流经古城寨村附近时水面豁然开朗，怪石嶙峋，水声四响，青草绿枝遍布河谷，当地俗称"响水潭"，是远近闻名的一处风景胜地。河东岸有一处土城遗址，城墙高耸 10 余米，西城墙水毁不知踪迹，南城墙口附近一块水泥标志牌上红漆写着"邻国故城"。邻国始封于西周初年，春秋早期被郑武公所灭，是子男之国中最大的。故城平面为东西向，呈长方形，面积 17.6 万平方米，20 世纪 50 年代，发现者根据古文献记载，将此城定为西周邻国都城遗址，并于 1963 年由原密县政府公布为"邻国故城"县级保护单位。1986 年由河南省人民政府公布为省级文物保护单位。

1997 年 7 月，为了寻找黄帝古都遗址，在新密市黄帝文化研究会魏殿臣、郑官州、王彦村、李殿卿等退休老干部的热心组织和赞助下，成立了以安金槐先生为首、蔡全法先生和我为主要业务骨干的考古队，在溱水流域进行调查试掘。我们先后在程庄仰韶遗址、交流寨龙山遗址进行了试掘，并调查了水泉、柿园等十几个新石器遗址，没有发现一个城的影子，就把目标瞄准了溱水河旁的郐国故城，目的是即便找不到新石器时代的所谓"黄帝城"，能解决郑国和郐国的物质文化关系也是很有价值的。

1997年10月，在南城墙的中段偏东开了探沟T1，在北城墙中心缺口的西剖面进行了清理，直到2000年4月，发掘工作结束，我们发掘到了城墙结构、大型宫殿和复杂廊屋基址、数量丰富的水井、灰坑等遗迹，还在故城北城墙的外侧发现了一处龙山时期的遗址，确定了这座古城是一个龙山城，夏商时期沿用，没有西周时期的遗迹遗物。挖来挖去，我们挖到了一座重要的龙山城，该发现成为"1999年全国考古十大新发现"之一，该龙山城也在2001年被国务院公布为全国重点文物保护单位。真正的郐国城在哪儿呢？在古城寨龙山城以北约6千米的地方，曲梁村附近的溱水东岸，有一座二里头时期以后的城址，面积也在10万平方米以上，据魏殿臣先生讲，这个城后来做为寨城使用，寨门上有匾额曰"古郐曲梁"，那是不是郐国都城呢？我们和魏殿臣等老先生亲自到曲梁城进行了调查，地面上墙体已基本上没有保存了，采集到的陶片大部分是二里头时期的，西周时期的陶片仍没见到，看来郐国故城的谜团还需时日才能得以解开呢。

这次发掘工作正式发掘人员还有郭木森、李玉山、刘群等，他们都为发掘的成果作出了积极的贡献。令我终生难忘的还是魏殿臣、李殿卿、郑官州、王彦村等老先生，他们中魏、李、王当时已年过古稀，一直陪我们战斗在田野第一线，当一开始筹集的5万块钱经费用完后，发掘工人的工资没有着落之时，这几位老先生竟然拿出了自己的退休工资来给工人发工资，令我们发掘队员，感动不已。后来古城寨有大发现后，国家和省里有关部门下拨了后续经费，发掘工作得以完成。写此文时，获知共同战斗过的新密市文物界元老魏殿臣先生已经作古，十分难过，在此表示吊唁吧！希望郐国之谜早日解开，以慰英灵！

五、房国小憩

在所有的古都之旅中，遂平县的房国之旅是最短的，仅仅持续了两个多月，可以算是我的古都之旅中的小憩吧。房子国是西周初年异姓封国，始封地可能在北京市房山区一带，后迁至河南省遂平县一带。春秋晚期，和申、胡、道等小国一起为楚国所灭。后吴王夫差的弟弟夫概政变失败后投奔楚国，被封在房地，号棠溪氏，后位于遂平城关一带的古城被叫作吴房故城。

1994年6月初，正在郑韩故城发掘的我接到时任第二研究室主任曹桂岑先生的电话通知，遂平吴房故城北城墙遭基建破坏，省文物局组织抢救发掘，他是领队，让我火速转移去发掘。

6月10日左右，我和王胜利先生一起开始了发掘。因为县府急于挽回破坏文物古迹的恶劣影响，对考古队很是照顾，专门在县城最好的嵖岈山宾馆为我们安排了住宿，并计划一个月发掘完。记得第一条控沟开在北墙上，宽2米，长30米，目的是解剖城墙，弄清城墙结构、始建、沿用、废弃等学术问题。初出郑韩故城，我觉得这个发掘一定也很简单，一个探沟也就200方土，一个郑韩老工人一天可以挖12方，没几天就能打道回府啦。所以，当我向后观村的徐福队长规定民工一个人一天至少挖 5 方土时，这个给我留下深刻印象的一只眼队长头摇得像拨浪鼓一样，说一天一个人只能挖 2 寸土，我大为诧异，只好说尽力干吧。结果只开始动土，我就知道自己错了，城墙上的夯土坚硬无比，一个棒劳力最多一天能挖 3 寸，一个月的工期定得太草率，肯定完不成了，只好硬着头皮坚持干。十几天后，城墙夯土里只获得明清及汉代的陶片、砖块，主墙体内竟然没有一块陶片，时代难断，只好又在县城中心十字大街南侧和南门口各开了 1 条探沟，南探沟没有解剖到汉代以前的遗迹，可以说是败笔。中心探沟雇了几个外地民工包方下挖，不到十天就挖了近 3 米深，上层的清明 3 层房址只做了简单的资料和标本采集，许多明清瓷片觉得太晚没有价值都扔掉了，现在想起来都有些后悔，曹先生到工地检查时含蓄地批评我挖得太快了，对我触动很大。

北探沟的进度最慢，后来驻马店市文化局文物科的余新宏来帮助发掘。远超一个月工期后，我们搬出了宾馆，住进了一户曹姓民居中，当时天已大热，我和余睡在二楼的一张床上，度过了一个多月"同床同梦"的发掘时光，结下了很深的友谊。

北探沟城墙里一直不出陶片，这可难坏了我，从夯窝的形状看主墙是东周时期的，但这样的证据是靠不住的，幸好工作快结束时内护坡上发现了一些春秋晚期至战国早期的陶片，提供了主要物证，这次小憩才终于完成，我又回郑韩故城盘桓去了。

六、殷墟奇观

2003 年春，非典恶魔肆虐，一时间举国上下闻"非"色变，几乎人人带着口罩从防飞沫传染，许多农村断路封庄，阻止外人入内，车站和高速收费站上都架上了体温测量仪，北京和广州来的人成了人见人躲的"高危人群"。此时外出工作感觉是很危险的事。但事情是不以人的意志为转移的，关乎国计民生的大工程是不能停止的，考古圣地安阳殷墟的安钢孝民屯项目就是这样一个大项目，必须尽快进行考古发掘。草草收拾了郑韩故城能人大道和冯庄两个制陶遗址项目后，我正式告别盘桓了 15 年之久的郑韩故都，开始了故都的云游之旅，就是在殷墟，我主持了毕业以来的最大发掘项目，结识了一批新朋好友，他们可都是"高危人群"——中国社科院考古研究所的北京人啊！也就是在殷墟，我目睹了复杂的建筑、精美的商代铜器墓、人殉沟、大铜器作坊等奇观。

我是 2003 年 5 月 13 日乘所里的车和张志清先生一起到达孝民屯遗址的，到达时已近中午，天气晴朗，远方的空中有几朵静止不动的白云，工地现场却令我大开眼界。安钢是上市公司，是河南省的重点骨干企业，面积很大，很多地方进入了殷墟西区。安钢的环保工作很差，场房和院落里到处是浮灰，小风一起，尘土飞扬，轧钢厂的铁皮房顶和烟囱隔一段时间就喷出五颜六色的烟尘，一会儿是黄色，一会儿是绿色，又一会儿是红色，发掘队员不时拿起相机拍摄这一"景观"，风儿一吹，有时会闻到很呛人的味道。发掘工地很大，四面都是厂房，也就是四面都被烟尘包围着，拆迁后的地面上都是黑灰，看不到土地的颜色。一条近东西向的污水河和厂内铁路将发掘区分为南、北两个大区，由社科院考古所和省文物考古所分片发掘，南、北两区各分一块，统一编号，分区记录。因为殷墟是国保单位，孝民屯遗址是墓地和铸铜遗址，学术价值重要，这次发掘采取了大规模揭露、大面积发掘的方法。到 2004 年 6 月发掘结束时，两队共发掘了 55000 平方米，其中河南省队发掘了 22000 平方米。

这是中国考古史上少有的大型发掘项目，两队均组织了力量强大的发掘队伍，社科院队王巍、杜金鹏为领队，王学荣为执行领队，偃师商城队、汉魏故城队、邺城队和第二研究室的20多名精兵强将为队员。省所队张志清为领队，樊温泉、王龙正为前期执行领队，我为后期执行领队，李素婷、李秀平、杨树刚、丁新功、李延斌、孙磊等十几个业务骨干为队员。可以说两队阵容豪华，能胜任大兵团作战。

这次发掘的遗迹众多，既有先商时期的灰坑和龙山陶窑，又有为数众多的殷商时期建筑、灰坑、铸铜遗址、墓葬，还有少量的战国土坑墓、隋唐墓和清代墓葬，影响最深的还是龙山陶窑、商代半地穴式建筑群、地上建筑群、殉人环沟、大铜器作坊、巨大起土坑、精美陶范等。1、2号龙山陶窑是一对窑，几乎连体，保存接近完美，为了展示，2004年8至9月整体搬迁到王陵区，马新民、郭移宏二位先生用了将近一个半月的时间，才指挥安钢工人用木板和大槽钢把二窑包装好，起吊时从河北省邯郸钢铁公司租来了德制500吨吊车吊装，吊装时的重量为78吨，因着力点较远，巨大的吊车勉强把吊箱挪过来吊起放在了可拉一百吨的第二钢厂的平板拖车上，刚放上时板车中间就凹了下去，一个轮胎就爆响了，声音很大。开始运输后，板车的轮胎一个接一个爆响，顺公路搬到大概五里之遥的王陵区博物馆时，二十几个轮胎爆了一半多，铁轮在公路上留下了四道长长的印痕，后来听说这辆板车报废了，这是考古史上起吊运输单位体积最大、重量最重的遗迹，费了老劲了，安钢可以说是损失惨重。其中的一个小插曲令人啼笑皆非，那就是"关键时刻掉链子"的精彩注解，说的是500吨的吊车好不容易把吊箱装到了平板车上后，天空下起了小雨，工地上的临时路有些泥泞，车轮打滑不能前行，安钢领导调来了一个推钢渣的大推土机，在吊车前面推垫钢渣修路，刚推了不到五分钟，推土机的左履带哗的一声断了，推土机动弹不得，不偏不倚挡住了路口，修理工说半天也修不成，一旁人慨叹"关键时刻掉链子"。安钢领导又抽掉了一台推土机紧急在路口垫了小道，板车才得以脱身。10月份又把那个大环沟里的无头人骨进行了分段包装搬迁，目的地仍是王陵区博物馆，每个箱体重3到5吨，难度小多了，很顺利。

半地穴式小房址群位于南区，大约有20几个，错落分布，每房有灶和土床台，性质难定，有人说是馆舍类建筑。商代墓十分了得，超过1.7米宽的墓，只要没有被盗，肯定有青铜器出土。在南区南端发掘了7个小墓都没有被盗，都出土了成组的觚、爵、戈等，大点的墓还出有工具和弓形器。最大的1座墓也在南区，是安阳市队发掘的，出土了方尊、鼎、爵、戈和许多玉器，在殷墟也是少有的重要发现。最大的奇观还是巨大的起土坑、大铜器作坊和以大鼎足模为代表的精美陶范。如H129起土坑面积近800平方米，深5米多，填土里夹有丰富的陶范和炉块，上层用作建筑基础，就反映了铸铜遗址的分区与变迁。大铜器作坊里圆形铜器的内范口径达1.65米，不论是盘还是鼎，体型均超过了司母戊大方鼎，高达30多厘米的鼎足模所拟铸圆鼎也十分巨大，加上数以千计的礼器范块，均凸显了孝民屯作为殷代最大铸铜遗址的地位。

七、斗法蔡都

2005年5月至2006年10月是我的古都上蔡之旅，又可以说是我的斗法之旅，体现在与天、与地、与今人、与古人、古人与今人间斗法的方方面面。蔡是西周的重要封国，春秋十二诸侯之一，都城几经迁徙。上蔡县城关镇一带的上蔡故城是蔡国的早期都城，公元前532年被楚国攻占后成楚国北方四大重镇之一，故城内外文物古迹星罗棋布，两段近似传奇的发掘是我近年来的主要工作之一。

(1) 神奇流沙楚墓

2004年12月15日凌晨，两声巨大的闷响惊醒了卧龙岗旁郭庄和邻近村庄的村民，以为发生地震的一些人衣着单薄地跑了出来……第二天，上蔡县文管所的同志现场钻探发现了两座楚国大墓，被炸出两个大盗洞的是1号楚墓，平面甲字形，东向，墓室长25米，宽20米左右，深过10米，上面还残存有3米多高的夯筑封土，是罕见的楚国大墓。我是12月25日接到所里通知主持发掘这两座大墓的。2005年5月12日开始，M1开探沟，直至2006年1月时，这座神秘的大墓才终于见底。

刚开始发掘不到一个星期，就下了几场小雨，还好没有影响工作，但5月底的一天下午，一场突如其来的大雨给我来了个下马威，本来晴朗的天空，西南角陡然升起了几团乌云，风驰电掣地向东北角而来，不到十分钟，大风裹着豆大的雨珠呼啸而至，片刻间在地面上形成多股激流，没有作充分的防雨准备，只能眼睁睁地看着混浊的黄水淹没了开在墓室里的探沟。我和几个技工躲在一个太阳伞下才避免了被淋成落汤鸡的下场。暴雨来去匆匆，一会儿又是晴空万里，艳阳高照，但发掘现场已惨不忍睹，本来修剖整齐的探沟壁被冲得小沟纵横，沟里的水几乎达到了沟沿，排水成了大问题！大墓所在是黏土岗，按当地人的说法，这种土"干时像块铁，见水一泡脓"，还容易发生干裂后成小块状往下掉。吸取教训后，第二天我就租车到8里外的县城买来了污水泵、消防管和成捆的塑料布。水泵和消防管用来排雨水，塑料布用来搭在墓壁上防止干裂和水冲（这种方法我曾在雨水不丰的新郑许岗韩王陵地用过，效果很好，在这里使用应该也是可以的）。几天后发现岗上风很大，塑料布被吹得上下乱抖、左右移位，赶紧在墓口周围打上木桩，拴上绳子，绳头上系上装满土的大编织袋，高低错落地吊在墓壁上，彻底解决了这个难题，甚至在冬天也很有用，为了保暖我们又在两到三层的塑料布上吊盖上了阳光大棚用的草苫。这种行之有效的方法经受住了上蔡的暴雨和连续阴雨的考验，也度过了隆冬时的关键期，墓壁面一直很光滑，没有发生塌方和掉土现象，可以说在与老天的斗法中，我略胜一筹。

7月份时，当地进入了雨季，平地上的农田里蛙声阵阵，岗地上的地下水位也上涨了很多，这时1号大墓已挖到了积沙层，沙子里全是水，放在沙坑里排水的水泵运转一会儿就被沙子堵塞住不转了，还烧坏了两个水泵，大地的考验终于来了！小坑位的排水肯定行不通了，在沙层挖的排水坑一会儿就沙平如初，绞尽脑汁终于想到了一个两全齐美的办法：先用大型挖掘机在炸塌的南墓室的生土上挖一个大深坑超过积沙面，坑中安了两个水泵抽水。积沙层用细密的大竹筐摁在沙坑中，筐中再放入一个水泵抽水，里面的水经过了筐的过滤后，不再堵塞水管，经过每天24小时不停地排水，地下水位大降，发掘得以顺利进行。

1号墓是我工作以来遇到的防盗措施最完备的大型古墓，墓葬的设计者从选址就开始了防盗，专门选择了一个渔猎村落，挖出来的黑土经过夯打，和夯土房基没什么两样。墓葬的结构从上到下依次是黑夯封土和填土、黄花夯土、2具假棺、积沙层表面用石板伪装的墓底、浅墓道，厚厚的积沙层中隐藏着棺椁和用途分明的锋利石块。这些石块大小不一，种类繁多，均锋利异常，最大的重335斤，最小的重20多斤，一般在100斤以上，组成了杀伤盗墓贼的层层暗器。可能因为夫人晚逝时在他的墓旁修没有独特防盗设施的墓时暴露了老头子的行踪，遭到了战国以来历经二千余年的盗掘，但这场斗法较量中，即便是东汉晚期公开的大揭顶式盗掘，盗墓贼们也只获得了局部成功，现代的盗墓贼采用了支木巷道掘进的先进手段也没有取得大的成功。最后的统计，前后共有18个盗洞进入了墓室，但墓室中仍遗留下鼎、编钟、方壶、圆壶、浴缶等近千件珍贵的青铜器、玉器等，经过近5年时间的精心修复，原本呈碎片样的青铜器一件件焕发了青春，其中40件上还发现了有关楚、吴、陈、许、曾等5个国家的铭文，墓主人基本上可断定是景鱼，楚平王的孙子，为镇守上蔡的王室大贵族。这是一次楚文化的重大发现。

（2）蔡侯陵的遗憾

上蔡的蔡侯陵墓一直没有发现，在发掘郭庄楚墓时，我专门派出了一支钻探小分队重点对上蔡故城内西南角翟庄一带钻探普查。之所以选中此地，是因为我常从家住翟庄的老技工尼新民讲他们村附近老出马骨头和铜车件，1996年发掘上蔡北城墙时我专门到村周围的断崖、河沟进行过探查，曾发现一个刚被盗的中型古墓和一些墓葬剖面，心中已知那是个墓地。这次故地重游焉能放过这一大好机会！果然，经过一个多月钻探，到2006年6月时，已发现了45座各型春秋墓葬，其中有4座大型积炭墓。一般情况下，东周时有积石积炭的墓一般都是高级贵族墓，甚至就是国君墓。我选择了两座积炭墓开始发掘，本希望能撞上没有被盗过的蔡侯墓，铲了一个平面后就感到大事不妙，M1是个甲字形北向大墓，墓室里竟有十几个长方形的盗洞，从盗洞中的包含物可知被盗集中在东汉晚期那个兵荒马乱的时代，一个盗洞出了个青铜戈胡部残片，上有"之用戈"铸铭，可断为春秋蔡墓，应该已被盗一空，就放弃了另一个长方形积炭墓，只清理M1。

当时上蔡的艾滋病是很有名的，记得时任上蔡县委书记的杨松泉在饭桌上介绍，全国发现的53个艾滋病村，上蔡就占了38个，感染人数众多。当时吓了一跳，回来后又专门开车沿着公路远望了一番艾滋病村，其中就有著名的文楼村、南大吴村、小高庄村，据说以前这些村的村民很多以卖血为生，并有地下组织卖血队，有专门的血队长负责血源。小的血队长手下有几十个人，大的手下有上千人。丧尽天良的采血人把采的血用离心机分离出有用成分后，余下的大量血浆又都注射到村民的体内，据说这样一人一天可以卖两次血，多赚些钱。一人染毒，大家遭殃，可怜而无知的人们！还听说有的艾滋患者专门干敲诈勾当，钻探队的副队长老刘就被几个艾滋病人敲了3000块钱，不就范的话，几个人围住你要打架，病毒是通过血液传播的，健康人谁和他们打架呀！有这种心理阴影，我想尽早结束积炭大墓的发掘，早日离开这块是非之地。队员们也有同样的想法。

天公往往不作美，你越急忙事越多，8月上旬连续阴雨竟下了近半个月没有停点，地下水位1米不到，排水的难度远超同时进行的郭庄2号楚墓清理。只有旧曲新唱，租来大挖掘机在大墓的三个角外挖了三个深度超过8米的排水坑，坑的中心放上几节用竹篾批捆住的水泥井筒形成渗水井，全天候排水。记得挖掘机的铲头挖到3米深时，四壁上的泉眼像自来水管爆了一样向外蹿水，眨眼间就是半坑水，地下水之丰富生平未见，好在3个水泵日夜不停抽水的效果还是明显的，已不耽误墓室的清理。可就在这时，所开小探沟中出现了红色漆痕，可别是车呀，要是车可就麻烦啦，黏土层中的车可是最难清理的，一不小心就会把木灰清掉。经过仔细辨别，还真是车，不止一辆，还是拆车葬，与郑公大墓放在墓道里的不同的是，这些是杂乱无章地埋在椁盖以上的夯土里，更难清理了，只有稳住心神仔细干了，幸好我手下的技工几乎都有清理车马坑的经历……渐渐地，7辆以上的车辆残痕清出了，局部椁底也露头了，难道真是被盗一空吗？解剖完东西两壁上站立的车轮后，我们在主椁外的四角发现了四个陪葬椁，每椁里还有棺木和陪葬人，这可是闻所未闻的事情！更加令人欣喜的是，东北角的陪葬椁中竟然出土了2鼎、2簠、1盘、1匜6件保存尚可的青铜礼器，把墓葬的时代定格在了春秋中晚期，加上南墓道中发现的葬玉坎和大墓以南的大车马坑，可以肯定我发掘了一座蔡侯级大墓。

这段时间，郭庄发掘已经结束了，小分队又在张继民窑厂、宏源彩印厂等地进行了抢救性发掘，可喜的是，每个工地都出土了青铜器，特别是离M1近300米之远的宏源彩印厂M29出土了5鼎4簠共20多件春秋早期青铜礼器，一铜盘上还铸有"蔡□"铭文，揭示了蔡侯公族墓地的浩大。可以说这段时间，我手气是出奇地好，到哪都能挖到青铜器。

当地的盗墓犯罪很猖獗，发掘郭庄楚墓时有30多名荷枪实弹的武警和公安干警昼夜值班，发掘M29时每晚也有3名干警值班，他们是这两次发掘工作得以成功的守护神，向他们致敬。

八、再战王陵

2006年下半年，关乎国计民生的重大工程"南水北调"中线工程开工了，干渠沿线经过了大量古文化遗址和墓葬区。因为和郑韩故城有割不断的情节，与郑韩故城有关的项目一直是我重点关注的目标。在这些目标中，新郑市城关乡胡庄村西北岗地上的两个无名冢吸引了我的目光。根据此前新郑工作站的调查，两处封土下是一个东西宽40多米、南北长近75米的巨大积石墓，可能是韩国王陵级大墓，也可能是汉代大墓。如果是韩国王陵，岂不弥补了2003年许岗韩王陵发掘不彻底、出土文物不太丰富的缺憾吗？

我如愿成为了胡庄墓地发掘领队，并在10月中旬开始了对大墓的发掘，直到2010年9月，近4年的时间，我一直在胡庄墓地主持发掘，取得了多项重要发现，确定了这是一王一后的战国晚期韩国王陵，由陵沟、陵上建筑、陵墓、陵旁建筑、水井、灰坑等组成，填补了韩王陵多项发现空白，还发掘了早于王陵的东周墓葬近700座，荣获"2007年至2008年国家文物局全国田野考古二等奖"，该发现被评为"2008年全国十大考古新发现"。

王陵的发掘断断续续，持续时间很长，跨越2007—2009年三个春节，连考古队的临时住地也三变其址。在每年辞旧迎新的爆竹声中，我都要和值班队员一起燃放大雷子炮和天地两响，陪着王陵过大年，希冀下面的发掘能取得更大的成果。但这处王陵也多次遭到盗贼的光顾，最早的盗洞是汉代的，还有宋代的、民国的、现代的，二陵墓可说是伤痕累累，M1甚至被盗一空。M2被盗情况也很严重，因多层棚木的阻挡，只有3个盗洞进入墓室，还出土残存的鼎、豆、编钟、戈、车马器、构件等青铜器，箸、箍扣、节约等银器，大圭、璧、璜等玉器，玛瑙环、陶器、骨器、石磬等各种质地文物500余件，其中银器46件，还有大量的铜镞、铜珠、骨钉等，是韩国文物的一次重要发现，是不幸中的万幸！式样繁多的构件不仅体现了韩国高超的青铜器铸造技术和机械设计水平，也揭示了外棺有大帐的现象。在100余件铜器上发现刻铭，内容多为方向序号。其中在铜鼎、戈、樽和银箍扣上发现的多组"王后"、"王后官"和"太后"刻铭，与"少府"、"左库"等韩国官署名称，为确定王陵的属性提供了关键实证。

王陵是大型复杂的土木工程，完整阐释其建筑流程，对研究列国诸侯的埋葬制度和规律意义重大。刮封土表面发现战国陵上建筑后，站在高8米封土之巅举目四望，晴空下大墓所在的东南西北向土岗如巨龙般横亘，东方3里之遥的故城历历在目，连故城中最高的电业局大楼仿佛都在脚下，完全是一片君临天下的气派。和2001年时站在城西20多里许岗韩王陵上遥望古城的感觉一样，当时心里明白我可能有幸又发掘到了一处王韩陵，最差也是王室贵族大墓，就抓紧制订了详细的发掘计划，严格按照田野考古工作流程要求，力争精品发掘工程，不愧对对这项发掘工作给了巨大支持的以孙新民所长为首的所领导班子！

四年胡庄墓地的发掘生涯留下的主要印象有两点：①王陵规模宏大，结构复杂，陵园齐备。②成大事必得天时、地利、人和之便。新郑属半干旱区，偶然也有大暴雨。四年间几乎没有下过暴雨，得了天时。王陵地处是黄沙岗，渗水性极强，不是暴雨，墓内不会存水，更不会有上蔡的地下水之虞，得了地利。两座陵墓深过13米，工程浩大，仅夯土实方就有5万方之多，发掘经费严重不足，所领导强力支持，垫支过百万元，魏周兴书记亲到现场安装监控，可见单位领导的鼎力支持。省南调办的张志清主任等领导对发掘也给了大力支持，增加了一倍发掘经费。徐光冀、信立祥、严文明、李伯谦、焦南峰等学界泰斗不顾年事已高，多次到发掘现场悉心指导，使我受益匪浅。加上从上蔡大墓磨炼出来的技工队伍，得了人和。三元归一，胡庄韩王陵与东周墓地的发掘终获圆满成功。

九、感　叹

光阴可织，岁月如梭，河南省文物考古研究所走过了风雨六十年，成为全国名列前茅的考古强所，前后已有5代人从这里走上了全省、全国甚至世界的考古舞台，成为当今河南文物界的中流砥柱和著名专家，可喜可贺。从一个连清理文化层都感到棘手的青年学子，成长为能主持大型古都、王陵和大型遗址发掘、研究的考古领队、研究员，我十分感谢为我提供学术阵地的单位，十分感谢对我有很大帮助的老前辈、老领导、老同事，有了他们才让我完成了我这些年古都的风雨之旅！仅以此文祝敬爱的单位继往开来，事业蒸蒸日上！

2005 年 11 月在上蔡郭庄楚墓发掘现场（左起黄耀丽、作者、秦文生）

2006 年 2 月作者（左一）在上蔡郭庄墓工地接受媒体采访

2006年9月作者（右）陪同台湾高僧明诚法师（左）参观上蔡翟庄春秋早期蔡夫人墓

2009年3月作者（右）陪同北大严文明教授（左）参观新郑胡庄韩王陵考古工地

2009年3月作者（左一）向北大李伯谦教授（右一）介绍新郑胡庄韩王陵出土文物（左二孙新民）

2010年1月作者（左一）向宋璇涛副省长（右一）介绍上蔡郭庄楚墓出土青铜器修复情况（中为省文物局陈爱兰局长）

亲历秘境：信阳长台关楚墓发掘记

陈彦堂

2010年5月16日，信阳城阳城遗址博物馆举行奠基仪式。据介绍，七号楚墓的原址将予以复原并成为博物馆的主题展示厅。我作为七号楚墓发掘项目的主持人，与专程前来的著名文学评论家舒乙伉俪和代表省局前来祝贺的李玉东副局长、杨振威调研员一起出席了仪式。仪式结束后，又陪同他们参观了发掘区旧址和城阳城遗址。

时隔八年后故地重游，自然感慨良多。尤其是在从城垣走下离开现场的当口儿，邂逅曾参加1957年一号、二号墓发掘的一位孙姓老人，更让我们激动不已。老人已经年过七旬，但依然健硕硬朗。当我问起当年的一些事情时，他依然记得很多细节，特别是发掘队成员在发掘现场因公殉职的场面，令人欷歔。

很自然地，我自己也回忆起仓促间主持七号楚墓发掘的点点滴滴。我对振威兄说，长台关发掘，将成为我考古生涯中永不磨灭的记忆。

一、节日膺命：突如其来的发掘

2002年，我还在省文物考古研究所供职，负责业务办公室的工作。9月30日深夜，我突然接到孙新民所长的电话，告知信阳长台关附近有一座大型墓葬被破坏，木椁板已经露出，省文物局指示需进行紧急抢救清理发掘。我是当天凌晨刚刚陪同孙所长从陕西、甘肃和宁夏一带考察回来的，本想利用国庆节的几天假期好好休息一下，以除却长途劳顿。长台关的事情一出，我就意识到这个假期又要泡汤了。

本来，省文物考古研究所在年初就有了一个大致的构想，要对长台关一带的楚国墓葬进行一些必要的考古工作。因为当地文物部门曾多次向省文物局反映，长台关一带盗墓之风异常猖獗，文物保护工作难度极大，有几座墓葬如不抢救发掘，势必会造成更大的损失。因此，我对长台关的考古发掘还是有必要的思想准备的。只是未料到事情如此突然，并且是在刚出差回来后的假期里。

尽管早有心理准备，我对信阳一带大墓的发掘还是心有余悸的。也就是在2001年的这个时候，我奉命去信阳市的息县抢救发掘太子岗村一座被盗的楚墓。一到现场，首先看到的就是现代盗洞。尽管最终确认现代盗洞未能进入棺椁内部，但不幸的是该墓在下葬不久就被洗劫一空。就在发掘工作结束的当晚，一群行迹可疑的人在夜色中围着我们租用的房子逡巡，幸亏县公安局的干警和武警战士及时赶到，将我们连夜撤往县城。发掘工作的学术收获乏善可陈，却必须承受巨大的安全压力，这就是我对信阳一带大型墓葬发掘的初步印象。

于是，就在大家沉浸在国庆长假的当口儿，我于10月2日早上拎起简单的行囊，在复杂矛盾的心理状态下独自一人登上了南行的列车。我当时并未意识到，这一去，将会揭开一段已尘封了两千多年的辉煌。

二、北渐楚风：频遭盗扰的长台关楚墓

长台关位于信阳市北20余千米处。这里有一处南北向绵延10千米的土岗，淮河顺土岗东侧蜿蜒北流。土岗的东西两侧，分别是太子城遗址和城阳城遗址。前者据传是西周大夫申伯为太子宜臼所筑，故名太子城。后者则是战国时期楚国重要军事要塞的旧址。据《战国策》记载，公元前278年秦国将军白起率大军攻破楚国首都郢都之后，楚顷襄王率部将楚国的政治军事中心北迁至城阳，并以此为短暂国都，故又名楚王城。城阳之名见诸文献，以此为始。两个古城均依岗傍水而建，高大的城垣依然巍巍矗立，与城圈内俯拾皆是的陶片和偶尔能捡到的蚁鼻铜钱一起，默默地诉说着曾经的繁荣与奢华。

20世纪50年代末，原河南省文化局文物工作队（省文物考古研究所前身）曾在长台关的土岗上发掘了两座大型楚国木椁墓，出土了一大批精美的漆木器和青铜礼乐器，长台关楚墓遂引起学术界和社会各界的极大关注。中国第一颗人造卫星上播放的《东方红》乐曲，就是由长台关楚墓出土的青铜编钟演奏的。自然，这里也引起了一些不法之徒的觊觎，甚至一时间，长台关成了各地盗墓者云集之地。我们这次要抢救发掘的这座墓葬，处在一个私营的砖瓦窑场的取土区内，最近因窑场取土受到严重破坏而难以继续保护。当地的文物工作人员满怀信心地告诉我说，该墓虽然被破坏，却没有被盗掘。

10月2日下午，当我赶到现场时，看到的景象可谓一片狼藉。墓葬部位已被推土机推成了一个硕大的圆形土坑，墓中的青膏泥随处可见，墓道大部分已不存在，墓室内的台阶也被严重毁坏。然而这些还只是表象，当我将现场的情况记录完毕并将墓葬及其周围加以整理时，突然在墓室内残存的青膏泥平面上发现了异常：有两处青膏泥显得非常松软，也见不到在别处清晰可辨的夯打痕迹，且其分布大致呈圆形。我的心不由得一沉，马上意识到去年息县的一幕又要重演了。

接下来的发现让我的情绪沮丧到了冰点。随着清理工作的进展，我们不仅确认了这两处盗洞，而且发现后部的一号盗洞在到达墓顶板时，先将盖板锯开了一个50厘米见方的大洞，由此进入棺室，接着分别在棺室的后壁和北侧壁再锯开两个横向的仅可容一人通过的洞口，由此进入后室和侧室。前部的二号盗洞则先将棺室的前端锯开一个巨大的方洞，进入棺室后，又向南锯出横向的小洞，试图由此进入南侧室，幸亏锯掉的碎木块堆积太多，致使空间太小难以容身而未果。据此已可断定，该墓的主棺室、北侧室、中后室已被严重盗扰。另外，前室和北侧室已经坍塌，其原因和遭受的损失尚无法估量。

在两个盗洞中，我们先后清理出了盗墓者遗弃的铁皮水桶一个、深蓝色裤子一条、电锯使用的小润滑油壶一个以及香烟盒、打火机、编织袋等杂物若干（均已移交给当地的公安部门）。这些情况，足见当地近年来盗墓风潮之盛和此墓被盗程度之严重。反言之，足见文物保护和抢救发掘工作的紧迫性和必要性。

尽管有了这样的判断，我们对此次发掘还是做出了周密详尽的安排，制定出了一个较为完善的发掘方案。随着假日的结束，发掘队伍逐步组织起来，发掘清理、现场记录、绘图、

照相与摄像、器物的现场起取与临时保护、安全保卫等各个环节，我们都有专人各司其职。孙新民所长并陪同所内的曹桂岑、杨肇清等几位老专家在紧要关头亲临现场指导，信阳市的主要文物骨干也都在发掘一线工作。为安全起见，信阳市又组织了专职保卫队伍，最多时有36位公安干警和11位武警官兵。一时间，发掘工地热闹非凡，每天的围观群众比肩接踵，围观者的兴致甚至比工作人员还要高涨。发掘过程中，工地周围形成了一个临时但却很繁荣的环形自由市场，公安交警部门还不失时机地在发掘区附近设了一道查检机动车证照的关卡，其热闹程度可见一斑。

三、意料之外：劫余所见的辉煌

古人说"天道酬勤"，又谓"山穷水复疑无路，柳暗花明又一村"。看来古人真是诚不欺我——当我们在低落情绪中按部就班地将墓室内的青膏泥全部清理完毕、然后经过一昼夜的连续作战将椁室的木盖板全部吊装揭取之后，方始看到了墓室内文物的保存情况。夜幕中的工地尽管安装了四个千瓦以上的碘钨灯，我仍然不敢相信我所看到的一切：被盗之后，除棺室和中后室外，其余五个墓室中满满地堆放着数百件各类文物，而且相当一部分保存完好！一昼夜的不眠乃至十几天来的焦虑、疲惫，随着一件件文物的"出水"而顷刻间烟消云散！

这是一座甲字形大墓，由长方形斜坡墓道和长方形墓室构成。墓道宽4.55米，因被严重破坏，长度仅存2米左右的斜坡部分。墓室长13.50米，宽12.35米，分为主室、前室、左右侧室、左中右后室共七个互不相通的单元。经计算，七个墓室共用木料达90余立方米！各个墓室的周壁均使用加工精良的方木，以结构复杂的榫卯扣合，顶部用木板和方木平铺。顶板之上及第三层台阶的表面，又用竹席和苇草平铺一层。

墓内共出土各类文物达700多件，从质料讲，包括铜器、漆木器、陶器、玉器等多种门类。从功能讲，涵盖了礼器、车马器、酒器、食器、乐器、兵器等不同组别。其中，陶礼器居然是两套九鼎八簋，为其他楚墓所未见。漆木器中，尤以彩绘漆案最为精美。在一件长方形的漆案表面上通髹红漆，以此为底色，绘出黑色的规整的团花式旋涡纹样，图案富丽，色泽光艳。漆木乐器包括漆木鼓、木瑟、木编钟、木编磬等。木鼓系在一对圆雕的木虎上安放一对首尾相向的高大凤鸟，两凤之间连接有彩绘的木鼓。虎、凤均雕刻精美，并饰华美的彩绘。木编钟、木编磬均有巨大的底座和用于悬挂的木架，均雕刻并髹漆。一件透雕木瑟保存完好，是音乐史上不可多得的珍品。

最为出彩的是两套铜酒器。一组盛放在一个银彩图案的扁壶内，共有平口盘、折沿盘、圆盒28件（套），盘与盒大小套合，摆放规则，且大部分未生锈，出土时依然金光灿烂。扁壶从腹部开合的奇特造型，内盛酒具的盛装方式，以及盛放酒具的圆盒的特殊构造，在中原地区均为首次发现。另一组是在铜盒内盛放铜盘、铜匜与耳杯，大小相错叠置，数量达40余件，同样保存完好。铜盒也是从腹部开合，盒盖顶上又一个中空的圆柱，结合大量的烟痕及内装大量器物的情况判断，此套组合应该具有类似汽锅的功能。这两套器物均为目前楚系文物的孤品，就连一生从事中国古代金属工艺研究的华觉明教授和谭德睿教授观摩考察后，也惊呼其造型、组合、制作工艺等，对楚文化的研究均具有非凡的意义。

此外，墓室内还出土了一大批木雕彩绘俑，尤以两个侧室最多。有的俑还有保存较好的头发和丝织衣物，面部或雕刻，或彩绘，形象生动，体态优雅。有趣的是，大部分俑的背部均被自上而下削去四分之一，这种前所未见的现象，估计应与葬俗有关。

从墓葬规模、出土文物的组合与特征等方面分析并参考相关资料，我们初步判断墓主为大至相当于楚国卿大夫或封君一类的人物，其下葬的年代，与1957年发掘的一号墓、二号墓相当，应在战国中期。

侥幸未经盗扰的南侧室内，出土有木质坐榻、木枕、木瑟、木俑、铜酒器、铜镜等文物。环视四周，我想象着2000多年前楚国贵族浪漫惬意的生活：环佩玎玲，香气氤氲。主人一手抚枕，一手举觞，斜卧长榻，眼色迷离。一旁两位乐人奏瑟弄音，眼前两个细腰楚女正轻歌曼舞。是上九天以会玄女，还是穷九冥而展情思？

2002年的第一场雪比往年来得早了一些。10月中旬，地处豫南的信阳就迎来了一场纷纷扬扬的大雪。为安全计，我们不得不调整发掘计划，加快了工作进度，许多应该现场处理的事情，只好留待室内了。如同来得仓促一样，我的离开，也很仓促。

10月21日，天放晴了。我给每位参与发掘的当地老乡发了一盒散花烟，一一拥抱后，我和我的同事踏上了归程。

载着700余件文物的面包车安稳地行驶着。望着窗外的郁郁葱葱，我顿感满身疲惫，浑身慵懒。冥想间，一个电话打来，我突然意识到：今天是我的生日。

年华似水，岁月如歌，一晃到了2012年元旦，建所六十年大庆就要到来了！我虽已调到河南省文物局多年，但对考古发掘仍情有独钟，仅以此小文献给河南省文物考古研究所建所六十周年。

2002 年 10 月作者主持发掘信阳长台关七号楚墓右后室文物出土情况

2003 年上海博物馆马承源先生（左二）参观信阳长台关七号楚墓出土文物（左一陈佩芬、左三作者、左四郝本性）

2001 年 11 月作者（左二）赴日本奈良、福冈考察访问（左一孙新民、右二贾连敏）

2011 年 6 月文化遗产日作者展示平口圆盘等长台关楚墓出土文物

后　　记

　　年华似水，岁月如歌，在河南省文物考古研究所六十周年所庆到来之时，所领导班子决定请离退休老同志、在岗的中青年同志和已调到外单位的同志撰写回忆录，不限篇幅，只求真实，编辑出版一本《岁月如歌——一个甲子的回忆》。如今，收到40多篇回忆录，甚至有的还写诗词抒发情怀，写日记展示感悟。这些文章中有不少是个人几十年文物考古生涯的回顾，也有许多精彩片断的定格。一行行生动的字句，一张张鲜活的照片，描绘了河南省文物考古研究所60年历史的岁月。酸甜苦辣，喜怒哀乐，五味杂陈，感同身受！

　　本书由我所党总支书记魏周兴和老所长杨育彬负责编辑，所办公室主任李延斌、《华夏考古》编辑部主任方燕明及图书资料室聂凡，也为本书做出了贡献。大象出版社责任编辑郭一凡女士为本书出版付出了辛勤的劳动，阳光先生承担封面设计，在此一并表示感谢！

　　鞭炮声中，迎来了壬辰年春节，这是中国传统的团圆节日。今年又是龙年，龙是中华民族古老的图腾，海内外华夏儿女都是龙的传人。辞旧迎新，神州大地一片青绿，生机勃勃，充满了激情、喜悦和希望。愿我们至亲至爱的祖国永远繁荣昌盛，国泰民安！

编　者

壬辰年春节